# SOLUCIONES A LA PROBLEMÁTICA CONTABLE DE LAS EMPRESAS

# SOLUCIONES A LA PROBLEMÁTICA CONTABLE DE LAS EMPRESAS

## 204 Casos prácticos contables, financieros y fiscales, resueltos

**Francisco Javier Quesada Sánchez**

Catedrático de Economía Financiera y Contabilidad

*Universidad de Castilla-La Mancha*

**SOLUCIONES A LA PROBLEMÁTICA CONTABLE DE LAS EMPRESAS.**
**204 Casos prácticos contables, financieros y fiscales, resueltos**

Francisco Javier Quesada Sánchez

**ISBN:** 978-84-9281-299-8

**IBERGARCETA PUBLICACIONES, S.L., Madrid, 2012**

**Edición:** 1ª

**Nº de páginas:** 510

**Formato:** 17 × 24 cm.

**Materia BIC:** KFC. Contabilidad

**SOLUCIONES A LA PROBLEMÁTICA CONTABLE DE LAS EMPRESAS.**

**204 Casos prácticos contables, financieros y fiscales, resueltos.**

© Francisco Javier Quesada Sánchez

COPYRIGHT © 2012 IBERGARCETA PUBLICACIONES, S.L.

info@garceta.es

ISBN: 978-84-9281-299-8

Edición: 1ª.

Impresión: 1ª.

Depósito legal: M-16384-2012

**Impresión**:

OI: 052/2012

**IMPRESO EN ESPAÑA-PRINTED IN SPAIN**

*Para todos aquellos que padecemos la crisis*
*debido a los deficientes gestores,*
*que solo pretenden beneficiarse, manteniéndose en el poder,*
*creando dudas institucionales y de convivencia.*
*Aprendan primero, para servir a los demás.*

# CONTENIDO

# PROLOGO

La Contabilidad en sentido genérico, constituye un conjunto de conocimientos elaborados de acuerdo a una metodología científica, para generar una información económico-financiera sobre el estado del patrimonio o riqueza y sobre las rentas o resultados de cada periodo de las diversas organizaciones o agentes económicos a que se aplique.

De esta forma, históricamente se ha desarrollado la contabilidad de las familias, la contabilidad pública del estado y la contabilidad nacional, o de la sociedad en su conjunto. Pero la contabilidad por todos conocida y a la que prácticamente hace referencia el término es a la contabilidad financiera de la empresa.

En el enfoque actual, las características que se atribuyen a la información contable se basan en dos aspectos básicos, la relevancia y la fiabilidad y se sustenta en las hipótesis basadas en el principio del devengo y en el de gestión continuada, sirviendo de apoyo a las definiciones y criterios contables de reconocimiento de los elementos patrimoniales establecidos en la Plan General de Contabilidad 2007.

La obra "Problemáticas Contables en las empresas. 204 Casos prácticos contables, financieros y fiscales resueltos" se estructura en quince capítulos en los que se explica y comenta, de una manera detallada, tal como indica el título, todas y cada una de las operaciones y problemáticas contables reguladas por el Plan General de Contabilidad del 2007 y que tiene un carácter específico para las grandes empresas, marcando una diferencia con los criterios y operaciones contables que deben de aplicarse en la pequeñas y medianas empresas.

Su autor, catedrático de Economía Financiera y Contabilidad de Castilla La Mancha, es un acreditado y relevante investigador que conoce los aspectos teóricos y la aplicación práctica del PGC 2007, cuya función esencial en la administración y dirección de empresas consiste en realizar informes sobre la evolución del patrimonio, situación financiera y resultado de la empresa, teniendo en cuenta los aspectos presentes y futuros y en garantizar los derechos de propiedad de todos los grupos que forman la evaluación empresarial (*sharemaders* y *stakeholders*).

Los requisitos o características cualitativas de la información, principios y criterios contables incluidos en el PGC 2007 deben conducir a que la información incluida en las cuentas anuales sea relevante y fiable. La relevancia se funda en su valor histórico, comparativo y predictivo y la fiabilidad en que sea completa, libre de errores y neutral.

Adicionalmente la información financiera debe ser comprensible y comparable, tanto entre diversos periodos de la empresa, como entre las diferentes empresas en el mismo momento.

Se comienza con el estudio de los diferentes criterios de valoración establecidos en el Real Decreto 1514/2007, de 16 de noviembre por que el que se aprueba el Plan General de Contabilidad, sustentado con casos prácticos que permiten una mejor compresión de los mismos. Se continúa analizando, siempre sustentado con ejemplos prácticos, los fondos propios, subvenciones, provisiones, fondos ajenos, arrendamiento financiero, inmovilizado técnico, inversiones financieras con incidencia en la cuenta de pérdidas y ganancias y en el patrimonio neto.

Se analiza desde un punto de vista teórico y práctico las existencias y la moneda extranjera, los proveedores, acreedores, personal y compras, los clientes, deudores y las problemáticas de las ventas, incluido el *factoring*. Es destacable el tratamiento de los tributos, centrándose en el Impuesto sobre el Valor Añadido y el Impuesto de Sociedades, analizando las diferencias temporarias, el impuesto corriente y los ajustes en la imposición sobre beneficios que se pueden presentar.

La obra concluye con un capítulo dedicado a la elaboración de las Cuentas Anuales, comprendiendo el Balance, la Cuenta de pérdidas y ganancias, el Estado de cambios en el patrimonio neto, el Estado de flujos de efectivo y la Memoria. Hay que destacar el caso práctico completo (capítulo 15) en el que se elaboran las Cuentas Anuales en base a un conjunto de problemáticas contables específicas. Tal como aparece establecido en el Marco Conceptual del Plan General Contable, los elementos deben contabilizarse en el balance, la cuenta de pérdidas y ganancias o el estado de cambios en el patrimonio neto de la empresa, cuando sea probable la obtención o cesión de recursos que incorporen beneficios o rendimientos económicos y siempre que su valor pueda determinarse con fiabilidad.

Dada la profundidad del análisis del trabajo que se presenta, este libro se convierte en una obra clave para alumnos, profesores y profesionales de la contabilidad en las empresas, como instrumento para garantizar la responsabilidad en la información contable que demandan los agentes externos.

**Carlos Mallo Rodríguez**
Catedrático de Economía Financiera y Contabilidad
Universidad Carlos III de Madrid

# PRESENTACIÓN

El libro que ahora presentamos recoge el esfuerzo de varios años de trabajo mediante el proceso de recopilación de casos prácticos elaborados por nosotros y experimentados en clase y en exámenes de la Licenciatura de Administración y Dirección de Empresas (ADE), en Económicas y en Derecho y Administraciones Públicas en la Universidad de Castilla La Mancha. Se han recogido una gran variedad de casos, algunos de ellos no han sido contemplados por la normativa, si bien son casos tomados de la realidad del mundo de los negocios.

El ordenamiento de los diversos capítulos sigue la metodología del Plan General de Contabilidad, para las empresas ordinarias, comenzando por el grupo I "Financiación básica" y concluyendo con las Cuentas anuales. En cada capítulo se recoge de forma sintética los conceptos, clasificación y criterios de valoración de cada partida o conjunto de elementos equivalentes, pertenecientes a la misma masa patrimonial. A continuación, se contempla el tratamiento contable de esa masa patrimonial a nivel teórico. Para concluir con los casos prácticos en los que se aplican los conocimientos teóricos de cada conjunto de elementos homogéneos tratados.

En cada capítulo nos hemos centrado en el tratamiento contable de cada problemática específica correspondiente al tema que se trata. En general no se han recogido problemáticas conjuntas cuando correspondan a capítulos posteriores. Por ejemplo, en la adquisición de un inmovilizado estudiado en el grupo II del PGC "Inmovilizado técnico", se tratará su problemática contable concreta, sin contemplar el IVA correspondiente, debido a que la imposición indirecta se estudiará en el grupo IV del PGC.

Hay que destacar el hecho de que la normativa fiscal está sujeta a modificaciones y alteraciones mucho más rápidas que en la normativa contable. Este hecho supone una dificultad añadida a la hora de presentar un libro, cuyo periodo medio de maduración es superior a dieciocho meses y los cambios sufridos en el tipo impositivo están sujetos a la política fiscal y ésta cambia, generalmente cada año, en cada Presupuesto General del Estado. Por ello, hemos aplicado el tipo impositivo general del IVA que en la actualidad, en marzo de 2012 es el 18%. Cuándo se aprueben los Presupuestos Generales de este año,¿ se mantendrá el mismo tipo impositivo? De forma análoga ocurre con el tipo impositivo del Impuesto sobre la Renta de Sociedades, el Impuesto de la Renta de Personas Físicas, y el tipo de retenciones practicadas. En suma, la normativa fiscal se encuentra sujeta a modificaciones muy continuas.

En cuanto a la bibliografía se han recogido aquellas obras que se han consultado a lo largo de la evolución del libro que ahora presentamos. En este sentido algunos trabajos son antiguos, o bien muy clásicos, actualizados a la normativa en vigor en la doble vertiente española e internacional.

El destino del libro son los profesionales de la gestión y de la contabilidad, así como los estudiantes de Contabilidad, en las titulaciones de Administración y Dirección de Empresas (ADE), Economía, Derecho, Administraciones Públicas. También sería loable que los políticos dedicaran algo más de tiempo a su formación previa a su labor de gestión Pública.

El capítulo de agradecimientos es amplio. En efecto, en primer lugar a mis alumnos y profesionales que gracias a sus sabios consejos han mejorado, sin duda, el contenido y orientación del libro. A la editorial garceta grupo editorial, que han confiado en el trabajo que presentamos y, en especial a Andrés Otero, que frente a su equipo de correctores meticulosos han evitado, dentro de un intervalo razonable, la existencia de errores.

Algunos ejemplos, que a nuestro juicio nos parecen relevantes han sido recogidos en el contenido del mismo; por ello, dedicamos un especial agradecimiento a Inmaculada Alonso. Asimismo, a Antonio Pascual Martínez Alfonso y Gregorio Labatut Serer, autores del libro "Casos prácticos del PGC y PGC – PYMES y sus implicaciones fiscales, editado por CISS. A Manuel Gutierrez Vigueras que siempre sabe enfocar sus trabajos dirigidos al mundo empresarial.

Es relevante destacar nuestro agradecimiento al profesor Carlos Mallo, autor del prólogo y en especial por su juventud y dinamismos para mejorar la información en el mundo de los negocios y su constante preocupación por ayudar y fomentar a los amigos y colegas para realizar actividades.

A mi familia que con paciencia han colaborado directamente en la confección del presente trabajo. A María Ángela Jiménez con sus sabias aportaciones y críticas. Las reiteradas angustias y peleas con la informática ha sabido solucionarlas Pablo. David Jaime que siempre ha colaborado en dictar los cuadros, bibliografía y su aportación en el diseño.

A todos ellos nuestro agradecimiento y gratitud

**El Autor**

Marzo de 2012, en San Lorenzo de el Escorial

CAPITULO **1**

# CRITERIOS DE VALORACIÓN

# 1.1. COSTE HISTÓRICO

El **coste histórico** de un activo es su precio de adquisición o coste de producción.

El **precio de adquisición** es el importe en efectivo de adquisición más otros gastos satisfechos hasta su puesta en funcionamiento.

El **coste de producción** incluye el precio de adquisición de las materias primas y otras materias consumibles y los factores de producción directamente imputables al activo, y la fracción que razonablemente corresponda de los gastos de producción indirectamente relacionados con el activo y la imputación de la capacidad normal de trabajo de los medios de producción.

- **CASOS PRÁCTICOS**

## CASO PRÁCTICO 1.1. Coste histórico de un activo no corriente

Una sociedad anónima cede un terreno en uso para construir una nave. Paga al contado 100.000 euros y deja 150.000 euros aplazados a un año. La cesión dura 10 años y a su fin se desmantela la construcción con un coste estimado de 30.000 euros. La tasa de descuento es del 8%.

*Se pide*: determinar el coste histórico.

**Solución**

El coste histórico es el siguiente:

$$100.000 + \frac{150.000}{1,08} + \frac{30.000}{1,08^{10}} = 252.785 \text{ €.}$$

---

### CASO PRÁCTICO 1.2. Coste histórico de un pasivo corriente

Una sociedad anónima ha sido demandada por un proveedor. La cuantía probable a pagar es de 10.000 euros. La estimación del pago se efectuará en dos años. La tasa de descuento es del 6 %.

*Se pide*: determinar el coste histórico.

**Solución**

$$\frac{10.000}{1,06^2} = 8.900 \text{ €.}$$

---

### CASO PRÁCTICO 1.3. Coste histórico de emisión de un pagaré

Una sociedad anónima, pone en circulación pagarés sin intereses, la mitad de ellos se amortizan en un año y el resto al cabo de dos años. Se entrega a los inversores 100.000 euros. El interés aplicado es del 8% anual.

*Se pide*: determine el coste histórico del instrumento de deuda.

**Solución**

El coste histórico es el siguiente:

$$1/2 \times \frac{100.000}{1,08} + 1/2 \times \frac{100.000}{1,08^2} = 89.163 \text{ €.}$$

## 2.2.  VALOR RAZONABLE

El **valor razonable** es el importe por el que puede ser intercambiado un activo o liquidado un pasivo, entre partes interesadas y debidamente informadas, que realicen una transacción en condiciones de independencia mutua.

Con carácter general, el valor razonable se calculará con referencia a un valor de mercado fiable. En este sentido, el precio cotizado en un mercado activo será la mejor referencia del valor razonable, entendiéndose por *mercado activo* aquel en el que se den las siguientes condiciones:

a. los bienes o servicios intercambiados en el mercado serán homogéneos;

b. pueden encontrarse en todo momento compradores o vendedores para un determinado bien o servicio; y

c. los precios serán conocidos y accesibles para el público. Estos precios, además, reflejan transacciones de mercado reales, actuales y producidas con regularidad.

Para aquellos elementos para los que no exista un mercado activo, el valor razonable se obtendrá mediante la aplicación de modelos y técnicas de valoración. Entre ellos se incluye el empleo de referencias a transacciones recientes en condiciones de independencia entre las partes interesadas y debidamente informadas, así como las referencias al valor razonable de otros activos que sean sustancialmente iguales, los métodos de descuento de flujos de efectivo futuros estimados y los modelos generalmente utilizados para valorar opciones.

Las técnicas de valoración empleadas deberán maximizar el uso de datos observables y huir, en todo lo posible, del empleo de condiciones subjetivas y de datos no contrastables.

La empresa deberá evaluar la efectividad de las técnicas de valoración que utilice de manera periódica, empleando como referencia los precios observables de transacciones recientes en el mismo activo que se valore o utilizando los precios basados en datos o en los índices observables de mercado que estén disponibles y resulten aplicables.

**Tabla 1.1.** Aplicación del valor razonable

| Aplicación | | Balance | Imputación de las diferencias de valor |
|---|---|---|---|
| General | Coste histórico | Activos | Si se paga menos → Subvención |
| | | Pasivos | Si se paga más → Pérdida |
| General | Aportación de capital | Activos | Reservas |
| | | Pasivos | (prima de emisión) |
| General | Combinación de negocios | Activos | Precio pagado > F. Comercio |
| | | Pasivos | Precio pagado < Resultado |
| Particular | Instrumentos financieros | Mantenidos para negociar | Resultados |
| | | Disponibles venta | Patrimonio neto |

Los elementos que no puedan valorarse de manera fiable por el valor razonable, ya sea por falta de referencia a un valor de mercado, o mediante la aplicación de los modelos y técnicas de valoración señalados, se valorarán por su coste amortizado o por su precio de adquisición o coste de producción, minorado, en su caso, por las partidas correctoras de su valor razonable que les pudieran corresponder, haciéndose mención de todo ello en la Memoria.

## • CASOS PRÁCTICOS

### CASO PRÁCTICO 1.4. Valor razonable de acciones

(Adaptado de Martínez Alfonso, A. P. y Labatut Serer, G. *Casos prácticos del PGC y PGC-PYMES y sus implicaciones fiscales*. Editorial. Ciss, S.A., 2010)

Una sociedad anónima compra 3.000 acciones de la compañía "A" a 25 euros y 5.000 acciones de la compañía "B" a 20 euros la acción. Los gastos inherentes a la operación suponen el 1% de las operaciones.

Estas acciones las adscribe como activos financieros mantenidos para negociar.

Al cierre del ejercicio la cotización en bolsa es la siguiente:

* Acciones de la empresa "A": 24 euros/acción.

* Acciones de la empresa "B": 22 euros/acción.

*Se pide*: contabilizar las operaciones en el periodo trascurrido desde la compra de las acciones hasta el cierre de ejercicio.

**Solución**

Por la adquisición de las acciones de la empresa "A":

$$3.000 \times 25 = 75.000 \text{ €.}$$

| | | |
|---|---|---|
| 75.000 | I.F. a corto plazo en instrumentos de patrimonio (540) | |
| | a Bancos (572) | 75.000 |
| | –x– | |

Por los gastos inherentes a la operación:

$$1\% \times 75.000 = 750 \text{ €.}$$

| | | |
|---|---|---|
| 750 | Servicios profesionales independientes (623) | |
| | a Bancos (572) | 750 |
| | –x– | |

Por la adquisición de las acciones de la empresa "B"

$$5.000 \times 20 = 100.000 \text{ €.}$$

| | | |
|---|---|---|
| 100.000 | I.F. a corto plazo en instrumentos de patrimonio (540) | |
| | a | |
| | Bancos (572) | 100.000 |
| | —x— | |

Por los gastos inherentes a la operación

$$1\% \times 100.000 = 1.000 \text{ €.}$$

| | | |
|---|---|---|
| 1.000 | Servicios profesionales independientes (623) | |
| | a | |
| | Bancos (572) | 1.000 |
| | —x— | |

Al término del ejercicio:

| | | |
|---|---|---|
| 3.000 | Pérdidas por valoración de activos y pasivos financieros por el valor razonable (663) | |
| | a | |
| | Inversiones financieras a corto plazo en instrumentos de patrimonio (540) | 3.000 |
| | —x— | |

| | | |
|---|---|---|
| 10.000 | I.F. a corto plazo en instrumentos de patrimonio (540) | |
| | a | |
| | Beneficios por valoración de activos y pasivos financieros por el valor razonable (763) | 10.000 |
| | —x— | |

## 1.3. VALOR NETO REALIZABLE

El **valor neto realizable** de un activo es el importe que se puede obtener por su enajenación en el mercado, en el curso normal del negocio, deduciendo los costes estimados necesarios para llevarla a cabo, así como, en el caso de las materias primas y de los productos en curso, los costes estimados necesarios para terminar su producción, construcción o fabricación.

- ## CASOS PRÁCTICOS

### CASO PRÁCTICO 1.5. Valor neto realizable

Una sociedad anónima dispone de una maquinaria que puede vender en el mercado por 9.000 euros, siendo necesario incurrir en unos gastos de venta de 600 euros.

Se dispone también de productos en curso, que una vez terminados, tendrán un precio de venta en el mercado de 15.000 euros, Los costes necesarios para su finalización se estiman en 5.000 euros.

*Se pide*: determine el valor neto razonable.

**Solución**

- – Maquinaria: 9.000 – 600 = 8.400 €.
- – Productos en curso: 15.000 – 5.000 = 10.000 €.

## 1.4. VALOR ACTUAL

El **valor actual** es el importe de los flujos de efectivo a recibir o pagar en el curso normal del negocio, según se trate de un activo o un pasivo, respectivamente, actualizados a un tipo de descuento adecuado.

- ## CASOS PRÁCTICOS

### CASO PRÁCTICO 1.6. Valor actual de un activo no corriente

Una sociedad anónima dispone de un inmovilizado material por importe de 11.000 euros.

La venta se realiza a crédito mediante dos letras cuyo vencimiento es a un año, por importe de 5.000 euros y a dos años, por importe de 6.000 euros. El tipo de descuento es del 6,5%.

*Se pide*: determinar el valor actual.

**Solución**

Valor actual:

$$5.000 \, (1 + 0,65)^{-1} + 6.000 \, (1 + 0,65)^{-2} = 9.984,79 \; €.$$

CASO PRÁCTICO 1.7. **Valor actual de un préstamo**

Una sociedad anónima tiene un préstamo concedido hace 10 años, cuya devolución se realiza por anualidades no constantes que se llevan a cabo al final de cada año.

En la fecha actual quedan pendientes de pago cuatro anualidades con vencimiento anual, de las cuales, la primera es de 4.000 euros de nominal y las tres últimas de 5.000 euros del nominal. La sociedad decide cancelar el importe pendiente de los tres últimos pagos.

El tipo de interés de descuento es del 4,5%.

*Se pide*: el valor actual del préstamo.

**Solución**

Valor actual del préstamo:

$$4.000 \times 1{,}045^{-1} + 5.000 \times 1{,}045^{-2} + 5.000 \times 1{,}045^{-3} + 5.000 \times 1{,}045^{-4} =$$
$$= 16.980{,}69 \ €.$$

# 1.5. VALOR DE USO

El **valor de uso** de un activo o de una unidad generadora de efectivo es el valor actual de los flujos de efectivo futuros esperados, a través de su utilización en el curso normal del negocio.

En caso de su enajenación u otra forma de disposición, se tendrá en cuenta la situación actual y se considerarán actualizados a un tipo de mercado sin riesgo, ajustado por los riesgos específicos del activo que no haya sido ajustado teniendo en cuenta las estimaciones de los flujos de efectivo futuro.

- **CASOS PRÁCTICOS**

CASO PRÁCTICO 1.8. **Valor de uso**

(Adaptado de Martínez Alfonso, A. P. y Labatut Serer, G. *Casos prácticos del PGC y PGC-PYMES y sus implicaciones fiscales*. Editorial. Ciss, S.A., 2010)

Una sociedad anónima adquiere, con fecha 1-10-20X5, diversas instalaciones técnicas por valor de 80.000 euros y una vida útil estimada de 10 años.

En el ejercicio presente, 20X8, el valor de las instalaciones es de 60.000 euros, siendo necesario realizar unas mejoras por valor de 2.000 euros.

El tipo de interés de la deuda a plazo, entre 7 y 10 años, es del 6,5%.

La empresa opera con unos márgenes brutos del 30%, por tanto, espera obtener un rendimiento bruto anual del curso normal del negocio por el importe correspondiente de la amortización, incrementado en un 30%.

*Se pide*: determinar el registro y la valoración contable para el ejercicio 20X5.

**Solución**

|  | 20X5 | 20X6 | 20X7 | Amortización acumulada |
|---|---|---|---|---|
| **Amortización** | 2.000 | 8.000 | 8.000 | 18.000 |

- Valor en libros 80.000 – 18.000 = 62.000 €.
- Valor neto realizable: 60.000 – 2.000 = 58.000 €.

**Valor de uso:**

Es el valor actual de los flujos de efectivo estimados derivados de su aplicación al proceso productivo:

- Flujos anuales estimados: $8.000 \times 1.30 = 10.400$ €.
- Periodo que resta de vida útil: 7,5 años.
- Tipo de descuento: 6,5%.

**Valor actual:**

$$10.400 (1 + 0,65)^{-1} + 10.400 (1 + 0,65)^{-2} + 10.400 (1 + 0,65)^{-3} + 10.400 (1 + 0,65)^{-4} +$$

$$10.400 (1 + 0,65)^{-5} + 10.400 (1 + 0,65)^{-6} + 10.400 (1 + 0,65)^{-7} + 10.400 (1 + 0,65)^{-7,75} = =$$

61.826,80 €.

El deterioro resulta, por tanto, de:

$$62.000 - 61.826,80 = 173,20 €.$$

| | | |
|---|---|---|
| 173,20 | Pérdidas por deterioro del inmovilizado material (691) | |
| | a | |
| | Instalaciones técnicas (212) | 173,20 |
| | –x– | |

Tras el reconocimiento de las perdidas por deterioro, la amortización debe experimentar la correspondiente corrección:

$$80.000 - 18.000 - (173,20 / 7,75) = 7.977,65 €.$$

## 1.6. COSTE DE VENTA

El **coste de venta** corresponde a los costes incrementados, directamente atribuibles a la venta de un activo, en los que la empresa no habría incurrido de no haber tomado la decisión de vender, incluidos los gastos financieros y los impuestos sobre beneficios. También se incluyen los gastos legales necesarios para transferir la propiedad del activo y las comisiones de la venta.

● CASOS PRÁCTICOS

CASO PRÁCTICO 1.9. Coste de ventas

Una sociedad anónima dispone de una maquinaria cuyo valor de compra fue de 40.000 euros y se encuentra amortizada en un 75%.

Se han incurrido en los gastos siguientes:

– Reparaciones: 2.000 euros.

– Gastos de desinstalación: 300 euros.

– Gastos de asesoría: 200 euros.

El precio de venta fijado de la maquinaria es de 18.000 euros.

*Se pide*: determinar el coste de venta.

**Solución**

– Coste de venta: $2.000 + 300 + 200 = 2.500 €.$

– Precio de venta: $18.000 €.$

– Valor neto contable: $40.000 - (40.000 \times 0,75) = 10.000 €.$

– Beneficio obtenido: $8.000 - 2.500 = 5.500 €.$

## 1.7. COSTE AMORTIZADO

El **coste amortizado** de un instrumento financiero es el importe al que inicialmente fue valorado un activo financiero o un pasivo financiero, menos los reembolsos de principal que se hubieran producido, al que se suman o restan, según proceda, la parte imputada en la cuenta de pérdidas y ganancias, mediante la utilización del método del tipo de interés efectivo, de la diferencia entre el importe inicial y el valor de reembolso en el vencimiento.

El tipo de interés efectivo es el tipo de actualización que iguala el valor en libros de un instrumento financiero con los flujos de efectivo estimados a lo largo de su vida, según sus condiciones contractuales y sin considerar las pérdidas por riesgo de crédito futuras.

- **CASOS PRÁCTICOS**

---

### CASO PRÁCTICO 1.10. Coste amortizado

(Adaptado de Martínez Alfonso, A. P. y Labatut Serer, G. *Casos prácticos del PGC y PGC-PYMES y sus implicaciones fiscales*. Editorial. Ciss, S.A., 2010)

Una sociedad anónima hace una inversión de 100 bonos de 1.000 euros nominales cada uno por valor de 98.000 euros. Estos bonos devengan un tipo de interés del 4% pagadero anualmente y se reembolsan al término del segundo año por valor de 101.000 euros.

*Se pide*: registrar y calcular las operaciones reseñadas.

**Solución**

El tipo de interés efectivo es:

$$98.000 = 4.000\,(1 + i) + 4.000\,(1 + i)^2 + 101.000\,(1 + i)^2.$$

de donde,

$$i = 0,055708.$$

Este es el tipo de interés que debe imputarse a la cuenta de resultados, que es el valor actual de la diferencia entre el interés percibido (4%) y el interés efectivo (5,5708%) y debe formar parte del coste amortizado del activo.

En el momento de la adquisición:

| | | |
|---|---|---|
| 98.000 | Valores representativos de deuda a largo plazo (251) | |
| | a | |
| | Bancos c/c (572) | 98.000 |
| | –x– | |

A la percepción del primer cupón (interés):

$$98.000 \times 5,5708\% = 5.459,35 \text{ €.}$$

| | | |
|---|---|---|
| 4.000 | Bancos c/c (572) | |
| 1.459,35 | Valores representativos de deuda a largo plazo (251) | |
| | a | |
| | Ingresos de valores representativos de deuda (761) | 5.459,35 |
| | —x— | |

El coste amortizado al cabo del primer año será:

$$99.459,35 - 101.000 = (1.540,65) \text{ €.}$$

Por la reclasificación del activo a corto plazo:

| | | |
|---|---|---|
| 99.459,35 | Valores representativos de deuda a corto plazo (541) | |
| | a | |
| | Valores representativos de deuda a largo plazo (251) | 99.459,35 |
| | —x— | |

A la percepción del segundo cupón (interés):

| | | |
|---|---|---|
| 4.000,00 | Bancos c/c (572) | |
| 99.459,35 | Valores representativos de deuda a corto plazo (541) | |
| | a | |
| | Ingresos de valores representativos de deuda (761) | 5.540,65 |
| | —x— | |

El coste amortizado al cabo del segundo año será

$$99.459,35 - 101.000 = (1.540,65) \text{ €.}$$

En el momento del reembolso:

| | | |
|---|---|---|
| 101.000 | Bancos c/c (572) | |
| | a | |
| | Valores representativos de deuda a corto plazo (541) | 101.000 |
| | —x— | |

## 1.8. COSTES DE TRANSACCIÓN ATRIBUIBLES A UN ACTIVO O PASIVO FINANCIERO

Los **costes de transacción** corresponden a los costes incrementales directamente atribuibles a la compra, emisión, enajenación u otra forma de disposición de un activo financiero, o a la emisión o asunción de un pasivo financiero, en los que no se habría incurrido si la empresa no hubiera realizado la transacción.

## 1.9. VALOR CONTABLE O EN LIBROS

El valor contable o en libros es el importe neto por el que un activo o un pasivo se encuentra registrado en balance una vez deducida, en el caso de los activos, su amortización acumulada y cualquier corrección valorativa por deterioro acumulada que se haya registrado.

● **CASOS PRÁCTICOS**

---

**CASO PRÁCTICO 1.11. Valor contable o en libros de acciones**

---

Una sociedad anónima adquiere unas acciones disponibles para la venta por valor de 1.000 euros. Al final del ejercicio su valor es de 1.100 euros. En el año siguiente el valor de cotización es de 950 euros.

*Se pide*: determínese el valor contable de las acciones en los dos años.

**Solución**

- En el primer año el valor contable o en libros es de 1.100 €.
- En el segundo año el valor contable o en libros es de 950 €.

---

**CASO PRÁCTICO 1.12. Valor contable o en libros de activos no corrientes**

---

Una sociedad anónima adquiere una maquinaria por valor de 1.000 euros. Al final del ejercicio su valor es de 700 euros. En el año siguiente, el valor de cotización es de 400 euros.

*Se pide*: determinar el valor contable de la maquinaria en los dos años.

**Solución**

- En el primer año, el valor contable o en libros es de 700 €.
- En el segundo año, el valor contable o en libros es de 400 €.

# 1.10. VALOR RESIDUAL

El **valor residual** de un activo es el importe que la empresa estima que podría obtener en el momento actual por la venta de ese activo. De este valor hay que deducir los costes calculados para realizar la venta, considerando que el activo hubiese alcanzado la antigüedad estimada al final de la vida útil y demás condiciones.

La **vida útil** es el periodo durante el cual se espera utilizar el activo amortizable por parte de la empresa o el número de unidades de producción que se espera obtener del mismo.

La **vida económica** es el periodo durante el cual se espera que el activo sea utilizable por parte de uno o más usuarios o el número de unidades de producción que se espera obtener del activo por parte de uno o varios usuarios.

● **CASOS PRÁCTICOS**

## CASO PRÁCTICO 1.13. Valor residual

Una sociedad anónima dispone de un equipo informático valorado en 5.000 euros, con una vida útil de dos años. En el momento actual, se podrían obtener 2.000 euros por su venta.

Al final de su vida, para poder venderse, se requiere incurrir en una serie de gastos:

– Publicidad y anuncios 30 euros.

– Comisiones 20 euros.

– Desinstalación 70 euros.

*Se pide*: determinar el valor residual del equipo.

**Solución**

Valor residual: 2.000 – 30 – 20–70 = 1.880 €.

CAPITULO **2**

# CAPITAL, RESERVAS Y RESULTADOS PENDIENTES DE APLICACIÓN

CONTENIDO

# 2.1. CONSTITUCIÓN DE UNA SOCIEDAD ANÓNIMA

La financiación propia o los Recursos propios o el Patrimonio neto corresponden a aquellas aportaciones procedentes de los socios de la empresa o de los recursos autogenerados correspondientes a los beneficios, en general, no distribuidos.

- Cuando revisten forma mercantil ⟶ Capital o Capital social.

- Cuando no revisten forma mercantil ⟶ Fondo social.

Cuando las aportaciones se realizan al principio o en el momento de la creación de la entidad, se habla de la constitución de la sociedad.

Cuando se realizan a lo largo de la vida de la misma, según las nuevas necesidades, se habla de **ampliaciones de capital**.

## Criterios de valoración

Los Recursos propios se valoran, en general, a valor nominal.

## Problemática contable

**Emisión**: consiste en poner en circulación títulos o acciones que en su conjunto representan el importe del capital social.

```
Acciones o participaciones emitidas (190)
                                a
                                        Capital social (100)
                        —x—
```

**Suscripción**: consiste en el compromiso por parte de terceras personas que desean ser socios de la sociedad; para ello deben realizar un desembolso económico, cuando sea solicitado por la sociedad.

```
Socios por desembolsos no exigidos (103)
                                a
                                        Acciones o participaciones emitidos (190)
                        —x—
```

El desembolso de la cifra del capital puede ser total o parcial. Si es parcial, la Ley de Sociedades Anónimas exige un desembolso mínimo del 25% de la cifra del capital.

**Desembolso**: consiste en hacer efectivo el compromiso de aportación o suscripción.

```
Caja (570)
                                a
                                        Socios por desembolsos no exigidos (103)
                        —x—
```

**Caja**: recoge el desembolso efectuado por el accionista, consistente en la liberalización del compromiso.

**Gastos de constitución y ampliación de capital**: los gastos derivados de la constitución y ampliación de capital de la sociedad como son la Escritura pública, los gastos de Registro e impuestos, se recogen en los gastos de constitución que se pagan en el momento de la constitución y se imputan al mismo ejercicio en que se producen, según señala el PGC, con cargo a reservas voluntarias.

| | |
|---|---|
| Reserva voluntaria (113) | |
| H.P. IVA soportado (472) | |
| | a |
| | Bancos c/c (572) |
| —x— | |

La opción establecida por el PGC no proporciona una solución adecuada, en nuestra opinión. Nuestra propuesta sería utilizar el asiento siguiente:

| | |
|---|---|
| Otras pérdidas de gestión corriente (659) | |
| | a |
| | Caja (570) |
| —x— | |

Las aportaciones no dinerarias pueden sintetizarse de la forma siguiente:

Emisión, suscripción y desembolso parcial:

| | |
|---|---|
| Caja (570) | |
| Terrenos y bienes naturales (210) | |
| Socios por desembolsos no exigidos (103) | |
| Socios por aportaciones no dinerarias pendientes (104) | |
| | a |
| | Capital social (100) |
| —x— | |

Gastos de constitución o ampliación de capital:

| | |
|---|---|
| Reserva voluntaria (113) | |
| H.P. IVA soportado (472) | |
| | a |
| | Bancos c/c (572) |
| —x— | |

Por la solicitud y cobro de un nuevo dividendo pasivo:

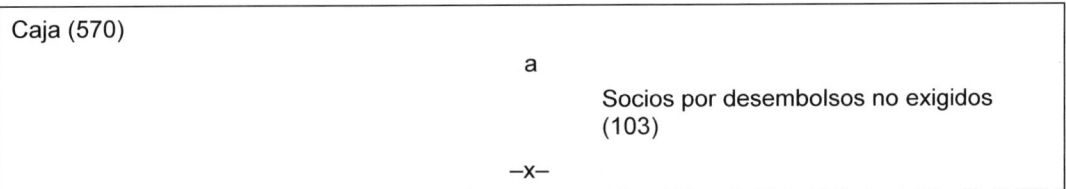

Por la recepción de la aportación no dineraria pendiente.

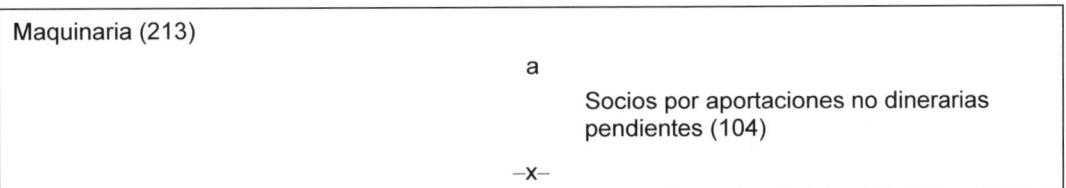

## • CASOS PRÁCTICOS

### CASO PRÁCTICO 2.1. Constitución de una S.A.: requisitos legales

Se desea constituir una sociedad anónima por el mínimo legal, con una suscripción del 80% y con el desembolso mínimo exigido por la ley. Los gastos de constitución ascienden al 6% de la cifra de capital.

*Se pide*: decidir si se puede constituir la sociedad en este supuesto.

**Solución**

El capital social mínimo asciende a 60.101 euros y la suscripción ha de ser total. Si esto no ocurre así, es necesario anular las acciones no suscritas. En nuestro caso, no se podría constituir una sociedad anónima.

### CASO PRÁCTICO 2.2. Constitución de S.A. general con emisión a la par

Se constituye una sociedad anónima con un capital social de 500.000 euros. El 20% se consigue por medio de las aportaciones dinerarias de sus socios, que aportan el mínimo establecido por Ley.

Por otra parte, se aportan unas construcciones valoradas en 300.000 euros, quedando pendiente por desembolsar una maquinaria, cuyo valor se ha establecido en 100.000 euros, que se entregarán a la sociedad transcurridos seis meses.

A los seis meses se les exige el resto del desembolso pendiente de las aportaciones dinerarias y no dinerarias.

Los gastos de constitución de la sociedad ascienden a 5.000 euros.

*Se pide*: contabilizar las operaciones de los seis primeros meses.

**Solución**

La emisión, suscripción y desembolso de la S.A., con aportaciones no dinerarias, es de la forma siguiente:

Emisión:

| | | |
|---|---|---|
| 500.000 | Acciones o participaciones emitidas (190) | |
| | a | |
| | Capital social (100) | 500.000 |
| | —x— | |

Suscripción y desembolso parcial:

| | | |
|---|---|---|
| 25.000 | Caja (570) | |
| 300.000 | Construcciones (211) | |
| 75.000 | Socios por desembolsos no exigidos (103) | |
| 100.000 | Socios por aportaciones no dinerarias pendientes (104) | |
| | a | |
| | Acciones o participaciones emitidas (190) | 500.000 |
| | —x— | |

Los gastos de constitución ascienden a 5.000 euros:

| | | |
|---|---|---|
| 4.200 | Reserva voluntaria (113) | |
| 800 | H.P. IVA soportado (472) | |
| | a | |
| | Bancos c/c (572) | 5.000 |
| | —x— | |

Por el cobro del dividendo del pasivo, correspondiente a las aportaciones dinerarias:

| | | | |
|---|---|---|---|
| 75.200 | Bancos (572) | | |
| | | a | |
| | | Socios desembolsos no exigidos (103) | 75.000 |
| | | —x— | |

Por la recepción de la aportación no dineraria pendiente:

| | | | |
|---|---|---|---|
| 100.200 | Maquinaria (213) | | |
| | | a | |
| | | Socios por aportaciones no dinerarias pendientes (104) | 100.000 |
| | | —x— | |

## CASO PRÁCTICO 2.3. Constitución de una S.A.: comparativa PGC 90 *vs.* PGC 07

Se constituye una sociedad anónima por el mínimo legal a la par, con unos gastos de constitución de 1.800 euros. El IVA correspondiente es del 18%.

*Se pide*:

1. Contabilizar las operaciones según el PGC 90.

2. Contabilizar las operaciones de forma análoga a los gastos de ampliación de capital, según el PGC 07.

3. Contabilizar las operaciones según el PGC 07.

**Solución**

**1. Contabilización de las operaciones según el PGC 90.**

| | | | |
|---|---|---|---|
| 60.101 | Acciones emitidas | | |
| | | a | |
| | | Capital social (100) | 60.101 |
| | | —x— | |

Suscripción:

| | | | |
|---|---|---|---|
| 60.101 | Accionistas por desembolsos no exigidos | | |
| | | a | |
| | | Acciones emitidas | 60.101 |
| | | —x— | |

Desembolso:

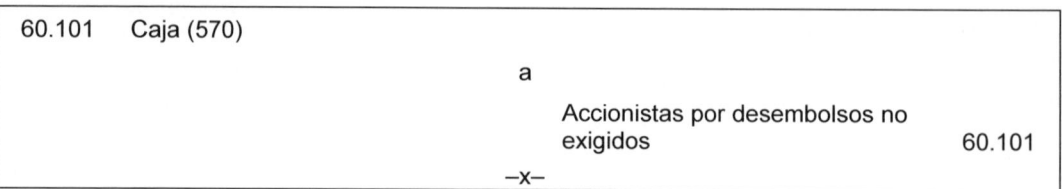

| 60.101 | Caja (570) | | |
|--------|------------|---|---|
| | | a | |
| | | Accionistas por desembolsos no exigidos | 60.101 |
| | | —x— | |

Gastos de constitución:

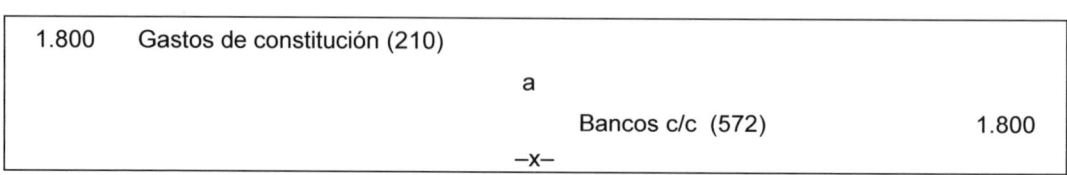

| 1.800 | Gastos de constitución (210) | | |
|-------|------------------------------|---|---|
| | | a | |
| | | Bancos c/c (572) | 1.800 |
| | | —x— | |

## 2. Contabilización de las operaciones de forma análoga a los gastos de ampliación de capital, según el PGC 07

| 60.101 | Acciones o participaciones emitidas (190) | | |
|--------|-------------------------------------------|---|---|
| | | a | |
| | | Capital social (100) | 60.101 |
| | | —x— | |

Suscripción:

| 60.101 | Socios por desembolsos no exigidos (103) | | |
|--------|------------------------------------------|---|---|
| | | a | |
| | | Acciones o participaciones emitidas (190) | 60.101 |
| | | —x— | |

Desembolso:

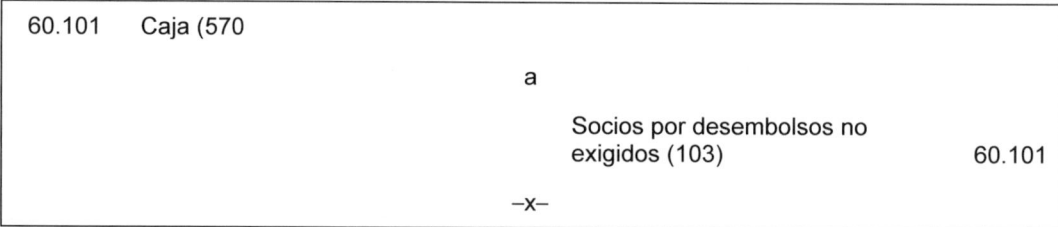

| 60.101 | Caja (570 | | |
|--------|-----------|---|---|
| | | a | |
| | | Socios por desembolsos no exigidos (103) | 60.101 |
| | | —x— | |

En cuanto a los gastos de constitución y ampliación de capital, la opción establecida por el PGC 2007, en nuestra opinión, no proporciona una solución adecuada a este problema. Por ello, nuestra propuesta sería utilizar el asiento siguiente:

| | | |
|---|---|---|
| 1.800 | Otras pérdidas de gestión corriente (659) | |
| | a | |
| | Caja (570) | 1.800 |
| | —x— | |

## 3. Contabilización de las operaciones según el PGC 2007.

| | | |
|---|---|---|
| 60.101 | Acciones o participaciones emitidas (190) | |
| | a | |
| | Capital social (100) | 60.101 |
| | —x— | |

Suscripción:

| | | |
|---|---|---|
| 60.101 | Socios por desembolsos no exigidos (103) | |
| | a | |
| | Acciones o participaciones emitidas (190) | 60.101 |
| | —x— | |

Desembolso:

| | | |
|---|---|---|
| 60.101 | Caja (570) | |
| | a | |
| | Socios por desembolsos no exigidos (103) | 60.101 |
| | —x— | |

| | | |
|---|---|---|
| 1.476 | Reserva voluntaria (113) | |
| 324 | H.P. IVA soportado (472) | |
| | a | |
| | Bancos c/c (572) | 1.800 |
| | —x— | |

## CASO PRÁCTICO 2.4. Constitución de una sociedad con el mínimo legal

Se constituye una sociedad anónima por el mínimo marcado por la ley, sobre la par, al 120%. La suscripción es total y el desembolso es el mínimo señalado en la ley. Los gastos de constitución ascienden al 6% de la cifra de capital.

*Se pide*: La emisión suscripción y desembolso.

**Solución**

Emisión mínima:

| | | |
|---|---|---|
| 72.121 | Acciones o participaciones emitidas (190) | |
| | a | |
| | Capital social (100) | 59.101 |
| | Prima de emisión o asunción (110) | 12. 020 |
| | —x— | |

Suscripción:

| | | |
|---|---|---|
| 12. 020 | Caja (570) | |
| 60.101 | Socios por desembolsos no exigidos (103) | |
| | a | |
| | Acciones o participaciones emitidas (190) | 72.121 |
| | —x— | |

Desembolso:

| | | |
|---|---|---|
| 15.025,25 | Socios por desembolsos exigidos (558) | |
| | a | |
| | Socios por desembolsos no exigidos (103) | 15.025,25 |
| | —x— | |

Desembolso:

| | | |
|---|---|---|
| 15.025,25 | Caja (570) | |
| | a | |
| | Socios por desembolsos exigidos (558) | 15.025,25 |
| | —x— | |

Gastos de constitución:

| | | | |
|---|---|---|---|
| 3.606,00 | Reserva voluntaria (113) | | |
| 576,96 | H.P. IVA soportado (472) | | |
| | | a | |
| | | Bancos c/c (572) | 4.282,96 |

—x—

## CASO PRÁCTICO 2.5. Constitución de una S.A. por los fundadores

Se constituye una sociedad anónima por fundación sucesiva. Los datos de constitución de la sociedad son los siguientes:

- El capital social está formado por 500.000 acciones, de 100 euros cada una.
- Se hace un desembolso del 50%, siendo todas, aportaciones dinerarias.
- Suscripción total.
- Gastos satisfechos por el grupo promotor:
    - Servicios profesionales: 15.000 euros.
    - Otros servicios: 10.000 euros.

Se celebra Junta constituyente y se aprueba la gestión del grupo promotor.

*Se pide:*
1. Realizar la contabilidad del grupo promotor.
2. Realizar la contabilidad de la sociedad.

**Solución**

**1. Contabilidad del grupo promotor.**

Emisión de las acciones del grupo promotor:

| | | | |
|---|---|---|---|
| 50.000.000 | Acciones emitidas | | |
| | | a | |
| | | Capital social, sociedad en formación | 50.000.000 |

—x—

Por los suscriptores de acciones:

| | | |
|---|---|---|
| 50.000.000 | Suscriptores de acciones | |
| | a | |
| | Acciones emitidas | 50.000.000 |
| | —x— | |

| | | |
|---|---|---|
| 50.000.000 | Suscriptores de acciones | |
| | a | |
| | Acciones emitidas | 50.000.000 |
| | —x— | |

Por el desembolso recibido:

| | | |
|---|---|---|
| 50.000.000 | Bancos | |
| | a | |
| | Acciones emitidas | 50.000.000 |
| | —x— | |

Por los gastos satisfechos del grupo promotor:

| | | |
|---|---|---|
| 15.000 | Servicios de profesionales in-dependientes | |
| 10.000 | Otros gastos | |
| | a | |
| | Grupo promotor | 25.000 |
| | —x— | |

Situación contable final del grupo promotor:

| | |
|---|---|
| Bancos | 50.000.000 |
| Servicios profesionales independientes | 15.000 |
| Otros gastos | 10.000 |
| **Total** | **50.025.000** |
| Capital social, sociedad en formación | 50.000.000 |
| Grupo promotor | 25.000 |
| **Total** | **50.025.000** |

Cierre de la contabilidad del grupo promotor:

| | | | | |
|---|---|---|---|---|
| 50.000.000 | Capital social, sociedad en formación | | | |
| 20.000 | Grupo promotor | | | |
| | | a | | |
| | | | Bancos (572) | 50.000.000 |
| | | | Servicios profesionales inde-pendientes | 15.000 |
| | | | Otros gastos | 10.000 |
| | | —x— | | |

## 2. Contabilidad de la nueva sociedad

Apertura de las cuentas:

| | | | | |
|---|---|---|---|---|
| 50.000.000 | Bancos (572) | | | |
| 15.000 | Servicios profesionales indepen-dientes (623) | | | |
| 10.000 | Otros servicios (629) | | | |
| | | a | | |
| | | | Capital social (100) | 50.000.000 |
| | | | Deudas a corto plazo (521) | 25.000 |
| | | —x— | | |

Por el pago del grupo promotor:

| | | | | |
|---|---|---|---|---|
| 25.000 | Deudas a corto plazo (521) | | | |
| | | a | | |
| | | | Bancos (572) | 25.000 |
| | | —x— | | |

## CASO PRÁCTICO 2.6. Constitución de una S.A. sobre la par

Se constituye una sociedad anónima con un capital social de 300.000 euros, con una emisión del 150%, totalmente desembolsadas. Los gastos de constitución se desglosan en los conceptos siguientes:

- Honorarios de asesoría: 1.000 euros, más el IVA correspondiente.
- Notario: 2.000 euros, más el IVA correspondiente.
- Registro: 2.500 euros, más el IVA correspondiente.
- Tributos de las operaciones societarias: 1.500 euros.

Las retenciones practicadas a todos los profesionales intervinientes son del 15%. El tipo de gravamen del Impuesto de Sociedades es del 30% y el IVA correspondiente es el 18%.

*Se pide*: realizar las operaciones reseñadas.

**Solución**

Por la emisión, suscripción y desembolso:

| | | | |
|---|---|---|---|
| 450.000 | Bancos (572) | | |
| | | a | |
| | | Capital social (100) | 300.000 |
| | | Prima de emisión (110) | 150.000 |
| | −x− | | |

Por el pago de los gastos de emisión:

| | | | |
|---|---|---|---|
| 4.900 | Reserva voluntaria (113) | | |
| 2.100 | H.P. acreedor por impuesto de Sociedades (4752) | | |
| 990 | HP. IVA soportado (472) | | |
| | | a | |
| | | Bancos (572) | 7.165 |
| | | H.P. acreedores por retenciones practicadas (4751) | 825 |
| | −x− | | |

- La cuenta *Reserva voluntaria* (113) recoge el importe de los gastos de constitución, menos el importe del Impuesto de Sociedades, con un tipo de gravamen, según el enunciado del 0,30. Esto supone:

$$1.000 + 2.000 + 2.500 + 1.500 = 7.000 \ €.$$

Por tanto, las reservas voluntarias son:

$$7.000 \times = 0,70 = 4.900 \ €.$$

Ahora, en la cuenta *Hacienda Pública, acreedor por impuesto de Sociedades* (4752), imputamos:

$$7.000 \times 0,30 = 2.100 \ €.$$

- La cuenta *Hacienda Pública, IVA soportado* (472), se encuentra sujeta al IVA de los gastos de constitución, excepto los tributos. Por tanto:

$$(1.000 + 2.000 + 2.500) \times 0,18 \ (IVA) = 990 \ €.$$

- La cuenta *Hacienda Pública, acreedores por retenciones practicadas* (4751), recoge las retenciones a profesionales y gastos de notaría y registro a un tipo de gravamen del 0,15. Por tanto, tenemos.

$$(1.000 + 2.000 + 2.500) \times 0,15 = 825 \text{ €.}$$

## CASO PRÁCTICO 2.7. Constitución de una S.A. a la par sin IVA

Una sociedad anónima se constituyó el 1-01-20X8 con un capital de 600.000 euros. Los gastos de constitución ascendieron a 10.000 euros.

El beneficio obtenido antes de impuestos es de 250.000 euros, con un tipo impositivo del 30%. La sociedad no ha realizado pagos a cuenta y no tiene ningún ajuste que realizar al resultado contable.

*Se pide*: realizar las operaciones reseñadas.

**Solución**

Por la aportación de capital e inscripción del mismo:

| | | |
|---|---|---|
| 600.000 | Bancos (572) | |
| | a | |
| | Capital social (100) | 600.000 |
| | —x— | |

Por el pago al notario, registro, etc.:

| | | |
|---|---|---|
| 10.000 | Reservas voluntarias (113) | |
| | a | |
| | Bancos (572) | 10.000 |
| | —x— | |

Aunque el beneficio es de 250.000 €, la empresa pagará impuestos sobre 240.000 euros:

| | | |
|---|---|---|
| 75.000 | Impuesto corriente (630) | |
| | a | |
| | HP. Acreedores por Impuesto de Sociedades (4752) | 75.000 |
| | —x— | |

| | | |
|---|---|---|
| 3.000 | HP. Acreedores por Impuesto de Sociedades (4752) | |
| | a | |
| | Reserva voluntaria (113) | 3.000 |
| | —x— | |

## 2.2  ACCIONISTAS MOROSOS

Surgen los **accionistas morosos** cuando ha transcurrido el plazo fijado para el desembolso de los dividendos pasivos solicitados sin que se haya hecho efectivo el importe correspondiente. Las situaciones posibles son las siguientes:

- El accionista desembolsará más tarde el importe correspondiente con los intereses de demora, sin necesidad de recurrir a la vía judicial.

- Se recurre por vía ordinaria y se pretende cobrar el desembolso pendiente con los intereses de demora y los posibles daños causados.

- Se anulan las acciones y se emiten duplicados para intentar venderlos a través de fedatario público, para el resarcimiento de la deuda del accionista moroso, corriendo las posibles pérdidas por cuenta del accionista moroso.

- Si no se logran vender los duplicados de las acciones, tendrá que reducirse el capital social, no reintegrando cantidad alguna al accionista moroso.

### Criterios de valoración

Los recursos propios se valoran, en general, a valor nominal.

### Problemática contable

Por la solicitud del dividendo pasivo:

| | |
|---|---|
| Socios por desembolsos exigidos (558) | |
| a | |
| | Socios por desembolsos no exigidos (103) |
| —x— | |

Desembolso y reconocimiento de morosos:

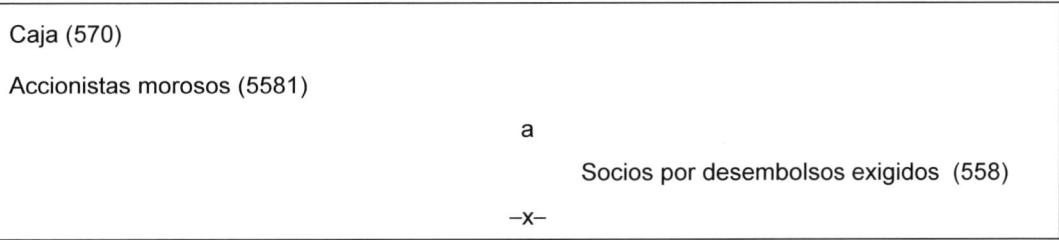

Caja (570)

Accionistas morosos (5581)

a

Socios por desembolsos exigidos  (558)

–x–

Por el desembolso del accionista moroso:

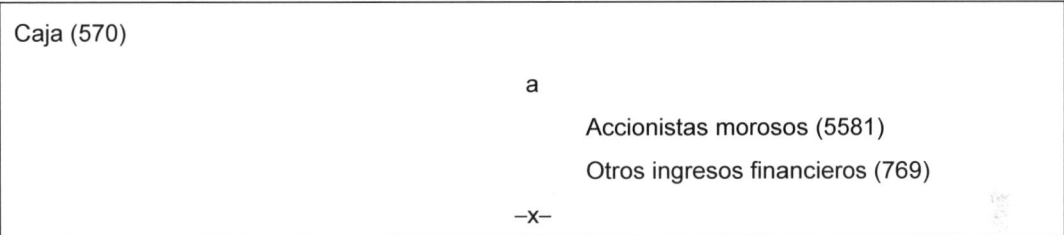

Caja (570)

a

Accionistas morosos (5581)

Otros ingresos financieros (769)

–x–

● **CASOS PRÁCTICOS**

**CASO PRÁCTICO 2.8. Procedimiento completo de cobro en el caso de accionistas morosos**

Se solicita un dividendo pasivo por importe de 500.000 euros, correspondiente al 25% del capital suscrito, quedando pendiente otro 25%.

Todos los accionistas realizan el desembolso del dividendo pasivo, salvo los accionistas siguientes:

- Accionista A: 20.000 euros. Realiza el desembolso más tarde con unos intereses de 200 euros.

- Accionista B: 10.000 euros. Se le demanda por vía ordinaria, correspondiendo la deuda pendiente siguiente: 10.000 euros + 150 euros (intereses de demora) + 100 euros (daños de demora). Los gastos de la demanda ascienden a 1.000 euros, que paga el accionista.

- Accionista C: 5.000 euros. Se opta por emitir duplicados, con unos gastos de 50 euros. La mitad se venden por 7.250 euros. La sociedad se resarce del desembolso pendiente más 375 euros de intereses y 600 euros de daños por la demora. Los duplicados no vendidos se anulan y se reduce el capital.

*Se pide*: realizar operaciones reseñadas.

**Solución**

Por la solicitud de dividendo pasivo:

| 500.000 | Socios por desembolsos exigidos (558) | | |
|---|---|---|---|
| | a | | |
| | | Socios por desembolsos no exigidos (103) | 500.000 |
| | —x— | | |

Desembolso y reconocimiento de morosos:

| 465.000 | Bancos c/c (572) | | |
|---|---|---|---|
| 35.000 | Accionistas morosos (5581) | | |
| | a | | |
| | | Socios por desembolsos exigidos (558) | 500.000 |
| | —x— | | |

Por el desembolso del accionista moroso:

| 20.200 | Bancos c/c (572) | | |
|---|---|---|---|
| | a | | |
| | | Accionistas morosos (5581) | 20.000 |
| | | Otros ingresos financieros (769) | 200 |
| | —x— | | |

Por los gastos del accionista moroso:

| 1.000 | Accionistas morosos (5581) | | |
|---|---|---|---|
| | a | | |
| | | Bancos c/c (572) | 20.000 |
| | —x— | | |

Por el desembolso del accionista moroso:

| 11.250 | Bancos c/c (572) | | |
|---|---|---|---|
| | a | | |
| | | Accionistas morosos (5581) | 11.000 |
| | | Otros ingresos financieros (769) | 150 |
| | | Ingresos excepcionales (778) | 100 |
| | —x— | | |

Por la emisión de duplicados:

| | | |
|---|---|---|
| 20.000 | Duplicados de acciones (198) | |
| | a | |
| | Acciones anuladas (196) | 20.000 |
| | —x— | |

Por los gastos de emisión de duplicados:

| | | |
|---|---|---|
| 50 | Accionistas morosos (5581) | |
| | a | |
| | Bancos c/c (572) | 50 |
| | —x— | |

Por la venta de los duplicados de acciones:

| | | |
|---|---|---|
| 7.250 | Bancos c/c (572) | |
| 2.750 | Accionistas morosos (5581) | |
| | a | |
| | Duplicados de acciones (198) | 10.000 |
| | —x— | |

Por la liquidación con los accionistas morosos (mitad de los duplicados):

| | | |
|---|---|---|
| 7.250 | Duplicados de acciones (198) | |
| | a | |
| | Accionistas morosos (5581) | 5.275 |
| | Otros ingresos financieros (769) | 375 |
| | Ingresos excepcionales (778) | 600 |
| | Socios por desembolsos no exigidos (103) | 2.500 |
| | Bancos c/c (572) | 1.250 |
| | (Importe pagado al accionista) | |
| | —x— | |

Por la anulación de la mitad de los duplicados de acciones no vendidas y la reducción del capital social:

| | | |
|---|---|---|
| 10.000 | Acciones anuladas (196) | |
| | a | |
| | Duplicados de acciones (198) | 10.000 |
| | —x— | |

| | | |
|---|---|---|
| 10.000 | Capital social (100) | |
| | a | |
| | Accionistas morosos (5581) | |
| | (2.500 + 25 = 2.525) | 2.525 |
| | Ingresos excepcionales (778) | 4.975 |
| | Socios por desembolsos no exigidos (103) | 2.500 |
| | —x— | |

## 2.3. AUMENTOS DE CAPITAL

Las acciones se pueden emitir por el nominal (a la par), por encima de la par o con prima de emisión (sobre la par).

Las primas deben estar totalmente desembolsadas en la suscripción de acciones.

Las ampliaciones de capital pueden venir por:

- Aportaciones dinerarias.
- Aportaciones no dinerarias.
- Compensación de créditos.
- Con cargo a reservas.

### Criterios de valoración

Los recursos propios se valoran, en general, a valor nominal.

## Problemática contable

Emisión aportaciones dinerarias:

| Acciones o participaciones emitidas (190) | | |
|---|---|---|
| | a | |
| | | Capital social (100) |
| | −x− | |

Suscripción:

| Socios por desembolsos no exigidos (103) | | |
|---|---|---|
| | a | |
| | | Acciones o participaciones emitidos (190) |
| | −x− | |

Cuando la sociedad exija los compromisos pendientes o el mínimo exigido por la ley (25% del desembolso mínimo de la cifra del capital social).

Desembolso:

| Caja (570) | | |
|---|---|---|
| | a | |
| | | Socios por desembolsos no exigidos (103) |
| | −x− | |

Gastos de constitución y ampliación de capital:

| Otras pérdidas de gestión corriente (659) | | |
|---|---|---|
| | a | |
| | | Caja (570) |
| | −x− | |

Emisión, suscripción y desembolso parcial en aportaciones no dinerarias:

| Caja (570) | | |
|---|---|---|
| Terrenos y bienes naturales (210) | | |
| Socios por desembolsos no exigidos (103) | | |
| Socios por aportaciones no dinerarias pendientes (104) | | |
| | a | |
| | | Capital social (100) |
| | −x− | |

Gastos de ampliación de capital:

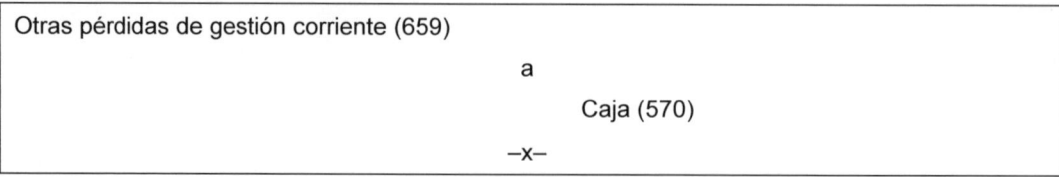

Otras pérdidas de gestión corriente (659)

a

Caja (570)

—x—

Por la solicitud y cobro de un nuevo dividendo pasivo:

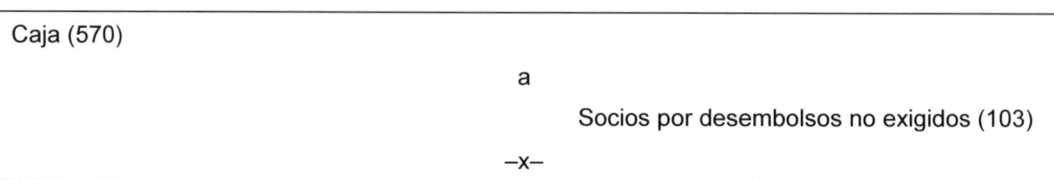

Caja (570)

a

Socios por desembolsos no exigidos (103)

—x—

Por la recepción de la aportación no dineraria pendiente:

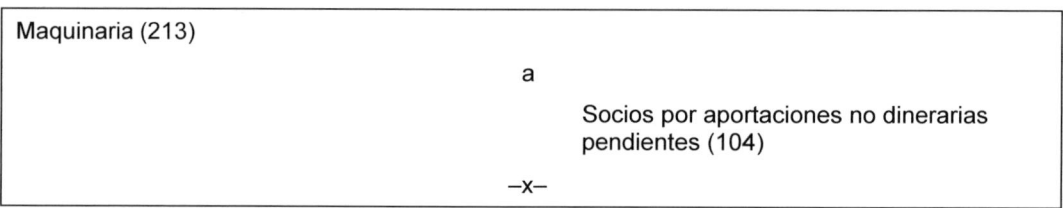

Maquinaria (213)

a

Socios por aportaciones no dinerarias pendientes (104)

—x—

Emisión de acciones con prima:

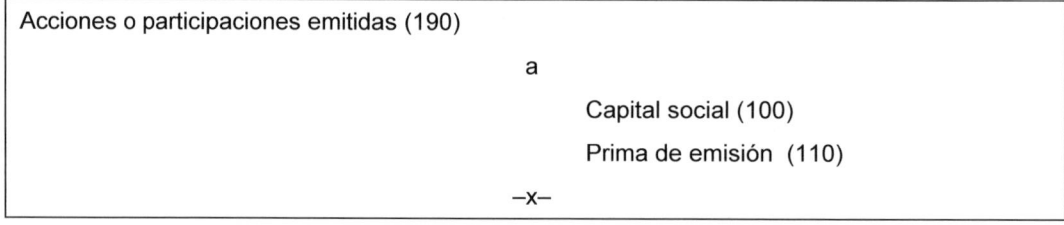

Acciones o participaciones emitidas (190)

a

Capital social (100)

Prima de emisión  (110)

—x—

Es necesario recordar que en la emisión de acciones sobre la par en el momento de la suscripción, se debe realizar el desembolso de la prima el 25% del nominal.

Suscripción:

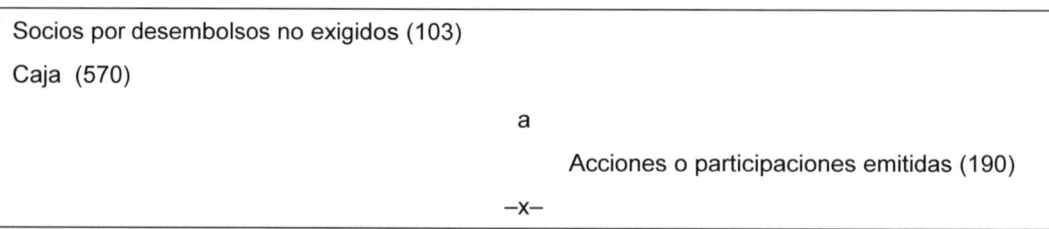

Socios por desembolsos no exigidos (103)

Caja  (570)

a

Acciones o participaciones emitidas (190)

—x—

Desembolso:

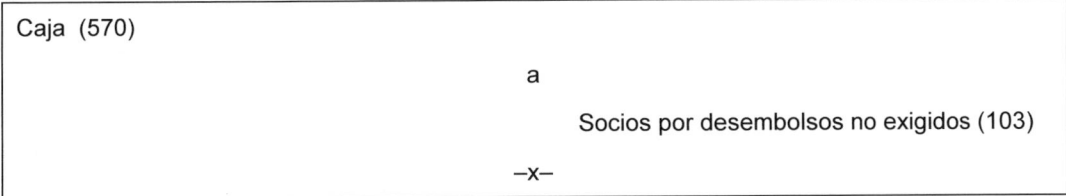

Gastos de ampliación de capital:

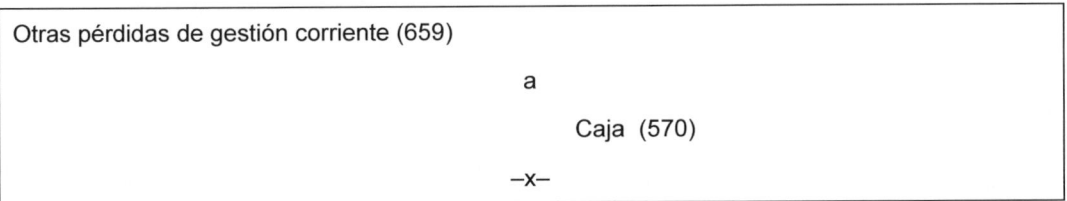

Se pueden capitalizar las reservas de libre disposición y el exceso sobre el 10% del mínimo constituido, según la Ley de Sociedades Anónimas, relativo a las Reservas legales. Según el artº. 94 de la LSA:

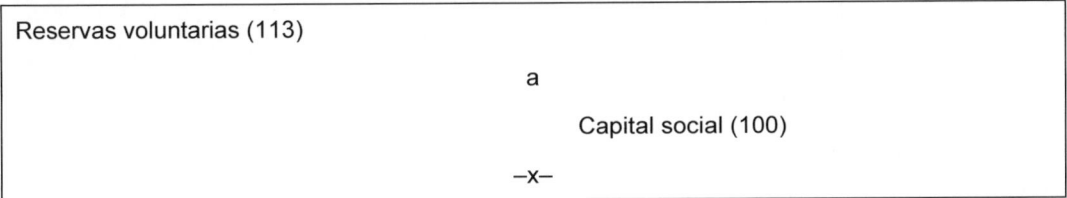

• **CASOS PRÁCTICOS**

---

**CASO PRÁCTICO 2.9. Aumento de capital sobre la par**

En una empresa se aumenta el capital en 30.000 euros al 140% por emisión de acciones. El desembolso alcanza la cifra del 3%. Los gastos de ampliación de capital ascienden a 2.000 euros.

Al término de seis meses se exige un segundo dividendo por el 33%, haciéndose efectivo el mismo.

*Se pide*: contabilizar estas acciones.

**Solución**

Emisión:

| | | |
|---|---|---:|
| 42.000 | Acciones o participaciones emitidas (190) | |
| | a | |
| | Capital social (100) | 30.000 |
| | Prima de emisión (110) | 12.000 |
| | —x— | |

Es necesario recordar que en la emisión de acciones sobre la par, en el momento de la suscripción se debe realizar el desembolso de la prima que supone el 25% del nominal.

Suscripción:

| | | |
|---|---|---:|
| 30.000 | Socios por desembolsos no exigidos (103) | |
| 12.000 | Caja (570) | |
| | a | |
| | Acciones o participaciones emitidas (190) | 42.000 |
| | —x— | |

Desembolso:

| | | |
|---|---|---:|
| 10.000 | Caja (570) | |
| | a | |
| | Socios por desembolsos no exigidos (103) | 42.000 |
| | —x— | |

Gastos de ampliación de capital:

| | | |
|---|---|---:|
| 2.000 | Otras pérdidas de gestión corriente (659) | |
| | a | |
| | Caja (570) | 2.000 |
| | —x— | |

Segundo desembolso o dividendo pasivo a los seis meses:

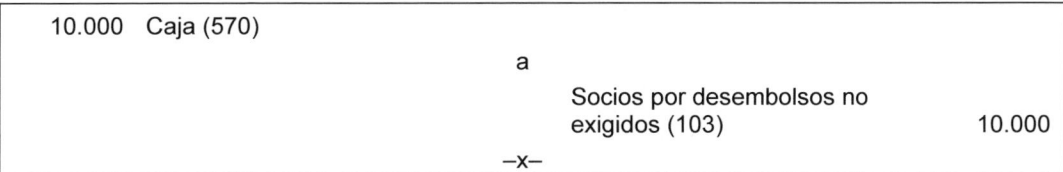

```
10.000   Caja (570)
                              a
                                   Socios por desembolsos no
                                   exigidos (103)              10.000
                         —x—
```

# 2.4. REDUCCIÓN DE CAPITAL

La **reducción de capital** puede llevarse a cabo por alguno de los siguientes motivos:

- Devolución de aportaciones.

- Condonación de dividendos pasivos.

- Incremento de reservas.

- Equilibrio entre capital social y patrimonio neto.

- Amortización de acciones adquiridas por la propia empresa.

## Problemática contable general

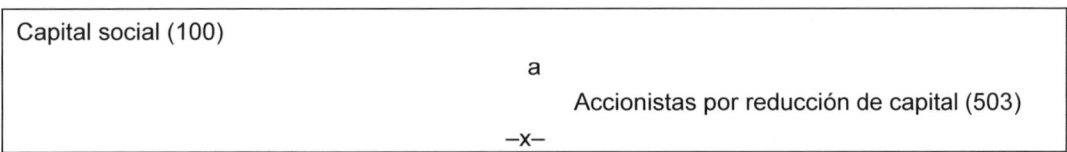

```
Capital social (100)
                              a
                                   Accionistas por reducción de capital (503)
                         —x—
```

- ## CASOS PRÁCTICOS

### CASO PRÁCTICO 2.10. Reducción de capital

Una sociedad decide reducir el capital en una cuantía de 100.000 euros. A los accionistas se les resarcirá por el valor teórico. El Balance al 31 de diciembre de 200X es el siguiente:

- Activo neto: 5.000.000 euros.

- Pasivo exigible: 3.000.000 euros.

- Neto patrimonial: 2.000.000 euros.

La cifra del capital social asciende, por tanto, a 1.000.000 euros.

*Se pide*: realizar las operaciones de reducción de capital.

**Solución**

Cantidad a devolver a los accionistas:

$$\frac{\text{Capital social a reducir}}{\text{Capital social}} \times 100 = \frac{100.000}{1.000.000} = 10\%$$

$$\frac{\text{Neto patrimonial} \times 10,00}{100} = \frac{2.000.000 \times 10,00}{100} = 200.000 \text{ €.}$$

| | | |
|---|---|---|
| 100.000 | Capital social (100) | |
| 100.000 | Reserva voluntaria (113) | |
| | a | |
| | Accionistas, por reducción de capital (503) | 200.000 |
| | —x— | |

Por el reembolso:

| | | |
|---|---|---|
| 200.000 | Accionistas, por reducción de capital (503) | |
| | a | |
| | Bancos c/c (572) | 200.000 |
| | —x— | |

## CASO PRÁCTICO 2.11. Adquisición de acciones propias

Una sociedad adquiere sus propias acciones en aplicación a los artículos 79 y 80 del T.R.L.S.A., que ascienden a 5.000 títulos a 5 euros por título. Se sabe que se dispone del importe suficiente en reservas voluntarias.

Al término de un año se ponen nuevamente en circulación, pero solo 3.000 títulos a 4 euros por título, procediendo seguidamente a reducir el capital por los títulos pendientes.

*Se pide*: contabilizar las operaciones reseñadas.

**Solución**

Por la adquisición de sus propias acciones:

$$5.000 \times 5 = 25.000 \text{ €.}$$

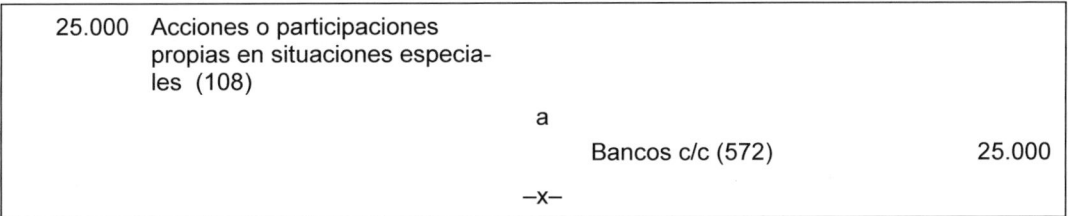

| | | |
|---|---|---|
| 25.000 | Acciones o participaciones propias en situaciones especiales (108) | |
| | a | |
| | Bancos c/c (572) | 25.000 |
| | —x— | |

Por la dotación de las Reservas para acciones propias (115):

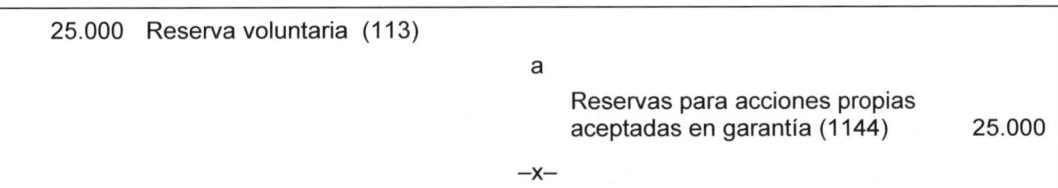

| | | |
|---|---|---|
| 25.000 | Reserva voluntaria (113) | |
| | a | |
| | Reservas para acciones propias aceptadas en garantía (1144) | 25.000 |
| | —x— | |

Cuando se pongan nuevamente en circulación los 3.000 títulos:

| | | |
|---|---|---|
| 15.000 | Reservas para acciones propias aceptadas en garantía (1144) | |
| | a | |
| | Reservas voluntarias (113) | 15.000 |
| | —x— | |

| | | |
|---|---|---|
| 12.000 | Reservas para acciones propias aceptadas en garantía (1144) | |
| 3.000 | Pérdidas y ganancias (129) | |
| | a | |
| | Acciones o participaciones propias en situaciones especiales (108) | 15.000 |
| | —x— | |

Por las acciones que van a ser objeto de deducción de capital (2.000 títulos):

| | | |
|---|---|---|
| 10.000 | Acciones o participaciones propias para reducir el capital (109) | |
| | a | |
| | Acciones o participaciones propias en situaciones especiales (108) | 10.000 |
| | —x— | |

Por la reducción de capital por el importe nominal de las acciones:

| | |
|---|---|
| 10.000 Capital social (100) | |
| a | |
| | Acciones o participaciones propia para reducir el capital (109)     10.000 |
| | o Reservas voluntarias |
| —x— | |

---

**CASO PRÁCTICO 2.12. Adquisición de acciones propias y reducción de capital**

Una sociedad adquiere 5.000 títulos a 5 euros/título de sus propias acciones en aplicación de los artículos 79 y 80 del T.R.L.S.A. Se sabe que dispone del importe suficiente en reservas especiales.

Al término de un año se ponen nuevamente en circulación, pero sólo 3.000 títulos a 4 euros/título, procediendo seguidamente a reducir el capital por los títulos pendientes.

*Se pide*: contabilizar las operaciones reseñadas.

**Solución**

Por la adquisición de sus propias acciones:

$$5.000 \times 5 = 25.000 \text{ €.}$$

| | |
|---|---|
| 25.000 Acciones o participaciones propias en situaciones especiales (108) | |
| a | |
| | Caja (570)     25.000 |
| —x— | |

Cuando se pongan nuevamente en circulación los 3.000 títulos:

| | |
|---|---|
| 12.000 Caja (570) | |
| 13.000 Reservas especiales (114) | |
| a | |
| | Acciones o participaciones propias en situaciones especiales (108)     25.000 |
| —x— | |

## 2.5. RESERVAS Y RESULTADOS PENDIENTES DE APLICACIÓN

Las **reservas** son beneficios no distribuidos, es decir retenidos por la empresa. El Plan General de Contabilidad (PGC) define las reservas como cuentas representativas de beneficios mantenidos a disposición de la empresa y no incorporados a capital.

Las características de las reservas se pueden sintetizar en los puntos siguientes:

**a.** Se dotan después de la obtención contable del beneficio.

**b.** Su fin primordial es la autofinanciación.

**c.** Su fin justificativo es la cobertura de pérdidas.

Las cuentas de este subgrupo figurarán en el patrimonio neto del balance, formando parte del de los fondos propios.

- **CASOS PRÁCTICOS**

---

**CASO PRÁCTICO 2.13. Distribución de resultados**

Supongamos una sociedad anónima que presenta el siguiente Balance, a 31 de diciembre de 20XX.

| ACTIVO | | PASIVO | |
|---:|---|---|---:|
| 100.000 | Construcciones | Capital | 100.000 |
| 38.000 | Maquinaria | Reserva legal | 18.000 |
| 10.000 | Caja | Pérdidas y Ganancias | 30.000 |
| 148.000 | | | 148.000 |

Se desea repartir el beneficio por partes iguales entre reservas, dividendos y trabajadores.

*Se pide*: confeccionar el nuevo balance.

**Solución**

- El 20% del capital social: 20.000 €.

- Tenemos actualmente: 18.000 €.

- De libre disposición (sobre 30.000 €): 28.000 €.

- Estamos obligados a dotar reserva legal: 2.000 €.

El límite mínimo es del 20% de la cifra del capital social, que asciende a 20.000 €.

Al tener dotada la reserva legal mínima por 18.000 €, faltarían 2.000 € por contabilizar.

| | | |
|---|---|---:|
| 30.000 Pérdidas y Ganancias (129) | | |
| | a | |
| | Reserva legal (112) | 2.000 |
| | Reserva voluntaria (113) | 8.000 |
| | Dividendo activo a pagar (526) | 10.000 |
| | Remuneraciones pendientes pago (465) | 10.000 |
| | —x— | |

## Caso Práctico 2.14. Distribución de resultados

Una sociedad anónima tiene un capital social de 1.200.000 euros compuesto por 50.000 acciones ordinarias de 20 euros nominales y 20.000 acciones rescatables, de 10 euros cada una.

La sociedad ha obtenido un beneficio de 100.000 euros y se aprueba su distribución en junta general de la forma siguiente:

– 10% de la reserva legal sobre el beneficio.

– 7% de dividendos sobre el nominal.

– Reserva voluntaria: el resto.

*Se pide*: contabilizar las operaciones reseñadas al cierre del ejercicio, sabiendo que la retención sobre los rendimientos del capital es del 18%.

**Solución**

– Reserva legal: 100.000 × 10% = 10.000 €.

– Dividendos: 1.200.000 × 7% = 84.000 €.

– Reserva voluntaria: 6.000 €.

– Total: 100.000 €.

Por el dividendo de las acciones rescatables:

| | | |
|---|---|---:|
| 14.000 Dividendos de otras empresas (6643) | | |
| | a | |
| | Dividendos de acciones o participaciones consideradas como pasivos financieros (507) | 14.000 |
| | —x— | |

La cuenta *Dividendos de acciones o participaciones consideradas como pasivos financieros de otras empresas* (6643) supone un gasto contable, si bien no es un gasto fiscal, surgiendo una diferencia permanente positiva.

Por el pago, las retenciones son:

$$14.000 \times 18\% = 2.520 \text{ €.}$$

| | | | |
|---|---|---|---|
| 14.000 | Dividendos de acciones o participaciones consideradas como pasivos financieros (507) | | |
| | a | | |
| | | Bancos c/c (572) | 11.480 |
| | | H. P., acreedores por retenciones practicadas (4751) | 2.520 |
| | —x— | | |

Por la regularización de los gastos:

| | | | |
|---|---|---|---|
| 14.000 | Resultado del ejercicio (129) | | |
| | a | | |
| | | Dividendos de otras empresas (6643) | 14.000 |
| | —x— | | |

Por la distribución del resultado restante:

$$100.000 - 14.000 = 86.000 \text{ €.}$$

| | | | |
|---|---|---|---|
| 86.000 | Resultado del ejercicio (129) | | |
| | a | | |
| | | Reserva legal (112) | 10.000 |
| | | Dividendo activo a pagar (526) | 70.000 |
| | | Reserva voluntaria (113) | 6.000 |
| | —x— | | |

## CASO PRÁCTICO 2.15. Corrección del valor contabilizado

La sociedad anónima contempla un error en el ejercicio anterior, relativo a unos gastos devengados pendientes de pago por importe de 30.000 euros, cuando lo correcto eran 20.000 euros.

La diferencia se encuentra registrada en la cuenta *Intereses a corto plazo de deudas con entidades de crédito* (527).

*Se pide*: contabilice las operaciones reseñadas.

**Solución**

En el momento de detectar el error:

| | | | | |
|---|---|---|---|---|
| 10.000 | Intereses a corto plazo de deudas con entidades de crédito (527) | | | |
| | | a | | |
| | | | Reservas voluntarias (113) | 10.000 |
| | | —x— | | |

Teniendo en cuenta el efecto tributario:

| | | | | |
|---|---|---|---|---|
| 10.000 | Intereses a corto plazo de deudas con entidades de crédito (527) | | | |
| | | a | | |
| | | | Reservas voluntarias (113) | 7.000 |
| | | | H.P., acreedora por impuesto sobre sociedades (4752) | 3.000 |
| | | —x— | | |

CAPITULO **3**

# SUBVENCIONES, DONACIONES Y AJUSTES POR CAMBIOS DE VALOR

## 3.1. SUBVENCIONES, DONACIONES Y AJUSTES POR CAMBIO DE VALOR

Los entes públicos e instituciones privadas pueden conceder subvenciones para lograr la promoción de determinadas actividades económicas o para paliar pérdidas fortuitas en un sector determinado.

Existen dos clases de subvenciones: *en capital* y *a la explotación*, que en ambas clases son consideradas como ingresos.

Las autoridades nacionales pueden conceder subvenciones en capital para lograr determinadas actividades económicas consideradas de interés. La empresa obtiene una aportación pública a fondo perdido por no exigir la obligatoriedad de reembolso.

Las subvenciones a la explotación son aquellas concedidas por la Administración debidas a las pérdidas ocasionadas de forma fortuita en algún sector determinado

## Criterios de valoración de las subvenciones

Las subvenciones, donaciones y legados *no reintegrables* se contabilizarán inicialmente, como ingresos directamente imputables al patrimonio neto y se reconocerán en la cuenta de pérdidas y ganancias como ingresos sobre una base sistemática y racional de forma correlacionada con los gastos derivados de la subvención.

Las subvenciones, donaciones y legados que tengan carácter de *reintegrables* se registrarán como pasivos de la empresa hasta que se devuelvan o adquieran la condición de no reintegrable.

Las subvenciones, donaciones y legados de *carácter monetario* se valorarán por el valor razonable del importe concedido, y las que sean de *carácter no monetario* se valorarán por el valor razonable del bien recibido.

Los criterios de imputación a resultados difieren de la tipología de la subvención.

De forma resumida, en general, se imputan al resultado del ejercicio cuando se concedan, a excepción de los casos siguientes:

a) Cuando la subvención recibida se conceda para sanear el déficit de ejercicios futuros, en estos casos, se imputará en dichos ejercicios.

b) Cuando se concedan para cubrir determinados gastos, en estos casos se imputarán en el momento de producirse los gastos.

c) Cuando se concedan para financiar elementos del inmovilizado técnico se imputarán en la proporción a las cuotas de amortización del inmovilizado correspondiente.

d) Cuando las subvenciones concedidas sirvan para financiar existencias, se imputarán a resultados en el momento de las ventas de las mismas.

e) En activos financieros, se imputarán como ingresos en el momento de la enajenación.

f) Cuando se utilicen para la cancelación de deudas; se imputarán como ingreso del ejercicio en el momento en que se produzca dicha cancelación.

Las subvenciones, donaciones y legados no reintegrables recibidos de socios o propietarios no constituyen ingresos, debiéndose registrar directamente en los fondos propios.

## Cuentas diferenciadoras con las PYMES

- **133. Ajustes por valoración en activos financieros disponibles para la venta**:

  En el caso de que una entidad Pyme tuviera que contabilizar los ajustes, motivados por la valoración, a valor razonable, de los activos financieros clasificados para la venta, deberá contabilizarlo según los criterios señalados en el PGC para las empresas ordinarias.

- **134. Operaciones de cobertura:**

  – 1340 Cobertura de flujos de efectivo.

  – 1341 Cobertura de una inversión neta en un negocio en el extranjero

  Estas cuentas recogen las pérdidas o ganancias del instrumento de cobertura que se haya determinado como cobertura eficaz, en el caso de coberturas de flujos de efectivo o de coberturas de una inversión neta en un negocio en el extranjero.

## Problemática contable de las subvenciones

En el momento de la percepción de la subvención de carácter *no reintegrable*:

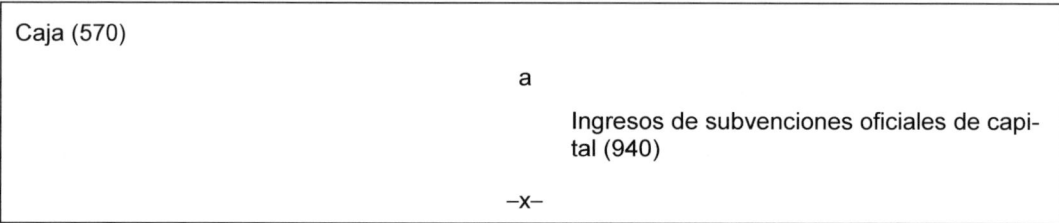

| Caja (570) | | |
|---|---|---|
| | a | |
| | | Ingresos de subvenciones oficiales de capital (940) |
| | –x– | |

Al cierre del ejercicio:

| Ingresos de subvenciones oficiales de capital (940) | | |
|---|---|---|
| | a | |
| | | Subvenciones oficiales de capital (130) |
| | –x– | |

La imputación de ingresos al patrimonio neto tributará con el impuesto sobre beneficios:

| Impuesto sobre beneficios (830) | | |
|---|---|---|
| | a | |
| | | Subvenciones oficiales de capital (130) |
| | –x– | |

En el momento de imputación a pérdidas y ganancias:

| Transferencias de subvenciones oficiales de capital (840) | | |
|---|---|---|
| | a | |
| | | Subvenciones, donaciones y legados de capital transferido a resultado del ejercicio (746) |
| | –x– | |

Al cierre del ejercicio:

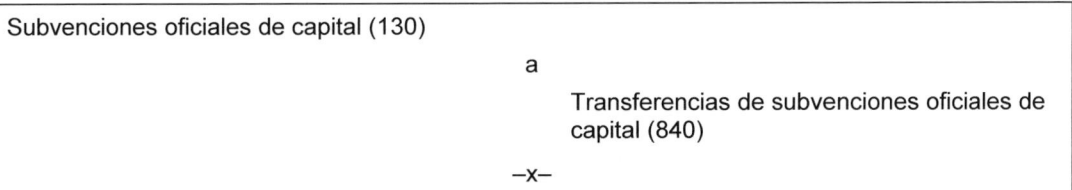

```
Subvenciones oficiales de capital (130)
                                    a
                                        Transferencias de subvenciones oficiales de
                                        capital (840)
                          —x—
```

Cuando se produzca la imputación de pérdidas al patrimonio neto, debe cancelarse la imputación del impuesto sobre beneficios:

```
Subvenciones oficiales de capital (130)
                                    a
                                        Impuesto sobre beneficios (830)
                          —x—
```

En resumen, después de incluir todos los pasos del proceso es:

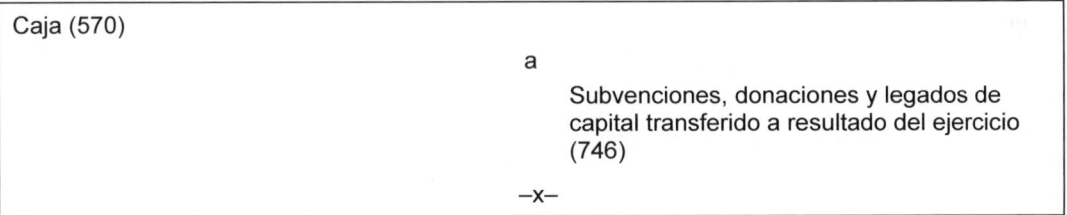

```
Caja (570)
                                    a
                                        Subvenciones, donaciones y legados de
                                        capital transferido a resultado del ejercicio
                                        (746)
                          —x—
```

Puede darse el caso que la sociedad tenga deudas que se transformen en subvenciones de *carácter reintegrable*. En este caso:

```
Caja (570)
                                    a
                                        Deudas a largo plazo transformables en
                                        subvenciones, donaciones y legados (172)
                          —x—
```

La cuenta *Deudas a largo plazo transformables en subvenciones* (172), recoge las cantidades concedidas por la Administración Pública o particulares transformables en subvenciones.

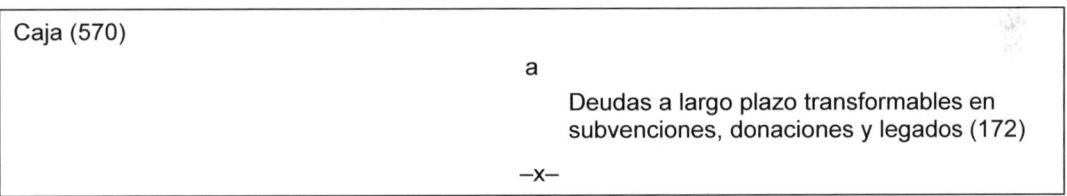

```
Deudas a largo plazo transformables en
subvenciones, donaciones y legados (172)
                                    a
                                        Subvenciones oficiales de capital (130)
                          —x—
```

Por la devolución de la subvención:

| | |
|---|---|
| Subvenciones oficiales de capital (130) | |
| | a |
| | Caja (570) |
| —x— | |

## Ajustes de valoración, operaciones de cobertura y diferencias de conversión

A continuación, señalemos la problemática contable genérica de las operaciones reseñadas correspondientes a las cuentas 133 a 136:

(133) Ajustes por valoración en activos financieros disponibles para la venta.

(134) Operaciones de cobertura.

(135) Diferencias de conversión.

Al cierre del ejercicio:

| | |
|---|---|
| Beneficios activos financieros disponibles para la venta (900) | |
| Beneficios por cobertura de flujos de efectivo (910) | |
| Diferencias de conversión positivas (920) | |
| | a |
| | Ajustes por valoración en activos financieros disponibles para la venta (133) |
| | Operaciones de cobertura (134) |
| | Diferencias de conversión (135) |
| —x— | |

La imputación de ingresos al patrimonio neto tributará con el impuesto sobre beneficios:

| | |
|---|---|
| Impuesto sobre beneficios (830) | |
| | a |
| | Diferencias de conversión (135) |
| | Operaciones de cobertura (134) |
| | Ajustes por valoración en activos financieros disponibles para la venta (133) |
| —x— | |

Al cierre del ejercicio:

```
Diferencias de conversión (135)

Operaciones de cobertura (134)

Ajustes por valoración en activos financieros
disponibles para la venta (133)
                            a
                                Diferencias de conversión negativas (820)

                                Pérdidas por cobertura de flujos de efectivo
                                (810)

                                Pérdidas en activos financieros disponibles
                                para la venta (800)
                        —x—
```

En la imputación de pérdidas al patrimonio neto debe cancelarse la imputación del impuesto sobre beneficios:

```
Diferencias de conversión (135)

Operaciones de cobertura (134)

Ajustes por valoración en activos financieros
disponibles para la venta (133)
                            a
                                Impuesto sobre beneficios (830)
                        —x—
```

## Ingresos fiscales a distribuir en varios ejercicios

En el ejercicio:

```
Impuesto sobre beneficios (630)
                            a
                                Ingresos fiscales por diferencias permanen-
                                tes (834)
                        —x—
```

Al cierre del ejercicio:

```
Ingresos fiscales por diferencias permanen-
tes (834)
                            a
                                Ingresos fiscales a distribuir en varios ejerci-
                                cios (137)
                        —x—
```

En el ejercicio:

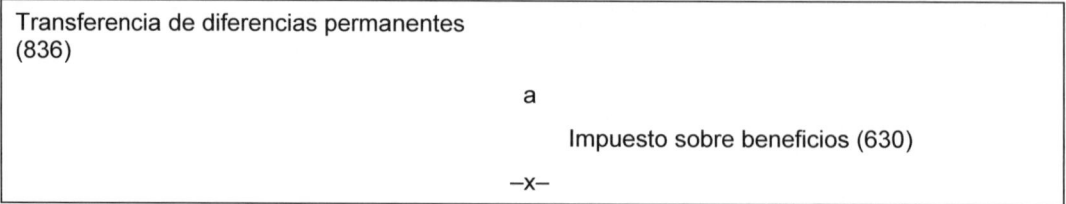

```
Transferencia de diferencias permanentes
(836)

                                    a

                          Impuesto sobre beneficios (630)

                          —x—
```

Al cierre del ejercicio:

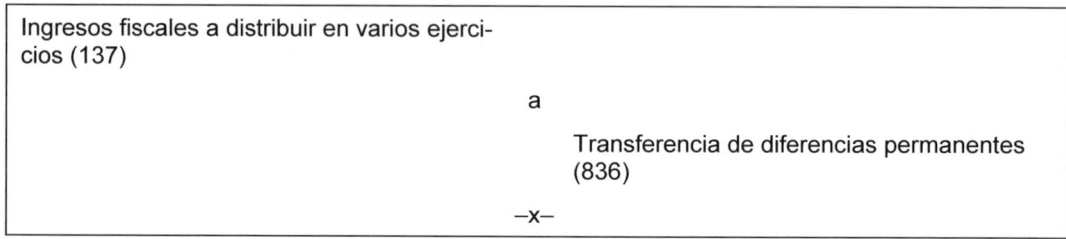

```
Ingresos fiscales a distribuir en varios ejerci-
cios (137)

                                    a

                          Transferencia de diferencias permanentes
                          (836)

                          —x—
```

- **CASOS PRÁCTICOS**

**CASO PRÁCTICO 3.1. Subvención oficial para financiar activos no corrientes**

Se recibe una subvención oficial, a fondo perdido para financiar parte de una maquinaria de alta tecnología, por importe de 100.000 euros.

Se adquiere e instala la maquinaria, cuyo importe asciende a 220.000 euros, pagando al contado el 50% y el resto, a pagar en 5 años, reembolsando cada año la parte proporcional y con unos intereses del 5% anual, pagaderos anualmente.

*Se pide*: contabilizar las operaciones del primer año.

**Solución**

En el momento de la percepción de la subvención o el crédito pendiente o la transformación de deudas en subvenciones:

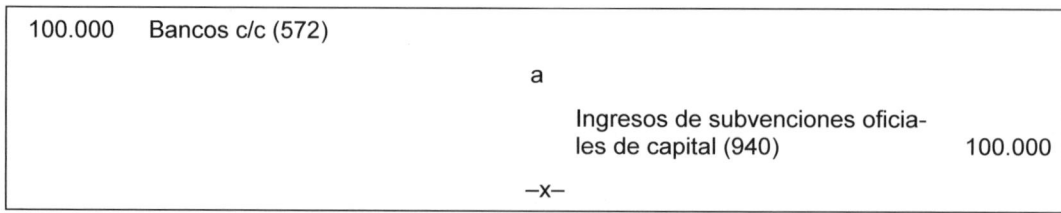

```
100.000    Bancos c/c (572)

                                    a

                          Ingresos de subvenciones oficia-
                          les de capital (940)              100.000

                          —x—
```

Por la adquisición de la maquinaria:

| | | |
|---|---|---|
| 220.000 | Maquinaria (213) | |
| | a | |
| | Bancos c/c (572) | 110.000 |
| | Proveedores inmovilizado L./P. (173) | 88.000 |
| | —x— | |

El importe total de *Proveedores inmovilizado* es de 110.000 € se puede dividir en deudas a largo plazo, 88.000 € y a corto plazo, 22.000 €.

La depreciación sufrida por la maquina correspondiente al primer año es:

$$220.000/5 = 44.000 €.$$

| | | |
|---|---|---|
| 44.000 | Amortización del inmovilizado material (681) | |
| | a | |
| | Amortización acumulada del inmovilizado material (2813) | 44.000 |
| | —x— | |

En el momento de imputación a pérdidas y ganancias, al final de ejercicio:

| | | |
|---|---|---|
| 20.000 | Transferencias de subvenciones oficiales de capital (840) | |
| | a | |
| | Subvenciones, donaciones y legados de capital transferido a resultado del ejercicio (746) | 20.000 |
| | —x— | |

Al cierre del ejercicio:

| | | |
|---|---|---|
| 100.000 | Ingresos de subvenciones oficiales de capital (940) | |
| | a | |
| | Subvenciones oficiales de capital (130) | 80.000 |
| | Transferencias de subvenciones oficiales de capital (840) | 20.000 |
| | —x— | |

Si observamos las cuentas, vemos que han quedado canceladas salvo la de *Subvenciones, donaciones y legados de capital transferido a resultado del ejercicio*. No obstante, esta forma de proceder es necesaria para presentar el Estado en los Cambios en el Patrimonio Neto (ECPN).

Por los gastos por intereses del primer año

$$110.000 \times 5\% = 5.500 \text{ €}.$$

| 5.500 | Intereses de deudas a largo plazo (662) | | |
|---|---|---|---|
| | | a | |
| | | Bancos c/c (572) | 5.500 |
| | −x− | | |

Reembolso de la deuda cada año:

$$110.000/5 = 22.000 \text{ €}.$$

| 22.000 | Proveedores inmovilizado a corto plazo (523) | | |
|---|---|---|---|
| | | a | |
| | | Bancos c/c (572) | 22.000 |
| | −x− | | |

## CASO PRÁCTICO 3.2. Subvenciones no reintegrables para financiar paneles solares

A una sociedad se le comunica que ha obtenido una subvención no reintegrable de 100.000 euros para la instalación de paneles solares. Al cabo de tres meses se cobra la subvención. La instalación tiene un coste de 500.000 euros y se utiliza el importe de la subvención. Al final del primer año la sociedad amortiza un 10% del importe de la instalación.

Transcurridos dos años se contabiliza un deterioro de la instalación de 50.000 euros y un año después una reversión de 20.000 euros.

*Se pide*: contabilizar las operaciones reseñadas sin contemplar otros beneficios.

**Solución**

En el momento de la concesión de la subvención:

| 100.000 | H.P., deudora por subvenciones concedidas (4708) | | |
|---|---|---|---|
| | | a | |
| | | Ingresos de subvenciones oficiales de capital (940) | 100.000 |
| | −x− | | |

Por el efecto impositivo:

| | | |
|---|---|---|
| 30.000 | Impuesto diferido (8301) | |
| | a | |
| | Diferencias temporarias imponibles (479) | 30.000 |
| | —x— | |

Por el traspaso a patrimonio neto:

| | | |
|---|---|---|
| 100.000 | Ingresos de subvenciones oficiales de capital (940) | |
| | a | |
| | Impuesto diferido (8301) | 30.000 |
| | Subvenciones oficiales de capital (130) | 70.000 |
| | —x— | |

Por el cobro de la subvención:

| | | |
|---|---|---|
| 100.000 | Bancos c/c (572) | |
| | a | |
| | H.P. deudora por subvenciones concedidas (4708) | 100.000 |
| | —x— | |

Para la inversión de la subvención es necesario tener en cuenta el IVA soportado de la instalación por la parte que corresponda a la financiación con subvención, pues no tiene el carácter de deducible. (Atendiendo a la normativa del Impuesto sobre el Valor Añadido)

El desglose de la cantidad utilizada de la subvencion para la adquisición de la maquinaria excluido el IVA es:

$$100.000/118 \times 100 = 84.745,76 €.$$

Por tanto, el IVA no deducible es: (de la cantidad financiada con la subvencion)

$$100.000 - 84.745,76 = 15.254,24 €.$$

El importe de la instalación es, por tanto: (El IVA no deducible incrementa el valor de la adquisición)

$$500.000 + 15.254,24 = 515.254,24 €.$$

El IVA no deducible se imputa como mayor del bien.

| | | | |
|---|---|---|---|
| 515.254,24 | Instalaciones técnicas (212) | | |
| 74.745.76 | H.P. IVA soportado (472) | | |
| | (500.000 x 0,18) − 15.254,24 | a | |
| | | Bancos c/c (572) | 590.000 |
| | −x− | | |

Por la amortización de la instalación al final de año:

$$515.254,24 \times 10\% = 51.525,42 \ €.$$

La proporción de la instalación financiada con la subvención es:

$$100.000 / 515.254,24 \times 100 = 19,41\%.$$

| | | | |
|---|---|---|---|
| 51.525,42 | Amortización del inmovilizado material (681) | | |
| | | a | |
| | | Amortización acumulada del inmovilizado material (281) | 51.525,42 |
| | −x− | | |

Por la transferencia a resultados de la parte proporcional de la subvención recibida:

$$51.525,42 \times 19,41\% = 10.001,10 \ €.$$

| | | | |
|---|---|---|---|
| 10.001,10 | Transferencia de subvenciones oficiales de capital (840) | | |
| | | a | |
| | | Subvenciones trasferidas a resultados del ejercicio (746) | 10.001,10 |
| | −x− | | |

| | | | |
|---|---|---|---|
| 3.000,33 | Diferencias temporarias imponibles (479) | | |
| | (0,30 × 10.001,10) | | |
| 7.000,77 | Subvenciones oficiales de capital (130) | | |
| | | a | |
| | | Transferencia de subvenciones oficiales de capital (840) | 10.001,10 |
| | −x− | | |

Por el deterioro de la instalación transcurrido dos años:

| | |
|---|---|
| 50.000 Pérdida por deterioro del inmovilizado material (691) | |
| a | |
| | Deterioro del valor del inmovilizado material (291)      50.000 |
| —x— | |

Por la transferencia a resultado de la subvención, en la parte proporcional:

$$50.000 \times 19,41\% = 9.705 \text{ €.}$$

| | |
|---|---|
| 9.705 Transferencia de subvenciones oficiales de capital (840) | |
| a | |
| | Subvenciones trasferidas a resultados del ejercicio (746)      9.705 |
| —x— | |

| | |
|---|---|
| 2.911,5 Diferencias temporarias imponibles (479) | |
| (0,30 $\times$ 9.705) | |
| 6.793,5 Subvenciones oficiales de capital (130) | |
| a | |
| | Transferencia de subvenciones oficiales de capital (840)      9.705 |
| —x— | |

Por la reversión posterior al deterioro de la instalación, se calcula la parte proporcional de la subvención:

$$20.000 \times 19,41\% = 3.882 \text{ €.}$$

$$20.000 - 3.882 = 16.118 \text{ €.}$$

| | |
|---|---|
| 16.118 Deterioro del valor del inmovilizado material (291) | |
| a | |
| | Reversión del deterioro del inmovilizado material (791)      16.118 |
| —x— | |

---

**Caso Práctico 3.3. Subvención para financiar procesos de información**

Una sociedad adquiere equipos para el proceso de información por importe de 100.000 euros. La sociedad tiene concedida una subvención por valor de 150.000 euros, aún sin cobrar, para financiar los equipos informáticos.

En unos meses cobra el importe de la subvención y se aplica para financiar los equipos informáticos.

*Se pide*: realizar las operaciones reseñadas.

**Solución**

En la adquisición se contabiliza el IVA soportado incluido:

| | | |
|---|---|---|
| 116.000 | Equipos para el proceso de información (217) | |
| | a | |
| | Bancos c/c (572) | 116.000 |
| | —x— | |

Por el IVA soportado a liquidar. La cuenta 4757 no aparece en el PGC:

| | | |
|---|---|---|
| 16.000 | H.P., IVA soportado (472) | |
| | a | |
| | H.P., IVA soportado a anular (4757) | 16.000 |
| | —x— | |

Por el cobro de la subvención:

| | | |
|---|---|---|
| 150.000 | Bancos c/c (572) | |
| | a | |
| | H.P., deudora por subvenciones concedidas (4708) | 150.000 |
| | —x— | |

Por la anulación del IVA soportado a liquidar:

| | | |
|---|---|---|
| 16.000 | H.P., IVA soportado a anular (4757) | |
| | a | |
| | H.P., IVA soportado (472) | 16.000 |
| | —x— | |

---

### CASO PRÁCTICO 3.4. Subvención oficial recibida *a posteriori*

La sociedad adquiere equipos informáticos para el proceso de información por importe de 100.000 euros.

La sociedad, posteriormente solicita una subvención por valor 150.000 euros, aún sin cobrar, para financiar los equipos informáticos.

En unos meses la sociedad cobra el importe de la subvención y lo utiliza para financiar los equipos.

*Se pide*: realizar las operaciones reseñadas.

**Solución**

En la adquisición se contabiliza el IVA soportado:

| | | |
|---|---|---|
| 100.000 | Equipos para el proceso de in-formación (217) | |
| 16.000 | H.P., IVA soportado (472) | |
| | a | |
| | Bancos c/c (572) | 116.000 |
| | —x— | |

Por la concesión de la subvención:

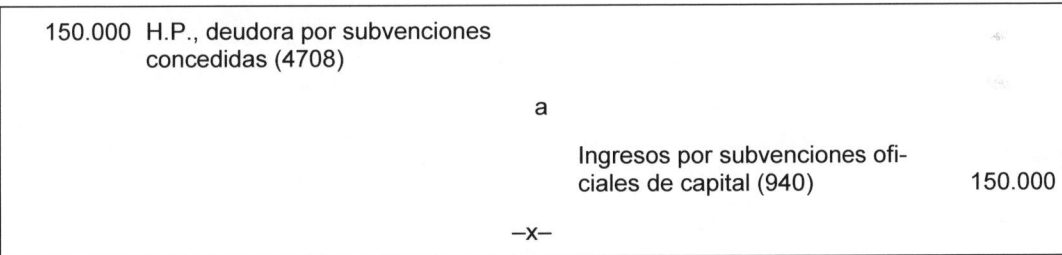

| | | |
|---|---|---|
| 150.000 | H.P., deudora por subvenciones concedidas (4708) | |
| | a | |
| | Ingresos por subvenciones oficiales de capital (940) | 150.000 |
| | —x— | |

Por el efecto impositivo:

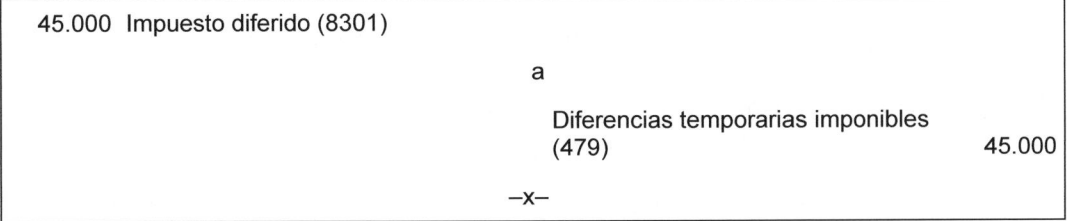

| | | |
|---|---|---|
| 45.000 | Impuesto diferido (8301) | |
| | a | |
| | Diferencias temporarias imponibles (479) | 45.000 |
| | —x— | |

Simultáneamente se hace:

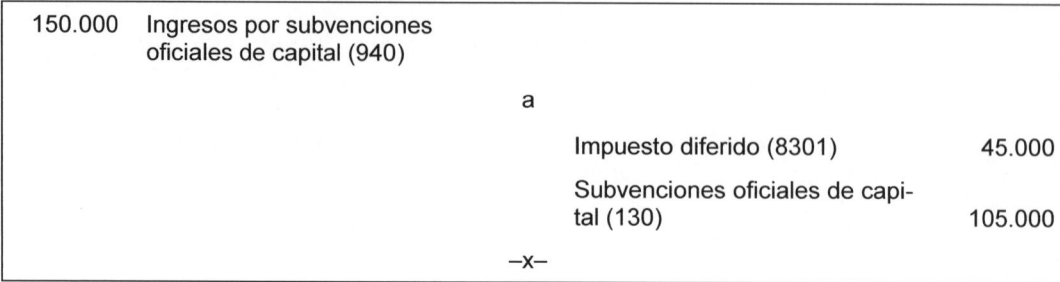

```
150.000   Ingresos por subvenciones
          oficiales de capital (940)
                                a
                                     Impuesto diferido (8301)              45.000
                                     Subvenciones oficiales de capi-
                                     tal (130)                           105.000
                                –x–
```

Por el cobro de la subvención:

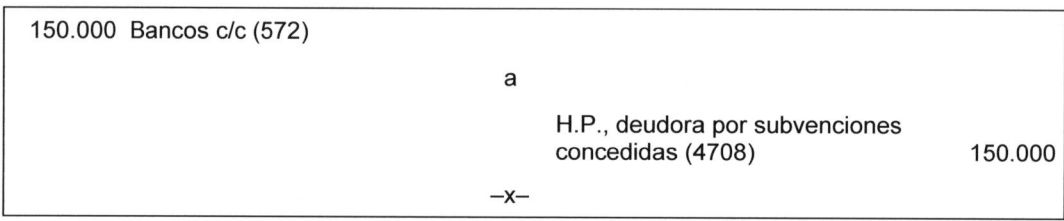

```
150.000   Bancos c/c (572)
                                a
                                     H.P., deudora por subvenciones
                                     concedidas (4708)                    150.000
                                –x–
```

Por la anulación del IVA:

```
45.000    Ajustes negativos de la imposi-
          ción indirecta (634)
                                a
                                     H.P., IVA soportado (472)             45.000
                                –x–
```

---

## CASO PRÁCTICO 3.5. Diversidad de subvenciones

Una sociedad anónima ha recibido las siguientes subvenciones:

- – Subvención oficial para atender déficit de explotación por 20.000 euros.
- – Para financiar gastos de formación profesional, por importe de 10.000 euros.
- – Subvención sin finalidad específica, por importe de 5.000 euros.

También se han recibido 30.000 euros de los socios de la empresa para atender el déficit de explotación.

*Se pide*: realizar las operaciones reseñadas.

**Solución**

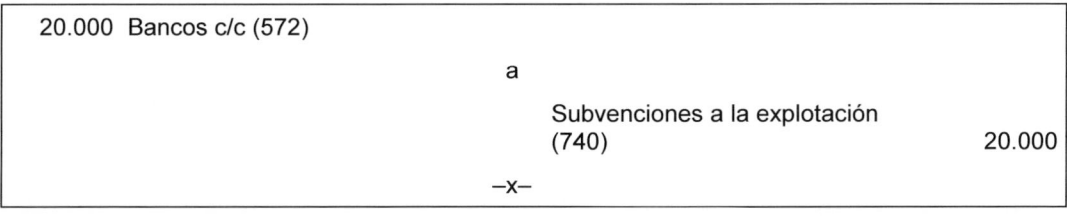

```
20.000  Bancos c/c (572)
                                a
                                    Subvenciones a la explotación
                                    (740)                              20.000
                                –x–
```

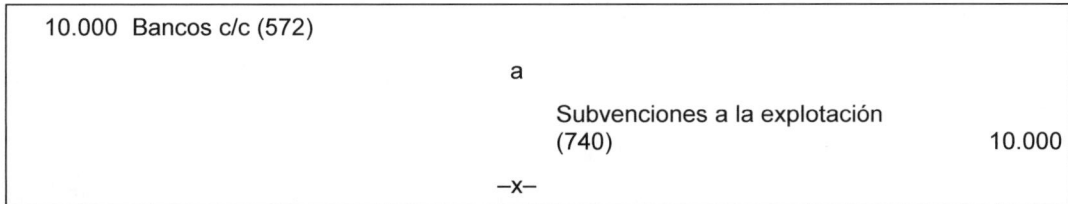

```
10.000  Bancos c/c (572)
                                a
                                    Subvenciones a la explotación
                                    (740)                              10.000
                                –x–
```

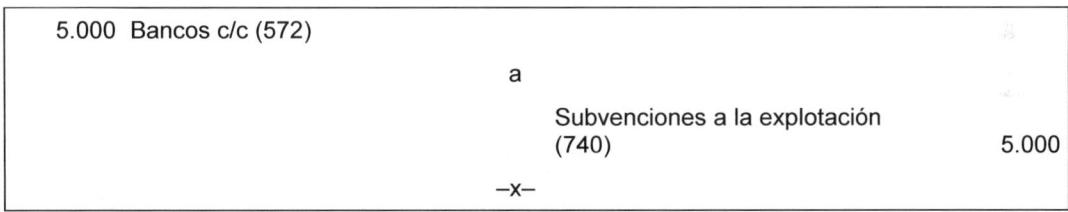

```
5.000  Bancos c/c (572)
                                a
                                    Subvenciones a la explotación
                                    (740)                               5.000
                                –x–
```

Por la aportación de los socios:

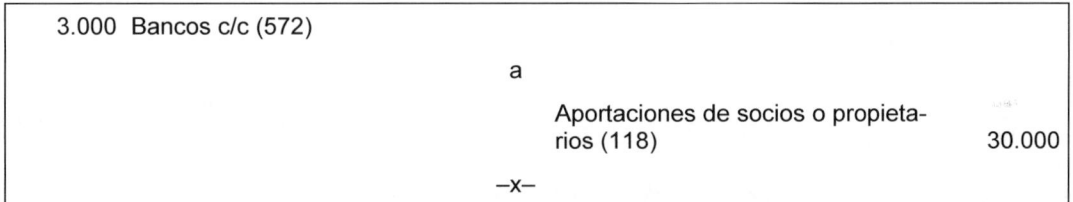

```
3.000  Bancos c/c (572)
                                a
                                    Aportaciones de socios o propieta-
                                    rios (118)                         30.000
                                –x–
```

## CASO PRÁCTICO 3.6. Subvención no reintegrable, sin IVA

Se recibe una subvención oficial no reintegrable para financiar parte de una maquinaria de alta tecnología por importe de 180.000 euros.

Se adquiere e instala la maquinaria cuyo importe asciende a 228.000 euros, pagando al contado el 50% y el resto a pagar en 5 años, reembolsando cada año la parte proporcional, con unos intereses del 5% anual, pagaderos cada año.

*Se pide*: contabilizar las operaciones del primer año.

**Solución**

En el momento de la percepción de la subvención, *no reintegrables*, se hace:

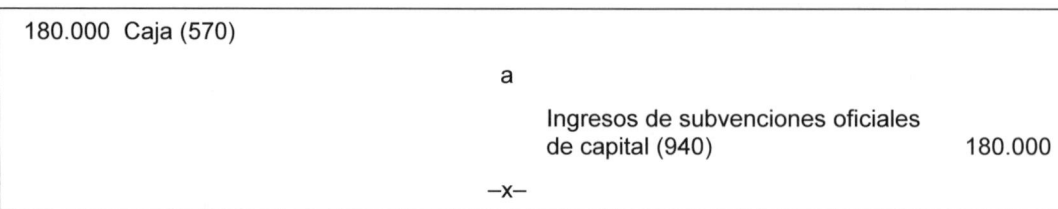

```
180.000  Caja (570)
                                a
                                   Ingresos de subvenciones oficiales
                                   de capital (940)                    180.000
                                —x—
```

Por la adquisición de la maquinaria:

```
228.000  Maquinaria (213)
                                a
                                   Caja (570)                          114.000
                                   Proveedores inmovilizado a largo
                                   plazo. (173)                        114.000
                                —x—
```

La depreciación sufrida por la maquina en el primer año es:

$$228.000/5 = 45.600 \ \text{€.}$$

```
45.600  Amortización del inmovilizado
        material (681)
                                a
                                   Amortización acumulada del inmo-
                                   vilizado material (281)             45.600
                                —x—
```

Al cierre del ejercicio:

```
180.000  Ingresos de subvenciones oficia-
         les de capital (940)
                                a
                                   Subvenciones oficiales de capital
                                   (130)                               180.000
                                —x—
```

La imputación de ingresos al patrimonio neto, tributará con el impuesto sobre beneficios:

$$180.000 \times 30\% = 54.000 \ \text{€.}$$

| 54.000 | Impuesto sobre beneficios (8300) | |
|---|---|---|
| | a | |
| | Subvenciones oficiales de capital (130) | 54.000 |
| | —x— | |

En el momento de imputación a la cuenta de pérdidas y ganancias, al final de ejercicio:

| 180.000 | Transferencias de subvenciones oficiales de capital (840) | |
|---|---|---|
| | a | |
| | Subvenciones, donaciones y legados de capital transferido a resultado del ejercicio (746) | 180.000 |
| | —x— | |

Al cierre del ejercicio:

| 180.000 | Subvenciones oficiales de capital (130) | |
|---|---|---|
| | a | |
| | Transferencias de subvenciones oficiales de capital (840) | 180.000 |
| | —x— | |

En la imputación de pérdidas al patrimonio neto debe cancelarse la imputación del impuesto sobre beneficios al cierre de ejercicio:

| 54.000 | Subvenciones oficiales de capital (130) | |
|---|---|---|
| | a | |
| | Impuesto sobre beneficios (8300) | 54.000 |
| | —x— | |

Si observamos las cuentas, comprobamos que han quedado canceladas todas, salvo la de *Subvenciones, donaciones y legados de capital transferido a resultado del ejercicio*. No obstante, esta forma de proceder es necesaria para presentar el Estado en los Cambios en el Patrimonio Neto (ECPN).

Por los gastos por intereses del primer año:

$$114.000 \times 5\% = 5.700 \, €.$$

| | | |
|---|---|---|
| 5.700 | Intereses de deudas a largo plazo (662) | |
| | a | |
| | Caja (570) | 5.700 |
| | —x— | |

Reembolso cada año de la deuda:

$$114.000/5 = 22.000 \text{ €}.$$

| | | |
|---|---|---|
| 22.800 | Proveedores inmovilizado a corto plazo (523) | |
| | a | |
| | Caja (570) | 22.800 |
| | —x— | |

## CASO PRÁCTICO 3.7. Subvención recibida para I+D+i

Una sociedad anónima recibe una subvención de la comunidad autónoma, a primeros de marzo de 200X, por importe de 12.000 euros, de carácter no reintegrable, como premio a la iniciativa de fomentar la I+D+i. La sociedad espera amortizar este importe en tres años.

*Se pide*: contabilizar las operaciones del primer año.
**Solución**

En el momento de la percepción de la subvención no reintegrables 1-03-200X:

| | | |
|---|---|---|
| 12.000 | Bancos (572) | |
| | a | |
| | Ingresos de subvenciones oficiales de capital (940) | 12.000 |
| | —x— | |

Al cierre del ejercicio el 21-12-200X:

| | | |
|---|---|---|
| 12.000 | Ingresos de subvenciones oficiales de capital (940) | |
| | a | |
| | Otras subvenciones, donaciones y legados (132) | 12.000 |
| | —x— | |

La imputación de ingresos al patrimonio neto, tributará con el impuesto sobre beneficios:

$$12.000 \times 30\% = 3.600 \ \text{€.}$$

| | | |
|---|---|---|
| 3.600 | Impuesto sobre beneficios (830) | |
| | a | |
| | Otras subvenciones, donaciones y legados (132) | 3.600 |
| | —x— | |

En el momento de la imputación a pérdidas y ganancias, al final de cada ejercicio se produce:

| | | |
|---|---|---|
| 4.000 | Transferencias de subvenciones oficiales de capital (840) | |
| | a | |
| | Subvenciones, donaciones y legados de capital transferido a resultado del ejercicio (746) | 4.000 |
| | —x— | |

Al cierre del ejercicio:

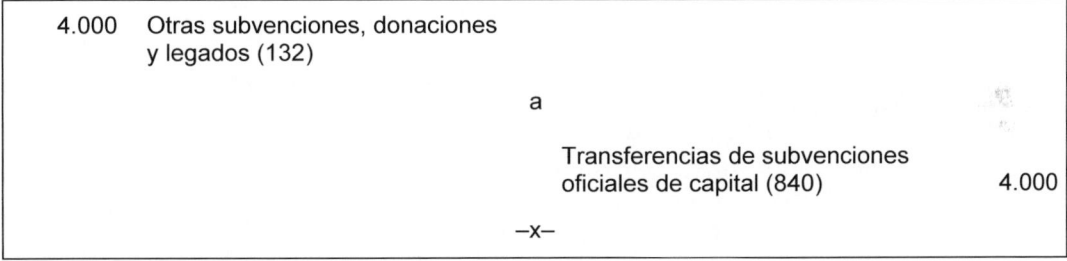

| | | |
|---|---|---|
| 4.000 | Otras subvenciones, donaciones y legados (132) | |
| | a | |
| | Transferencias de subvenciones oficiales de capital (840) | 4.000 |
| | —x— | |

En la imputación de pérdidas al patrimonio neto, debe cancelarse la imputación del impuesto sobre beneficios al cierre de ejercicio:

| | | |
|---|---|---|
| 3.600 | Otras subvenciones, donaciones y legados (132) | |
| | a | |
| | Impuesto sobre beneficios (830) | 3.600 |
| | —x— | |

## CASO PRÁCTICO 3.8. Subvención oficial para adquisición de mobiliario

Una sociedad anónima recibe, con fecha 1/01/200X, una subvención no reintegrable para adquirir un mobiliario de oficina por importe de 400.000 euros, con una vida útil estimada de 5 años y con una amortización constante.

La subvención recibida cubre el 100% del coste del mobiliario de oficina adquirido y se hace efectiva.

*Se pide*: realizar las operaciones en el primer año.

**Solución**

El 1-01-200X, por la concesión de la subvención:

| | | |
|---|---|---|
| 400.000 | H.P., deudora por subvenciones concedidas (4708) | |
| | a | |
| | Ingresos de subvenciones oficiales de capital (940) | 400.000 |
| | —x— | |

El 1-01-200X, por el cobro de la subvención:

| | | |
|---|---|---|
| 400.000 | Bancos (572) | |
| | a | |
| | H.P., deudora por subvenciones concedidas (4708) | 400.000 |
| | —x— | |

La adquisición del mobiliario:

| | | |
|---|---|---|
| 400.000 | Mobiliario (216) | |
| | a | |
| | Bancos (572) | 400.000 |
| | —x— | |

El 31-12-200X. La depreciación sufrida por el mobiliario en el primer año es:

$$400.000/5 = 80.000 \text{ €.}$$

| | | |
|---|---|---|
| 80.000 | Amortización del inmovilizado material (681) | |
| | a | |
| | Amortización acumulada del inmovilizado material (281) | 80.000 |
| | —x— | |

El 31-12-0X, se realiza la imputación a pérdidas y ganancias de la subvención:

| | |
|---|---|
| 400.000 Ingresos de subvenciones oficiales de capital (940) | |
| a | |
| | Subvenciones oficiales de capital (130) 400.000 |
| —x— | |

La imputación de ingresos al patrimonio neto, tributará con el impuesto sobre beneficios:

$$400.000 \ 30\% = 120.000 \ €.$$

| | |
|---|---|
| 120.000 Impuesto sobre beneficios (830) | |
| a | |
| | Subvenciones oficiales de capital (130) 120.000 |
| —x— | |

En el momento de imputación a pérdidas y ganancias, al final de ejercicio:

| | |
|---|---|
| 400.000 Transferencias de subvenciones oficiales de capital (840) | |
| a | |
| | Subvenciones, donaciones y legados de capital transferido a resultado del ejercicio (746) 400.000 |
| —x— | |

Al cierre del ejercicio:

| | |
|---|---|
| 400.000 Subvenciones oficiales de capital (130) | |
| a | |
| | Transferencias de subvenciones oficiales de capital (840) 400.000 |
| —x— | |

Cuando se realiza la imputación de pérdidas al patrimonio neto, debe cancelarse la imputación del impuesto sobre beneficios al cierre de ejercicio:

| | |
|---|---|
| 120.000 Subvenciones oficiales de capital (130) | |
| a | |
| | Impuesto sobre beneficios (830) 120.000 |
| —x— | |

---

### CASO PRÁCTICO 3.9. Donación de terrenos

Una persona realiza la donación de unos terrenos a la empresa valorados en 100.000 euros. Los gastos de la escritura pública, los impuestos y otros gastos de gestión alcanzan la cifra de 10.000 euros.

*Se pide*: realizar las operaciones reseñadas sin IVA.

**Solución**

El valor de los terrenos asciende al valor del bien más todos los gastos necesarios hasta su puesta en funcionamiento:

| | | | |
|---|---|---|---|
| 110.000 | Terrenos y bienes naturales (210) | | |
| | | a | |
| | | Caja (5709) | 10.000 |
| | | Ingresos de subvenciones oficiales de capital (940) | 110.000 |
| | | —x— | |

Al cierre del ejercicio:

| | | | |
|---|---|---|---|
| 100.000 | Ingresos de subvenciones oficiales de capital (940) | | |
| | | a | |
| | | Otras subvenciones, donaciones y legados (132) | 100.000 |
| | | —x— | |

La imputación de ingresos al patrimonio neto tributará con el impuesto sobre beneficios:

| | | | |
|---|---|---|---|
| 30.000 | Impuesto sobre beneficios (830) | | |
| | | a | |
| | | Otras subvenciones, donaciones y legados (132) | 30.000 |
| | | —x— | |

En el momento de imputación a pérdidas y ganancias:

| | | | |
|---|---|---|---|
| 100.000 | Transferencias de subvenciones oficiales de capital (840) | | |
| | | a | |
| | | Subvenciones, donaciones y legados de capital transferido a resultado del ejercicio (746) | 100.000 |
| | | —x— | |

Al cierre del ejercicio:

| | | |
|---|---|---|
| 100.000 | Otras subvenciones, donaciones y legados (132) | |
| | a | |
| | Transferencias de subvenciones oficiales de capital (840) | 100.000 |
| | —x— | |

En la imputación de pérdidas al patrimonio neto debe cancelarse la imputación del impuesto sobre beneficios:

| | | |
|---|---|---|
| 30.000 | Otras subvenciones, donaciones y legados (132) | |
| | a | |
| | Impuesto sobre beneficios (830) | 30.000 |
| | —x— | |

---

## Caso Práctico 3.10. Subvención no reintegrable, a varios años

(Adaptado de Martínez Alfonso, A. P. y Labatut Serer, G. *Casos prácticos del PGC y PGC-PYMES y sus implicaciones fiscales*. Editorial. Ciss, S.A., 2010)

A final del año 20X8 se recibe la notificación de un organismo público de la concesión de las subvenciones siguientes:

- Subvención de 6.000 € para compensar unos gastos contabilizados en el ejercicio.
- Subvención para financiar un inmovilizado por importe de 12.000 €. Estos activos se amortizan un 10% a partir del año próximo.
- Subvención para financiar parte de las existencias finales, por importe de 2.000 €.
- Subvención para la adquisición de inversiones financieras que se encuentran en el balance, por valor de 2.000 €.
- Subvención, sin finalidad específica, de 1.500 €.

*Se pide*:
1. Contabilizar las operaciones en el ejercicio 20X8.
2. Contabilizar las operaciones en el ejercicio 20X8, según el PGC Pymes.
3. Contabilizar las operaciones en el ejercicio 20X9.
4. Contabilizar las operaciones en el ejercicio 20X9, según el PGC Pymes.

**Solución**

**1. Contabilización de las operaciones en ejercicio 20X8.**

Percepción de la subvención:

| 23.500 | HP por subvenciones concedidas (4708) | | |
|---|---|---|---|
| | | a | |
| | | Subvenciones, donaciones y legados a la exportación (740) | |
| | | (6.000 + 1.500 = 7.500) | 7.500 |
| | | Ingresos de subvenciones oficiales de capital (940) | |
| | | (12.000 + 2000 + 2000 = 16.000) | 16.000 |
| | –x– | | |

Por la diferencia temporaria:

$$16.000 \times 30\% = 4.800 \text{ €.}$$

| 4.800 | Impuesto diferido (8301) | | |
|---|---|---|---|
| | | a | |
| | | Pasivos por diferencias temporarias imponibles (479) | 4.800 |
| | –x– | | |

Al cierre del ejercicio:

| 7.500 | Subvenciones donaciones y legados a la exportación (740) | | |
|---|---|---|---|
| | | a | |
| | | Resultado del ejercicio (129) | 7.500 |
| | –x– | | |

| 16.000 | Ingresos de subvenciones oficiales de capital (940) | | |
|---|---|---|---|
| | | a | |
| | | Impuesto diferido (8301) | 4.800 |
| | | Subvenciones oficiales de capital (130) | 11.200 |
| | –x– | | |

**2. Contabilización de las operaciones en el ejercicio 20X8 según el PGC Pymes.**

Percepción de la subvención:

| | | | |
|---|---|---|---|
| 23.500 | HP por subvenciones concedidas (4708) | | |
| | a | Subvenciones donaciones y legados a la exportación (740) (6.000 + 1.500 = 7.500) | 7.500 |
| | | Subvenciones oficiales de capital (130) (12.000 + 2000 +2000 = 16.000) | 16.000 |
| | —x— | | |

Por la diferencia temporaria:

$$16.000 \times 30\% = 4.800 €:$$

| | | | |
|---|---|---|---|
| 4.800 | Subvenciones oficiales de capital (130) | | |
| | a | Pasivos por diferencias temporarias imponibles (479) | 4.800 |
| | —x— | | |

Al cierre del ejercicio:

| | | | |
|---|---|---|---|
| 7.500 | Subvenciones donaciones y legados a la exportación (740) | | |
| | a | Resultado del ejercicio (129) | 7.500 |
| | —x— | | |

**3. Contabilización de las operaciones en ejercicio 20X9.**

Por el cobro de la subvención:

| | | | |
|---|---|---|---|
| 23.500 | Bancos (572) | | |
| | a | HP deudora por subvenciones concedidas (4708) | 23.500 |
| | —x— | | |

Por la imputación de la subvención de capital a resultado del ejercicio:

$$(12.000 \times 10\%) + 2.000 + 2.000 = 5.200 \text{ €.}$$

| | | |
|---|---|---|
| 5.200 | Transferencias de subvenciones oficiales de capital (840) | |
| | a | |
| | Subvenciones, donaciones y legados de capital transferidos a resultado del ejercicio (746) | 5.200 |
| | —x— | |

Por la reversión diferencia temporaria:

$$5.200 \times 30\% = 1.560 \text{ €.}$$

| | | |
|---|---|---|
| 1.560 | Pasivos por diferencias temporarias imponibles (479) | |
| | a | |
| | Impuesto diferido (8301) | 1.560 |
| | —x— | |

Al cierre del ejercicio:

| | | |
|---|---|---|
| 5.200 | Subvenciones, donaciones y legados de capital transferidos a resultado del ejercicio (746) | |
| | a | |
| | Resultado del ejercicio (129) | 5.200 |
| | —x— | |

| | | |
|---|---|---|
| 1.560 | Impuesto diferido (8301) | |
| 3.640 | Subvenciones oficiales de capital (130) | |
| | a | |
| | Transferencias de subvenciones oficiales de capital (840) | 5.200 |
| | —x— | |

## 4. Contabilización de las operaciones en el ejercicio 20X9 PGC PYMES.

Por el cobro de la subvención:

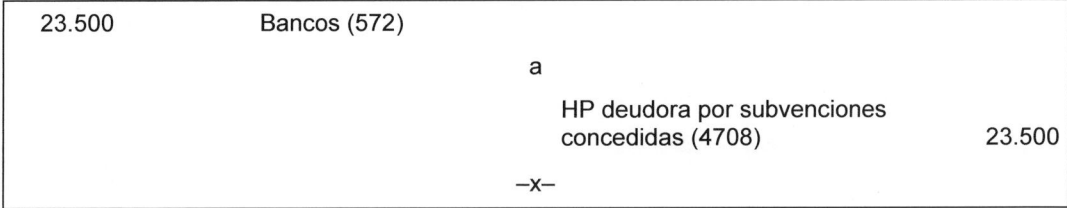

| 23.500 | Bancos (572) | |
|---|---|---|
| | a | |
| | HP deudora por subvenciones concedidas (4708) | 23.500 |
| | —x— | |

Por la imputación de la subvención de capital a resultado del ejercicio:

$$(12.000 \times 10\%) + 2.000 + 2.000 = 5.200 \ €.$$

| 5.200 | Subvenciones oficiales de capital (130) | |
|---|---|---|
| | a | |
| | Subvenciones, donaciones y legados de capital transferidos a resultado del ejercicio (746) | 5.200 |
| | —x— | |

Por la reversión diferencia temporaria

$$5.200 \times 30\% = 1.560 \ €.$$

| 1.560 | Pasivos por diferencias temporarias imponibles (479) | |
|---|---|---|
| | a | |
| | Subvenciones, donaciones y legados de capital transferidos a resultado del ejercicio (746) | 1.560 |
| | —x— | |

Al cierre del ejercicio:

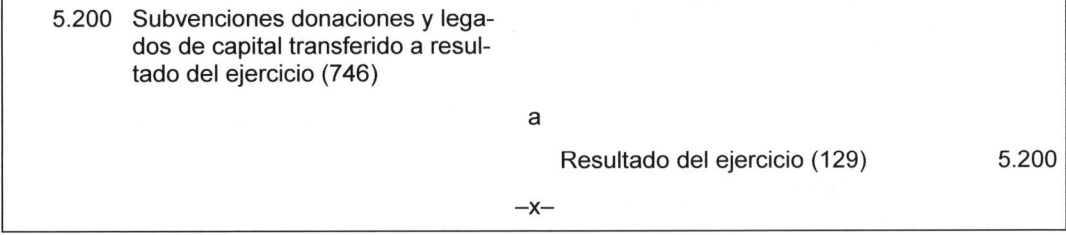

| 5.200 | Subvenciones donaciones y legados de capital transferido a resultado del ejercicio (746) | |
|---|---|---|
| | a | |
| | Resultado del ejercicio (129) | 5.200 |
| | —x— | |

## CASO PRÁCTICO 3.11. Subvención por un socio

Una sociedad recibe una subvención de un socio por importe de 500.000 euros. Esta cantidad se va a dedicar, una parte a compensar unas pérdidas por valor de 100.000 euros y el resto, a mejorar la situación patrimonial de la empresa.

*Se pide*: contabilizar las operaciones reseñadas.

**Solución**

Por la entrega de la subvención de socios:

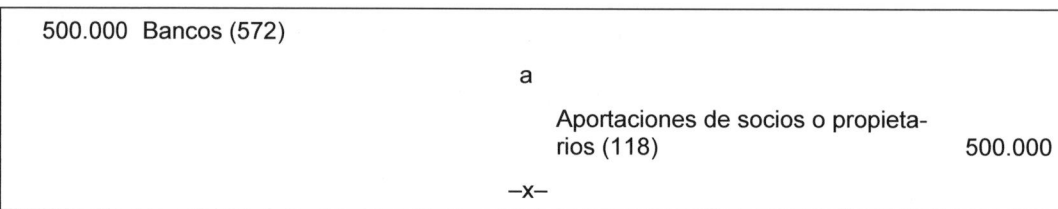

| 500.000 | Bancos (572) | | |
|---|---|---|---|
| | | a | |
| | | Aportaciones de socios o propietarios (118) | 500.000 |
| | –x– | | |

Por la compensación de pérdidas:

| 100.000 | Aportaciones de socios o propietarios (118) | | |
|---|---|---|---|
| | | a | |
| | | Resultado negativo de ejercicios anteriores (121) | 100.000 |
| | –x– | | |

## CASO PRÁCTICO 3.12. Subvención oficial: aspectos fiscales

(Adaptado de Martínez Alfonso, A. P. y Labatut Serer, G. *Casos prácticos del PGC y PGC-PYMES y sus implicaciones fiscales*. Editorial. Ciss, S.A., 2010)

Una sociedad anónima ha obtenido un resultado contable antes de impuestos de 50.000 euros en el año 20X8. Se sabe que ha recibido la donación de un vehículo, cuyo valor razonable es de 10.000 euros y su vida útil estimada es de 4 años, sin valor residual. La sociedad lo tenía contabilizado por su valor de adquisición, 20.000 euros, con una amortización acumulada de 12.000 euros.

En el año 20X9 el resultado antes de impuestos de la sociedad asciende a 40.000 euros.

*Se pide*: calcular y contabilizar el Impuesto de Sociedades de la sociedad anónima correspondiente a los años 20X8 y 20X9, sin IVA.

**Solución**

**Año 20X8.**

Contabilizar la donación:

| | | |
|---|---|---|
| 8.000 | Pérdidas procedente del inmoviliza-do material por donaciones (671X) | |
| 12.000 | Amortización acumulada de ele-mentos de transporte (2818) | |
| | a | |
| | Elemento de transporte (218) | 20.000 |
| | —x— | |

Contabilización de la donación

| | | |
|---|---|---|
| 10.000 | Elemento de transporte (218) | |
| | a | |
| | Ingreso de donaciones y legados de capital (941) | 10.000 |
| | —x— | |

Liquidación fiscal:

| LIQUIDACIÓN FISCAL | Año 20X8 |
|---|---|
| **Resultado contable antes de impuestos** | 50.000 |
| **Diferencias permanentes (+/–)** | |
| Valor del mercado de la donación recibida (+) | + 10.000 |
| **Diferencias temporarias en origen (+/–)** | |
| **Reversión diferencias temporarias de ejercicios anteriores** | |
| **BASE IMPONIBLE PREVIA** | **60.000** |
| Compensación de bases imponibles negativas ejercicios anteriores (–) | — |
| **BASE IMPONIBLE** | **60.000** |
| Tipo impositivo | 30% |
| **CUOTA INTEGRA** | **18.000** |
| Deducciones y bonificaciones (–) | — |
| **CUOTA LÍQUIDA** | **18.000** |
| Retenciones y pagos a cuenta (–) | — |
| **CUOTA A INGRESAR / DEVOLVER** | **18.000** |

Registro contable de la liquidación:

| | | | |
|---|---|---|---|
| 15.000 | Impuesto sobre beneficios corriente (6300) | | |
| 3.000 | Impuesto sobre beneficios corriente (6300) | | |
| | (10.000 × 30% =3.000) | | |
| | a | | |
| | | H.P., acreedora por Impuesto de Sociedades (4752) | 18.000 |
| | −x− | | |

Adquisición a título lucrativo:

| | | | |
|---|---|---|---|
| 15.000 | Resultado del ejercicio (129) | | |
| | a | | |
| | | Impuesto sobre beneficios corriente (6300) | 15.000 |
| | −x− | | |

| | | | |
|---|---|---|---|
| 10.000 | Ingreso de donaciones y legados de capital (941) | | |
| | a | | |
| | | Impuesto sobre beneficios corriente (8300) | 3.000 |
| | | Donaciones y legados de capital (131) | 7.000 |
| | −x− | | |

**Año 20X9.**

Amortización:

$$10.000 / 4 = 2.500 €.$$

| | | | |
|---|---|---|---|
| 2.500 | Amortización del inmovilizado material (681) | | |
| | a | | |
| | | Amortización acumulada del inmovilizado material (281) | 2.500 |
| | −x− | | |

$$(7.000 \, / 4) + (2.500 \times 30\%) = 2.500 \, \text{€}.$$

| | |
|---|---|
| 2.500 Transferencia de donaciones y legados de capital (841) | |
| a | |
| | Subvenciones, donaciones y legados de capital transferidos al resultado del ejercicio (746) 2.500 |
| —x— | |

$$2.500 \times 30\% = 750 \, \text{€}.$$

| | |
|---|---|
| 750 Impuesto sobre beneficios diferido (6301) | |
| a | |
| | Impuesto sobre beneficios diferido (8301) 750 |
| —x— | |

Liquidación fiscal:

| LIQUIDACIÓN FISCAL | AÑO 20X9 |
|---|---|
| **Resultado contable antes de impuestos** | 40.000 |
| **Diferencias permanentes (+/–)** | |
| Importe de la donación imputada en el ejercicio precedente en donde tributó | – 2.500 |
| **Diferencias temporarias en origen (+/–)** | |
| **Reversión diferencias temporarias de ejercicios anteriores** | |
| **BASE IMPONIBLE PREVIA** | **37.500** |
| Compensación de bases imponibles negativas ejercicios anteriores (–) | — |
| **BASE IMPONIBLE** | **37.500** |
| Tipo impositivo | 30% |
| **CUOTA INTEGRA** | **11.250** |
| Deducciones y bonificaciones (–) | — |
| **CUOTA LÍQUIDA** | **11.250** |
| Retenciones y pagos a cuenta (–) | — |
| **CUOTA A INGRESAR / DEVOLVER** | **11.250** |

Registro contable de la liquidación:

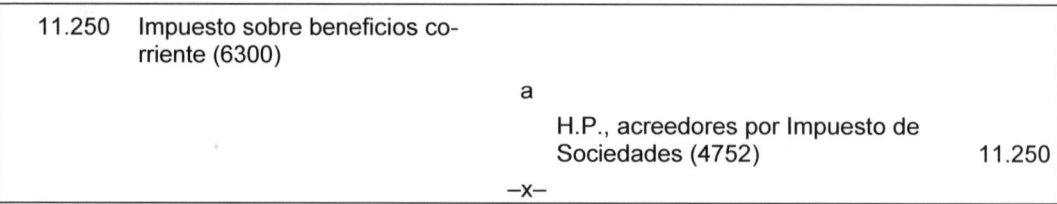

| 11.250 | Impuesto sobre beneficios corriente (6300) | | |
|---|---|---|---|
| | | a | |
| | | H.P., acreedores por Impuesto de Sociedades (4752) | 11.250 |
| | —x— | | |

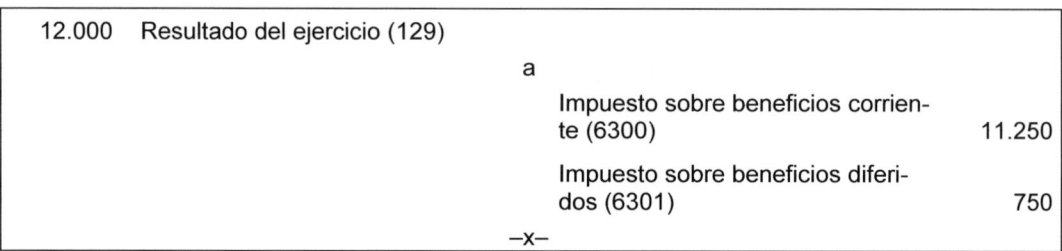

| 12.000 | Resultado del ejercicio (129) | | |
|---|---|---|---|
| | | a | |
| | | Impuesto sobre beneficios corriente (6300) | 11.250 |
| | | Impuesto sobre beneficios diferidos (6301) | 750 |
| | —x— | | |

| 1.750 | Donaciones y legados de capital (131) | | |
|---|---|---|---|
| 750 | Impuesto sobre beneficios diferido(8301) | | |
| | | a | |
| | | Transferencia de donaciones y legados de capital (841) | 2.500 |
| | —x— | | |

CAPITULO **4**

# PROVISIONES
# Y SITUACIONES TRANSITORIAS
# DE FINANCIACIÓN

**CONTENIDO**

# 4.1.  PROVISIONES

Las provisiones tienen por objeto el reconocimiento contable de pasivos no financieros de carácter no corriente que surgen de obligaciones expresas o tácitas, claramente especificadas en cuanto a su naturaleza, pero que en la fecha de cierre del ejercicio son indeterminados en cuanto a su importe exacto o fecha en que se producen.

Este subgrupo figura en el pasivo no corriente del balance. La parte de las provisiones, cuya cancelación se prevea en el corto plazo, deberá figurar en el pasivo corriente del balance en la cuenta (529) *Provisiones a corto plazo.*

## Criterios de valoración

Las provisiones se valorarán al cierre del ejercicio, por el valor actual de la mejor estimación posible del importe necesario para cancelar o transferir a un tercero la obligación, registrando los ajustes periódicos como gasto financiero conforme se vayan devengando.

## Cuentas diferenciadoras con las Pymes

- **140 Provisión por retribuciones a largo plazo al personal**

  Incluye las obligaciones legales, contractuales o implícitas con el personal de la empresa, tales como prestaciones definidas o prestaciones por incapacidad.

  En caso de que una entidad Pyme tuviera que contabilizar las retribuciones al personal a largo plazo, deberá realizarlo según los criterios señalados en el PGC para las empresas ordinarias.

- **146 Provisión para reestructuraciones**

  Recoge el importe estimado de los costes que surjan directamente de una reestructuración, siempre y cuando se cumplan las dos condiciones siguientes:

  - Estén necesariamente impuestos por la reestructuración.

  - No estén asociados con las actividades que continúan realizándose en la empresa.

  Se entiende por *reestructuración* un programa de actuación planificado y controlado por la empresa que produzca un cambio significativo en el alcance de la actividad de la empresa o en la manera de llevar la gestión de su actividad.

  No nos parece acertado el grado de exclusividad aplicado en el nuevo PGC 07, al considerar esta cuenta para las empresas ordinarias y no hacerla extensiva para las Pymes.

- **147 Provisión por transacciones con pagos basados en instrumentos de patrimonio**

  Contabiliza el importe estimado de las obligaciones asumidas por la empresa como consecuencia de una transacción con pagos basados en instrumentos de patrimonio que se liquiden con importe efectivo que esté basado en el valor de dichos instrumentos.

  No nos parece acertado el grado de exclusividad aplicado en el nuevo PGC 07, al considerar esta cuenta para las empresas ordinarias y no hacerla extensiva para las Pymes.

## Problemática contable

### Provisiones por retribuciones a largo plazo al personal

Los costes de servicios pasados surgidos por el establecimiento de un plan de retribuciones a largo plazo de prestaciones definidas serán reconocidos como gasto y se imputarán a la cuenta de Pérdidas y ganancias.

Por las estimaciones de los devengos anuales:

| | |
|---|---|
| Sueldos y salarios (640) | |
| o Retribuciones a largo plazo mediante sistemas de aportaciones definidas (643) | |
| o Retribuciones a largo plazo mediante sistemas de prestaciones definidas (644) | |
| a | Provisiones para retribuciones a largo plazo al personal (140) |
| --x-- | |

Por el reconocimiento de pérdida actuarial:

| | |
|---|---|
| Retribuciones a largo plazo mediante sistemas de prestaciones definidas (644) | |
| a | Provisiones para retribuciones a largo plazo al personal (140) |
| --x-- | |

Por los ajustes debidos a actualizaciones de activos:

| | |
|---|---|
| Intereses de deudas (en general) (66) | |
| a | Provisiones para retribuciones a largo plazo al personal (140) |
| --x-- | |

Cuando se aplique la provisión:

| | |
|---|---|
| Provisiones para retribuciones a largo plazo al personal (140) | |
| a | Caja (570) |
| --x-- | |

Por el reconocimiento de la garantía actuarial:

| | |
|---|---|
| Provisiones para retribuciones a largo plazo al personal (140) | |
| a | Garantías actuariales (950) |
| --x-- | |

Por el exceso de provisión:

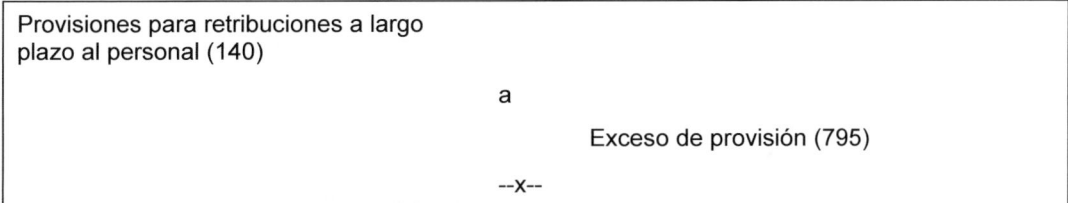

Provisiones para retribuciones a largo
plazo al personal (140)

a

              Exceso de provisión (795)

--x--

## Provisión para impuestos

Por la cuota de la dotación del ejercicio:

Otros tributos (631)

a

              Provisión para impuestos (141)

--x--

Por los intereses de demora y la sanción asociada:

Otros gastos financieros (669)

Gastos excepcionales (678)

a

              Provisión para impuestos (141)

--x--

Por la cuota e intereses de ejercicios anteriores:

Reservas voluntarias (113)

a

              Provisión para impuestos (141)

--x--

Cuando se aplique la provisión:

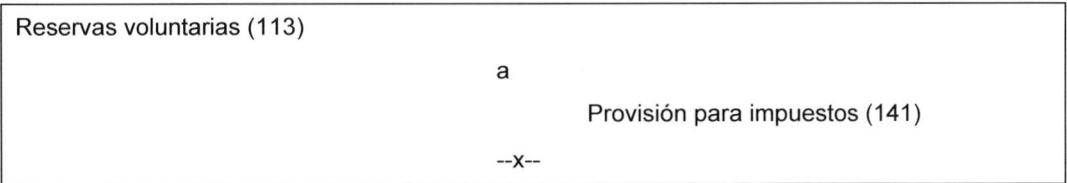

Provisión para impuestos (141)

a

              Caja (570)

--x--

Por el exceso de provisión, la disminución de la cuota del Impuesto de Sociedades, el exceso de sanción o el exceso de intereses de demora:

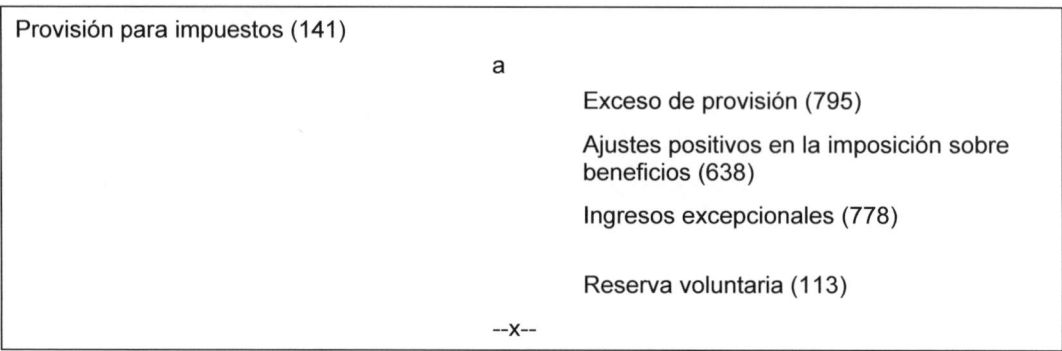

Provisión para impuestos (141)

a

Exceso de provisión (795)

Ajustes positivos en la imposición sobre beneficios (638)

Ingresos excepcionales (778)

Reserva voluntaria (113)

--x--

La problemática contable es análoga a lo señalado anteriormente para las cuentas:

- (14)2 Provisión para otras responsabilidades.
- (143) Provisión por desmantelamiento, retiro o rehabilitación del inmovilizado.
- (145) Provisión para actuaciones medioambientales.
- (146) Provisión para reestructuraciones.
- (147) Provisiones por transacciones con pagos basados en instrumentos de patrimonio.

**Provisión para actuaciones medioambientales**

Al nacimiento de la obligación:

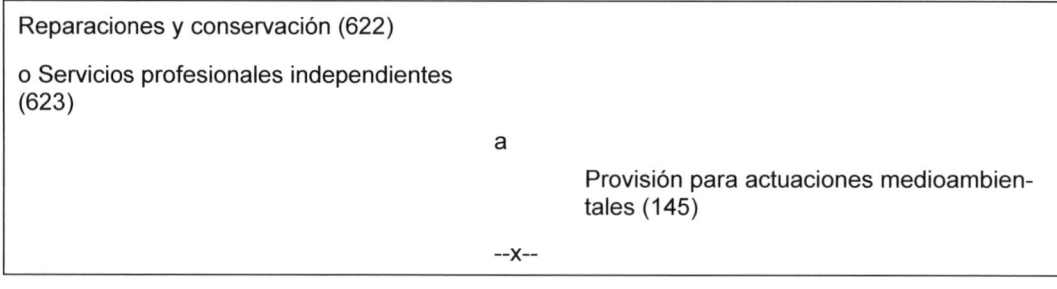

Reparaciones y conservación (622)

o Servicios profesionales independientes (623)

a

Provisión para actuaciones medioambientales (145)

--x--

Por las actualizaciones periódicas:

Otros gastos financieros (669)

a

Provisión para actuaciones medioambientales (145)

--x--

Cuando se aplique la provisión:

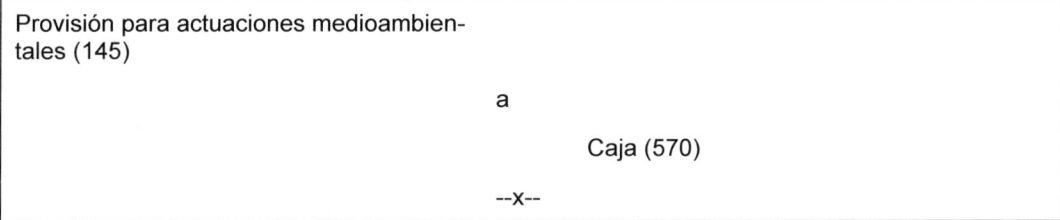

| Provisión para actuaciones medioambientales (145) | | |
|---|---|---|
| | a | |
| | | Caja (570) |
| | --x-- | |

Por el exceso de provisión:

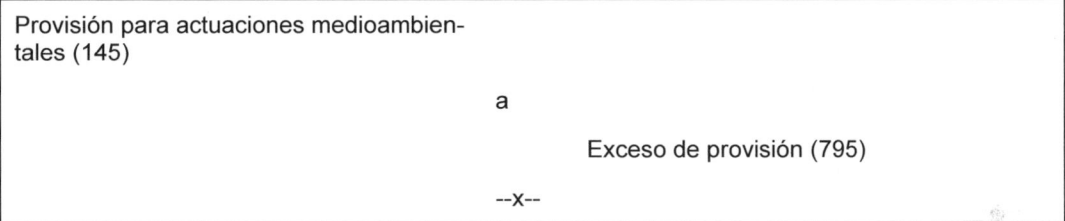

| Provisión para actuaciones medioambientales (145) | | |
|---|---|---|
| | a | |
| | | Exceso de provisión (795) |
| | --x-- | |

- ## CASOS PRÁCTICOS

### CASO PRÁCTICO 4.1. Provisiones medioambientales

Como consecuencia de los daños de naturaleza medioambiental ocasionados por una empresa, se dota anualmente una provisión, de la forma siguiente:

| Año | Importe |
|---|---|
| 1 | 50.000 |
| 2 | 80.000 |
| 3 | 100.000 |
| 4 | 120.000 |

Esta provisión se actualiza a una tasa de descuento del 4% anual.

Durante el primer año se ha incurrido en gastos medioambientales, con cargo a la provisión, por importe de 45.000 euros. Los gastos provisionados no gastados pasarán a incrementar la provisión del año siguiente.

*Se pide*: calcular y contabilizar las operaciones reseñadas.

**Solución**

El valor actual de la dotación a la provisión es:

$$50.000 \times 1,04^{-1} = \qquad 48.076,92$$
$$80.000 \times 1,04^{-2} = \qquad 73.964,50$$
$$100.000 \times 1,04^{-3} = \qquad 88.899,63$$
$$120.000 \times 1,04^{-4} = \qquad \underline{102.576,50}$$
$$313.517,55$$

| | | |
|---|---|---|
| 13.517,55 | Reparaciones y conservación (622) | |
| | a | |
| | Provisión para actuaciones medioambientales (145) | 313.517,55 |
| | --x-- | |

Por los gastos del primer año:

| | | |
|---|---|---|
| 45.000 | Reparaciones y conservación (622) | |
| 7.200 | H.P. IVA soportado (472) | |
| | a | |
| | Provisión para actuaciones medioambientales (145) | 52.200 |
| | --x-- | |

Por los ajustes de la provisión a final del año por haber transcurrido un año desde el inicio de la provisión:

| Año | Importe |
|:---:|:---:|
| 1 | 5.000 |
| 2 | 80.000 |
| 3 | 100.000 |
| 4 | 120.000 |

El valor actual será:

$$85.000 \times 1,04^{-1} = \qquad 81.730,76$$
$$100.000 \times 1,04^{-2} = \qquad 92.455,62$$
$$120.000 \times 1,04^{-3} = \qquad \underline{106.679,55}$$
$$280.865,93$$

La cuenta de provisión presenta, al final del año, el saldo siguiente:

| | |
|---|---|
| Saldo inicial | 313.517,55 |
| Gastos | – 45.000,00 |
| Saldo final | 268.517,55 |

El ajuste contable será:

$$280.865,93 - 268.517,55 = 12.348,38 €.$$

| | | |
|---|---|---|
| 12.348,38 | Gastos financieros por actualización de provisiones (660) | |
| | a | |
| | Provisión para actuaciones medioambientales (145) | 12.348,38 |
| | --x-- | |

---

**CASO PRÁCTICO 4.2. Provisiones reestructurares**

Una sociedad se ha comprometido en realizar diversas inversiones en ejecución de obras para mantener las instalaciones en perfecto estado de uso y funcionamiento. Para ello, prevé una aportación anual de 50.000 euros durante los diez años siguientes.

*Se pide*: contabilizar las operaciones de la dotación y la reestructuración al término del contrato.

**Solución**

Dotación por el devengo anual:

| | | |
|---|---|---|
| 50.000 | Reparaciones y conservación (622) | |
| | a | |
| | Provisión para reestructuraciones (146) | 50.000 |
| | --x-- | |

Por la mejora de la instalación:

| | | |
|---|---|---|
| 50.000 | Provisión para reestructuraciones (146) | |
| | a | |
| | Caja (570) | 50.000 |
| | --x-- | |

---

CASO PRÁCTICO **4.3. Provisiones para remuneración al personal. Planes y fondos de pensiones**

Una sociedad anónima satisface la nomina del personal por importe de 1.000.000 euros, su aportación a un plan y fondo de pensiones, gestionado externamente, asciende a 150.000 euros.

A los empleados, la empresa les retiene en la nómina para el fondo de pensiones, 250.000 euros. Al término de un mes ingresa las cotizaciones al régimen privado de pensiones.

*Se pide*: contabilizar estas operaciones.

**Solución**

| | | | |
|---|---|---|---|
| 1.000.000 | Sueldos y salarios (640) | | |
| 150.000 | Retribuciones a largo plazo mediante sistemas de aportaciones definidas (643) | | |
| | a | | |
| | | Bancos c/c (572) | 750.000 |
| | | Remuneraciones mediante sistemas de aportaciones definidas pendientes de pago (466) | 400.000 |
| | --x-- | | |

En el momento del pago a la gestora del Plan de pensiones:

| | | | |
|---|---|---|---|
| 400.000 | Remuneraciones mediante sistemas de aportaciones definidas pendientes de pago (466) | | |
| | a | | |
| | | Bancos c/c (572) | 400.000 |
| | --x-- | | |

---

CASO PRÁCTICO **4.4.**

Una sociedad dispone de un plan y fondo de pensiones para sus empleados, cuya aportación anual es de 500.000 euros y la rentabilidad obtenida por la inversión del montante de aportaciones del presente año es de 30.000 euros.

*Se pide*: contabilizar las operaciones reseñadas.

**Solución**

Los rendimientos generados por la provisión para pensiones se suele recoger en la cuenta *Intereses de deudas* (662):

| | | | |
|---|---|---|---|
| 500.000 | Retribuciones a largo plazo mediante sistemas de aportaciones definidas (643) | | |
| 30.000 | Intereses de deudas (662) | | |
| | | a | |
| | | Provisiones por retribuciones a largo plazo al personal (140) | 530.000 |
| | --x-- | | |

### Caso Práctico 4.5. Provisiones por rehabilitación

Una sociedad ha adquirido unos terrenos por importe de 500.000 euros, en los que se realizan unas obras de acondicionamiento por valor de 50.000 euros.

La sociedad considera que deberá dotarse de una provisión para la rehabilitación dentro de 5 años por valor de 20.000 euros. Para actualizar esta provisión, aplicará una tasa de descuento del 4% anual.

*Se pide*: realizar los cálculos y asientos contables correspondientes.

**Solución**

Por la adquisición de los terrenos y las obras de acondicionamiento, hay que imputar también el IVA correspondiente a las obras:

| | | | |
|---|---|---|---|
| 550.000 | Terrenos y bienes naturales (210) | | |
| 8.000 | H.P. IVA soportado (472) | | |
| | | a | |
| | | Bancos c/c (572) | 558.000 |
| | --x-- | | |

Por la provisión para rehabilitación:

$$20.000 \times 1{,}04^{-5} = 16.438{,}54 \text{ €.}$$

| | | | |
|---|---|---|---|
| 16.438,54 | Terrenos y bienes naturales (210) | | |
| | | a | |
| | | Provisión por desmantelamiento, retiro o rehabilitación del inmovilizado (143) | 16.438,54 |
| | --x-- | | |

Por la amortización practicada de las obras:

$$16.438,54/5 = 3.287,71 \text{ €.}$$

| | | |
|---|---|---|
| 3.287,71 | Amortización del inmovilizado material (681) | |
| | a | |
| | Amortización acumulada del inmovilizado material (281) | 3.287,71 |
| | --x-- | |

Por los ajustes de la actualización

$$20.000 \times 1,04^{-4} = 17.096,08 - 16.438,54 = 657,54 \text{ €.}$$

| | | |
|---|---|---|
| 657,54 | Gastos financieros por la actualización de la provisión (660) | |
| | a | |
| | Provisión por desmantelamiento, retiro o rehabilitación del inmovilizado (143) | 657,54 |
| | --x-- | |

## CASO PRÁCTICO 4.6. Prestaciones de la Seguridad social

Los sueldos del personal de una empresa correspondientes al mes de marzo ascienden a 300.000 euros. La cuota patronal alcanza los 65.000 euros y la cuota obrera, 15.000 euros. Al mes siguiente se hace efectivo el ingreso de las cuotas satisfechas al organismo público correspondiente.

*Se pide*: realizar las operaciones reseñadas.

**Solución**

En el mes de marzo:

| | | |
|---|---|---|
| 300.000 | Sueldos y salarios (640) | |
| 65.000 | Seguridad Social a cargo de la empresa (642) | |
| | a | |
| | Bancos c/c (572) | 285.000 |
| | Organismos de la S.S. acreedores (476) | 80.000 |
| | --x-- | |

En el momento del pago a la Seguridad Social correspondiente al mes de abril:

| 80.000 | Organismos de la S.S. acreedores (476) | | |
|---|---|---|---|
| | a | | |
| | | Bancos c/c (572) | 80.000 |
| | --x-- | | |

---

## CASO PRÁCTICO 4.7. Prestaciones definidas

La empresa satisface la nomina del personal por valor de 1.000.000 de euros, su aportación al régimen general de la Seguridad Social es de 200.000 euros, la aportación a un plan y fondo de prestaciones definidas gestionado externamente es de 150.000 euros.

A los empleados, la empresa les retiene en la nómina la cotización a la Seguridad Social, que alcanza el importe de 50.000 euros y se realizar una aportación al Fondo de pensiones por valor de 250.000 euros en el presente año.

Al término de un mes se ingresa en la tesorería de la Seguridad Social las cotizaciones practicadas y las cotizaciones al régimen privado de pensiones.

*Se pide*: contabilizar éstas operaciones.

**Solución**

En el presente mes se registra:

| 1.000.000 | Sueldos y salarios (640) | | |
|---|---|---|---|
| 200.000 | Seguridad Social a cargo de la empresa (642) | | |
| 150.000 | Retribuciones a largo plazo mediante sistema de prestaciones definidas (644) | | |
| | a | | |
| | | Bancos c/c (572) | 700.000 |
| | | Organismos de la S.S. acreedores (476) | 250.000 |
| | | Provisión por retribución a largo plazo al personal (140) | 400.000 |
| | --x-- | | |

En el momento del pago a la Seguridad Social en el mes siguiente:

| | | |
|---|---|---|
| 200.000 | Organismos de la S.S. acreedores (476) | |
| | Bancos c/c (572) | 200.000 |

·x--

En el momento del pago a la gestora del Plan de pensiones:

| | | |
|---|---|---|
| 400.000 | Provisión por retribución a largo plazo al personal (140) | |
| | a | |
| | Bancos c/c (572) | 400.000 |

--x--

---

## CASO PRÁCTICO 4.8. Contribuciones definidas

La sociedad dispone de un plan y fondo de contribuciones definidas para sus empleados, con una aportación anual de 500.000 euros. La rentabilidad obtenida por la inversión del montante de las aportaciones del presente año es de 30.000 euros.

*Se pide*: contabilizar las operaciones reseñadas.

**Solución**

Los rendimientos generados por la provisión para pensiones se suele recoger en la cuenta *Intereses de deudas a largo plazo* (662).

| | | |
|---|---|---|
| 500.000 | Retribuciones a largo plazo mediante sistema aportaciones definidas (643) | |
| 30.000 | Intereses de deudas a largo plazo (662) | |
| | a | |
| | Bancos c/c (572) | 530.000 |

--x--

---

## CASO PRÁCTICO 4.9. Provisión para reestructuraciones

La sociedad se ha comprometido a realizar diversas inversiones para la ejecución de obras para mantener las instalaciones en perfecto estado de uso y funcionamiento. Para ello, prevé una aportación anual de 50.000 euros durante los diez años que dura la concesión administrativa.

La cuota de amortización anual asciende a 30.000 euros. El valor de la instalación, transcurridos los diez años, es de 400.000 euros, revirtiéndose el inmovilizado.

*Se pide*: contabilizar las operaciones de la dotación y la reversión al término del contrato.

**Solución**

Dotación por el devengo anual:

| | | |
|---|---|---|
| 50.000 | Reparaciones y conservación (622) | |
| | a | |
| | Provisión de reestructuraciones (146) | 50.000 |
| | --x-- | |

Por la mejora anual de la instalación:

| | | |
|---|---|---|
| 50.000 | Otras instalaciones (215) | |
| | a | |
| | Caja (570) | 50.000 |
| | --x-- | |

La cuota de amortización anual es:

| | | |
|---|---|---|
| 30.000 | Amortización del Inmovilizado Material (681) | |
| | Amortización Acumulada del Inmovilizado Material (281) | 30.000 |
| | --x-- | |

Cuando se aplique la provisión, el valor contable de la instalación responde a los importes de las mejoras efectuadas cada año menos la depreciación sufrida por la instalación.

| | | |
|---|---|---|
| 500.000 | Provisión de reestructuraciones (146) | |
| 300.000 | Amortización Acumulada del Inmovilizado Material (281) | |
| | Otras instalaciones (215) | 500.000 |
| | Exceso de provisión para retribuciones (7956) | 300.000 |
| | --x-- | |

---

Caso Práctico **4.10. Retribuciones al personal**

Una sociedad anónima ha concedido a cinco directivos una opción de 100 acciones de la compañía sobre la revalorización que experimenten sus acciones en dos años. El precio de la acción en el momento de ofrecer la opción es de 100 euros.

Al vencimiento, la entidad liquidará la diferencia en efectivo. El precio de la acción al final del primer año es de 150 euros. La cotización al final del año 2 es 120 euros. El tipo impositivo del 30%.

*Se pide*: contabilizar las operaciones reseñadas.

**Solución**

Al final del primer año, la periodificación del gasto de las 100 acciones será:

$$100 \times (150 - 100) \times \tfrac{1}{2} = 2.500 \; €.$$

| 2.500 | Retribuciones al personal liquidadas en efectivo basados en instrumentos de patrimonio (6457) | | |
|---|---|---|---|
| | | a | |
| | | Provisión a corto plazo por transacciones con pagos basados en instrumentos de patrimonio (5297) | 2.500 |
| | --x-- | | |

Por el efecto impositivo:

$$2.500 \times 0,30 = 750 \; €.$$

| 750 | Activo por diferencia temporaria deducible (4740) | | |
|---|---|---|---|
| | | a | |
| | | Impuesto diferido (6301) | 750 |
| | --x-- | | |

Al final del primer año, la periodificación del gasto será:

$$100 \times (120 - 100) - 2.500 = -500 \; €.$$

O, si se prefiere:

$$100 \times (120 - 150) = 3.000 \text{ €}.$$

$$- 3.000 + 2.500 = - 500 \text{ €}.$$

| 500 | Provisión a corto plazo por transacciones con pagos basados en instrumentos de patrimonio (5297) | | |
|---|---|---|---|
| | a | | |
| | | Exceso de la provisión por transacciones con pagos basados en instrumentos de patrimonio (7957) | 500 |
| | --x-- | | |

Por la reversión del efecto impositivo:

$$500 \times 0,30 = 150 \text{ €}.$$

| 150 | Impuesto diferido (6301) | | |
|---|---|---|---|
| | a | | |
| | | Activo por diferencia temporaria deducible (4740) | 150 |
| | --x-- | | |

Por la liquidación de las opciones en efectivo de las 100 acciones:

$$100 \times (120 - 100) = 2.000 \text{ €}$$

| 2.000 | Provisión a corto plazo por transacciones con pagos basados en instrumentos de patrimonio (5297) | | |
|---|---|---|---|
| | a | | |
| | | Bancos c/c (572) | 2.000 |
| | --x-- | | |

Por la reversión del efecto impositivo:

$$2.000 \times 0,30 = 600 \text{ €}.$$

| 600 | Impuesto diferido (6301) | | |
|---|---|---|---|
| | a | | |
| | | Activo por diferencia temporaria deducible (4740) | 600 |
| | --x-- | | |

# CAPITULO 5

# DEUDAS
# A LARGO PLAZO

CONTENIDO

# 5.1. DEUDAS A LARGO PLAZO CON CARACTERÍSTICAS ESPECIALES

La financiación ajena a largo plazo tiene el carácter de exigible; son recursos procedentes del exterior, de terceras personas no vinculadas a la empresa como titulares. Pueden ser acciones u otras participaciones en el capital de la empresa que, atendiendo a las características de la emisión, deban contabilizarse como pasivo.

La parte de las deudas a largo plazo que tenga vencimiento a corto plazo se traspasarán al grupo 5.

## Criterios de valoración

Los recursos propios se valoran, en general, a valor nominal o de reembolso.

## 5.2. DEUDAS A LARGO PLAZO CON PARTES VINCULADAS

Son deudas cuyo vencimiento se producirá en un plazo superior al año, contraídas con en empresas del grupo, multigrupo, asociadas y otras partes vinculadas. Estas cuentas figuran en el pasivo del balance.

La parte de las deudas a largo plazo que tenga como vencimiento a corto se traspasarán a las cuentas equivalentes del grupo 5.

### Criterios de valoración

Los recursos propios se valoran, en general, por su valor nominal o de reembolso, con la excepción de la cuenta (162) *Acreedores por arrendamiento financiero a largo plazo, partes vinculadas*.

## 5.3. DEUDAS A LARGO PLAZO POR PRÉSTAMOS RECIBIDOS

Las cuentas de este subgrupo figurarán en el pasivo del balance. La parte de las deudas a largo plazo que tengan vencimiento a corto plazo, se traspasarán a las cuentas equivalentes del grupo 5.

Desde el punto de vista mercantil, se entiende por **préstamo** el contrato real, unilateral, por el que uno de los contratantes entrega al otro una cosa fungible o dinero para que la destine a operaciones del comercio, comprometiéndose el segundo a devolver otro tanto de la misma especie y calidad, o si no fuese posible, su equivalente dentro del plazo señalado, más el interés convenido.

Un **derivado financiero** es un instrumento financiero que cumple las características siguientes:

1. Su valor cambia en función de los cambios de variables, como el tipo de interés, los precios de los instrumentos financieros y los tipos de cambio.

2. No se requiere una inversión inicial o una inversión inferior a los que requieren otros tipos de contratos.

3. Se liquida en una fecha futura.

### Criterios de valoración

Los recursos ajenos se valoran, en general, a valor nominal o de reembolso.

## Cuentas diferenciadoras con las PYMES

* **(178) Obligaciones y bonos convertibles**

  Componentes de pasivo financiero de las obligaciones y bonos convertibles en acciones que se califican como instrumentos financieros compuestos.

* **(501) Obligaciones y bonos convertibles a corto plazo**

  No existe en el PGC para las PYMES.

## Tratamiento contable

### 5.3.1. Deudas a largo plazo con entidades de crédito

A la formalización de la deuda o el préstamo:

| | |
|---|---|
| Caja (570) | |
| Intereses de deudas (662) | |
| a | |
| | Deudas a largo plazo con entidades de crédito (170) |
| | o Deudas a largo plazo (171) |
| —x— | |

Por el reintegro total o parcial:

| | |
|---|---|
| Deudas a largo plazo con entidades de crédito (170) | |
| o Deudas a largo plazo (171) | |
| a | |
| | Caja (570) |
| —x— | |

### 5.3.2. Deudas a largo plazo transformables en subvenciones

Se abonan por las cantidades concedidas:

| | |
|---|---|
| Caja (570) | |
| o H.P., deudora por diversos conceptos (470) | |
| a | |
| | Deudas a l/p transformables en subvenciones, donaciones y legados (172) |
| —x— | |

Por la reducción total o parcial de la misma:

| Deudas a l/p transformables en subvenciones, donaciones y legados (172) | | |
|---|---|---|
| | a | |
| | | Caja (570) |
| | | o H.P., acreedora por conceptos fiscales (475) |
| | —x— | |

Si se pierde el carácter de reintegrable:

| Deudas a l/p transformables en subvenciones, donaciones y legados (172) | | |
|---|---|---|
| | a | |
| | | Ingresos por subvenciones oficiales en capital (940) |
| | —x— | |

En caso de que se cumplan los requisitos que convierten la deuda en no reintegrable, se tratará igual que el resto de subvenciones, cuya problemática ya se ha visto en el Capitulo 4.

### 5.3.3. Proveedores de inmovilizado a largo plazo

No presenta un tratamiento especial respecto a lo señalado en el epígrafe anterior.

## • CASOS PRÁCTICOS

### CASO PRÁCTICO 5.1. Deudas a largo plazo

Una sociedad anónima solicita un préstamo a un tercero, entidad no financiera, con una duración de cinco años, por importe de 1.000.000 euros. Los gastos de formalización, impuestos y comisiones ascienden a 5.000 euros. Los intereses aplicables son del 10% anual, pagaderos por semestres, vencidos a partir del 1 de septiembre de 20X0.

La retención practicada correspondiente a los intereses satisfechos, alcanza el 25% de los mismos, liquidándose a Hacienda al término de los tres meses de la fecha de devengo.

El reembolso se realiza en su totalidad el 1 de marzo de 20X5 y los gastos a distribuir en varios ejercicios se sanean en 5 años, siguiendo el criterio lineal.

*Se pide*:
1. Contabilizar el año 20X0.
2. Contabilizar el año 20X5.

**Solución**

**1. Contabilización del año 20X0.**

**1.1.** Formalización de préstamos:

```
955.000  Caja (570)
  5.000  Intereses de deudas (662)
                          a
                               Deudas a largo plazo (171)     1.000.000
                   —x—
```

**1.2.** Reconocimiento de intereses:

**a)** Reconocimiento de los intereses totales de la vida del empréstito:

```
500.000  Intereses de deudas (662)
                          a
                               Deudas a largo plazo (171)       500.000
                   —x—
```

**b)** Reconocimiento solamente de los intereses que venzan en el ejercicio económico actual.

Por el pago de intereses al 1 de septiembre de 20X0:

```
50.000  Intereses de deudas (662)
                          a
                               Caja (570)                        37.500
                               H.P., retenciones y pagos a
                               cuenta (473)                      12.500
                   —x—
```

**1.3.** Periodificación de los intereses:

**a)** Reconocimiento de los intereses totales de la vida del empréstito

Por el traspaso de las deudas de largo a corto plazo:

```
83.333  Deudas a largo plazo (171)
                          a
                               Deudas a corto plazo (521)        83.333
                   —x—
```

Por el traspaso de las deudas de largo plazo a corto plazo, relacionado con los intereses:

| | |
|---|---|
| 100.000 Deudas a largo plazo (171) | |
| a | |
| Deudas a corto plazo (521) | 100.000 |
| —x— | |

Imputación de los gastos por intereses en el ejercicio:

| | |
|---|---|
| 83.333 Intereses de deudas (662) | |
| a | |
| Intereses a corto plazo de deudas (528) | 83.333 |
| —x— | |

**b)** Reconocimiento solamente de los intereses que venzan en el ejercicio económico.

Reconocimiento de intereses hasta el 31 de diciembre, que supone cuatro meses.

| | |
|---|---|
| 33.333 Intereses de deudas (662) | |
| a | |
| Intereses a corto plazo de deudas (528) | 33.333 |
| —x— | |

**1.4.** Pago de intereses:

**a)** Reconocer los intereses totales de la vida del empréstito:

| | |
|---|---|
| 50.000 Deudas a corto plazo (521) | |
| a | |
| Caja (570) | 37.500 |
| H. P., acreedora por conceptos fiscales (475) | 12.500 |
| —x— | |

Cuando se haga efectivo el pago a la Hacienda Pública el 1 de diciembre:

| | |
|---|---|
| 12.500 H. P., acreedora por conceptos fiscales (475) | |
| a | |
| Caja (570) | 12.500 |
| —x— | |

**b)** Reconocer solamente los intereses que venzan en el ejercicio económico.

Coincide con lo señalado para el caso 1.4 a).

**1.5.** Saneamiento de los gastos de emisión.

No procede.

**1.6.** Cambio de la deuda de largo a corto plazo.

No procede anotación alguna.

**1.7.** Reembolso.

No procede anotación alguna.

## 2 Contabilización del año 20X5.

**2.1.** Formalización de préstamos.

No procede anotación alguna.

**2.2.** Reconocimiento de intereses.

No procede anotación alguna.

**2.3.** Periodificación de intereses.

**a)** Reconocimiento de los intereses totales de la vida del empréstito.

Imputación de los gastos por intereses en el ejercicio:

| | | |
|---|---|---|
| 166,67 Intereses de deudas (662) | | |
| | a | |
| | Intereses a c/p de deudas (528) | 166.67 |
| | −x− | |

**b)** Reconocer solamente los intereses que venzan en el ejercicio económico.

| | | |
|---|---|---|
| 33.333,33 Intereses a c/p de deudas (528) | | |
| 16.666,67 Intereses de deudas (662) | | |
| | a | |
| | Caja (570) | 37.500 |
| | H. P., acreedor conceptos fiscales (475) | 12.500 |
| | −x− | |

**2.4.** Pago de los intereses.

**a)** Reconocimiento de los intereses totales de la vida del empréstito.

```
100.000  Deudas a corto plazo (521)

                         a
                              Caja (570)                              75.000

                              H. P., acreedora por conceptos
                              fiscales (475)                          25.000

                    —x—
```

Cuando se haga efectivo el pago a la Hacienda Pública el 1 de diciembre:

```
 12.500  H.P., acreedor conceptos fiscales
         (475)
                         a
                              Caja (570)                              12.500

                    —x—
```

**b)** Reconocimiento solamente de los intereses que venzan en el ejercicio económico.

```
 50.000  Intereses de deudas (662)

                         a
                              Caja (570)                              37.500

                              H. P., acreedora por conceptos
                              fiscales (475)                          12.500

                    —x—
```

**2.5.** Saneamiento de los gastos de emisión.

No procede anotación alguna.

**2.6.** Cambio de la deuda de largo a corto plazo.

No procede su anotación, ya que se realizó en el ejercicio anterior.

**2.7.** Reembolso.

Consiste en la cancelación de la deuda:

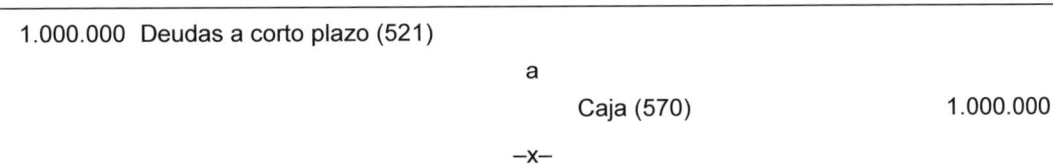

```
1.000.000  Deudas a corto plazo (521)

                         a
                              Caja (570)                          1.000.000

                    —x—
```

## 5.4   EFECTOS A PAGAR A LARGO PLAZO

En este apartado se encuentran  las obligaciones de pago que se generen, documentadas formalmente por medio de letras de cambio o pagarés y que se recogen en efectos.

### Tratamiento contable

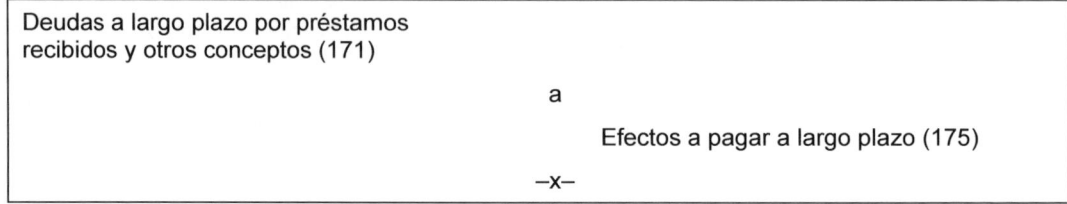

Cambio de largo a corto plazo:

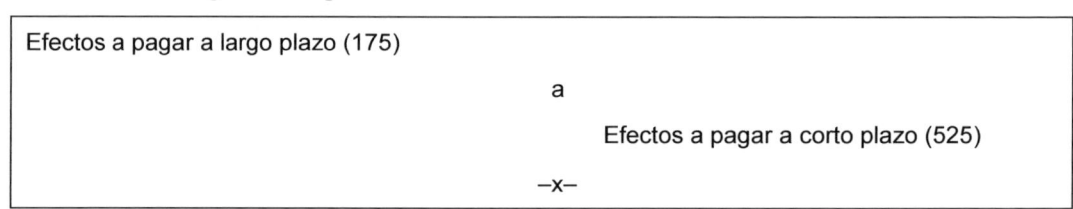

Pago de la deuda:

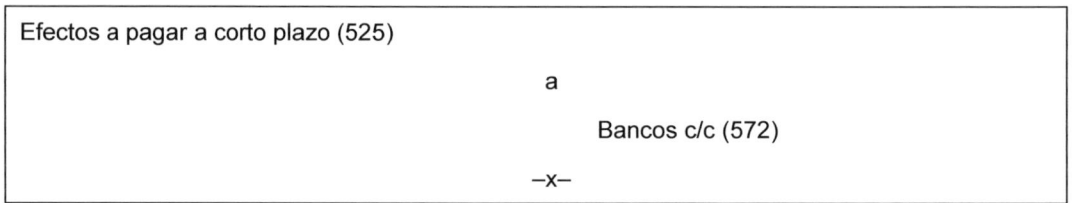

● **CASOS PRÁCTICOS**

**CASO PRÁCTICO 5.2. Efectos a pagar a largo plazo**

La sociedad presenta una deuda referente a la concesión de un préstamo a 5 años por importe de 50.000 euros. En este momento, se pretende documentar formalmente el importe de la deuda.

Cada año se devuelve la parte proporcional de la deuda. Los intereses de la deuda ascienden a 5% anual, sobre la parte del capital vivo.

*Se pide*: realizar las operaciones del primer año.

**Solución**

Por la formalización del préstamo.

| | |
|---|---|
| 50.000 Deudas a largo plazo (171) | |
| a | |
| | Efectos a pagar a largo plazo (175) 50.000 |
| | −x− |

Cambio de largo a corto plazo

| | |
|---|---|
| 10.000 Efectos a pagar a largo plazo (175) | |
| a | |
| | Efectos a pagar a corto plazo (525) 10.000 |
| | −x− |

Por los intereses del primer año:

| | |
|---|---|
| 2.500 Intereses de deudas (662) | |
| a | |
| | Bancos c/c (572) 2.125 |
| | H.P., por retenciones practicadas (4751) 375 |
| | −x− |

Pago de la deuda:

| | |
|---|---|
| 10.000 Efectos a pagar a corto plazo (525) | |
| a | |
| | Bancos c/c (572) 10.000 |
| | −x− |

# 5.5 PASIVOS POR DERIVADOS FINANCIEROS A LARGO PLAZO

Son los importes correspondientes a las operaciones con derivados financieros con valoración desfavorable para la empresa, cuyo plazo de liquidación sea superior al año.

## Criterios de valoración

- – Los instrumentos financieros derivados se valoran a valor razonable, siempre que no estén designados como instrumentos de cobertura o sean un contrato de ganancias financieras.

- – Se valoran por su valor razonable.

- – Los gastos de la transacción se incorporan en la cuenta de Pérdidas y ganancias.

- – Los resultados de la enajenación se imputan directamente a la cuenta de Pérdidas y ganancias.

- – No es posible su reclasificación.

## Tratamiento contable

En el momento de la contratación se contempla el importe recibido:

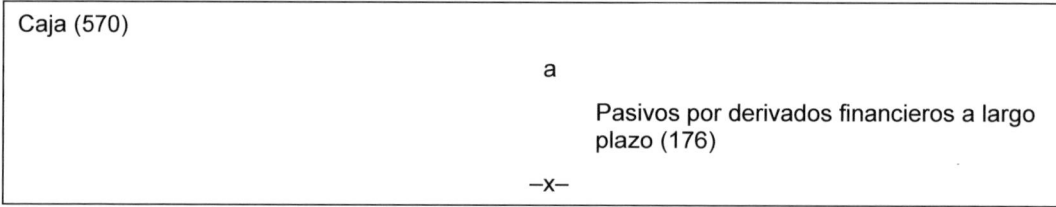

Se cargará por las cantidades percibidas en el momento de la liquidación:

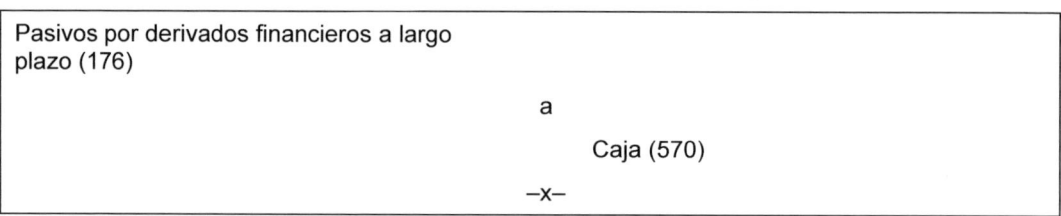

Cuando el derivado se clasifique en la categoría de *Pasivos financieros mantenidos para negociar* o en la de *Otros pasivos financieros a valor razonable*, con cambios en la cuenta de Pérdidas o ganancias, se abonará o cargará por las variaciones en su valor razonable, de la forma siguiente:

| Pérdidas por valoración de instrumentos financieros por su valor razonable (663) | | |
|---|---|---|
| | a | |
| | | Pasivos por derivados financieros a largo plazo (176) |
| | –x– | |

O bien:

| | |
|---|---|
| Pasivos por derivados financieros a largo plazo (176) | |
| | a |
| | Beneficios por la valoración de instrumentos financieros por su valor razonable (763) |
| —x— | |

Cuando el derivado se utilice como instrumento de cobertura en una cobertura de valor razonable, se abonará o cargará por el importe que resulte de aplicar las reglas que rigen la contabilidad de coberturas, y se procederá a contabilizar el asiento anterior en el momento en que se adquiera el activo o se asuma el pasivo cubierto, con abono a las cuentas en que se contabilicen las coberturas.

Por el importe que resulte de aplicar las reglas que rigen la contabilidad de coberturas:

| | |
|---|---|
| Pérdidas por valoración de instrumentos financieros por su valor razonable (663) | |
| | a |
| | Pasivos por derivados financieros a largo plazo (176) |
| —x— | |

Cuando el derivado se utilice como instrumento de cobertura, se cargará o abonará, por la ganancia o pérdida del instrumento que se haya determinado, como cobertura eficaz, con abono o cargo a las cuentas del subgrupo (91) *Ingresos en operaciones de cobertura* y (81) *Gastos en operaciones de cobertura*, respectivamente. Y por la cobertura ineficaz, a las cuentas (763) *Beneficios por valoración de instrumentos financieros por su valor razonable* y (663) *Pérdidas por valoración de instrumentos financieros por su valor razonable*.

## • CASOS PRÁCTICOS

### CASO PRÁCTICO 5.3 Emisión de obligaciones

Una sociedad anónima emitió en su día obligaciones destinadas a readquirirlas en el futuro como pasivos financieros mantenidos para negociar.

Se adquieren obligaciones propias por importe de 10.000 euros, contabilizadas por valor de 11.000 euros, con unos gastos de transacción de 200 euros. Posteriormente se adquieren otras obligaciones propias por valor de 20.000 euros, contabilizadas por 22.000 euros, con un cupón de intereses vencidos adheridos, por un importe de 1.000 euros. Los gastos de la operación suponen 300 euros. Las obligaciones de estas dos adquisiciones se amortizan.

Al final de ejercicio se valoran las obligaciones vivas, con un saldo de 500.000 euros, por su valor razonable, que se estima en 480.000 euros

*Se pide*: realizar las operaciones del ejercicio.

**Solución**

| | | |
|---|---|---|
| 10.000 | Obligaciones reconocidas (195) | |
| | a | |
| | Bancos c/c (572) | 10.000 |
| | −x− | |

La cuenta 195 no figura en el PGC:

| | | |
|---|---|---|
| 19.000 | Obligaciones reconocidas (195) | |
| 300 | Otros gastos financieros (669) | |
| 1.000 | Intereses de empréstitos y otras emisiones análogas (506) | |
| | a | |
| | Bancos c/c (572) | 20.300 |
| | −x− | |

| | | |
|---|---|---|
| 33.000 | Obligaciones y bonos (195) (11.000 + 22.000) | |
| | a | |
| | Obligaciones reconocidas (195) | 29.000 |
| | Beneficio por obligaciones propias (775) | 4.000 |
| | −x− | |

| | | |
|---|---|---|
| 20.000 | Obligaciones y bonos (195) | |
| | a | |
| | Beneficio de cartera de negociación (7630) | 20.000 |
| | −x− | |

# 5.6. OBLIGACIONES Y BONOS

### 5.6.1. Emisión bajo la par y reembolso a la par

La emisión bajo la par consiste en emitir los títulos por debajo del valor nominal, que se reembolsarán por el valor nominal. La diferencia entre bajo la par y a la par se recoge en la cuenta, (661) *Intereses de obligaciones y bonos*.

Emisión:

| |
|---|
| Obligaciones emitidas |
| a |
| Obligaciones y bonos (177) |
| —x— |

Suscripción:

| |
|---|
| Obligacionistas |
| Intereses de obligaciones y bonos (661) |
| a |
| Obligaciones emitidas |
| —x— |

Desembolso:

| |
|---|
| Caja (570) |
| a |
| Obligacionistas |
| —x— |

## • CASOS PRÁCTICOS

### CASO PRÁCTICO 5.4. Emisión bajo la par y reembolso a la par

Se emite un empréstito obligaciones al 90%, con reembolso a la par de 100.000 títulos, a 20 euros el título y una duración de 10 años.

La suscripción y desembolso alcanza el 80% del total de los títulos, procediendo la empresa a su anulación. Los gastos de formalización de deudas ascienden a 2.000 euros.

*Se pide*: contabilizar las operaciones del primer año y el reembolso.

**Solución**

Emisión:

| | | |
|---|---|---|
| 2.000.000 Obligaciones emitidas | | |
| | a | |
| | Obligaciones y bonos (195) | 2.000.000 |
| | —x— | |

Suscripción:

| | | |
|---|---|---|
| 1.440.000 Obligacionista | | |
| 160.000 Intereses de obligaciones y bonos (661) | | |
| | a | |
| | Obligaciones emitidas | 1.600.000 |
| | —x— | |

Por la anulación de los títulos:

| | | |
|---|---|---|
| 400.000 Obligaciones anuladas | | |
| | a | |
| | Obligaciones emitidas | 400.000 |
| | —x— | |

| | | |
|---|---|---|
| 400.000 Obligaciones y bonos | | |
| | a | |
| | Obligaciones anuladas | 400.000 |
| | —x— | |

Desembolso:

| | | |
|---|---|---|
| 1.440.000 Caja (570) | | |
| | a | |
| | Obligacionistas | 1.440.000 |
| | —x— | |

Por los gastos de formalización de deudas:

| | | |
|---|---|---|
| 2.000 Intereses de obligaciones y bonos (661) | | |
| | a | |
| | Caja (570) | 2.000 |
| | —x— | |

## 5.6.2. Emisión a la par y reembolso sobre la par

La emisión del empréstito obligaciones se realiza por el valor nominal y el reembolso o devolución del principal por encima del valor nominal. La diferencia entre el nominal y por encima del nominal se recoge de igual forma en la cuenta (661) *Intereses de obligaciones y bonos*. La problemática contable es análoga al caso anterior.

---

| CASO PRÁCTICO 5.5. Emisión a la par y reembolso sobre la par

Se emite un empréstito obligaciones a la par y con un reembolso al 120% de 100.000 títulos a 20 euros el título y de duración 10 años. La suscripción y el desembolso son totales. Los gastos de formalización de deudas alcanzan el importe de 3.000 euros.

*Se pide*: contabilizar las operaciones reseñadas.

**Solución**

Emisión:

| | | | |
|---|---|---|---|
| 2.000.000 | Obligaciones emitidas | | |
| 400.0000 | Intereses de obligaciones y bonos (661) | | |
| | a | | |
| | | Obligaciones y bonos (177) | 2.400.000 |
| | –x– | | |

Suscripción:

| | | | |
|---|---|---|---|
| 2.000.000 | Obligacionista | | |
| | a | | |
| | | Obligaciones emitidas | 2.000.000 |
| | –x– | | |

Desembolso:

| | | | |
|---|---|---|---|
| 2.000.000 | Caja (570) | | |
| | a | | |
| | | Obligacionistas | 2.000.000 |
| | –x– | | |

Por los gastos de formalización de deudas:

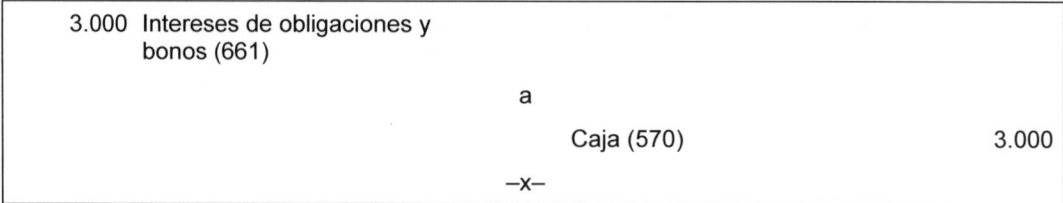

```
3.000  Intereses de obligaciones y
       bonos (661)

                         a
                             Caja (570)                    3.000
                       —x—
```

### 5.6.3. Emisión bajo la par y reembolso sobre la par

La emisión de un empréstito obligaciones se realiza por debajo del nominal y el reembolso por encima del nominal. La diferencia en la emisión, ya se ha señalado que se recoge en la cuenta (661) *Intereses de obligaciones y bonos*.

Emisión:

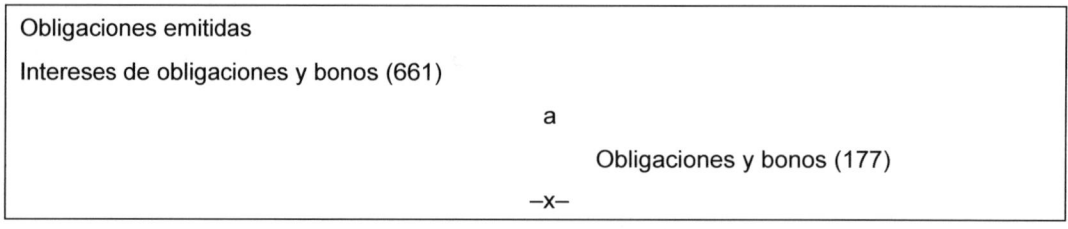

```
Obligaciones emitidas

Intereses de obligaciones y bonos (661)

                         a
                             Obligaciones y bonos (177)
                       —x—
```

Suscripción:

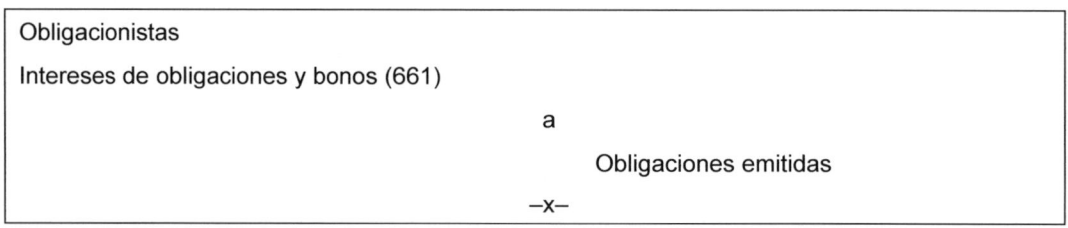

```
Obligacionistas

Intereses de obligaciones y bonos (661)

                         a
                             Obligaciones emitidas
                       —x—
```

Desembolso:

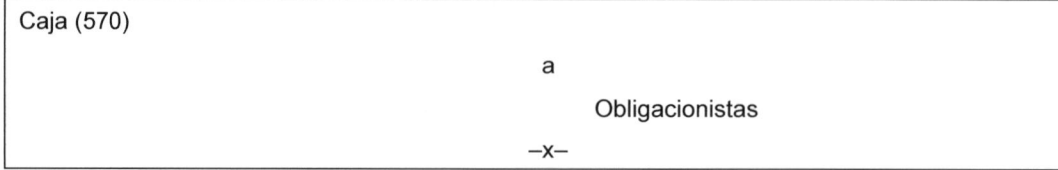

```
Caja (570)

                         a
                             Obligacionistas
                       —x—
```

Las cuentas (178) *Obligaciones y bonos convertibles* y (179) *Deudas representadas en otros valores negociables* no ofrecen dificultades específicas respecto al tratamiento contable señalado para la cuenta (177) *Obligaciones y bonos*.

## CASO PRÁCTICO 5.6. Emisión bajo la par y reembolso sobre la par

Una sociedad anónima emite un empréstito obligaciones de 10.000 títulos a 1.000 euros el título, al 90%. La duración del mismo es de 5 años, cuyo reembolso se realizará al final de la vida del empréstito al 120%.

El tipo de interés es del 5% anual, pagadero semestralmente, el 1 de julio y el 31 de diciembre de cada año. La suscripción asciende al 90% de los títulos emitidos, procediendo la sociedad a la anulación de los títulos no suscritos. Los gastos de emisión ascienden a 5.000 euros, que se sanean por partes iguales cada año.

*Se pide*: contabilizar las operaciones del primer año, sabiendo que la emisión se realiza a primeros de año.

**Solución**

Emisión:

| | | | |
|---|---|---|---|
| 10.000.000 | Obligaciones emitidas | | |
| 2.000.000 | Intereses de obligaciones y bonos (661) | | |
| | a | | |
| | | Obligaciones y bonos (177) | 12.000.000 |
| | —x— | | |

Suscripción:

| | | | |
|---|---|---|---|
| 8.100.000 | Obligacionistas | | |
| 900.000 | Intereses de obligaciones y bonos (661) | | |
| | a | | |
| | | Obligaciones emitidas | 9.000.000 |
| | —x— | | |

Por la anulación de los títulos:

| | | | |
|---|---|---|---|
| 1.000.000 | Obligaciones anuladas | | |
| | a | | |
| | | Obligaciones emitidas | 1.000.000 |
| | —x— | | |

| | | | |
|---|---|---|---|
| 1.200.000 | Obligaciones y bonos (177) | | |
| | a | | |
| | | Obligaciones anuladas | 1.000.000 |
| | | Intereses de obligaciones y bonos (661) | 200.000 |
| | —x— | | |

Desembolso:

| | | | |
|---|---|---|---|
| 8.100.000 Caja (570) | | | |
| | a | | |
| | | Obligacionistas | 8.100.000 |
| | –x– | | |

Por los gastos de formalización de deudas a los seis meses:

| | | | |
|---|---|---|---|
| 5.000 Intereses de obligaciones y bonos (661) | | | |
| | a | | |
| | | Caja (570) | 5.000 |
| | –x– | | |

Por los intereses a los seis meses:

| | | | |
|---|---|---|---|
| 225.000 Intereses de obligaciones y bonos (661) | | | |
| | a | | |
| | | Caja (570) | 191.250 |
| | | HP acreedores por retenciones practicadas (4751) | 33.750 |
| | –x– | | |

Por los intereses al año:

| | | | |
|---|---|---|---|
| 225.000 Intereses de obligaciones y bonos (661) | | | |
| | a | | |
| | | Caja (570) | 191.250 |
| | | HP acreedores por retenciones practicadas (4751) | 33.750 |
| | –x– | | |

## CASO PRÁCTICO 5.7. Obligaciones y bonos. Caso completo

Una sociedad anónima emite un empréstito obligaciones de 10.000 títulos a 1.000 euros por título al 90%. La duración del mismo es de 5 años, cuyo reembolso se realizará al final de la vida del empréstito al 120%.

El tipo de interés es del 6% por ciento anual, pagadero semestralmente, los días 1 de julio y 31 de diciembre de cada año. La suscripción asciende al 90% de los títulos emitidos, procediendo la sociedad a la anulación de los títulos no suscritos.

Los gastos de emisión ascienden a 5.000 euros.

*Se pide*:

1.  Contabilizar las operaciones del primer año, sabiendo que la emisión se realiza a primeros de año.
2.  Contabilizar las operaciones del último año.

**Solución**

**1. Contabilización de las operaciones del primer año.**

**1.1.** Emisión del empréstito:

– Emisión: $1.000 \times 10.000 \times 100 / 100 = 10.000.000$ €.

– Prima de reembolso: $1.000 \times 10.000 \times 20 / 100 = 2.000.000$ €.

– Obligaciones y bonos: $1.000 \times 10.000 \times 120 / 100 = 12.000.000$ €.

| | | |
|---|---|---|
| 10.000.000 | Obligaciones emitidas | |
| 2.000.000 | Intereses de obligaciones y bonos (661) | |
| | a | |
| | Obligaciones y bonos (177) | 12.000.000 |
| | —x— | |

**1.2.** Suscripción:

• Obligaciones emitidas: $10.000.000 \times 90 /100 = 9.000.000$ €.

• Obligacionistas: $1.000 \times 10.000 \times 90 / 100 = 9.000.000$ €.

• Suscripción de obligaciones: $9.000.000 \times 90 / 100 = 8.100.000$ €.

• Prima de emisión: $1.000 \times 10.000 \times 10 / 100 = 1.000.000$ €.

• Prima emisión neta: $1.000.000 \times 90 / 100 = 900.000$ €.

| | | |
|---|---|---|
| 8.100.000 | Obligacionistas | |
| 900.000 | Intereses de obligaciones y bonos (661) | |
| | a | |
| | Obligaciones emitidas | 9.000.000 |
| | —x— | |

Títulos anulados

$$1.000 \times 10.000 \times 10 / 100 = 1.000.000 \ \text{€}.$$

| | | |
|---|---|---|
| 1.000.000 Obligaciones anuladas | | |
| | a | |
| | Obligaciones emitidas | 1.000.000 |
| | −x− | |

| | | |
|---|---|---|
| 1.200.000 Obligaciones y bonos (177) | | |
| | a | |
| | Obligaciones anuladas | 1.000.000 |
| | Intereses de obligaciones y bonos (661) | 200.000 |
| | −x− | |

**1.3.** Desembolso:

Recoge las aportaciones de los obligacionistas

| | | |
|---|---|---|
| 8.100.000 Caja (570) | | |
| | a | |
| | Obligacionistas | 8.100.000 |
| | −x− | |

**1.4.** Gastos de emisión de deudas:

| | | |
|---|---|---|
| 5.000 Intereses de obligaciones y bonos (661) | | |
| | a | |
| | Caja (570) | 5.000 |
| | −x− | |

**1.5.** Reconocimiento de intereses:

**a)** Reconocimiento de los intereses anuales:

| | | |
|---|---|---|
| 540.000 Intereses de obligaciones y bonos (661) | | |
| | a | |
| | Deudas a largo plazo (171) | 540.000 |
| | −x− | |

**b)** Reconocimiento de los intereses devengados en el ejercicio

Reconocimiento del gasto por intereses correspondientes al primer semestre del primer año:

| | | |
|---|---|---|
| 540.000 | Intereses de obligaciones y bonos (661) | |
| | a | |
| | Deudas a largo plazo (171) | 540.000 |
| | —x— | |

Reconocimiento del gasto por los intereses correspondientes al segundo semestre del primer año:

| | | |
|---|---|---|
| 540.000 | Intereses de obligaciones y bonos (661) | |
| | a | |
| | Deudas a largo plazo (171) | 540.000 |
| | —x— | |

**1.6.** Periodificación de intereses correspondiente al primer año

**a)** Reconocer los intereses totales de la deuda del empréstito:

| | | |
|---|---|---|
| 1.080.000 | Deudas a largo plazo (171) | |
| | a | |
| | Deudas a corto plazo (521) | 1.080.000 |
| | —x— | |

**b)** Reconocer los intereses devengados en el ejercicio:

Se realiza de forma análoga al Apartado 1.5 de este ejercicio.

**1.7.** Pago de intereses:

**a)** Reconocer los intereses totales de la deuda del empréstito:

- Primer semestre del primer año:

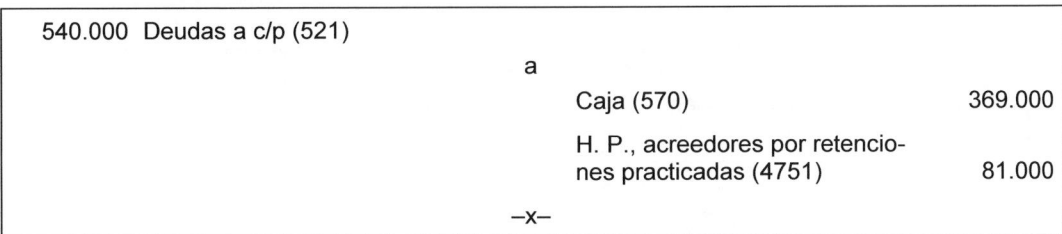

| | | |
|---|---|---|
| 540.000 | Deudas a c/p (521) | |
| | a | |
| | Caja (570) | 369.000 |
| | H. P., acreedores por retenciones practicadas (4751) | 81.000 |
| | —x— | |

Pago a Hacienda:

| | | |
|---|---|---|
| 81.000 H. P., acreedores por retenciones practicadas (4751) | | |
| | a | |
| | Caja (570) | 81.000 |
| | —x— | |

- Segundo semestre del primer año:

| | | |
|---|---|---|
| 540.000 Deudas a c/p (521) | | |
| | a | |
| | Caja (570) | 369.000 |
| | H. P., acreedores por retenciones practicadas (4751) | 81.000 |
| | —x— | |

Pago a Hacienda:

| | | |
|---|---|---|
| 81.000 H. P., acreedores por retenciones practicadas (4751) | | |
| | a | |
| | Caja (570) | 81.000 |
| | —x— | |

**b)** Reconocer los intereses devengados en el ejercicio:

Coincide con el caso expuesto en el apartado 1.7 a).

**1.8.** Saneamiento de los gastos de emisión: no procede.

**1.9.** Cambio de la deuda de largo a corto plazo:

| | | |
|---|---|---|
| 1.080.000 Deudas a largo plazo (171) | | |
| | a | |
| | Deudas a corto plazo (521) | 1.080.000 |
| | —x— | |

Para el empréstito no se requiere cambiar de largo a corto plazo hasta el cuarto año:

| | | |
|---|---|---|
| 10.080.000 Obligaciones y bonos (177) | | |
| | a | |
| | Obligaciones y bonos c/p (500) | 10.080.000 |
| | —x— | |

**1.10.** Reembolso: consiste en la cancelación de la deuda que no se produce hasta el final del quinto año.

## 2. Operaciones del último año.

**2.1.** Emisión: no procede su contabilización.

**2.2.** Suscripción: no procede su contabilización.

**2.3.** Desembolso: no procede su contabilización.

**2.4.** Gastos de formalización de deudas: no procede su contabilización.

**2.5.** Reconocimiento de intereses:

**a)** Reconocimiento de los intereses totales de la deuda del empréstito: no procede anotación contable.

**b)** Reconocimiento de los intereses devengados en el ejercicio:

Reconocimiento del gasto por intereses del primer semestre del último año:

| | | |
|---|---|---|
| 540.000 | Intereses de obligaciones y bonos (661) | |
| | a | |
| | Deudas a largo plazo (171) | 540.000 |
| | —x— | |

Reconocimiento del gasto por intereses del segundo semestre del último año:

| | | |
|---|---|---|
| 540.000 | Intereses de obligaciones y bonos (661) | |
| | a | |
| | Deudas a largo plazo (171) | 540.000 |
| | —x— | |

**2.6.** Periodificación de intereses:

**a)** Reconocimiento de los intereses totales de la deuda del empréstito:

| | | |
|---|---|---|
| 1.080.000 | Deudas a largo plazo (171) | |
| | a | |
| | Deudas a corto plazo (521) | 1.080.000 |
| | —x— | |

**b)** Reconocer los intereses devengados en el ejercicio: análogo 1-5.

**2.7.** Pago de intereses

**a)** Reconocimiento de los intereses totales de la deuda del empréstito:

- Primer semestre del primer año:

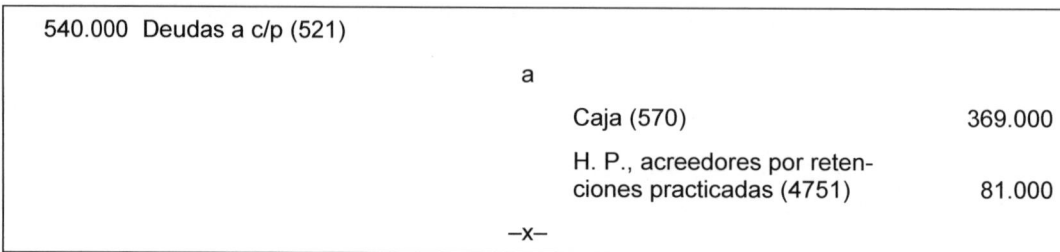

```
540.000  Deudas a c/p (521)
                              a
                                  Caja (570)                        369.000
                                  H. P., acreedores por reten-
                                  ciones practicadas (4751)          81.000
                         —x—
```

Pago a Hacienda:

```
 81.000  H. P., acreedores por
         retenciones practicadas
         (4751)
                              a
                                  Caja (570)                         81.000
                         —x—
```

- Segundo semestre del primer año:

```
540.000  Deudas a c/p (521)
                              a
                                  Caja (570)                        369.000
                                  H. P., acreedores por
                                  retenciones practicadas
                                  (4751)                             81.000
                         —x—
```

Pago a Hacienda:

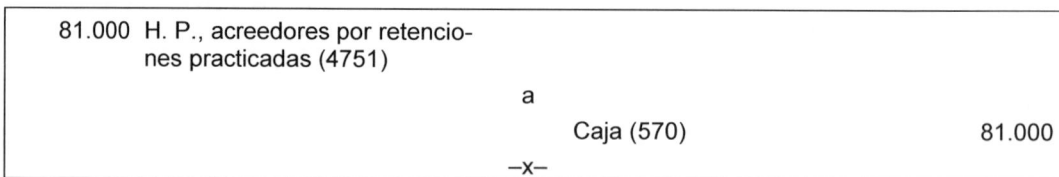

```
 81.000  H. P., acreedores por retencio-
         nes practicadas (4751)
                              a
                                  Caja (570)                         81.000
                         —x—
```

**b)** Reconocimiento de los intereses devengados en el ejercicio:

Coincide con el caso expuesto en el apartado 2.7 a).

**2.8.** Saneamiento de los gastos de emisión: no procede.

**2.9.** Cambio de la deuda de largo a corto plazo: se ha realizado al final del cuarto año, como se expuso en el Apartado 1.9.

**2-10** Reembolso:

| | | |
|---|---|---|
| 10.080.000 | Obligaciones y bonos c/p (500) | |
| | a | |
| | Caja (570) | 10.080.000 |
| | —x— | |

---

## CASO PRÁCTICO 5.8. Obligaciones convertibles

En el año 20X0 se emite un empréstito obligaciones a la par, con reembolso a la par por importe de 1.000.000 de euros. La duración del empréstito es de 5 años convertible en acciones. Los gastos de formalización son 10.000 euros y los intereses el 8% anual, pagaderos anualmente.

En el año 20X5 se canjea un título obligación por una acción, más el 20% del importe de cada título. Los gastos de la ampliación de capital ascienden a 5.000 euros.

*Se pide*:

1. Contabilizar el año 20X0.

2. Contabilizar el año 20X5.

**Solución**

Emisión, suscripción y desembolso:

| | | |
|---|---|---|
| 1.000.000 | Obligaciones a convertir | |
| | a | |
| | Obligaciones y bonos convertibles (178) | 1.000.000 |
| | —x— | |

| | | |
|---|---|---|
| 1.000.000 | Obligacionistas | |
| | a | |
| | Obligaciones a convertir | 1.000.000 |
| | —x— | |

| | | |
|---|---|---|
| 1.000.000 | Caja (570) | |
| | a | |
| | Obligacionistas | 1.000.000 |
| | —x— | |

Por los gastos de emisión:

| | | |
|---|---|---|
| 10.000 | Intereses de obligaciones y bonos (661) | |
| | a | |
| | Caja (570) | 10.000 |
| | —x— | |

Por el pago de intereses:

| | | |
|---|---|---|
| 80.000 | Intereses de obligaciones y bonos (661) | |
| | a | |
| | Caja (570) | 80.000 |
| | —x— | |

Por la ampliación de capital:

| | | |
|---|---|---|
| 1.200.000 | Acciones a canjear | |
| | a | |
| | Capital Social (100) | 1.000.000 |
| | Prima de emisión ( 110) | 200.000 |
| | —x— | |

| | | |
|---|---|---|
| 1.000.000 | Obligaciones y bonos convertibles (178) | |
| | a | |
| | Obligaciones y bonos convertibles a c/p (501) | 1.000.000 |
| | —x— | |

| | | |
|---|---|---|
| 1.000.000 | Obligaciones y bonos convertibles a c/p (501) | |
| 200.000 | Caja (570) | |
| | a | |
| | Acciones a canjear | 1.200.000 |
| | —x— | |

Por los gastos de ampliación del capital:

| | | |
|---|---|---|
| 5.000 | Otras pérdidas de gestión corriente (659) | |
| | a | |
| | Caja (570) | 5.000 |
| | —x— | |

## Caso Práctico 5.9. Empréstito cupón cero

Una sociedad anónima ha emitido obligaciones cupón cero, a 30-09-0X. El número de títulos emitidos es de 20.000, con un valor nominal de 100 euros y con una duración de 5 años. Se amortiza al final del quinto año, con una prima de reembolso del 25%.

Los gastos ascendieron a 30.000 euros

*Se pide*: contabilizar las operaciones reseñadas.

**Solución**

Por la emisión de las obligaciones a 30-09-0X:

| | |
|---|---|
| 1.970.000  Bancos c/c (572) | |
| a | |
| Obligaciones y bonos (176) | 1.970.000 |
| —x— | |

- Valor de emisión: (1.970.000) €.
- Valor de reembolso: 2.500.000 €.
- Diferencia: 530.000 €.

Ahora, vamos a calcular el tipo de interés efectivo, $i$:

$$1.970.000 = 2.500.000 \ (1 + i)^{-5}$$

Despejando $i$, tenemos:

$$i = 0,04875$$

| Año | Base de reparto | Importe |
|---|---|---|
| 1 | $1.04875^1$ | 96.156,46 |
| 2 | $1.04875^2$ | 100.844,08 |
| 3 | $1.04875^3$ | 105.760,25 |
| 4 | $1.04875^4$ | 110.916,04 |
| 5 | $1.04875^5$ | 116.323,17 |
| **Total** | | **530.000,00** |

A 31 de diciembre de 200X:

$$(96.156,46 \times 92)/365 = 24.236,70 \text{ €.}$$

| | | |
|---|---|---|
| 24.236,70 | Intereses de obligaciones y bonos (6612) | |
| | a | |
| | Obligaciones y bonos (176) | 24.236,70 |
| | —x— | |

A 31 de diciembre de 200X+1:

$$96.156,46 \times 273 / 365 = \quad 71.919,76$$
$$100.844,09 \times 92 / 365 = \quad 25.418,24$$
$$96.337,00$$

| | | |
|---|---|---|
| 96.337,00 | Intereses de obligaciones y bonos (6612) | |
| | a | |
| | Obligaciones y bonos (176) | 96.337,00 |
| | —x— | |

En los años 200X+2 y 200X+3 los asientos son análogos.

Los intereses implícitos a 30-09-X+4, resultan:

$$110.916,04 \times 273/365 = 82.959,12 \text{ €.}$$

| | | |
|---|---|---|
| 82.959,12 | Intereses de obligaciones y bonos (6612) | |
| | a | |
| | Obligaciones y bonos (176) | 82.959,12 |
| | —x— | |

Por la reclasificación del empréstito:

| | | |
|---|---|---|
| 2.383.676,90 | Obligaciones y bonos (176) | |
| | a | |
| | Obligaciones y bonos a corto plazo (500) | 2.383.676,90 |
| | —x— | |

A 31 de diciembre de 200X+4:

$$116.323,17 \times 92/365 = 29.319,81 \text{ €.}$$

| | | |
|---|---|---|
| 29.319,81 Intereses de obligaciones y bonos (6612) | | |
| | a | |
| | Obligaciones y bonos a corto plazo (500) | 29.319.81 |
| —x— | | |

A 30-de septiembre de 200X+5:

$$116.323,17 - 29.319,81 = 87.003,36 \text{ €.}$$

| | | |
|---|---|---|
| 87.003,36 Intereses de obligaciones y bonos (6612) | | |
| | a | |
| | Obligaciones y bonos a corto plazo (500) | 87.003,36 |
| —x— | | |

Por la amortización:

| | | |
|---|---|---|
| 2.500.000 Obligaciones y bonos a corto plazo (500) | | |
| | a | |
| | Bancos c/c (572) | 2.125.000 |
| | HP acreedora por retenciones practicadas (4751) | 375.000 |
| —x— | | |

CAPITULO **6**

# ARRENDAMIENTO FINANCIERO:
# *LEASING*, FIANZAS, GARANTÍAS
# Y OTROS PASIVOS FINANCIEROS

CONTENIDO

# 6.1. ACREEDORES POR ARRENDAMIENTO FINANCIERO A LARGO PLAZO

Se entiende por **arrendamiento** cualquier acuerdo por el que el arrendador cede al arrendatario, a cambio de percibir una suma única de dinero o un conjunto de cuotas o pagos, el derecho de utilizar un activo durante un periodo de tiempo determinado.

## 6.1.1. Arrendamiento financiero

El **arrendamiento financiero** es un acuerdo de arrendamiento de un activo con opción de compra en el que se supone que se transfieren todos los derechos de la propiedad, siempre que no existan dudas razonables de que se va a ejercer dicha opción.

Se realizan contratos de arrendamiento en los que el periodo de alquiler coincide con la vida económica del activo, consistente en aquellos casos en los que el valor actual de las cantidades a pagar al comienzo del arrendamiento suponga la práctica totalidad del valor razonable del activo arrendado.

El arrendatario puede cancelar el contrato de arrendamiento y las pérdidas sufridas por el arrendador serían asumidas por el arrendatario.

El arrendatario tiene la posibilidad de prorrogar el arrendamiento durante un periodo mayor de tiempo, con unos pagos por arrendamiento inferiores a los habituales en el mercado.

## 6.1.2. Contabilidad del arrendatario

En el momento inicial, el arrendatario cargará el elemento del inmovilizado material o del intangible con abono a un pasivo financiero, por el mismo importe, que será el menor entre el valor razonable del activo arrendado y el valor actual de los pagos acordados durante el plazo de arrendamiento, calculado inicialmente.

La carga financiera total se distribuirá a lo largo de la vida del contrato, imputándose a la cuenta de resultados del ejercicio en que se devengue, aplicando el tipo de interés efectivo.

En el caso que existiera cuotas de carácter contingente se considerarán dentro de los gastos en el ejercicio en donde se produjeran.

Se realizará el reconocimiento como activo en el momento de la firma del contrato de arrendamiento.

En el momento de la recepción de la maquina:

Maquinaria (213)
                                    a
                                        Acreedores por arrendamiento financiero a
                                        largo plazo (174)
                            —x—

Por el reconocimiento del gasto:

Intereses de deudas (662)
                                    a
                                        Acreedores por arrendamiento financiero a
                                        largo plazo (174)
                            —x—

Por el pago de las cuotas:

Acreedores por arrendamiento financiero a
largo plazo (174)
                                    a
                                        Caja (570)
                            —x—

Al ejercer la opción de compra:

| | |
|---|---|
| Acreedores por arrendamiento financiero a largo plazo (174) | |
| | a |
| | Caja (570) |
| –x– | |

## 6.1.3. Contabilidad del arrendador

En el momento inicial, el arrendador reconocerá el resultado de la operación de arrendamiento del bien conforme a ingresos por ventas y prestación de servicios. La diferencia entre el crédito contabilizado en el activo y la cantidad a cobrar, correspondiente a intereses no devengados, se imputarán a la cuenta de pérdidas y ganancias del ejercicio en que dichos intereses se devenguen, conforme al método de tipo de interés efectivo de la operación.

## 6.1.4. Arrendamiento operativo

El arrendador conviene con el arrendatario el derecho de usar un activo durante un periodo determinado, a cambio de percibir un importe único o un conjunto de pagos o cuotas. Los ingresos y gastos correspondientes al arrendador y arrendatario, derivados del contrato de arrendamiento operativo, son considerados, respectivamente, como ingresos y gastos del ejercicio en que los mismos se devenguen, imputándose a la cuenta de resultados.

## 6.1.5. Venta con arrendamiento financiero posterior

En caso de una enajenación de un bien y su posterior contrato de arrendamiento financiero, se considera un método de financiación; por tanto el arrendatario no variará la calificación del activo, ni reconocerá beneficio o pérdida debido a la transacción. Cargará el importe percibido con abono al pasivo financiero. Desde este momento, el procedimiento contable es análogo a lo señalado para el arrendamiento financiero.

## • Casos Prácticos

### Caso Práctico 6.1. Arrendamiento financiero de un vehículo

Una sociedad anónima entrega un vehículo valorado en 20.000 euros como cuota inicial, al realizar un contrato de arrendamiento financiero con una duración de 3 años. El valor del vehículo nuevo en el mercado es de 60.000 euros. Cuando se ejercite la opción de compra se pagará una última cuota de 10.000 euros.

La cuota anual a satisfacer es de 12.000 euros, durante los 3 años siguientes (tasa de interés del 6,57%).

*Se pide:*

1. Contabilizar las operaciones del arrendamiento financiero correspondiente al primer año.

2. Contabilizar las operaciones del tercer año.

3. Analizar el caso en que la sociedad decide ejercitar la opción de compra.

4. Analizar el caso en que la sociedad decide no ejercitar la opción de compra.

5. Se desea conocer el coste del vehículo utilizado a valor nominal.

**Solución**

**1. Operaciones financieras del primer año.**

Se realiza el reconocimiento como activo en el momento de la firma del contrato.

Por la recepción de la maquina:

| | |
|---|---|
| 60.000 Elemento de transporte (nuevo) | |
| a | |
| Elemento de transporte (usado) | 20.000 |
| Acreedores por arrendamiento financiero l/p (174) | 30.629 |
| Acreedores por arrendamiento financiero a c/p (524) | 9.371 |
| —x— | |

Se realiza el reconocimiento del gasto y las cuotas: se calculan los intereses financieramente que ascienden a 2.629 €.

| | |
|---|---|
| 2.629 Intereses de otras deudas, otras empresas (6624) | |
| a | |
| Acreedores por arrendamiento financiero a c/p (524) | 2.629 |
| —x— | |

Para contabilizar el pago de las cuotas correspondiente al arrendamiento, que ascienden a 9.371 €, se puede utilizar la cuenta puente *Acreedores por arrendamiento financiero a corto plazo* (525).

| | |
|---|---|
| 12.000 Acreedores por arrendamiento financiero a c/p (524) | |
| 1.920 H.P., IVA soportado (472) | |
| a | |
| Caja (570) | 13.920 |
| —x— | |

Por la amortización del periodo:

$$(60.000 - 10.000)/3 = 16.666,67 \text{ €:}$$

| | | |
|---|---|---|
| 16.667 | Amortización del inmovilizado material (681) | |
| | a | |
| | Amortización acumulada del inmovilizado material (281) | 16.667 |
| | —x— | |

Para el segundo año, la partida correspondiente a arrendamientos y cánones (intereses), se calcula el importe del arrendamiento a largo plazo que es de 9.987 €.

| | | |
|---|---|---|
| 9.987 | Acreedores por arrendamiento financiero l/p (174) | |
| | a | |
| | Acreedores por arrendamiento financiero a c/p (524) | 9.987 |
| | —x— | |

## 2. Operaciones financieras del tercer año.

Se realiza el reconocimiento del gasto y de las cuotas que ascienden a: 1.357 € y 10.643 €, respectivamente, de los proveedores de inmovilizado a largo plazo.

| | | |
|---|---|---|
| 1.357 | Intereses de otras deudas, otras empresas (6624) | |
| 10.643 | Acreedores por arrendamiento financiero a l/p (174) | |
| | a | |
| | Acreedores por arrendamiento financiero a corto plazo (524) | 12.000 |
| | —x— | |

Para el pago de las cuotas correspondientes al arrendamiento, 10.007,50 €, se puede utilizar la cuenta puente de *Acreedores por arrendamiento financiero a corto plazo* (524).

| | | |
|---|---|---|
| 12.000 | Acreedores por arrendamiento financiero a c/p (524) | |
| 1.920 | H.P., IVA soportado (472) | |
| | a | |
| | Caja (570) | 13.920 |
| | —x— | |

Por la amortización del periodo:

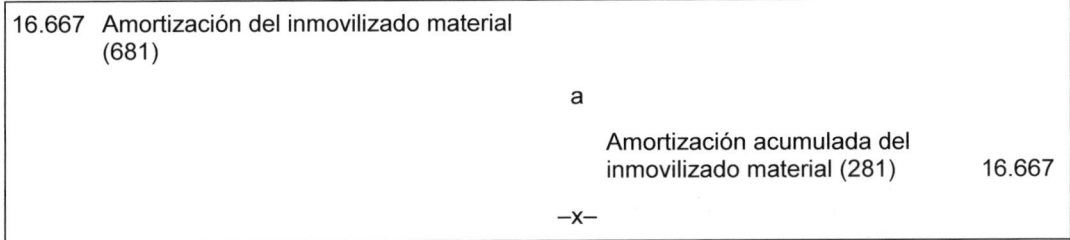

16.667 Amortización del inmovilizado material
(681)

          a

            Amortización acumulada del
            inmovilizado material (281)  16.667

         –x–

### 3. La sociedad decide ejercer la opción de compra.

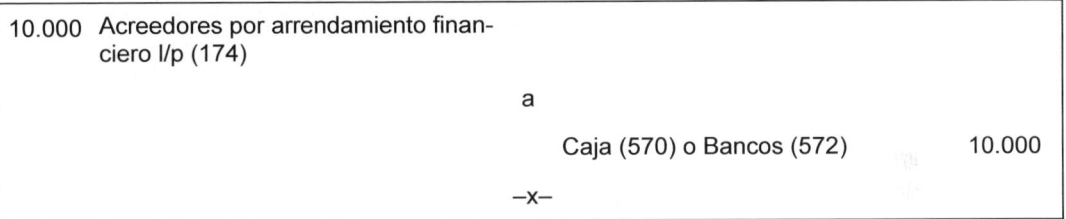

10.000 Acreedores por arrendamiento financiero l/p (174)

          a

            Caja (570) o Bancos (572)  10.000

         –x–

Las cuotas de amortización se determinan en función de su vida económica (10.000 €), con una duración en función de su vida útil.

### 4. La sociedad decide ejercer no ejercer la opción de compra.

10.000 Acreedores por arrendamiento financiero l/p (174)

          a

            Elementos de transporte (218)  10.000

         –x–

Anulación amortización acumulada y cancelación del elemento de transporte:

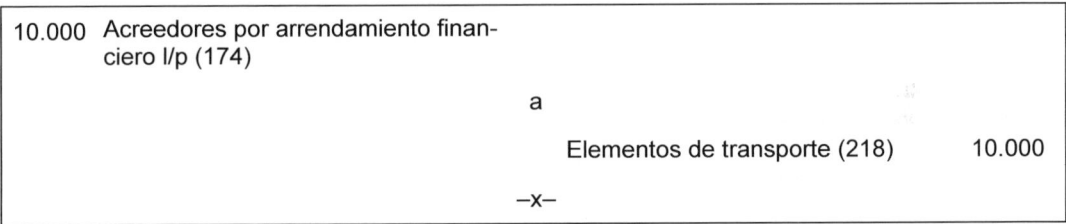

50.000 Amortización acumulada del inmovilizado material (281)

          a

            Elementos de transporte  (218)  50.000

         –x–

El criterio reconocido para determinar las cuotas de amortización se realiza en función de su valor económico, criterio análogo al utilizado en la imputación de los costes.

5. **Coste del vehículo a valor nominal.**

   - Opción de compra: 10.000 euros.

   - Vehículo usado: 20.000 euros.

   - Arrendamientos y cánones: 30.000 (+ intereses: 6.000 euros).

   - Total: 66.000 euros.

---

## Caso Práctico 6.2. Arrendamiento financiero de maquinaría

Una sociedad realiza un contrato de *leasing* para la adquisición de una  maquina, cuya cuota mensual es de 5.000 euros y el importe de la opción de compra de la maquinaria asciende a 80.000 euros, que puede ejercer al cuarto año.

La duración del contrato es de 8 años, de forma que coincide la duración del contrato con la vida útil del bien.

Se supone que la operación está exenta del Impuesto sobre el Valor Añadido (IVA).

*Se pide:*

1. Contabilizar el primer año.

2. Contabilizar el cuarto año.

**Solución**

1. **Operaciones del primer año:**

Se realiza el reconocimiento como activo en el momento de la firma del contrato. Por la recepción de la maquina:

| | |
|---|---|
| 80.000  Maquinaria (213) | |
| a | |
| | Acreedores por arrendamiento financiero a largo plazo (174)  80.000 |
| —x— | |

Por el reconocimiento del gasto:

| | |
|---|---|
| 240.000  Intereses de deudas (662) | |
| a | |
| | Acreedores por arrendamiento financiero a largo plazo (174)  240.000 |
| —x— | |

Por el pago de las cuotas:

| | | |
|---|---|---|
| 60.000 | Acreedores por arrendamiento financiero a largo plazo (174) | |
| 10.800 | H.P., IVA soportado (472) | |
| | a | |
| | Caja (570) | 70.800 |
| | —x— | |

Amortización del inmovilizado material:

| | | |
|---|---|---|
| 10.000 | Amortización del inmovilizado material (681) | |
| | a | |
| | Amortización acumulada del inmovilizado material (281) | 10.000 |
| | —x— | |

## 2. Operaciones cuarto año.

Por el pago de las cuotas:

| | | |
|---|---|---|
| 60.000 | Acreedores por arrendamiento financiero a largo plazo (174) | |
| 10.800 | H.P., IVA soportado (472) | |
| | a | |
| | Caja (570) | 70.800 |
| | —x— | |

Amortización del inmovilizado material.

| | | |
|---|---|---|
| 10.000 | Amortización del inmovilizado material (681) | |
| | a | |
| | Amortización acumulada del inmovilizado material (281) | 10.000 |
| | —x— | |

Por ejercer la opción de compra:

| | | |
|---|---|---|
| 80.000 | Acreedores por arrendamiento financiero a largo plazo (174) | |
| | a | |
| | Caja (570) | 80.000 |
| | —x— | |

## CASO PRÁCTICO 6.3. Arrendamiento financiero de un camión

(Adaptado de Martínez Alfonso, A. P. y Labatut Serer, G. *Casos prácticos del PGC y PGC-PYMES y sus implicaciones fiscales.* Editorial. Ciss, S.A., 2010)

Una sociedad anónima arrienda un camión durante 5 años. La renta anual a pagar es de 9.000 euros pospagables, siendo el valor de la opción de compra de 2.000 euros, a pagar al final del quinto año. La vida útil del camión es de 8 años y el tipo de interés es del 5,5%.

El valor razonable del camión es de 36.000 euros y los gastos del contrato ascienden a 500 euros.

Se ha pagado por realizar mejoras en el camión 10.000 euros a otra empresa, más el IVA correspondiente, con una vida útil coincidente con la estimada para el camión.

*Se pide*: realizar las operaciones desde el comienzo, el 1-07-08 hasta el 31-12-09.

**Solución**

- Precio opción de compra 2.000 euros.
- Valor en libros según su valor razonable en la fecha de la opción:

$$36.000 - \left(\frac{36.000}{6} \times 5\right) = 6.000 \text{ €.}$$

Es acertado ejercer la opción de compra ya que, 6.000 > 2.000.

Ahora hay que calcular el importe del activo que debe figurar en el balance:

- Valor razonable del activo: 36.000 €.
- Valor actual de los pagos mínimos:

$$9.000 \times \left(\frac{1 - (1 + 0,055)^{-4}}{0,055}\right) + 2.000 \times (1,055)^{-5} = 33.076,62 \text{ €.}$$

El cuadro de amortización financiero es el siguiente:

| Periodo | Cuota | Intereses | Amortización | Capital pendiente |
|---|---|---|---|---|
| 0 (01-07-08) | | | | 33.076,62 |
| 1 (01-07-09) | (9.000,00) | (1.819,21) | (7.180,79) | 25.895,83 |
| 2 (01-07-10) | (9.000,00) | (1.424,27) | (7.575,73) | 18.320,10 |
| 3 (01-07-11) | (9.000,00) | (1.007,61) | (7.992,39) | 10.327,71 |
| 4 (01-07-12) | (9.000,00) | (568,02) | (8.431,98) | 1.895,73 |
| 5 (01-07-13) | (2.000,00) | (104,27) | (1.895,73) | 0,00 |

## Con fecha 1-07-2008

A la firma del contrato:

| | | |
|---|---|---|
| 33.076,62 Elemento de transporte (218) | | |
| | a | |
| | Acreedores por arrendamiento financiero a corto plazo (524) | 7.180,79 |
| | Acreedores por arrendamiento financiero a largo plazo (174) | 6. 691,66 |
| | H.P., IVA repercutido (477) | 25.895,83 |
| | —x— | |

Por las mejoras del camión:

| | | |
|---|---|---|
| 10.500,00 Elemento de transporte (218) | | |
| 1.890,00 H.P., IVA soportado (472) | | |
| | a | |
| | Bancos c/c (572) | 12.390,00 |
| | —x— | |

## Con fecha 31-12-2008

Por el devengo de intereses según tabla de amortización financiera:

$$1.819,21 \times (6 / 12) = 906,60 \ €.$$

| | | |
|---|---|---|
| 906,60 Intereses de deudas con entidades de crédito (218) | | |
| | a | |
| | Intereses a corto plazo de deudas (528) | 906,60 |
| | —x— | |

Por la amortización del camión:

$$(33.076,62 + 10.500) / 6 = 3.631,39 \ €.$$

| | | |
|---|---|---|
| 3.631,39 Amortización del inmovilizado material (681) | | |
| | a | |
| | Amortización acumulada de elemento de transporte (2818) | 3.631,39 |
| | —x— | |

**Con fecha 1-07-2009**

Por el pago de la primera cuota:

$$1.819,21 \times (6 / 12) = 906,60 \text{ €.}$$

| 906,60 | Intereses de deudas con entidades de crédito (662) | | |
|---|---|---|---|
| | | a | |
| | | Intereses a corto plazo de deudas (528) | 906,60 |
| | | —x— | |

| 7.180,79 | Acreedores por arrendamiento financiero a corto plazo (524) | | |
|---|---|---|---|
| 1.819,21 | Intereses a corto plazo de deudas (528) | | |
| 1.620,00 | H.P., IVA soportado (472) (18% × 9.000 = 1.620,00) | | |
| | | a | |
| | | Bancos c/c (572) | 10.619,00 |
| | | —x— | |

Por la reclasificación de las cuotas:

| 7.575,73 | Acreedores por arrendamiento financiero a largo plazo (524) | | |
|---|---|---|---|
| | | a | |
| | | Acreedores por arrendamiento financiero a corto plazo (174) | 7.575,73 |
| | | —x— | |

**Con fecha 31-12-09**

Por el devengo de intereses según tabla de amortización financiera:

$$1.424,27 \times (6/12) = 712,14 \text{ €.}$$

| 712,14 | Intereses de deudas con entidades de crédito (662) | | |
|---|---|---|---|
| | | a | |
| | | Intereses a corto plazo de deudas (528) | 712,14 |
| | | —x— | |

Por la amortización del camión:

$$(33.076,62 + 10.500)/6 = 7.262,77 €.$$

| | | |
|---|---|---|
| 7.262,77 | Amortización del inmovilizado material (681) | |
| | a | |
| | Amortización acumulada de elemento de transporte (2818) | 7.262,77 |
| | –x– | |

## CASO PRÁCTICO 6.4. *Renting*

Una sociedad anónima contrata una maquinaria mediante *renting*, con los siguientes datos:

- Cuota a satisfacer: 375,71 euros.
- Servicios de mantenimiento: 50 euros.
- IVA 18%: 76,62 euros.
- Duración del contrato: 3 años.
- Vida útil de la maquinaria: 10.000 horas.
- Precio al contado de la maquinaria: 35.000 euros.
- Tipo de interés: 6%.

Cada hora adicional que supere la cantidad de 1.000 horas anuales se facturan a parte en el mes de febrero, a razón de 0,5 euros la hora.

*Se pide*: realizar las operaciones reseñadas del primer año, teniendo en cuenta las implicaciones fiscales.

**Solución**

Tasa de interés mensual:

$$6/12 = 0,5.$$

Valor actual de los pagos:

$$375,71 \times \left( \frac{1 - (1 + 0,005)^{-36}}{0,005} \right) = 12.350 €$$

Por el primer pago de la cuota:

| | | |
|---|---|---|
| 375,71 | Arrendamientos cánones (621) | |
| 50,00 | Reparaciones y conservación (622) | |
| 76,62 | H.P., IVA soportado (472) | |
| | a | |
| | Acreedores prestación de servicios (410) | 502,33 |

—x—

# 6.2. PASIVOS POR FIANZAS, DEPÓSITOS Y GARANTÍAS A LARGO PLAZO

Las cuentas presentes deben figurar en el pasivo no corriente del balance. La parte de fianza, depósito o garantía que tenga vencimiento a corto plazo debe figurar en el pasivo corriente del balance, en el epígrafe *Deudas a corto plazo*, correspondiente al subgrupo 56 F*ianzas y depósitos recibidos y constituidos a corto plazo*.

## Criterios de valoración

Los recursos propios se valoran, en general, a valor nominal.

## Cuentas diferenciadoras con las PYMES

- **189 Garantías financieras a largo plazo:**

  Son garantías financieras conseguidas por la empresa a plazo superior a un año, como avales otorgados.

## Tratamiento contable

Por la constitución de la fianza recibida:

| | |
|---|---|
| Caja (570) | |
| a | |
| | Fianzas recibidas a largo plazo (180) |

—x—

Por el cambio de largo plazo a corto plazo:

| | |
|---|---|
| Fianzas recibidas a largo plazo (180) | |
| a | |
| | Fianzas recibidas a corto plazo (560) |

—x—

Por la cancelación de las fianzas:

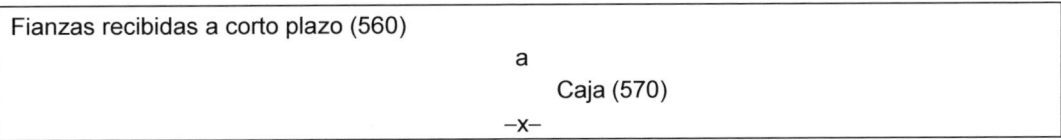

Por el incumplimiento de la obligación:

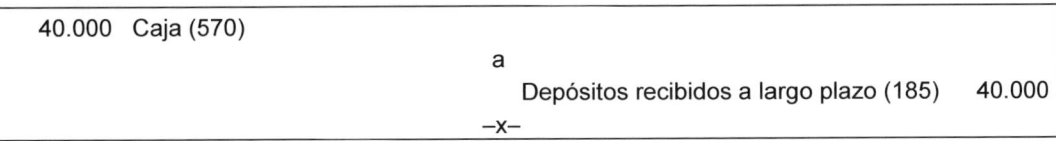

El resto de las cuentas no ofrecen dificultades añadidas a lo señalado para la cuenta (180) *Fianzas recibidas a largo plazo*.

Las situaciones transitorias de financiación han sido contempladas indirectamente en la problemática contable de constitución y ampliación de capital, correspondiente al epígrafe de capital.

## • CASOS PRÁCTICOS

### CASO PRÁCTICO 6.5. Depósitos recibidos

Una sociedad anónima recibe un depósito de 40.000 euros como garantía para responder frente a una obligación. La duración es de 18 meses.

Al finalizar el tiempo estipulado ha incumplido parcialmente su obligación, reteniendo la empresa 10.000 euros y devolviendo el resto.

**Solución**

Por la constitución de los depósitos recibidos:

```
40.000   Caja (570)
                           a
                                 Depósitos recibidos a largo plazo (185)   40.000
                     —x—
```

Por el cambio de largo plazo a corto plazo:

```
40.000   Depósitos recibidos a largo
         plazo (185)
                           a
                                 Depósitos recibidos a corto plazo (561)   40.000
                     —x—
```

Por la cancelación del depósito:

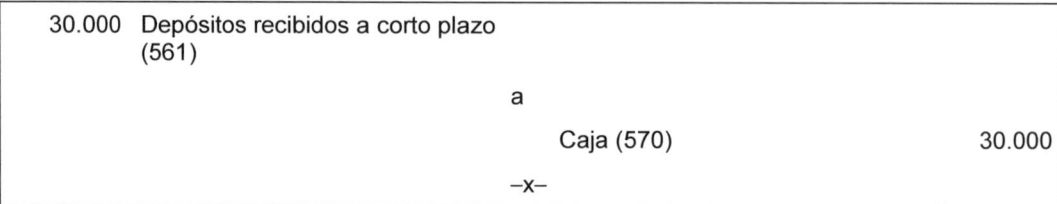

| 30.000 | Depósitos recibidos a corto plazo (561) | |
|---|---|---|
| | a | |
| | Caja (570) | 30.000 |
| | –x– | |

Por el incumplimiento de la obligación:

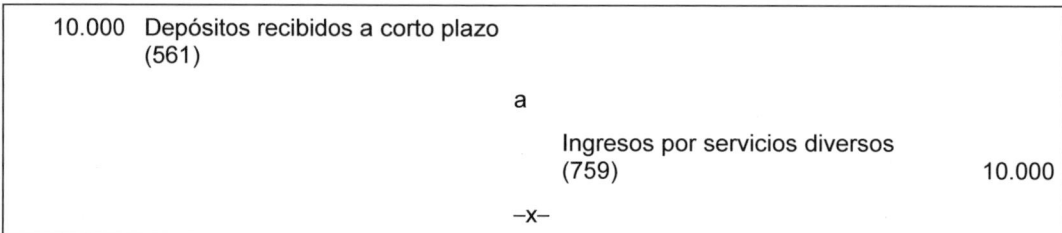

| 10.000 | Depósitos recibidos a corto plazo (561) | |
|---|---|---|
| | a | |
| | Ingresos por servicios diversos (759) | 10.000 |
| | –x– | |

# 6.3. PASIVOS FINANCIEROS A LARGO PLAZO

En esta sección se recoge la financiación ajena, instrumentada en valores negociables, acciones y otras participaciones en el capital de la empresa que deban considerase como pasivos financieros. En ella se contemplan las participaciones en capital, instrumentos financieros compuestos como bonos convertibles, *swaps*, etc.

## • CASOS PRÁCTICOS

**CASO PRÁCTICO 6.6. Dividendos como pasivo financiero**

Una sociedad anónima tiene un capital social de 1.200.000 euros, compuesto por 50.000 acciones ordinarias, de 20 euros nominales cada una y 20.000 acciones rescatables, de 10 euros cada una.

La sociedad ha obtenido un beneficio de 100.000 euros y se aprueba su distribución en junta general de la forma siguiente:

• Reserva legal sobre el beneficio: 10%.

• Dividendos sobre el nominal: 7%.

• Reserva voluntaria: el resto.

*Se pide*: contabilizar las operaciones reseñadas, cierre del ejercicio, sabiendo que la retención sobre los rendimientos del capital es del 18%.

**Solución**

- Reserva legal: $(100.000 \times 10\%) = 10.000$ €.

- Dividendos: $(1.200.000 \times 7\%) = 84.000$ €.

- Reserva voluntaria $= 6.000$ €.

- Total $= 100.000$ €.

Por el dividendo de las acciones rescatables:

$$20.000 \times 10 = 200.000 \times 7\% = 14.000 \text{ €.}$$

| | | | |
|---|---|---|---|
| 14.000 | Dividendos de acciones o participaciones consideradas como pasivos financieros de otras empresas (6643) | | |
| | | a | |
| | | Dividendos de acciones o participaciones consideradas como pasivos financieros (507) | 14.000 |
| | | —x— | |

La cuenta *Dividendos de acciones o participaciones consideradas como pasivos financieros de otras empresas* (6643) supone un gasto contable, si bien no es un gasto fiscal, surgiendo una diferencia permanente positiva.

Por el pago, las retenciones tenemos:

$$14.000 \times 18\% = 2.250 \text{ €.}$$

| | | | |
|---|---|---|---|
| 14.000 | Dividendos de acciones o participaciones consideradas como pasivos financieros (507) | | |
| | | a | |
| | | Bancos c/c (572) | 11.480 |
| | | H. P., acreedores por retenciones practicadas (4751) | 2.520 |
| | | —x— | |

Por la regularización de los gastos:

| | | | |
|---|---|---|---|
| 14.000 | Resultado del ejercicio (129) | | |
| | | a | |
| | | Dividendos de acciones o participaciones consideradas como pasivos financieros de otras empresas (6643) | 14.000 |
| | | —x— | |

Por la distribución del resultado restante:

$$100.000 - 14.000 = 86.000 \text{ €.}$$

| 86.000 | Resultado del ejercicio (129) | |
|---|---|---|
| | a | |
| | Reserva legal (112) | 10.000 |
| | Dividendo activo a pagar (526) | 70.000 |
| | –x– | |

## Caso Práctico 6.7. Instrumentos financieros compuestos

Una sociedad anónima emite 2.000 bonos convertibles a la par, con un valor nominal de 1.000 euros en el año 0, la duración es de 3 años. Los intereses se pagan anualmente por intereses vencidos al 6%.

Cada bono es convertible al final del tercer año. La relación de canje es de 25 acciones ordinarias por bono. No obstante la entidad tiene la posibilidad de rescatar la totalidad de los bonos al final de cada año.

Se conoce que en el momento de emisión el tipo de interés de mercado es del 9%, sin opción de conversión.

*Se pide:*

1. Realizar las operaciones y valoración de la emisión de los bonos.

2. Al final del vencimiento se amortizan la totalidad de los títulos sin realizar la conversión.

3. Al inicio del tercer año se rescata la totalidad de los bonos por importe de 2.500.000 euros. En este momento, el tipo de interés de mercado es del 7,5% anual, sin opción de conversión.

**Solución**

1. Los intereses a pagar cada año: $2.000.000 \times 6\% = 120.000$ €.

El valor actual de los pagos a efectuar en el año 0, sometidos a un interés anual del 9%, es:

$$120.000 \times a_{3 \, \lnot \, 0,09} + 2.000.000 \, (1 + 0,09)^{-3} = 1.848.122 \text{ €.}$$

Por diferencia, tendremos:

$$2.000.000 - 1.848.122 = 151.878 \text{ €.}$$

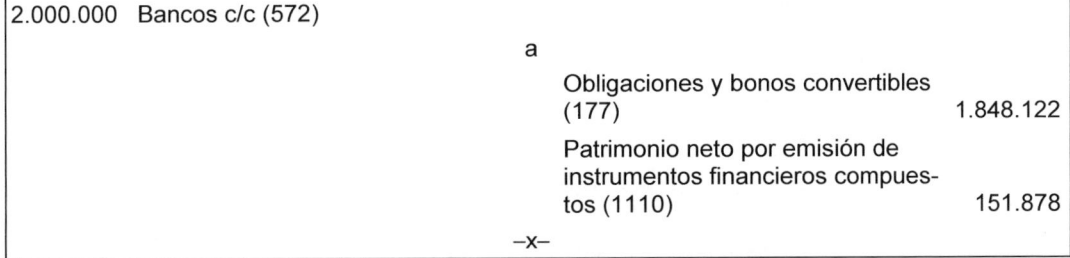

| 2.000.000 | Bancos c/c (572) | |
|---|---|---|
| | a | |
| | Obligaciones y bonos convertibles (177) | 1.848.122 |
| | Patrimonio neto por emisión de instrumentos financieros compuestos (1110) | 151.878 |
| | —x— | |

**Cuadro de amortización**

| Periodo | Coste financiero | Pagos | Capital amortizado | Capital pendiente |
|---|---|---|---|---|
| 0 | | | | 1.848.122,0 |
| 1 | 166.331,0 | (120.000) | 46.331,0 | 1.894.453,3 |
| 2 | 170.500,8 | (120.000) | 50.500,8 | 1.944.954,1 |
| 3 | 175.045,9 | (120.000) | 55.045,9 | 2.000.000,0 |
| **Total** | **511.877,7** | **(360.000)** | | |

*Capital amortizado = Coste financiero – pagos*

–   Capital pendiente (para 2 periodos): $2.000.000 + 120.000 \times (1 + 0,09)^{-2} = 1.894.453,3$ €.
–   Capital pendiente (para 1 periodo): $2.000.000 + 120.000 \times (1 + 0,09)^{-1} = 1.944.954,1$ €.

Por el pago de intereses al final del primer año:

| 120.000 | Intereses de obligaciones y bonos (661) | |
|---|---|---|
| | a | |
| | Bancos c/c (572) | 120.000 |
| | —x— | |

Los intereses implícitos correspondientes al coste financiero, a un tipo de interés efectivo menos el pago anterior, son:

| 46.131 | Intereses de obligaciones y bonos (661) | |
|---|---|---|
| | a | |
| | Obligaciones y bonos convertibles (177) | 46.131 |
| | —x— | |

Para el segundo y tercer año el asiento será similar.

**2.** Al final del tercer año, tenemos:

| | | |
|---|---|---|
| 2.000.000 | Obligaciones y bonos converti-bles (177) | |
| | a | |
| | Bancos c/c (572) | 2.000.000 |
| | –x– | |

El valor actual a finales del segundo año de los pagos pendientes, descontados al 9%, será:

$$2.000.000 + 120.000 \times (1 + 0,09)^{-1} = 1.944.954,1 \ €.$$

El valor actual de finales del segundo año de los pagos pendientes, descontados al 7,5%, valor de mercado

$$2.000.000 + 120.000 \times (1 + 0,075)^{-1} = 1.972.093.$$

**3.** El importe del rescate de los bonos es: 2.250.000 €.

– Valor asignado al componente del pasivo: 1.972.093 €.

– Diferencia (componente del patrimonio neto): 277.907 €.

La cancelación o rescate supone una pérdida:

$$1.944.954 - 1.972.093 = (27.139) \ €.$$

| | | |
|---|---|---|
| 1.994.954 | Obligaciones y bonos convertibles (177) | |
| 27.139 | Pérdidas por operaciones con obligaciones propias (675) | |
| 151.878 | Patrimonio neto por emisión de instrumentos financieros compuestos (1110) | |
| 126.029 | Reserva voluntaria (113) (277.907 – 151.878 = 126.029 €) | |
| | a | |
| | Bancos c/c (572) | 2.250.000 |
| | –x– | |

## Caso Práctico 6.8. *SWAP*

Una sociedad anónima firma a primeros de año un préstamo por valor de 500.000 euros, a tipo de interés variable. El tipo de interés inicial es del 5%. El reembolso del principal se realiza al final del tercer año. El pago de los intereses es anual y se realiza al final de año.

De forma simultánea, se contrata un *swap* idéntico al mismo tipo de interés. Se prescinde del efecto fiscal.

Al final del primer año, el tipo de interés es del 6%. Al finalizar el año, el tipo de interés es del 7%.

*Se pide*: calcular y contabilizar las operaciones reseñadas.

**Solución**

**Primer año.**

| | | |
|---|---|---|
| 500.000 | Bancos c/c (572) | |
| | a | |
| | Deudas a largo plazo con entidades de crédito (170) | 500.000 |
| | —x— | |

| | | |
|---|---|---|
| 25.000 | Intereses de deudas (662) | |
| | a | |
| | Bancos c/c (572) | 25.000 |
| | —x— | |

Ahora, supongamos que el interés ha subido al 6%. Por tanto, ahora el valor razonable del *swap* será:

$$\frac{(30.000 - 25.000)}{(1 + 0,06)} + \frac{(30.000 - 25.000)}{(1 + 0,06)^2} = 4.717 + 4.450 = 9.167 \text{ €.}$$

El registro contable, prescindiendo del efecto fiscal, será:

| | | |
|---|---|---|
| 9.167 | Activos por derivados financieros a largo plazo, instrumentos de cobertura (2553) | |
| | a | |
| | Beneficios por cobertura de flujos de efectivo (910) | 9.167 |
| | —x— | |

| | | |
|---|---|---|
| 9.167 | Beneficios por cobertura de flujos de efectivo (910) | |
| | a | |
| | Cobertura de flujos de efectivo (1340) | 9.167 |
| | —x— | |

**Segundo año.**

Liquidación de intereses del préstamo:

| | | |
|---|---|---|
| 30.000 | Intereses de deudas (662) | |
| | a | |
| | Bancos c/c (572) | 30.000 |
| | —x— | |

Actualización del *swap*:

$$4.717 \times (1 + 0,06) = 5.000 \text{ €.}$$

| | | |
|---|---|---|
| 283 | Activos por derivados financieros a largo plazo, instrumentos de cobertura (2553) | |
| | a | |
| | Beneficios por cobertura de flujos de efectivo (910) | 283 |
| | —x— | |

| | | |
|---|---|---|
| 283 | Beneficios por cobertura de flujos de efectivo (910) | |
| | a | |
| | Cobertura de flujos de efectivo (1340) | 283 |
| | —x— | |

Por el reembolso de intereses por el *swap*:

| | | |
|---|---|---|
| 5.000 | Bancos c/c (572) | |
| | a | |
| | Activos por derivados financieros a largo plazo, instrumentos de cobertura (2553) | 5.000 |
| | —x— | |

Imputación al *swap*:

| | | |
|---|---|---|
| 5.000 | Transferencia de beneficios por coberturas de flujos de efectivo (812) | |
| | a | |
| | Beneficio de instrumentos de cobertura (7633) | 5.000 |
| | —x— | |

| 5.000 | Cobertura de flujos de efectivo (1340) | | |
|---|---|---|---|
| | a | | |
| | | Transferencia de beneficios por coberturas de flujos de efectivo (812) | 5.000 |
| | | —x— | |

**Saldo al final del año.**

Se registra en la cuenta *Activos por derivados financieros a largo plazo, instrumentos de cobertura* (2553).

$$9.167 + 283 - 5.000 = 4.450 \ €.$$

Supongamos ahora que el interés ha subido al 7%. El valor razonable del *swap* será por tanto:

$$\frac{(30.000 - 25.000)}{(1 + 0,07)} = 9.345 \ €.$$

Actualización del *swap*, prescindiendo del efecto fiscal:

$$9.345 - 4.450 = 4.895 \ €,$$

| 4.895 | Activos por derivados financieros a largo plazo, instrumentos de cobertura (2553) | | |
|---|---|---|---|
| | a | | |
| | | Beneficios por cobertura de flujos de efectivo (910) | 4.895 |
| | | —x— | |

| 4.895 | Beneficios por cobertura de flujos de efectivo (910) | | |
|---|---|---|---|
| | a | | |
| | | Cobertura de flujos de efectivo (1340) | 4.895 |
| | | —x— | |

Por el traspaso de la deuda de largo plazo a corto plazo:

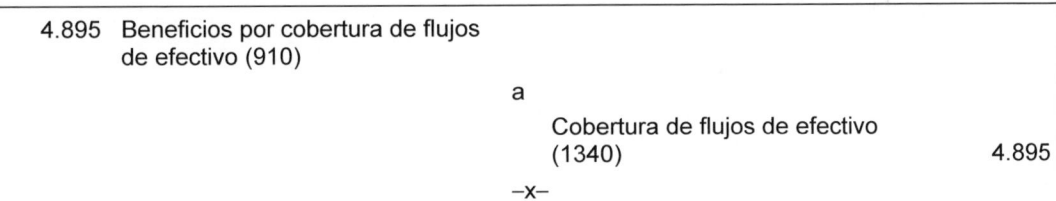

| 500.000 | Deudas a largo plazo con entidades de crédito (170) | | |
|---|---|---|---|
| | a | | |
| | | Deudas a corto plazo con entidades de crédito (520) | 500.000 |
| | | —x— | |

**Tercer año.**

Liquidación de intereses del préstamo y devolución del mismo:

| | |
|---|---:|
| 35.000   Intereses de deudas (662) | |
| a | |
| Bancos c/c (572) | 35.000 |
| −x− | |

| | |
|---|---:|
| 500.000   Deudas a corto plazo con entida-<br>des de crédito (520) | |
| a | |
| Bancos c/c (572) | 500.000 |
| −x− | |

Actualización del *swap*:

$$9.345 \times (1 + 0,07) = 10.000 \text{ €.}$$

| | |
|---|---:|
| 655   Activos por derivados financieros a<br>largo plazo, instrumentos de co-<br>bertura (2553) | |
| a | |
| Beneficios por cobertura de flujos de<br>efectivo (910) | 655 |
| −x− | |

| | |
|---|---:|
| 655   Beneficios por cobertura de flujos<br>de efectivo (910) | |
| a | |
| Cobertura de flujos de efectivo<br>(1340) | 655 |
| −x− | |

Reembolso de intereses por el *swap*:

| | |
|---|---:|
| 10.000   Bancos c/c (572) | |
| a | |
| Activos por derivados financieros a<br>largo plazo, instrumentos de cober-<br>tura (2553) | 10.000 |
| −x− | |

Imputación al *swap*:

| | | | |
|---|---|---|---|
| 10.000 | Transferencia de beneficios por coberturas de flujos de efectivo (812) | | |
| | a | Beneficio de instrumentos de cobertura (7633) | 10.000 |
| | | —x— | |

| | | | |
|---|---|---|---|
| 10.000 | Cobertura de flujos de efectivo (1340) | | |
| | a | Transferencia de beneficios por coberturas de flujos de efectivo (812) | 10.000 |
| | | —x— | |

**Saldo final.**

En la cuenta (2553) *Activos por derivados financieros a largo plazo, instrumentos de cobertura*, tenemos:

$$4.450 + 4.895 + 655 - 10.000 = 0$$

Mientras que la cuenta (1340) *Cobertura de flujos de efectivo* se queda a 0.

CAPITULO **7**

# INMOVILIZADO TÉCNICO

## Contenido

## CASOS PRÁCTICOS

# 7.1. INMOVILIZADO INTANGIBLE

## 7.1.1. Gastos de investigación y desarrollo

Es el conjunto de gastos en los que incurre la empresa relacionados con investigación o con proyectos que estarán incluidos dentro de los gastos generales de la empresa. Durante el ejercicio, la empresa incurre en unos gastos que posteriormente podrá activar.

## Problemática contable

```
Sueldos y salarios (640)

Servicios exteriores (62)

                              a
                                    Caja (570)
                        —x—
```

En el caso de que la empresa le encargue el proyecto a otra empresa, el asiento es el siguiente:

```
Pérdidas procedentes del inmovilizado in-
tangible (670)

                              a
                                    Caja (570)
                        —x—
```

Por la activación de los gastos ocasionados en el proyecto de investigación:

```
Investigación (200)
o Desarrollo (201)

                              a
                                    Trabajos realizados para el inmovilizado
                                    intangible (730)
                        —x—
```

Cuando el proyecto o investigación no reúna las condiciones anteriores, se debe dar de baja en inventario.

```
Pérdidas procedentes del inmovilizado in-
tangible (670)

                              a
                                    Investigación (200)
                                    o Desarrollo (201)
                        —x—
```

Por el contrario, cuando la investigación o proyecto realizado por la empresa ofrece un resultado positivo:

```
Propiedad industrial (203)

Aplicaciones informáticas (206)

                              a
                                    Investigación (200)
                                    o Desarrollo (201)
                        —x—
```

Cuando no sean inscritos se amortizarán periódicamente:

| | | |
|---|---|---|
| Amortización del inmovilizado intangible (680) | | |
| | a | |
| | | Amortización acumulada del inmovilizado intangible (280) |
| | —x— | |

En caso de que existan dudas sobre el éxito técnico y comercial, los gastos de I+D se llevarán a pérdidas.

| | | |
|---|---|---|
| Amortización acumulada del inmovilizado intangible (280) | | |
| Pérdidas procedentes del inmovilizado intangible (670) | | |
| | a | |
| | | Investigación (200) |
| | | o Desarrollo (201) |
| | —x— | |

## 7.1.2. Concesiones administrativas

Por los gastos ocasionados por la obtención de la concesión o por su precio de compra sí se adquiere a un tercero.

**Problemática contable**

| | | |
|---|---|---|
| Concesiones administrativas (202) | | |
| | a | |
| | | Caja (570) |
| | —x— | |

Por su dotación al término de cada período:

| | | |
|---|---|---|
| Amortización del inmovilizado intangible (680) | | |
| | a | |
| | | Amortización acumulada del inmovilizado intangible (280) |
| | —x— | |

Amortización acumulada del I. I. (280)

Pérdidas procedentes del inmovilizado intangible (670)

Caja (570)

        a

               Beneficio procedente del inmovilizado intangible (770**)**

               o Beneficio procedente del inmovilizado intangible (770)

               Amortización acumulada del inmovilizado intangible (280)

—x—

## 7.1.3. Propiedad industrial

La problemática contable de la propiedad Industrial se tratará más adelante en el Apartado 7.11 «Investigación y desarrollo».

## 7.1.4. Fondo de comercio

Es el incremento de valor experimentado por una sociedad en el momento de su transacción o venta a otra empresa y este valor aparece en la contabilidad de a empresa compradora.

La principal característica es que el fondo de comercio no se amortiza según el nuevo PGC 2007.

### Cuentas diferenciadoras con las PYMES

- Cuenta (204) *Fondo de comercio*, no se contempla en el PGC para PYMES.

### Problemática contable

Se cargará por el importe de la transacción:

Fondo de comercio (204)

Activo real (sociedad absorbida)

        a

               Pasivo exigible (sociedad absorbida)

               o Caja (570)

               o Capital social (100)

—x—

El Fondo de comercio no se amortiza. Cuando se dude de la correlación de este activo con ingresos a generar en el futuro:

| | |
|---|---|
| Pérdidas procedentes del inmovilizado intangible (670) | |
| | a |
| | Fondo de comercio (positivo) (204) |
| –x– | |

Los casos prácticos donde se desarrolla la problemática contable del fondo de comercio se pueden encontrar en el Capítulo 15, dedicado a las Cuentas Anuales. Allí, se estudia su tratamiento enmarcado dentro de la resolución de un ejercicio contable completo.

## 7.1.5. Derechos de traspaso

La problemática contable específica de este apartado es análoga a la estudiada en el «Fondo de comercio».

## 7.1.6. Aplicaciones informáticas

La problemática contable específica de este apartado ha sido tratada anteriormente, dentro del caso de los «Gastos de investigación y desarrollo».

## 7.1.7. Anticipos para inmovilizaciones intangibles

Son entregas de efectivo a cuenta realizadas con anterioridad a la fecha de transacción.

**Problemática contable**

Por las entregas en efectivo a los proveedores:

| | |
|---|---|
| Anticipo para inmovilizaciones inmateriales (209) | |
| | a |
| | Caja (570) |
| –x– | |

Por los suministros recibidos de los proveedores, a su conformidad:

| | |
|---|---|
| Proveedores de inmovilizaciones a corto plazo (523) | |
| | a |
| | Anticipo para inmovilizado intangible (209) |
| —x— | |

## 7.1.8. Canon inicial por franquicia

La **franquicia** es aquella figura jurídica en virtud de contrato por la cual una empresa, franquiciador, cede a otra, franquiciado, a cambio de una contraprestación financiera, el derecho a la explotación de una franquicia para comercializar un determinado producto o servicio.

Los criterios de valoración son los siguientes:

- La franquicia es un inmovilizado intangible que está sujeto a amortización durante el periodo en que contribuya a la obtención de ingresos.

- En caso de que en algún momento de la vida del contrato, existan dudas sobre la recuperación del activo indicado y la corrección se contabiliza como deterioro.

**Problemática contable**

Por el canon inicial:

| | |
|---|---|
| Canon (inicial) franquicia (207) | |
| H.P., IVA soportado (472) | |
| | a |
| | Bancos (572) |
| —x— | |

- ## CASOS PRÁCTICOS

### Caso Práctico 7.1. Gastos de investigación y desarrollo

Una sociedad pretende acometer dos proyectos de investigación; uno de ellos es elaborado por la propia empresa. Para ello, satisface por caja unos gastos de personal de 40.000 euros y presenta unos gastos generales de 20.000 euros. Este proyecto resulta positivo y viable para su desarrollo, procediendo la empresa a su registro, cuyos gastos ascienden a 2.000 euros.

Se adquiere una patente por valor de 100.000 euros, incluidos los gastos del registro. (2º de este proyecto).

Una vez puestos en funcionamiento los dos proyectos, se considera que el valor, en el mercado de cada uno de ellos es de 80.000 euros al concluir el primer año. Para los años consecutivos se pretenden amortizar en cinco años ambos proyectos.

*Se pide:* contabilizar las operaciones reseñadas y la amortización del año siguiente a la confección del proyecto, sin contemplar el IVA.

**Solución**

La empresa realizará un conjunto de gastos relacionados con investigación o proyectos que estarán incluidos dentro de los gastos generales de la empresa.

| | | |
|---|---|---|
| 40.000 | Elemento de transporte (nuevo) (218) | |
| 20.000 | Servicios exteriores (62) | |
| | a | |
| | Caja (570) | 60.000 |
| | —x— | |

En el caso de que la empresa le encargue el proyecto a otra empresa:

| | | |
|---|---|---|
| 100.000 | Propiedad industrial (203) | |
| | a | |
| | Caja (570) | 100.000 |
| | —x— | |

Por la activación de los gastos ocasionados en el proyecto de investigación:

| | | |
|---|---|---|
| 60.000 | Investigación (200) | |
| | a | |
| | Trabajos realizados para el inmovilizado intangible (730) | 60.000 |
| | —x— | |

Por la patente y marca del proyecto de elaboración propia:

| | | |
|---|---|---|
| 62.000 | Propiedad industrial (203) | |
| | a | |
| | Investigación (200) | 60.000 |
| | Caja (570) | 2.000 |
| | —x— | |

Si aplicamos el principio de prudencia valorativa:

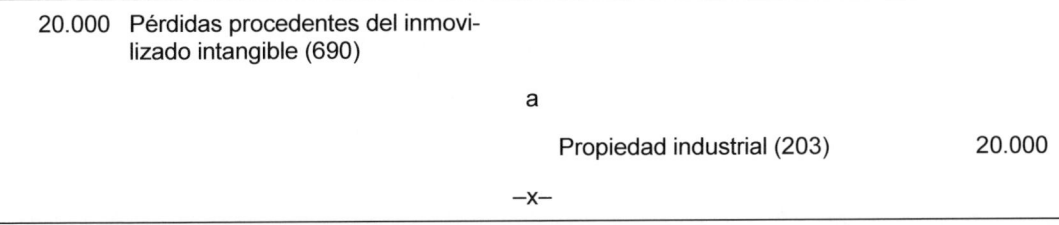

| 20.000 | Pérdidas procedentes del inmovilizado intangible (690) | | |
|---|---|---|---|
| | | a | |
| | | Propiedad industrial (203) | 20.000 |
| | −x− | | |

La amortización en el año siguiente:

| 32.000 | Amortización del inmovilizado intangible (680) | | |
|---|---|---|---|
| | | a | |
| | | Amortización acumulada del inmovilizado intangible (280) | 32.000 |
| | −x− | | |

## CASO PRÁCTICO 7.2. Concesiones administrativas

Una sociedad obtiene una concesión administrativa por importe de 1.000.000 de euros. La depreciación experimentada en cada ejercicio es de 50.000 euros. Se vende la mitad de la concesión al final del quinto año, por un importe de 700.000 euros.

Al final del octavo año se piensa que el valor de la concesión es de 200.000 euros y el valor al décimo año de la concesión es de 200.000 euros.

*Se pide:* contabilizar las operaciones señaladas.

**Solución**

Por los gastos ocasionados por la obtención de la concesión:

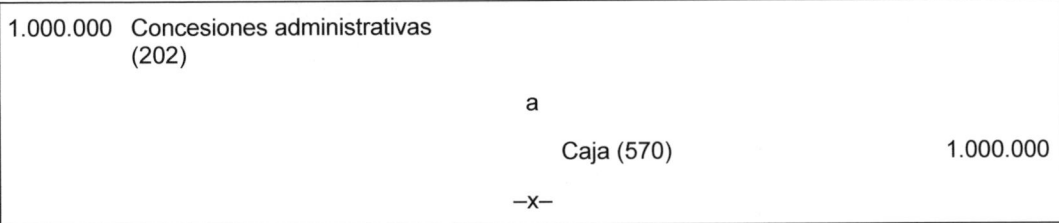

| 1.000.000 | Concesiones administrativas (202) | | |
|---|---|---|---|
| | | a | |
| | | Caja (570) | 1.000.000 |
| | −x− | | |

La depreciación experimentada asciende a:

| 50.000 | Amortización del inmovilizado intangible (680) | | |
|---|---|---|---|
| | | a | |
| | | Amortización acumulada del inmovilizado intangible (280) | 50.000 |
| | –x– | | |

Por la enajenación parcial de la concesión:

| 125.000 | Amortización acumulada del inmovilizado intangible (280) | | |
|---|---|---|---|
| 700.000 | Caja (570) | | |
| | | a | |
| | | Concesiones administrativas (202) | 500.000 |
| | | Beneficio procedente del inmovilizado intangible (770) | 325.000 |
| | –x– | | |

Dotación para responsabilidades al octavo año:

| 100.000 | Pérdidas procedentes del inmovilizado intangible (690) | | |
|---|---|---|---|
| | | a | |
| | | Provisiones para otras responsabilidades (142) | 100.000 |
| | –x– | | |

Al décimo año se dotará una provisión y se anulará su exceso

| 50.000 | Provisiones para otras responsabilidades (142) | | |
|---|---|---|---|
| | | a | |
| | | Exceso de provisión para otras responsabilidades (7952) | 50.000 |
| | –x– | | |

## Caso Práctico 7.3. Propiedad industrial

Se vende un inmovilizado intangible (propiedad industrial) por valor de 100.000 euros, pagando la mitad al contado y el resto, a crédito a corto plazo. El valor de la compra que figura en el balance es de 400.000 euros. La amortización acumulada es de 300.000 euros.

Hace dos años se realizó una dotación por deterioro de un importe de 60.000 euros, que permanece en balance.

*Se pide:* contabilizar las operaciones señaladas, sin contemplar el IVA.

**Solución**

Contabilización de las operaciones:

| | | | |
|---|---|---|---|
| 50.000 | Caja (570) | | |
| 50.000 | Créditos a corto plazo por enaje-nación de inmovilizado (543) | | |
| 300.000 | Amortización acumulada del in-movilizado intangible (280) | | |
| | a | | |
| | | Propiedad industrial (203) | 400.000 |
| | | Beneficio procedente del inmovili-zado intangible (770) | 60.000 |
| | —x— | | |

---

**CASO PRÁCTICO 7.4. Derechos de traspaso**

Una empresa comercial ha pagado por el traspaso de un local 60.000 euros, más el IVA correspondiente, con fecha de 31 de mayo. Los derechos de traspaso se amortizan en cinco años.

Además, la empresa ha pagado por otro local comercial los derechos de traspaso contabilizados por un importe de 40.000 euros, con una amortización acumulada de 10.000 euros, más el IVA correspondiente que es el 18%. Este local a su vez, se traspasa por 35.000 euros.

*Se pide:* contabilizar las operaciones señaladas.

**Solución**

Derechos de traspaso del primer local:

| | | | |
|---|---|---|---|
| 60.000 | Derecho de traspaso (206) | | |
| 10.800 | H.P., IVA soportado (472) | | |
| | a | | |
| | | Bancos (572) | 70.800 |
| | —x— | | |

Amortización:

$$60.000/5 = 12.000 \ \text{€}.$$

$$12.000 \times (7/12) = 7.000 \ \text{€}.$$

| | | |
|---|---|---|
| 7.000 | Amortización del inmovilizado intangible (680) | |
| | a | |
| | Amortización acumulada del inmovilizado intangible (280) | 7.000 |
| | —x— | |

Amortización el año siguiente:

| | | |
|---|---|---|
| 12.000 | Amortización del inmovilizado intangible (680) | |
| | a | |
| | Derecho de traspaso (206) | 12.000 |
| | —x— | |

Por la baja del derecho de traspaso:

| | | |
|---|---|---|
| 19.000 | Amortización acumulada del inmovilizado intangible (280) | |
| 41.000 | Pérdidas procedentes inmovilizado intangible (670) | |
| | a | |
| | Exceso provisión para otras responsabilidades (7952) | 60.000 |
| | —x— | |

Por el traspaso del segundo local:

| | | |
|---|---|---|
| 10.000 | Amortización acumulada del inmovilizado intangible (280) | |
| 40.600 | Bancos (572) | |
| | a | |
| | Derecho de traspaso (206) | 40.000 |
| | H.P., IVA repercutido (477) | 5.600 |
| | Beneficios procedentes del inmovilizado intangible (670) | 5.000 |
| | —x— | |

## CASO PRÁCTICO 7.5. Aplicaciones informáticas

La sociedad anónima "X", permuta productos de su fabricación por un equipo informático de la entidad "Y", recibiendo, además, 350 euros, en efectivo.

La sociedad "X" permuta una serie de piezas de su maquinaria por otras más modernas a la sociedad "Z", por un importe de 1.000 euros. La sociedad "X" tiene registrado en su balance las piezas por un valor de 120.000 euros, con una amortización acumulada de 90.000 euros.

| Concepto | Valor contable | Valor razonable |
|---|---|---|
| Existencias | 1.200 | 1.250 |
| Equipo informático | 900 | 900 |

*Se pide:* contabilizar las operaciones señaladas.

**Solución**

Operaciones de la sociedad "X":

| | | | |
|---|---|---|---|
| 900 | Equipos informáticos (217) | | |
| 350 | Efectivo (570) | | |
| | | a | |
| | | Ventas (P y G) (70) | 1.250 |
| | –x– | | |

| | | | |
|---|---|---|---|
| 1.200 | Aprovisionamiento (P y G) (602) | | |
| | | a | |
| | | Existencias (30) | 900 |
| | –x– | | |

Operaciones de la sociedad "Y":

| | | | |
|---|---|---|---|
| 1.250 | Aprovisionamiento (P y G) (602) | | |
| | | a | |
| | | Equipos informáticos (217) | 900 |
| | | Efectivo (570) | 350 |
| | –x– | | |

Permuta de piezas:

| | | |
|---|---|---|
| 31.000 | Inmovilizado material (recibido) (21) | |
| 90.000 | Amortización acumulado (bien entregado) (28) | |
| | a | |
| | Efectivo (570) | 1.000 |
| | Inmovilizado material (bien entregado) (21) | 120.000 |
| | —x— | |

---

**Caso Práctico 7.6. Anticipos para inmovilizaciones intangibles**

Se encarga la adquisición de una maquinaria por importe de 500 euros, que se recibirá dentro de un mes. En el momento presente se realiza un pago anticipado de 100 euros. Se realiza el pago total al término del tercer mes desde la fecha del encargo.

*Se pide*: contabilizar las operaciones reseñadas sin IVA.

**Solución**

Por las entregas en efectivo en el momento del encargo:

| | | |
|---|---|---|
| 100 | Anticipo para inmovilizaciones inmateriales (209) | |
| | a | |
| | Caja (570) | 100 |
| | —x— | |

Por la recepción de la maquinaria:

| | | |
|---|---|---|
| 500 | Maquinaria (213) | |
| | a | |
| | Proveedores de Inmovilizado a corto plazo (523) | 500 |
| | —x— | |

Por los suministros recibidos de los proveedores, a su conformidad:

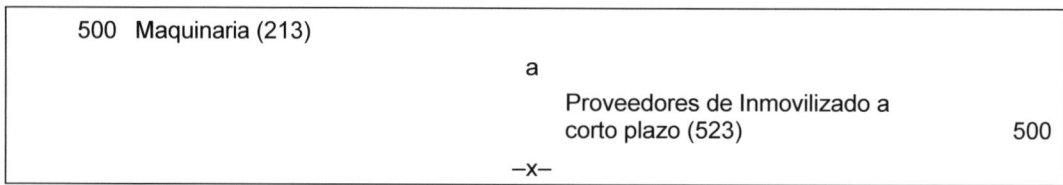

| | | |
|---|---|---|
| 100 | Proveedores de Inmovilizado a corto plazo (523) | |
| | a | |
| | Anticipo para inmovilizaciones intangibles (209) | 100 |
| | —x— | |

Por el pago a los tres meses de la maquinaria:

| | | |
|---|---|---|
| 100 | Proveedores de Inmovilizado a corto plazo (523) | |
| | a | |
| | Caja (570) | 400 |
| | —x— | |

---

## CASO PRÁCTICO 7.7. Canon inicial por franquicia

Una empresa realiza un contrato de franquicia con una duración de 5 años, siendo la cuota inicial a pagar de 50.000 euros.

Se satisfacen periódicamente las siguientes cantidades:

- Al franquiciador: 10.000 €.

- Por servicios de publicidad comunes: 3.000 €.

*Se pide:* contabilizar las operaciones reseñadas aplicando un IVA del 18%.

**Solución**

Por el canon inicial:

| | | |
|---|---|---|
| 50.000 | Canon (inicial) franquicia (207) | |
| 9.000 | H.P., IVA soportado (472) | |
| | a | |
| | Bancos (572) | 59.000 |
| | —x— | |

Por el pago periódico de franquicia:

| | | |
|---|---|---|
| 10.000 | Arrendamientos y cánones (621) | |
| 1.800 | H.P., IVA soportado (472) | |
| | a | |
| | Bancos (572) | 11.800 |
| | —x— | |

Por el pago de publicidad:

| | | | |
|---|---|---|---|
| 3.000 | Publicidad, propaganda y relaciones públicas (627) | | |
| 540 | H.P., IVA soportado (472) | | |
| | | a | |
| | | Bancos (572) | 3.540 |
| | —x— | | |

Por la amortización:

$$50.000/5 = 10.000 \ €.$$

| | | | |
|---|---|---|---|
| 10.000 | Amortización del inmovilizado intangible (680) | | |
| | | a | |
| | | Amortización acumulada del inmovilizado intangible (280) | 10.000 |
| | —x— | | |

# 7.2. INMOVILIZADO MATERIAL E INVERSIONES INMOBILIARIAS

*Inmovilizaciones materiales*: elementos del activo tangible representados por bienes, muebles o inmuebles excepto los contemplados en otros subgrupos

*Inversiones inmobiliarias*: activos no corrientes que sean inmuebles y que se posean para obtener rentas, plusvalías.

## 7.2.1. Adquisición del exterior

**Criterios de valoración**

- Los elementos del inmovilizado material se valoran a precio de adquisición, más todos los gastos necesarios hasta su puesta en funcionamiento.

- Los impuestos indirectos solo se incorporan como mayor valor de la compra cuando no sean recuperables directamente por la Agencia Tributaria.

- Se incluyen los gastos financieros como mayor valor del bien, siempre que se encuentren girados por el proveedor o por préstamos o recursos ajenos, destinados para financiar la adquisición del bien.

**Problemática contable**

Por la adquisición:

| | |
|---|---|
| Inmovilizaciones materiales (21) | |
| H.P., IVA soportado (472) | |
| a | |
| | Caja (570) |
| | Proveedores de inmovilizado a largo plazo (173) |
| | Proveedores de inmovilizado a corto plazo (523) |
| —x— | |

## 7.2.2. Fabricación propia

**Criterios de valoración**

- Los elementos del inmovilizado material se valoran por el coste de producción, más todos los gastos necesarios hasta su puesta en funcionamiento.

- Los impuestos indirectos solo se incorporan como mayor valor del bien cuando no sean recuperables directamente por la Agencia Tributaria.

- Se incluyen los gastos financieros en el coste de producción, siempre que se devenguen con anterioridad a su puesta en funcionamiento.

**Problemática contable**

Coste de producción:

| | |
|---|---|
| Inmovilizaciones materiales (21) | |
| H.P., IVA soportado (472) | |
| a | |
| | Caja (570) |
| | Trabajos realizados para el Inmovilizado material (731) |
| —x— | |

## 7.2.3. Adquisiciones a título gratuito

**Criterios de valoración**

- El inmovilizado material recibido a título gratuito se valorará por su *valor razonable*.

**Problemática contable**

Las donaciones se incorporan en el Patrimonio Neto en la cuenta *Donaciones y legados de capital* (131).

## 7.2.4. Permutas del inmovilizado material

Pueden darse tres casos:

1. Permuta de carácter comercial.
2. Permuta de carácter no comercial.
3. Cuando no se puede estimar el valor razonable.

### 1. Permuta con carácter comercial

a) Cuando la configuración (riesgo, calendario e importe) de los flujos de efectivo del inmovilizado recibido difiere de la configuración de los flujos de efectivo del activo entregado.

b) El valor actual de los flujos de efectivo de las actividades de la empresa afectada por la permuta, se verá modificado como consecuencia de la operación comercial.

**Criterios de valoración**

- El inmovilizado material recibido se valorará por el valor razonable del activo entregado.

- Las diferencias de valoración que se produzcan se reflejarán en la cuenta de pérdidas y ganancias.

- En ningún caso se considerará como comercial una permuta de activos de la misma naturaleza y uso para la empresa.

### 2. Permuta con carácter no comercial

**Criterio de valoración**

El inmovilizado material recibido se valorará por el valor contable del bien entregado más, en su caso, las contrapartidas monetarias acordadas que se hubieran entregado a cambio, con el límite del valor razonable del inmovilizado recibido, si este fuera menor.

3. **Permuta con estimación no fiable del valor razonable**

La permuta se trata como si fuera de carácter no comercial.

## 7.2.5. Provisión para desmantelamiento, retiro o rehabilitación

### Criterios de valoración

- Las obligaciones futuras se recogen como mayor valor de los elementos del inmovilizado, formando parte de la base de amortización, a diferencia de lo que ocurría en la normativa anterior (PGC 1990), donde se dotaba la oportuna provisión.

- La incidencia a resultados se efectúa ahora por medio de la amortización, en vez de a través de la dotación a la provisión.

- Al final de cada ejercicio debe revisarse el valor actual de las obligaciones futuras.

- Los posibles ajustes que se produzcan en cada ejercicio se tratarán como modificaciones de las estimaciones contables.

## 7.2.6. Enajenamiento del inmovilizado material

Tratamiento contable de las ventas del inmovilizado que se dan de baja por el valor de adquisición o producción.

### Problemática contable

Por las enajenaciones:

Caja (57)

Inversiones inmobiliarias (22)

Pérdidas procedentes del Inmovilizado material (631)

Amortización acumulada del Inmovilizado material (281)

          a

          Inmovilizaciones materiales (21)

          H.P., IVA repercutido (477)

—x—

## 7.2.7. Entrega de inmovilizado material a título gratuito

**Criterio de valoración**

El inmovilizado material entregado sin contraprestación económica se da de baja por el valor neto contable, recogiendo la pérdida como consecuencia de la entrega gratuita.

## 7.2.8. Baja por fuera de uso del inmovilizado material

**Criterio de valoración**

El inmovilizado material se da de baja por el valor neto contable, recogiendo la pérdida correspondiente.

## 7.2.9. Renovación del inmovilizado material

Consiste en realizar un conjunto de operaciones para recuperar las características iniciales del inmovilizado material.

**Criterios de valoración**

- Se capitaliza como mayor del bien por el importe de la renovación.
- Paralelamente, se dará de baja al elemento renovado con sus correcciones valorativas.

## 7.2.10. Ampliación y mejora del inmovilizado material

La ampliación y mejora consiste en incorporar nuevos elementos que sirven para incrementar la capacidad productiva.

**Criterios de valoración**

- La ampliación y mejora, bien a precio de adquisición o a coste de producción, supondrá un incremento del valor del activo.
- En la ampliación o mejora deben cumplirse, al menos, alguna de las circunstancias siguientes:
  - Aumento de la capacidad productiva.
  - Mejora de la productividad.
  - Mayor duración del activo.

## 7.2.11. Reparaciones y conservación

*Reparación*: es el proceso por el que se vuelve a poner en condiciones de funcionamiento un inmovilizado material.

*Conservación*: consiste en mantener el elemento del inmovilizado material en buenas condiciones de funcionamiento.

## Criterios de valoración

- Los gastos derivados de los procesos de mantenimiento y conservación se imputarán a resultados como gastos de explotación, en el ejercicio en que se producen.

- Para las reparaciones extraordinarias, su coste se reconocerá en el valor contable del inmovilizado material como sustitución de la reparación efectuada que causará baja contable.

- Los criterios de amortización de las grandes reparaciones extraordinarias se calcularán en función de la vida útil del inmovilizado material reparado.

# 7.2.12. Amortización del inmovilizado material

## Criterios de valoración

- Los terrenos y solares no son amortizables, salvo que correspondan a una posible provisión por rehabilitación que haya incrementado el valor de los mismos.

- Cuando se trate de edificaciones solo se amortiza la parte de la construcción.

- No se amortizan las inmovilizaciones materiales cuando están en curso.

- Se puede practicar la amortización sobre elementos homogéneos.

- Cuando comienza a funcionar un elemento de inmovilizado material, comienza su amortización en ese ejercicio.

- No se deben aplicar distintos métodos de amortización, según el principio de continuidad.

- Cada año debe aplicarse la cuota de amortización en función de su vida útil.

## Problemática contable

| |
|---|
| Amortización del inmovilizado material (681) |
| a |
| Amortización acumulada del inmovilizado material (281 |
| —x— |

## Métodos de amortización

- Cuotas constantes.
- Porcentajes constantes sobre bases decrecientes.
- Números dígitos.
- Tablas fiscales de amortización.
    - Coeficiente lineal máximo anual.
    - Periodo máximo de plazo de amortización.

## 7.2.13. Inmovilizado material destinado para la venta

**Criterios de valoración**

- Se califica como activo no corriente en venta. Se valorará por el menor importe entre su valor razonable, menos los costes de venta y su valor contable, calculado a la fecha en que se clasifique como activo destinado para la venta.

- El activo ha de estar disponible en sus condiciones actuales para su venta inmediata.

- Su venta ha de ser altamente probable.

- Los bienes del inmovilizado, calificados como mantenidos para la venta, no serán objeto de amortización.

- **Casos Prácticos**

---

**Caso Práctico 7.8. Adquisición del exterior**

Se desea comprar mobiliario para las oficinas de la fábrica por un importe de 8.000 euros, pagaderos al término de seis meses, con unos intereses de 400 euros. El IVA correspondiente es del 18%.

*Se pide*: reflejar las operaciones señaladas.

**Solución**

Por la adquisición:

| | | |
|---|---|---|
| 8.000 | Mobiliario (216) | |
| 1.440 | H.P., IVA soportado (472) | |
| | a | |
| | Proveedores de inmovilizado a corto plazo (523) | 9.440 |
| | —x— | |

Contabilización de los intereses al vencimiento:

| | | |
|---|---|---|
| 9.280 | Proveedores de inmovilizado a corto plazo (523) | |
| 400 | Intereses de deudas (662) | |
| | a | |
| | Bancos (572) | 9.680 |
| | —x— | |

---

**CASO PRÁCTICO 7.9. Adquisición del exterior (permuta)**

Se desea entregar un elemento de transporte cuyo valor neto contable alcanza el importe de 20.000 euros, y su amortización acumulada es de 10.000 euros, siendo el precio de venta de 30.000 euros.

La adquisición del nuevo elemento de transporte tiene un coste de 80.000 euros y la cuota de amortización es cada año de 1/8 del precio de adquisición.

*Se pide:* reflejar las operaciones señaladas, eludiendo la problemática del IVA.

**Solución**

El inmovilizado nuevo es el siguiente:

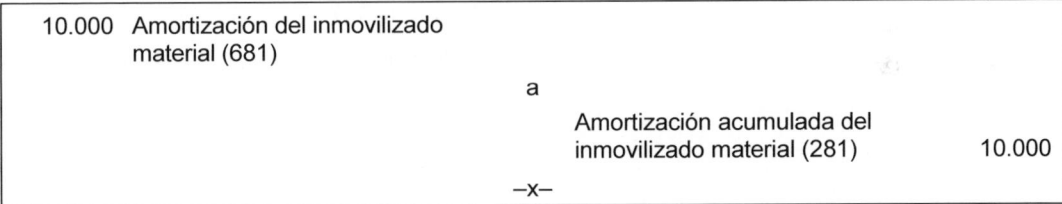

| 80.000 | Elemento de transporte (nuevo) (218) | | |
|---|---|---|---|
| 10.000 | Amortización acumulada del Inmovilizado material (usado) (281) | | |
| | a | Elemento de transporte (usado) (218) | 30.000 |
| | | Bancos (572) | 50.000 |
| | | Beneficio procedente del inmovilizado material (771) | 10.000 |
| | −x− | | |

La cuota amortización para cada año es de 10.000 €.:

| 10.000 | Amortización del inmovilizado material (681) | | |
|---|---|---|---|
| | a | Amortización acumulada del inmovilizado material (281) | 10.000 |
| | −x− | | |

---

**CASO PRÁCTICO 7.10. Fabricación propia**

En una empresa cuya actividad pertenece al sector servicios, se desean realizar unos muebles de cocina valorados en el mercado en 2.500 euros, y deciden realizarlos ellos mismos, con unos operarios propios.

Para ello, se compra el material por un importe de 800 euros, con un IVA del 18%. Los sueldos satisfechos ascienden a 600 euros y se imputan unos gastos generales de 100 euros.

*Se pide:* realizar las operaciones reseñadas.

**Solución**

Coste de los muebles de cocina:

- Material: 800 €.

- IVA soportado: 270 €.

- Sueldos: 600 €.

- Gastos generales: 100 €.

- Coste total: 1.628 €.

Coste de producción:

| | | | |
|---|---|---|---|
| 1.500 | Mobiliario en curso (234) | | |
| 270 | H.P., IVA soportado (472) | | |
| | a | | |
| | | Bancos (572) | 1.770 |
| | —x— | | |

La cuenta (234) *mobiliario en curso* no existe en el PGC 2007.

Al término de la realización del mobiliario:

| | | | |
|---|---|---|---|
| 2.500 | Mobiliario (216) | | |
| | a | | |
| | | Mobiliario en curso (234) | 1.628 |
| | | Trabajos realizados para el Inmovilizado material (731) | 1.000 |
| | —x— | | |

---

**Caso Práctico 7.11. Instalación propia**

Se va a instalar una maquinaria en unos terrenos propiedad de la empresa, cuyo precio al contado es de 500.000 euros. En la operación se ha obtenido una bonificación de 1,5%, teniendo que imputar los siguientes gastos en la adquisición:

- Transporte: 10.000 €.

- Seguro: 2.500 €.

- Instalación: 12.000 €.

Al término de su vida útil de10 años se prevé que habrá unos gastos de desmontaje de 10.000 euros, con un valor residual despreciable. El tipo de interés de la actualización de la provisión es del 5%.

*Se pide:* calcular y contabilizar las operaciones reseñadas.

**Solución**

| | |
|---|---:|
| Importe facturado menos descuentos | 492.500 |
| Gastos antes de la puesta en funcionamiento | |
| Transporte | 10.000 |
| Seguros | 2.500 |
| Montaje | 12.000 |
| Valor actual de las obligaciones del montaje | |
| $10.000 \times (1+0,06)^{-10}$ | 7.367 |
| **Valor Total de la Adquisición** | **524.367** |

Balance al final del año X:

| Activo | | Pasivo y Patrimonio Neto | |
|---|---|---|---|
| Instalaciones técnicas | 524.367 | Provisión por desmantelamiento, retiro o rehabilitación del inmovilizado | 7.367 |
| **Caja** | **(517.000)** | | |

Balance al final del año X + 1:

| Activo | | Pasivo y Patrimonio Neto | |
|---|---|---|---|
| Instalaciones | 524.367 | Provisión por retiro | 7.367 |
| Menos amortización | 50.000 | Pérdidas y ganancias | 50.368 |
| **Tesorería** | **517.000** | | |

---

**CASO PRÁCTICO 7.12. Adquisiciones a título gratuito**

El SAMUR es un servicio de urgencias que no está sujeto al Impuesto de Sociedades. El SAMUR recibe una UCI (Unidad de Cuidados Intensivos) móvil, gratuitamente por valor de 60.000 euros. La cuota de amortización anual estimada es de 10.000 euros.

*Se pide:* realizar las operaciones reseñadas.

**Solución**

Por la donación recibida:

| 20.000 | Elemento de transporte (218) | | |
|---|---|---|---|
| | | a | |
| | | Ingresos de donaciones de capital (941) | 20.000 |
| | | −x− | |

Por el traspaso del ingreso al patrimonio neto:

| 20.000 | Ingresos de donaciones de capital (941) | | |
|---|---|---|---|
| | | a | |
| | | Donaciones y legados de capital (131) | 20.000 |
| | | −x− | |

La amortización practicada es la siguiente:

| 10.000 | Amortización del inmovilizado material (681) | | |
|---|---|---|---|
| | | a | |
| | | Amortización acumulada del inmovilizado material (281) | 10.000 |
| | | −x− | |

La donación recibida se incorpora a resultados de cada ejercicio en función de la amortización practicada:

| 10.000 | Transferencia de donaciones de capital ( 841) | | |
|---|---|---|---|
| | | a | |
| | | Subvenciones, donaciones legados de capital transferidas a resultado del ejercicio (746) | 10.000 |
| | | −x− | |

Por el traspaso al patrimonio neto para reducirlo:

| 10.000 | Donaciones y legados de capital (131) | | |
|---|---|---|---|
| | | a | |
| | | Transferencia de donaciones de capital (841) | 10.000 |
| | | −x− | |

---

**CASO PRÁCTICO 7.13. Permuta del inmovilizado material con carácter comercial**

Se desea permutar un coche cuyo valor de compra fue de 30.000 euros, con una amortización acumulada de 20.000 euros, por una furgoneta adquirida por 40.000 euros, cuyo valor de mercado es de 45.000 euros.

*Se pide:* contabilizar dichas operaciones.

**Solución**

| | | | |
|---|---|---|---|
| 40.000 | Elemento de transporte (nuevo) (218) | | |
| 20.000 | Amortización acumulada del inmovilizado material (281) | | |
| | a | | |
| | | Elemento de transporte (usado) (218) | 30.000 |
| | | Beneficio procedente del inmovilizado material (771) | 30.000 |
| | —x— | | |

---

**CASO PRÁCTICO 7.14. Permuta del inmovilizado material con carácter no comercial**

Se desea permutar un coche cuyo valor de compra fue de 30.000 euros y con una amortización acumulada de 20.000 euros, por otro de la misma naturaleza y uso. El valor razonable del elemento recibido es de 12.000 euros.

*Se pide:* contabilizar dichas operaciones

**Solución**

| | | | |
|---|---|---|---|
| 10.000 | Elemento de transporte (nuevo) (218) | | |
| 20.000 | Amortización acumulada del inmovilizado material (281) | | |
| | a | | |
| | | Elemento de transporte (usado) (218) | 30.000 |
| | —x— | | |

CASO PRÁCTICO 7.15. **Provisión para desmantelamiento, retiro o rehabilitación**

Una sociedad realiza unas instalaciones técnicas por valor de 100.000 euros y contempla la posibilidad del desmantelamiento de las mismas al término de 5 años, que es el final de la vida útil, por un importe de 10.000 euros.

La provisión se contabiliza por su valor actual, aplicando una tasa de descuento del 4% anual, debido a la inflación prevista.

*Se pide*

1. Contabilizar el valor actual de la instalación técnica.

2. Cuota de amortización.

3. Variación del valor actual de la provisión transcurrido un año.

4. Al faltar todavía dos años para terminar la vida útil prevista de la instalación, se estima que el importe final del desmantelamiento o retiro ascenderá a 12.000 euros.

5. Traspaso a corto plazo de la provisión.

**Solución**

1. Valor actual de las instalaciones técnicas:

$$10.000 \times 1,04^{-5} = 8.219,27 \text{ €.}$$

| | | |
|---|---|---|
| 8.219,27 | Instalaciones técnicas (212) | |
| | a | |
| | Provisiones por desmantelamiento, retiro o rehabilitación del inmovilizado (143) | 8.219,27 |
| | —x— | |

2. Primera cuota de amortización:

$$(100.000 + 8.219,27)/5 = 21.643,85$$

| | | |
|---|---|---|
| 21.643,85 | Amortización del inmovilizado material (681) | |
| | a | |
| | Amortización acumulada del inmovilizado material (281) | 21.643,85 |
| | —x— | |

**3.** La variación del valor actual de la provisión, transcurrido un año, es:

$$10.000 \, (1,04^{-4} - 1,04^{-5}) = 328,77 \; €.$$

| 328,77 | Gastos financieros por actualización de provisiones (660) | | |
|---|---|---|---|
| | | a | |
| | | Provisiones por desmantelamiento, retiro o rehabilitación del inmovilizado (143) | 328,77 |
| | −x− | | |

**4.** Como todavía faltan dos años para que termine la vida útil prevista de la instalación, se estima que el importe final del desmantelamiento o retiro, supondrá 12.000 €.

$$12.000 \times 1,04^{-2} - 10.000 \times 1,04^{-2} = 1.922,33 \; €.$$

La amortización correspondiente es 961,17 €.

| 1.922,33 | Gastos financieros por actualización de provisiones (660) | | |
|---|---|---|---|
| | | a | |
| | | Provisiones por desmantelamiento, retiro o rehabilitación del inmovilizado (143) | 1.922,33 |
| | −x− | | |

| 961,17 | Amortización del inmovilizado material (681) | | |
|---|---|---|---|
| | | a | |
| | | Amortización acumulada del inmovilizado material (281) | 961,17 |
| | −x− | | |

**5.** El traspaso a corto plazo de la provisión supone:

| 10.470,37 | Provisiones por desmantelamiento, retiro o rehabilitación del inmovilizado (143) | | |
|---|---|---|---|
| | | a | |
| | | Provisiones a corto plazo (522) | 10.470,37 |
| | −x− | | |

CASO PRÁCTICO 7.16. **Enajenamiento del inmovilizado material**

Se compra una maquinaria por un importe de 100.000 euros y se paga el 25% al contado, el 25% por medio de factura a 15 meses y el resto, documentado formalmente, a 2 años. La vida útil estimada es de 5 años.

La maquinaria se vende al final del tercer año por 50.000 euros, cobrando el 50% al contado y el resto, a 1 año, documentado formalmente.

*Se pide*: contabilizar las operaciones reseñadas sin la problemática del IVA.

**Solución**

Adquisiciones del exterior:

| | | |
|---|---|---:|
| 100.000 | Maquinaria (213) | |
| | a | |
| | Proveedores de inmovilizado a largo plazo (173) | 25.000 |
| | Caja (570) | 25.000 |
| | Efectos a pagar a largo plazo (175) | 50.000 |
| | —x— | |

Por la amortización:

| | | |
|---|---|---:|
| 20.000 | Amortización del inmovilizado material (681) | |
| | a | |
| | Amortización acumulada del inmovilizado material (281) | 20.000 |
| | —x— | |

Al vender el inmovilizado al tercer año:

| | | |
|---|---|---:|
| 60.000 | Amortización acumulada del inmovilizado material (281) | |
| 25.000 | Caja (570) | |
| 25.000 | Deudores, efectos comerciales a cobrar (441) | |
| | a | |
| | Maquinaria (213) | 100.000 |
| | Beneficio procedente del inmovilizado material (771) | 10.000 |
| | —x— | |

## CASO PRÁCTICO 7.17. Entrega de inmovilizado material a título gratuito

Una sociedad dona a uno de sus socios unos terrenos valorados en 90.000 euros. El importe de la Escritura y Registro asciende a 3.000 euros.

*Se pide*: contabilizar la mencionada operación.

**Solución**

La empresa no puede donar una propiedad suya a un socio. Por tanto, no procede su contabilización.

## CASO PRÁCTICO 7.18. Entrega de inmovilizado material como indemnización

Una sociedad entrega a uno de sus empleados unos terrenos valorados en 90.000 euros en concepto de indemnización. El importe de los gastos de la Escritura y el Registro asciende a 3.000 euros.

*Se pide*: contabilizar la mencionada operación.

**Solución**

La empresa que realiza la entrega del bien:

| | | |
|---|---|---|
| 90.000 | Indemnizaciones (641) | |
| | a | |
| | Terrenos y construcciones (210) | 90.000 |
| | —x— | |

## CASO PRÁCTICO 7.19. Baja por fuera de uso del inmovilizado material

Una sociedad tiene contabilizado una maquinaria por 20.000 euros, con una amortización acumulada de 18.000 euros. La maquinaria se encuentra sin utilidad.

*Se pide:* contabilizar la mencionada operación.

**Solución**

| | | |
|---|---|---|
| 18.000 | Amortización acumulada del inmovilizado material (281) | |
| 2.000 | Pérdida procedente del inmovilizado material (671) | |
| | a | |
| | Maquinaria (213) | 20.000 |
| | —x— | |

## CASO PRÁCTICO 7.20. Renovación del inmovilizado material

Una sociedad tiene contabilizada una determinada maquinaria por importe de 20.000 euros, con una amortización acumulada de 18.000 euros. El importe de la renovación de la maquina asciende a 3.000 euros.

*Se pide*: contabilizar la mencionada operación teniendo en cuenta el IVA del 18%.

**Solución**

Por la baja:

| | | |
|---|---|---|
| 18.000 | Amortización acumulada del inmovilizado material (281) | |
| 2.000 | Pérdida procedente del inmovilizado material (671) | |
| | a | |
| | Maquinaria (213) | 20.000 |
| | —x— | |

Por la renovación efectuada:

| | | |
|---|---|---|
| 3.000 | Maquinaria (213) | |
| 540 | H.P., IVA soportado (472) | |
| | a | |
| | Bancos (572) | 3.540 |
| | —x— | |

Supongamos que se vende el equipo renovado por 500 €:

| | | |
|---|---|---|
| 500 | Bancos (572) | |
| | a | |
| | Pérdida procedente del inmovilizado material (671) | 500 |
| | —x— | |

En el caso de que no se conozca de forma fiable el valor del inmovilizado material, al darlo de baja por renovación, entonces se contabilizará como gasto del ejercicio, sin capitalizar.

| | | |
|---|---|---|
| 3.000 | Reparaciones y conservación (662) | |
| 540 | H.P., IVA soportado (472) | |
| | a | |
| | Bancos (572) | 3.540 |
| | —x— | |

## CASO PRÁCTICO 7.21. Ampliación y mejora del inmovilizado material

Una empresa realiza un conjunto de mejoras en su inmovilizado material (construcciones), incluido un derribo, por importe de 15.000 euros. La venta de los materiales del derribo asciende a 1.000 euros.

*Se pide*: contabilizar la mencionada operación teniendo en cuenta el IVA del 18%.

### Solución

| | | |
|---|---|---|
| 14.000 | Construcciones (211) | |
| 1.180 | Bancos (572) | |
| | (1.000 + IVA) | |
| 2.700 | H.P., IVA soportado (472) | |
| | a | |
| | Bancos (572) | 17.700 |
| | (15.000 + IVA) | |
| | H.P., IVA repercutido (477) | 180 |
| | —x— | |

## CASO PRÁCTICO 7.22. Reparaciones y conservación

La sociedad AVE realiza las siguientes reparaciones en un tren:

- Reparaciones de algunos vagones por importe de 1.000 €.

- La cuota mensual satisfecha a los trabajadores autónomos de mantenimiento es de 5.000 euros, con una retención practicada del 15%.

- Se realizan diversas reparaciones de gran dimensión por valor de 150.000 euros.

- Las piezas sustituidas figuran en el activo por valor de 100.000 euros y una amortización acumulada por 80.000 euros.

*Se pide*: contabilizar la mencionada operación teniendo en cuenta que el IVA es el 18%.

### Solución

| | | |
|---|---|---|
| 1.000 | Reparaciones y conservación (622) | |
| 180 | H.P., IVA soportado (472) | |
| | a | |
| | Bancos (572) | 1.180 |
| | —x— | |

| | | |
|---|---|---|
| 5.000 | Sueldos y salarios (640) | |
| | a | |
| | Bancos (572) | 4.250 |
| | H.P., retenciones y pagos a cuenta (473) | 750 |
| | —x— | |

Por la gran reparación:

| | | |
|---|---|---|
| 150.000 | Elementos de transporte (218) | |
| 22.000 | H.P., IVA soportado (472) | |
| | a | |
| | Bancos (572) | 177.000 |
| | —x— | |

Por la baja de las piezas reemplazadas:

| | | |
|---|---|---|
| 80.000 | Amortización acumulada del inmovilizado material (281) | |
| 20.000 | Pérdidas procedentes del inmovilizado material (671) | |
| | a | |
| | Elementos de transporte (218) | 100.000 |
| | —x— | |

## CASO PRÁCTICO 7.23. Amortización del inmovilizado material

Una sociedad anónima realiza las amortizaciones de sus elementos del inmovilizado material de la forma siguiente:

– La maquinaria A está contabilizada por valor de 8.000 euros, estimándose un valor residual de 500 euros, al final de su vida útil. Se aplica el método de amortización de un porcentaje fijo del 30% sobre la base pendiente de amortización, lo que supone 4.500 euros.

– La maquinaria B está contabilizada por valor de 10.000 euros, estimándose un valor residual de 600 euros, al final de su vida útil. Se aplica el método de amortización de números dígitos decrecientes. La vida útil estimada es de 8 años y nos encontramos al final del año cuarto.

– La maquinaria C se adquiere el 30 de junio y figura contabilizada por valor de 6.000 euros, estimándose un valor residual de 400 euros al final de su vida útil. Se aplica el método de amortización de un porcentaje fijo del 40% sobre la base pendiente.

– La maquinaria D se encuentra en montaje con unos costes acumulados de 11.000 euros.

– La maquinaria E está contabilizada por 12.000 euros. y se encuentra totalmente amortizada y en perfecto estado de uso.

– La maquinaria F está contabilizada por 5.000 euros, estimándose un valor residual de 200 €. Se aplica el método de amortización de cuotas constantes.

– La fábrica se encuentra contabilizada por:

   – Construcciones: 500.000 €.

   – Terrenos: 300.000 €,

y se amortiza con cuotas constantes del 3%.

– Los elementos de transporte se amortizan en función del kilometraje realizado en el año:

| Elemento | Valor de activo | Valor residual | Km/año | Km vida útil |
|----------|-----------------|----------------|--------|--------------|
| G | 60.000 | 10.000 | 40.000 | 250.000 |
| H | 30.000 | 4.000 | 20.000 | 180.000 |

• El resto de las inmovilizaciones materiales se amortizan de forma global, aplicando un porcentaje fijo sobre el saldo final del año.

| Elementos amortizados | Valor del activo | Valor residual | Porcentaje |
|-----------------------|------------------|----------------|------------|
| Instalaciones | 120.000 | - | 20% |
| Mobiliario | 60.000 | - | 10% |
| Equipos informáticos | 40.000 | 2.000 | 33% |
| Utillaje | 10.000 | - | 40% |

*Se pide* realizar los cálculos y el tratamiento contable de las operaciones anteriores.

**Solución**

<table>
<tr><td colspan="4">Maquinaria</td></tr>
<tr><td></td><td>A</td><td>4.500 × 30% = 1.350</td><td align="right">1.350,00</td></tr>
<tr><td></td><td>B</td><td>8 + 7 + … + 2 + 1 = 36<br>5/36 × (10.000 – 600) = 1.305,56</td><td align="right">1.305,56</td></tr>
<tr><td></td><td>C</td><td>(6.000 – 400) × 40% = 2.240<br>2.240/2 = 1.120</td><td align="right">1.120,00</td></tr>
<tr><td></td><td>D</td><td>No se amortiza por estar en montaje</td><td></td></tr>
<tr><td></td><td>E</td><td>No se amortiza, porque ya está totalmente amortizado</td><td></td></tr>
<tr><td></td><td>F</td><td>4.800/5 = 960,00</td><td align="right">960</td></tr>
<tr><td></td><td colspan="2" align="center">A + B + C + F</td><td align="right">4.735,56</td></tr>
<tr><td colspan="2">Fábrica</td><td>500.000 × 3% = 15.000</td><td align="right">15.000,00</td></tr>
<tr><td colspan="4">Elementos de transporte</td></tr>
<tr><td></td><td>G</td><td>(60.000 – 10.000) × 40.000/250.000</td><td align="right">8.000,00</td></tr>
<tr><td></td><td>H</td><td>(30.000 – 4.000) × 20.000/180.000</td><td align="right">2.888,89</td></tr>
<tr><td></td><td colspan="2" align="center">G + H</td><td align="right">10.888,89</td></tr>
<tr><td colspan="2">Instalaciones</td><td>120.000 × 20% = 24.000</td><td align="right">24.000,00</td></tr>
<tr><td colspan="3"></td><td align="right">24.000,00</td></tr>
<tr><td colspan="2">Mobiliario</td><td>60.000 × 10% = 6.000</td><td align="right">6.000,00</td></tr>
<tr><td colspan="3"></td><td align="right">6.000,00</td></tr>
<tr><td colspan="2">Equipo informático</td><td>38.000 × 33% = 12.540</td><td align="right">12.540,00</td></tr>
<tr><td colspan="3"></td><td align="right">12.540,00</td></tr>
<tr><td colspan="2">Utillaje</td><td align="center">10.000 × 40% = 4.000</td><td align="right">4.000,00</td></tr>
<tr><td colspan="3"></td><td align="right">4.000,00</td></tr>
</table>

| 80.000 | Amortización del inmovilizado material (681) | | |
|---|---|---|---|
| | | a | |
| | | Amortización acumulada de construcciones (2811) | 15.000 |
| | | Amortización acumulada de maquinaria (2813) | 4.735,56 |
| | | Amortización acumulada de utillaje (2814) | 4.000 |
| | | Amortización acumulada de las instalaciones (2815) | 24.000 |
| | | Amortización acumulada del mobiliario (2816) | 6.000 |
| | | Amortización acumulada de equipos proceso de datos (2817) | 11.540 |
| | | Amortización acumulada de elementos de transporte (2818) | 10.888,80 |

—x—

---

**CASO PRÁCTICO 7.24. Inmovilizado material destinado para la venta**

Una empresa destina un determinado elemento de transporte para su venta por no utilizarlo para su actividad comercial. Se encuentra contabilizado por 60.000 euros, con una amortización acumulada de 20.000 euros. El valor razonable se estima en 35.000 euros, con unos costes de transacción de 500 euros.

Posteriormente, se vende este elemento de transporte por un importe de 36.000 euros.

*Se pide* realizar las operaciones reseñadas.

**Solución**

**Valor contable del elemento de transporte**

| | |
|---|---|
| Valor activo | 60.000 |
| Amortización acumulada | (20.000) |
| | **40.000** |

**Valor razonable:**

| | |
|---|---|
| Valor razonable | 35.000 |
| Coste transacción | (500) |
| | **34.500** |

| | | | |
|---|---|---|---|
| 20.000 | Amortización acumulada del inmovilizado material (281) | | |
| 34.500 | Inmovilizado (580) (no corriente destinado para la venta) | | |
| 5.500 | Pérdidas procedentes del inmovilizado material (671) | | |
| | a | | |
| | | Elementos de transporte (218) | 60.000 |
| | —x— | | |

Por la venta:

| | | | |
|---|---|---|---|
| 36.000 | Bancos (572) | | |
| | a | | |
| | | Beneficios procedentes del inmovilizado material (771) | 1.500 |
| | | Inmovilizado (580) (no corriente destinado para la venta) | 34.500 |
| | —x— | | |

CAPITULO **8**

# INVERSIONES FINANCIERAS
## CUYOS GASTOS FINANCIEROS SE
## INCORPORAN A PÉRDIDAS Y GANANCIAS

### CONTENIDO

## CASOS PRÁCTICOS

8.1. Adquisición de derechos

8.2. Adquisición de inversiones financieras

8.3. Inversiones financieras para negociar

8.4. Inversiones financiaras mantenidas para negociar

8.5. Inversión financiera como derivado

8.6. Inversiones financieras a valor razonable

8.7. Inversiones financieras a valor razonable

8.8. Inversiones financieras a valor razonable

8.9. Adquisición de inversiones financieras con pago aplazado

8.10. Inversión financiera con derivado financiero

8.11. Inversiones financieras mantenidas hasta su vencimiento

8.12. Inversiones con pago aplazado

8.13. Cartera de negociación

8.14. Créditos a largo plazo

8.15. Concesión de un préstamo por la empresa

8.16. Pago parcial de la deuda

8.17. Venta a crédito del inmovilizado

8.18. Crédito al personal

8.19. Fianzas y depósitos

## Tabla 8.1 CUADRO-RESUMEN de inversiones financieras

| Inversión financiera | Gastos financieros | P y G/ P. Neto |
|---|---|---|
| I.F. Instrumento de patrimonio | Incorporados | P y G |
| I.F. mantenidos para negociar (generalmente a corto plazo) | Gastos financieros | P y G |
| I.F. a valor razonable con cambios en la cuenta de P y G | Gastos financieros | P y G |
| I.F. mantenidas hasta su vencimiento | Incorporado | P y G |
| I.F. derivados financieros en cartera de negociación | Gastos financieros | P y G |
| I.F. derivados financieros a valor razonable con cambios en la cuenta de P y G | Gastos financieros | P y G |
| I.F. mantenidas para la venta | Incorporar | P. Neto |
| I.F. derivados financieros en instrumento de cobertura | Gastos financieros | P. Neto |

# 8.1 INVERSIONES FINANCIERAS EN INSTRUMENTOS DE PATRIMONIO

Son inversiones s largo plazo en derechos sobre el patrimonio neto.

### Problemática contable

Por la suscripción al contado:

| | | |
|---|---|---|
| Inversiones financieras a l/p en instrumento de patrimonio (250) | | |
| | a | |
| | | Bancos c/c (572) |
| | | Desembolsos pendientes sobre instrumentos de patrimonio (259) |
| | —x— | |

Por las enajenaciones:

| | | |
|---|---|---|
| Bancos c/c (572) | | |
| Desembolsos pendientes sobre instrumentos de patrimonio (259) | | |
| Pérdidas en participaciones y valores representativos de deudas (666) | | |
| | a | |
| | | Inversiones financieras a l/p en instrumentos de patrimonio (250) |
| | —x— | |

- ## CASOS PRÁCTICOS

## CASO PRÁCTICO 8.1. Adquisición de derechos

Una sociedad tiene 10.000 acciones, correspondiéndole a cada accionista, por acudir a una ampliación de capital, por cada cinco acciones antiguas una nueva. El valor de cotización es del 120% y el valor nominal es de 6 euros al 100%. La empresa adquiere los derechos que le corresponden a su valor teórico.

*Se pide*: contabilizar la adquisición de derechos y las nuevas acciones.

**Solución**

Por medio de la adquisición de derechos:

| | | | |
|---|---|---|---|
| 400 | Inversiones financieras a l/p en instrumentos de patrimonio (derechos) (2501) | | |
| | | a | |
| | | Bancos c/c (572) | 400 |
| | | —x— | |

Por la conversión en acciones:

| | | | |
|---|---|---|---|
| 12.400 | Inversiones financieras a l/p en instrumentos de patrimonio (250) | | |
| | | a | |
| | | Bancos c/c (572) | 12.000 |
| | | Inversiones financieras a l/p en instrumentos de patrimonio (derechos) (2501) | 400 |
| | | —x— | |

## CASO PRÁCTICO 8.2. Adquisición de inversiones financieras

Una sociedad adquiere en Bolsa 10.000 títulos a una cotización de 4,85 euros por título, realizando el 50% de desembolso al contado y el resto, aplazado a seis meses. Se incurren en unos gastos, comisiones y corretajes que ascienden a 1.500 euros. Al final de año la cotización de las acciones que posee la empresa es de 4 euros por título. Anteriormente, se ha realizado el desembolso pendiente.

Un tiempo después, decide vender la mitad de la cartera por 6,20 euros la acción, siendo los gastos, comisiones, etc., de 0,15 euros por título.

*Se pide*: contabilizar las operaciones anteriores.

**Solución**

Por la suscripción y los desembolsos pendientes:

| | | | |
|---|---|---|---|
| 50.000 | Inversiones financieras a l/p en instrumento de patrimonio (250) | | |
| | | a | |
| | | Bancos c/c (572) | 25.750 |
| | | Desembolsos pendientes sobre instrumentos de patrimonio (259) | 24.250 |
| | | —x— | |

Por el desembolso pendiente:

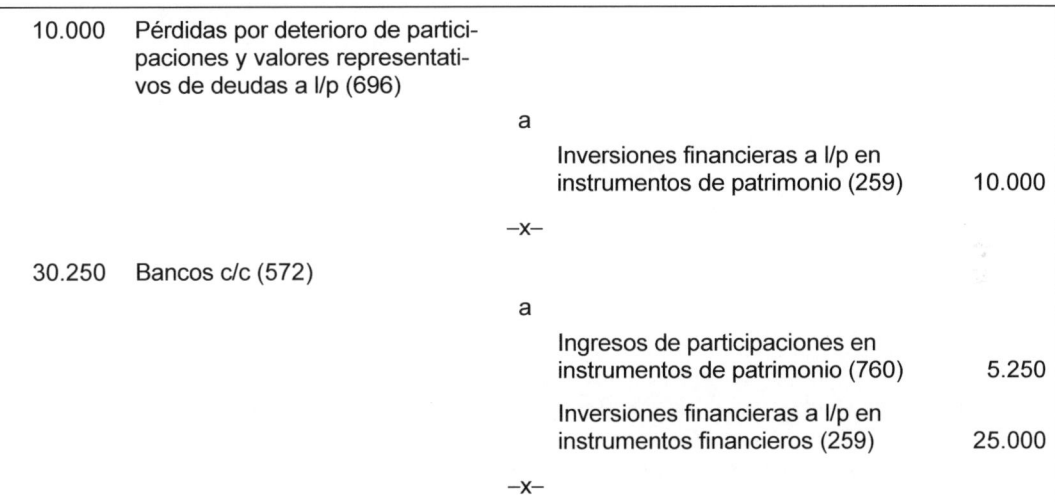

| 24.250 | Desembolsos pendientes sobre instrumentos de patrimonio (259) | | |
|---|---|---|---|
| | | a | |
| | | Bancos c/c (572) | 24.250 |
| | −x− | | |

Corrección valorativa a final de año: el precio de las acciones es de 5 €/acción.

| 10.000 | Pérdidas por deterioro de participaciones y valores representativos de deudas a l/p (696) | | |
|---|---|---|---|
| | | a | |
| | | Inversiones financieras a l/p en instrumentos de patrimonio (259) | 10.000 |
| | −x− | | |
| 30.250 | Bancos c/c (572) | | |
| | | a | |
| | | Ingresos de participaciones en instrumentos de patrimonio (760) | 5.250 |
| | | Inversiones financieras a l/p en instrumentos financieros (259) | 25.000 |
| | −x− | | |

## 8.2. INVERSIONES FINANCIERAS MANTENIDAS PARA NEGOCIAR

Este tipo de inversiones presentan las siguientes características:

- El propósito de estas inversiones es venderlos en el corto plazo.

- El objeto es obtener ganancias a corto plazo.

- Los instrumentos financieros derivados, siempre que no estén designados como instrumentos de cobertura, ni sean un contrato de ganancias financiera.

- Se valoran por su valor razonable.

- Los gastos de la transacción se incorporan en la cuenta de pérdidas y ganancias.

- Los resultados de la enajenación se imputan directamente a la cuenta de pérdidas y ganancias.

- No es posible su reclasificación.

## Problemática contable

Por la suscripción al contado:

| | |
|---|---|
| Inversiones financieras a c/p en instrumentos de patrimonio (540) | |
| a | |
| | Bancos c/c (572) |
| | Desembolsos pendientes sobre instrumentos de patrimonio neto a c/p (549) |
| –x– | |

Por los gastos ocasionados:

| | |
|---|---|
| Otros gastos financieros (669) | |
| a | |
| | Bancos c/c (572) |
| –x– | |

Si la inversión se clasifica en la cuenta de *Activos financieros mantenidos para negociar* o en la cuenta de *Otros activos financieros a valor razonable con cambios en la cuenta de pérdidas y ganancias*, las *variaciones positivas* del valor razonable se contabilizan como:

| | |
|---|---|
| Inversiones financieras a l/p en instrumento de patrimonio (250) | |
| a | |
| | Bº por la valoración de instrumentos financieros por su valor razonable (763) |
| –x– | |

Si la inversión se clasifica en la cuenta de *Activos financieros mantenidos para negociar* o en la de *Otros activos financieros a valor razonable con cambios en la cuenta de pérdidas y ganancia*", las *variaciones negativas* del valor razonable se contabilizan como:

| | |
|---|---|
| Pérdidas por la valoración de instrumentos financieros por su valor razonable (663) | |
| a | |
| | Inversiones financieras a l/p en instrumento de patrimonio (250) |
| –x– | |

- ## CASOS PRÁCTICOS

---

### CASO PRÁCTICO 8.3. Inversiones financieras para negociar

Una sociedad ha realizado el siguiente conjunto de inversiones financieras para negociar:

- Se adquieren acciones por importe de 10.000 euros, con unos gastos de transacción de 200 euros.

- Se adquieren obligaciones por importe de 5.000 euros, con unos gastos de transacción de 150 euros.

- Se adquieren derivados financieros por importe de10.000 euros, con unos gastos de transacción de 2.000 euros.

- Se venden obligaciones por valor de 6.000 euros, con unos gastos de transacción de 150 euros. Su valor de compra fue de 5.200 euros.

- Se sabe que se obtendrá un dividendo a cuenta de 2.000 euros.

- Las acciones contabilizadas por 20.000 euros conforme a su valor razonable, al final de ejercicio, tienen un valor de 18.000 euros.

*Se pide*: contabilizar las operaciones anteriores.

**Solución**

Por la adquisición de acciones:

| | | |
|---|---|---|
| 10.000 | Inversiones financieras temporales en instrumentos de patrimonio (540) | |
| 200 | Otros gastos financieros (669) | |
| | a | |
| | Bancos (572) | 10.200 |
| | —x— | |

Por la adquisición de obligaciones:

| | | |
|---|---|---|
| 150 | Otros gastos financieros (669) | |
| 5.000 | Valores representados de deuda a corto plazo (541) | |
| | a | |
| | Bancos (572) | 5.150 |
| | —x— | |

Por la adquisición de los derivados financieros:

| | | | |
|---|---|---|---|
| 10.000 | Derivados financieros a corto plazo (559) | | |
| 200 | Otros gastos financieros (669) | | |
| | a | | |
| | | Bancos c/c (572) | 10.200 |

—x—

Por la venta de obligaciones:

| | | | |
|---|---|---|---|
| 5.850 | Bancos (572) | | |
| | a | | |
| | | Valores representativos de deudas a corto plazo (541) | 5.200 |
| | | Beneficio en valores negociables (7630) | 650 |

—x—

Por la obtención de dividendos:

| | | | |
|---|---|---|---|
| 2.000 | Dividendos a cobrar (545) | | |
| | a | | |
| | | Ingresos de participaciones en instrumentos de patrimonio (760) | 10.200 |

—x—

El valor razonable al final de ejercicio:

| | | | |
|---|---|---|---|
| 2.000 | Pérdida de cartera de negociación (6630) | | |
| | a | | |
| • | | Inversiones financieras temporales en instrumentos de patrimonio (540) | 2.000 |

—x—

## CASO PRÁCTICO 8.4. Inversiones financiaras mantenidas para negociar

Una sociedad adquiere en Bolsa 10.000 títulos, realizando el 50% del desembolso al contado y el resto, aplazado seis meses, a una cotización de 4,85 euros y unos gastos, comisiones y corretajes de 1.500 euros. Esta inversión corresponde a *Activos financieros mantenidos para negociar*.

Al final del año, la cotización de las acciones que posee la empresa es de 4 euros. Anteriormente ha realizado el desembolso pendiente.

Un tiempo después la sociedad decide vender la mitad de la cartera por 6,20 euros de títulos, siendo los gastos, comisiones, etc., de 0,15 euros por título.

*Se pide*: contabilizar las operaciones anteriores.

**Solución**

Por la suscripción y desembolsos pendientes:

| | | |
|---|---|---|
| 48.500 | Inversiones financieras temporales en instrumentos de patrimonio (540) | |
| 1.500 | Otros gastos financieros (669) | |
| | a | |
| | Bancos c/c (572) | 25.750 |
| | Desembolsos pendientes sobre instrumentos de patrimonio (259) | 24.250 |
| | —x— | |

Por el desembolso pendiente:

| | | |
|---|---|---|
| 24.250 | Desembolsos pendientes sobre instrumentos de patrimonio (259) | |
| | a | |
| | Bancos c/c (572) | 24.250 |
| | —x— | |

Corrección valorativa a final de año: el coste de las acciones es de 5 €/la acción.

| | | |
|---|---|---|
| 10.000 | Pérdidas por deterioro de participaciones y valores representativos de deudas a c/p (698) | |
| | a | |
| | Inversiones financieras temporales en instrumentos de patrimonio (540) | 10.000 |
| | —x— | |

| | | |
|---|---|---|
| 30.250 | Bancos c/c (572) | |
| | a | |
| | Ingresos de participaciones en instrumentos de patrimonio (760) | 6.000 |
| | Inversiones financieras temporales en instrumentos financieros (540) | 24.250 |
| | —x— | |

## CASO PRÁCTICO 8.5. Inversión financiera como derivado

Una sociedad anónima realiza una inversión financiera, como derivado financiero, en la cartera de negociación, por importe de 300.000 euros y obtiene un incremento de valor de 15.000 euros. Los gastos financieros ascienden a 1.500 euros.

*Se pide*: realizar el tratamiento contable en el momento de la contratación y de la liquidación.

**Solución**

En el momento de la contratación:

| | | |
|---|---|---|
| 300.000 | Activos por derivados financieros a l/p, cartera de negociación (2550) | |
| 1.500 | Otros gastos financieros (669) | |
| | a | |
| | Caja (570) | 301.500 |

—x—

En el momento de la liquidación:

| | | |
|---|---|---|
| 300.000 | Caja (570) | |
| | a | |
| | Activos por derivados financieros a l/p, cartera de negociación (2550) | 300.000 |

—x—

| | | |
|---|---|---|
| 15.000 | Activos por derivados financieros a l/p, cartera de negociación (2550) | |
| | a | |
| | Beneficio de cartera de negociación (7630) | 15.000 |

—x—

## CASO PRÁCTICO 8.6. Inversiones financieras a valor razonable

Una sociedad anónima adquiere 1.000 euros en acciones a un precio de 10,50 euros la acción. Los gastos de la transacción ascienden a 300 euros. Posteriormente a su adquisición, se valoran por su valor razonable.

*Se pide*: realizar las operaciones reseñadas, teniendo en cuenta el caso en que la cotización de las acciones fuera de 15,50 euros por acción; y en el caso de que la cotización fuera de 8,50 euros por acción.

**Solución**

Por la adquisición:

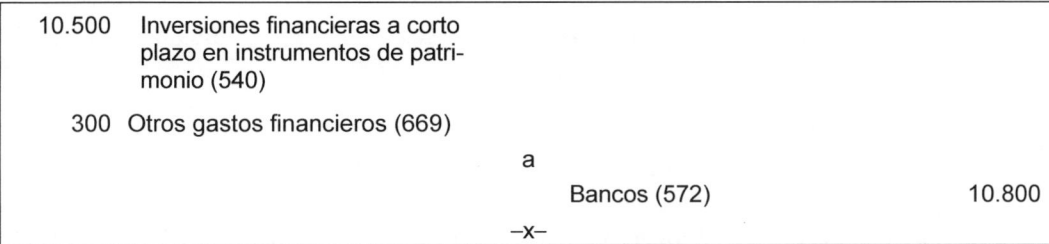

Valoración de las acciones a 15,50 € la acción:

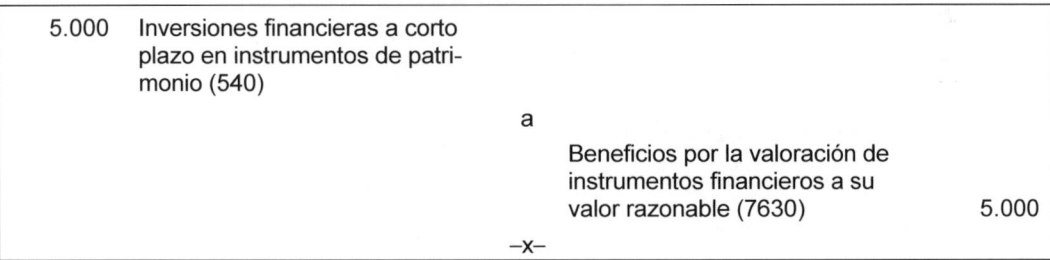

Valoración de las acciones a 8,50 € la/acción:

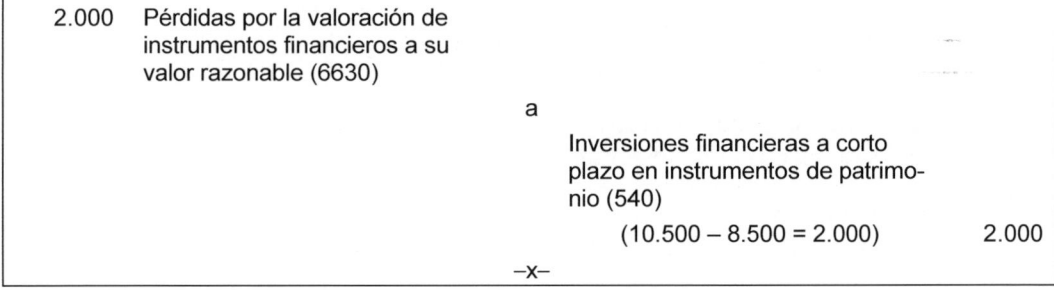

---

## CASO PRÁCTICO 8.7. Inversiones financieras a valor razonable

El primero de marzo de 20X8, la sociedad anónima "A" firma un contrato con la sociedad anónima "B" para recibir el valor razonable de 1.000 acciones propias ordinarias de la sociedad anónima "A", con fecha de vencimiento el 31-12-20X9, a cambio del pago en efectivo de 108.000 euros (108 euros por acción). El contrato se liquidará por diferencias, por el pago en efectivo.

Los datos de la operación son los siguientes:

| | |
|---|---|
| – Precio de mercado por acción el 1-03-20X8 | 100 |
| – Precio de mercado por acción el 31-12-20X8 | 120 |
| – Precio de mercado por acción el 31-01-20X9 | 112 |
| – Precio a plazo fijo a pagar el 31-01-20X9 | 108 |
| – Número de acciones del contrato a plazo | 1.000 |
| – Valor razonable del retorno *forward* el 1-03-X8 | 0 |
| – Valor razonable del retorno *forward* el 31-12-X8 | 12.000 |
| – Valor razonable del retorno *forward* el 31-01-X9 | 4.000 |

Se supone que no se pagan dividendos sobre las acciones, de forma que el valor actual del precio a plazo (*forward price*) iguala el precio al contado (*spot price*), que se ha calculado como la diferencia entre el precio de mercado de la acción y el valor actual del precio a plazo fijo.

*Se pide*:

1. Liquidación por diferencia mediante el pago en efectivo.

2. Liquidación por diferencia mediante la entrega de acciones.

3. Liquidación por el importe global o bruto, entregando efectivo a cambio de adquirir la sociedad sus propias acciones.

**Solución**

**1. Liquidación por diferencia mediante el pago en efectivo.**

– Con fecha 1-03-20X8:

El precio por acción es de 100 euros. El valor razonable del contrato a plazo es 0 euros. No es necesario realizar asiento porque el valor razonable del derivado es cero.

– Con fecha 31-12-20X8:

Incremento del valor razonable del contrato:

$$(120 - 108) \times 1.000 = 12.000 \ €.$$

| | | |
|---|---|---|
| 12.000 | Derivados financieros a corto plazo (559) | |
| | a | |
| | Beneficios por la valoración de instrumentos financieros por su valor razonable (763) | 12.000 |
| | –x– | |

– Con fecha 31-01-20X9:

El precio de mercado de la acción ha disminuido a 112 €. El valor razonable del contrato a plazo es:

$$(112 \times 1.000) - 108.000 = 4.000 \text{ €.}$$

Al final de ejercicio se reconoció una posición neta de 12.000 € y ahora ha disminuido a 4.000 €.

Disminución en el valor razonable:

$$(112 - 120) \times 1.000 = -8.000 \text{ €.}$$

| 8.000 | Pérdida por valoración de derivados financieros a corto plazo (663) | |
|---|---|---|
| | a | |
| | Derivados financieros a corto plazo (559) | 8.000 |
| | –x– | |

El registro de la liquidación por diferencias del contrato a plazo:

| 4.000 | Bancos (572) | |
|---|---|---|
| | a | |
| | Derivados financieros a corto plazo (559) | 4.000 |
| | –x– | |

## 2. Liquidación por diferencia mediante la entrega de acciones.

– Con fecha, 31-01-20X9

Es igual al punto 1, excepto que la liquidación se realiza por diferencia mediante entrega de acciones.

La sociedad "A" tiene la obligación de entregar acciones suyas a la sociedad "B" por valor de:

$$108 \times 1.000 = 108.000 \text{ €.}$$

La sociedad "B" tiene obligación de entregar acciones a la sociedad "A" por valor de:

$$112 \times 1.000 = 112.000 \text{ €.}$$

La diferencia es de 4.000 €, lo que supone.

$$4.000/112 = 35,71 \text{ acciones.}$$

Por tanto, redondeando, serían 36 acciones las que tendría que entregar la sociedad "B", lo que supondría un importe de 4.032 €.

| | | |
|---|---|---|
| 4.032 | Acciones propias en situaciones especiales (108) | |
| | a | |
| | Bancos (572) | 32 |
| | Derivados financieros a corto plazo (559) | 4.000 |
| | —x— | |

## 3. Liquidación por el importe global o bruto, entregando efectivo a cambio de adquirir la sociedad sus propias acciones

Es igual al caso 1, excepto que la liquidación se realiza entregando un importe fijo de efectivo y recibiendo un número fijo de acciones de la entidad A, de forma análoga a lo señalado en los casos 1 y 2.

| | | |
|---|---|---|
| 100.000 | Acciones propias en situaciones especiales (108) | |
| | a | |
| | Deudas a corto plazo (521) | 100.000 |
| | —x— | |

El tipo de interés efectivo sabiendo que vence a los 11 meses, se calcula de la siguiente forma:

$$108.0000 \times (1 + i)^{11/12} = 100.000$$

Despejando $i$, se obtiene:

$$i = 8,75\%$$

– Con fecha 31-12-X8

Por el devengo de los intereses de acuerdo con el método del tipo de interés efectivo sobre el pasivo previamente reconocido a su valor actual:

$$100.000 \times 8,75\% \times 10/12 = 7.292 \text{ €.}$$

| | | |
|---|---|---|
| 7.292 | Intereses de deudas (662) | |
| | a | |
| | Deudas a corto plazo (521) | 7.292 |
| | —x— | |

– Con fecha 31-12-X9

Por el devengo de los intereses, de acuerdo con el método del tipo de interés efectivo, sobre el pasivo, previamente reconocido a su valor actual:

$$8.000 - 7.292 = 708 €.$$

| | | |
|---|---|---|
| 708 | Intereses de deudas (662) | |
| | a | |
| | Deudas a corto plazo (521) | 708 |
| | —x— | |

Para registrar la liquidación del contrato mediante el reembolso de las acciones propias de la sociedad entregando efectivo:

$$100.000 + 7.292 + 708 = 108.000 €.$$

| | | |
|---|---|---|
| 108.000 | Deudas a corto plazo (521) | |
| | a | |
| | Bancos c/c (572) | 108.000 |
| | —x— | |

## 8.3. OTRAS INVERSIONES FINANCIERAS A VALOR RAZONABLE CON CAMBIOS EN LA CUENTA DE PÉRDIDAS Y GANANCIAS

Este tipo de inversiones presentan las siguientes características:

- Son instrumentos financieros híbridos.

- Se valoran por su valor razonable.

- Los gastos de la transacción se incorporan en la cuenta de pérdidas y ganancias.

- Posteriormente se valoran a valor razonable, sin deducción de los gastos de transacción en caso de venta.

- Las diferencias que se produzcan se llevan directamente a la cuenta de pérdidas y ganancias.

- Los resultados de la enajenación se imputan directamente a la cuenta de pérdidas y ganancias.

- No es posible su reclasificación.

## Problemática contable

Por la suscripción al contado:

```
Inversiones financieras a c/p en instrumentos
de patrimonio (540)
                                  a
                                        Bancos c/c (572)
                                        Desembolsos pendientes sobre instrumen-
                                        tos de patrimonio neto a c/p (549)
                            —x—
```

Por los gastos ocasionados:

```
Otros gastos financieros (669)
                                  a
                                        Bancos c/c (572)
                            —x—
```

Si la inversión se clasifica en la cuenta *Activos financieros mantenidos para negociar* o en la cuenta de *Otros activos financieros a valor razonable con cambios en la cuenta de pérdidas y ganancia"*, las *variaciones positivas* del valor razonable se contabilizarían como:

```
Inversiones financieras a l/p en instrumento
de patrimonio (250)
                                  a
                                        Bº por la valoración de instrumentos finan-
                                        cieros por su valor razonable (763)
                            —x—
```

Si la inversión se clasifica en la cuenta de *Activos financieros mantenidos para negociar* o en la cuenta de *Otros activos financieros a valor razonable con cambios en la cuenta de pérdidas y ganancia"*, las *variaciones negativas* del valor razonable se contabilizarían como:

```
Pérdidas por la valoración de instrumentos
financieros por su valor razonable (663)
                                  a
                                        Inversiones financieras a l/p en instrumen-
                                        to de patrimonio (250)
                            —x—
```

- **CASOS PRÁCTICOS**

---

### CASO PRÁCTICO 8.8. Inversiones financieras a valor razonable

Se han realizado las siguientes inversiones financieras, a valor razonable, con cambios en la cuenta de pérdidas y ganancias:

- Acciones adquiridas a 20.000 euros, con unos gastos de 150 euros.

- Obligaciones adquiridas por 10.000 euros, con gastos de 150 euros.

- Se devengan intereses de las obligaciones anteriores por importe de 1.000 euros.

- Se venden acciones por valor de 5.000 euros. Los gastos han ascendido a 100 euros y su valor de compra fue de 6.200 euros.

- Las obligaciones contabilizadas por 25.000 euros, al final del ejercicio, tienen un valor razonable estimado de 25.500 euros.

*Se pide*: contabilizar las operaciones anteriores.

**Solución**

Por las acciones adquiridas:

| | | | |
|---|---|---|---|
| 20.000 | Inversiones financieras a l/p en instrumento de patrimonio (250) | | |
| 150 | Otros gastos financieros (669) | | |
| | | a | |
| | | Bancos c/c (572) | 20.150 |
| | –x– | | |

Por las obligaciones:

| | | | |
|---|---|---|---|
| 10.000 | Valores representativos de deuda a largo plazo (251) | | |
| 150 | Otros gastos financieros (669) | | |
| | | a | |
| | | Bancos c/c (572) | 10.150 |
| | –x– | | |

Por el devengo de intereses:

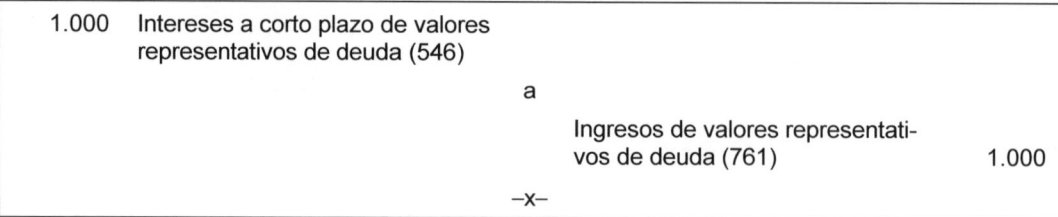

| | | | |
|---|---|---|---|
| 1.000 | Intereses a corto plazo de valores representativos de deuda (546) | | |
| | a | | |
| | | Ingresos de valores representativos de deuda (761) | 1.000 |
| | −x− | | |

Por la venta de las acciones:

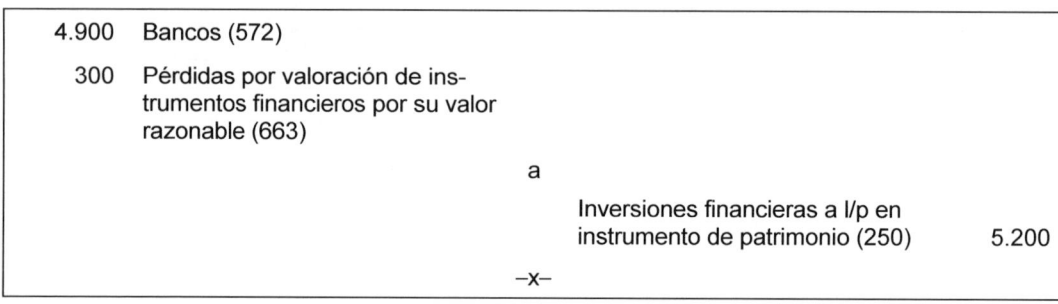

| | | | |
|---|---|---|---|
| 4.900 | Bancos (572) | | |
| 300 | Pérdidas por valoración de instrumentos financieros por su valor razonable (663) | | |
| | a | | |
| | | Inversiones financieras a l/p en instrumento de patrimonio (250) | 5.200 |
| | −x− | | |

Valor razonable al final de ejercicio:

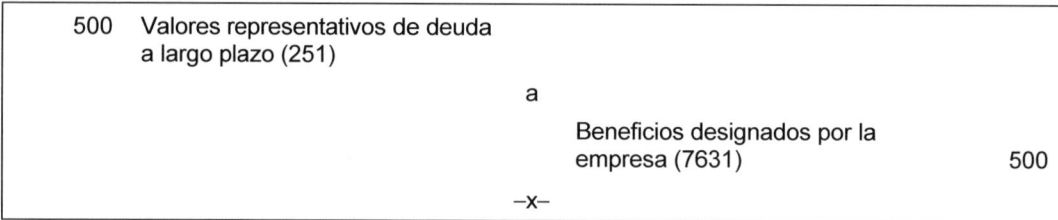

| | | | |
|---|---|---|---|
| 500 | Valores representativos de deuda a largo plazo (251) | | |
| | a | | |
| | | Beneficios designados por la empresa (7631) | 500 |
| | −x− | | |

## CASO PRÁCTICO 8.9. Adquisición de inversiones financieras con pago aplazado

Una sociedad adquiere en Bolsa 10.000 títulos a una cotización de 4,85 euros por título y unos gastos, comisiones y corretajes de 1.500 euros, realizando el 50% de desembolso al contado y el resto, aplazado seis meses. Corresponde a *Otros activos financieros a valor razonable con cambios en la cuenta de pérdidas y ganancias*.

A final de año, la cotización de las acciones que posee la empresa es de 4 euros por acción. Anteriormente, se ha realizado el desembolso pendiente.

Un tiempo después, la sociedad decide vender la mitad de la cartera por 6,20 euros la acción, suponiendo los gastos, comisiones, etc., con un coste de 0,15 euros por título.

*Se pide*: contabilizar las operaciones anteriores.

### Solución

Por la suscripción y desembolsos pendientes:

| | | | |
|---|---|---|---|
| 50.000 | Inversiones financieras a largo plazo en instrumentos de patrimonio (250) | | |
| 1.500 | Otros gastos financieros (669) | | |
| | a | | |
| | | Bancos c/c (572) | 25.750 |
| | | Desembolsos pendientes sobre instrumentos de patrimonio (259) | 24.250 |
| | –x– | | |

Por el desembolso pendiente:

| | | | |
|---|---|---|---|
| 24.250 | Desembolsos pendientes sobre instrumentos de patrimonio (259) | | |
| | a | | |
| | | Bancos c/c (572) | 24.250 |
| | –x– | | |

Corrección valorativa a final de año: el coste de las acciones es de 5 euros.

| | | | |
|---|---|---|---|
| 10.000 | Pérdidas por deterioro de participaciones y valores representativos de deudas a largo plazo (696) | | |
| | a | | |
| | | Inversiones financieras a largo plazo en instrumentos de patrimonio (259) | 10.000 |
| | –x– | | |

| | | | |
|---|---|---|---|
| 30.250 | Bancos c/c (572) | | |
| | a | | |
| | | Ingresos de participaciones en instrumentos de patrimonio (760) | 5.250 |
| | | Inversiones financieras a largo plazo en instrumentos financieros (290) | 25.000 |
| | –x– | | |

---

**CASO PRÁCTICO 8.10. Inversión financiera con derivado financiero**

Una sociedad realiza una inversión financiera a largo plazo por valor de 300.000 euros en otros activos financieros a valor razonable, como derivado financiero.

Se obtiene un decremento de valor, que asciende a 15.000 euros. Los gastos financieros suponen 1.500 euros.

*Se pide*: realizar el tratamiento contable en el momento de la contratación y de la liquidación.

**Solución**

En el momento de la contratación:

| | | | | |
|---|---|---|---|---|
| 300.000 | Activos por derivados financieros a l/p (255) | | | |
| 1.500 | Otros gastos financieros (669) | | | |
| | | a | | |
| | | | Caja (570) | 301.500 |
| | | —x— | | |

En el momento de la liquidación:

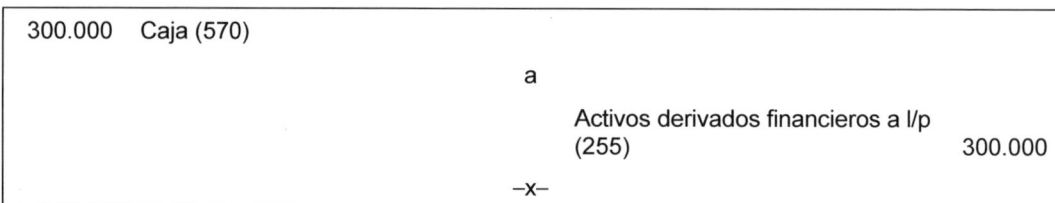

| | | | | |
|---|---|---|---|---|
| 300.000 | Caja (570) | | | |
| | | a | | |
| | | | Activos derivados financieros a l/p (255) | 300.000 |
| | | —x— | | |

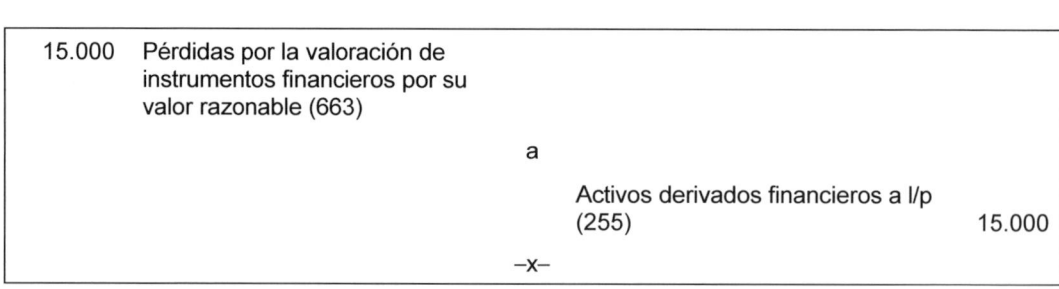

| | | | | |
|---|---|---|---|---|
| 15.000 | Pérdidas por la valoración de instrumentos financieros por su valor razonable (663) | | | |
| | | a | | |
| | | | Activos derivados financieros a l/p (255) | 15.000 |
| | | —x— | | |

# 8.4. INVERSIONES FINANCIERAS MANTENIDAS HASTA EL VENCIMIENTO

Son valores representativos de deuda que no están fijados a una fecha de vencimiento determinada, aunque la empresa se compromete a conservarlos hasta su vencimiento.

## Criterios de valoración

- Se valoran por su valor razonable e incluyen los gastos atribuibles a la operación.

- Los intereses explícitos atribuibles se contabilizan por separado.

- La valoración posterior se hará por el coste amortizado, utilizando el tipo de interés efectivo.

- Los intereses, así como las diferencias que se produzcan entre el valor inicial y el reembolso, se llevan directamente a pérdidas y ganancias.

- La pérdida por deterioro será la diferencia entre el valor del activo en libros y el valor actual de los flujos de efectivo futuros estimados, descontados al tipo de interés efectivo calculado en el momento de su reconocimiento inicial. Para los activos cotizados se puede utilizar el valor de mercado.

- Se pueden reclasificar en la categoría de disponibles para la venta.

## Problemática contable

```
Valores de renta fija (251)
                                    a
                                         Bancos c/c (572)
                          —x—
```

## • CASOS PRÁCTICOS

---

### CASO PRÁCTICO 8.11. Inversiones financieras mantenidas hasta su vencimiento

Se realiza una inversión en obligaciones cuyo valor nominal es de 10.000 euros. Las características de las obligaciones son las siguientes:

- Emisión al 90%.
- Los gastos de suscripción son de 60 euros.
- El tipo de interés es del 4% anual, pagadero al final de año.
- El reembolso se realiza al final del quinto año.
- El número de títulos es de 50.

*Se pide*: realizar las operaciones del primer y quinto año.

**Solución**

Se tienen los siguientes datos:

| Coste de las obligaciones: | |
|---|---:|
| Nominal | 10.000 |
| Descuento (10%) | (1.000) |
| Gastos | 60 |
| **Coste Total** | **9.060** |

Así pues, teneos ahora que calcular el tipo de interés efectivo:

$$400 \, (1+i)^{-1} + 400 \, (1+i)^{-2} + 400 \, (1+i)^{-3} + 400(1+i)^{-4} + 10.400 \, (1+i)^{-5} = 9.600$$

Despejando $i$, que es el tipo de interés efectivo, tenemos:

$$i = 6{,}29\%$$

La diferencia a imputar a resultado se realiza mediante la utilización del método del interés efectivo, de la siguiente manera:

| Valor de reembolso | 10.000 |
|---|---:|
| Valor inicial | (9.060) |
| Diferencia | 940 |

La diferencia se reparte proporcionalmente, de la siguiente manera:

| | | |
|---|---|---:|
| $1{,}0629^1 = 1{,}0629$ | $\rightarrow$ | 165,80 |
| $1{,}0629^2 = 1{,}1297$ | $\rightarrow$ | 176,21 |
| $1{,}0629^3 = 1{,}2008$ | $\rightarrow$ | 187,30 |
| $1{,}0629^4 = 1{,}2763$ | $\rightarrow$ | 199,08 |
| $1{,}0629^5 = \underline{1{,}3566}$ | $\rightarrow$ | $\underline{211{,}61}$ |
| **6,0263** | | **940,00** |

**Operaciones del primer año.**

Suscripción de las obligaciones:

| 9.000 | Valores de renta fija (251) | |
|---|---|---:|
| | a | |
| | Bancos (572) | 9.000 |
| | —x— | |

Por los gastos de suscripción de las obligaciones:

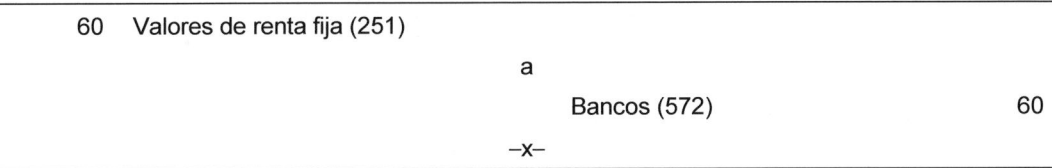

```
60    Valores de renta fija (251)

                        a

                                Bancos (572)                    60
                  –x–
```

Por el cobro de los intereses del primer año no se contempla la incidencia fiscal:

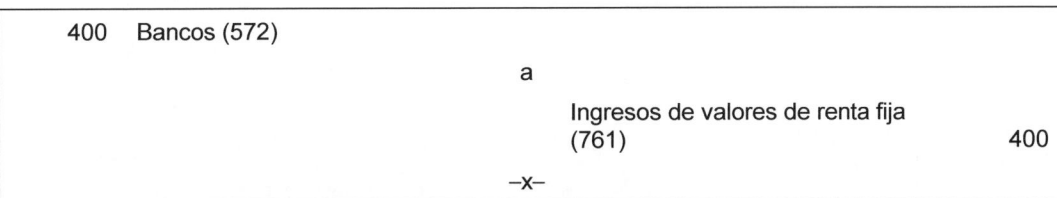

```
400    Bancos (572)

                        a

                                Ingresos de valores de renta fija
                                (761)                          400
                  –x–
```

Reconocimiento de la parte de la diferencia del primer año:

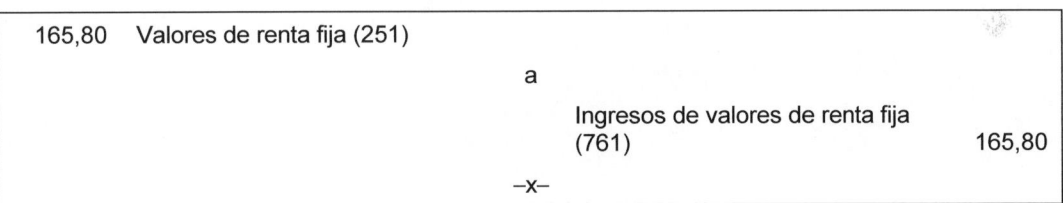

```
165,80    Valores de renta fija (251)

                        a

                                Ingresos de valores de renta fija
                                (761)                       165,80
                  –x–
```

**Final del cuarto año.**

Reclasificación de valores de renta fija:

```
9.788,39    Valores de renta fija a corto plazo
            (251)

                        a

                                Valores de renta fija (251)    9.788,39
                  –x–
```

**Quinto año.**

Reclasificación de valores de renta fija:

```
9.788,39    Valores de renta fija a corto plazo
            (251)

                        a

                                Valores de renta fija (251)    9.788,39
                  –x–
```

Por el cobro de los intereses del quinto año no se contempla la incidencia fiscal:

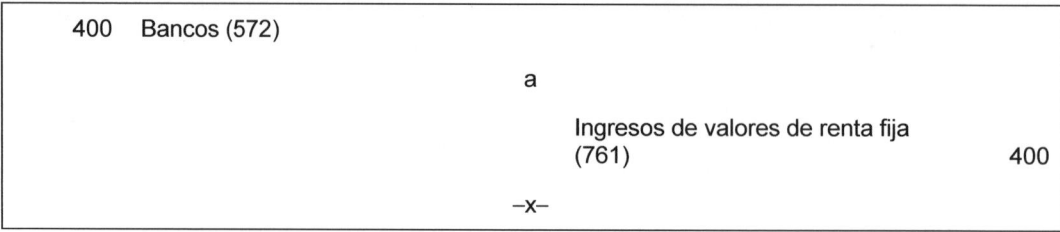

```
400    Bancos (572)

                              a

                                   Ingresos de valores de renta fija
                                   (761)                              400

                          –x–
```

Reconocimiento de la parte de la diferencia del primer año:

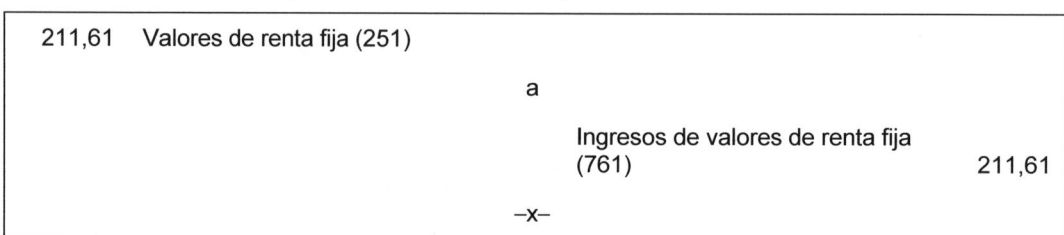

```
211,61    Valores de renta fija (251)

                              a

                                   Ingresos de valores de renta fija
                                   (761)                           211,61

                          –x–
```

Por el reembolso de las obligaciones:

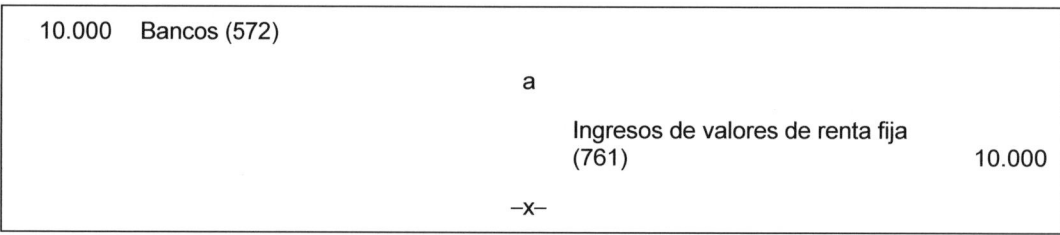

```
10.000    Bancos (572)

                              a

                                   Ingresos de valores de renta fija
                                   (761)                           10.000

                          –x–
```

## Caso Práctico 8.12. Inversiones con pago aplazado

Una sociedad adquiere en Bolsa 10.000 títulos a una cotización de 4,85 euros el título y unos gastos, comisiones y corretajes de 1.500 euros, realizando el 50% del desembolso al contado y el resto, aplazado seis meses. La inversión pretende ser mantenida en el futuro.

Al final de año la cotización de las acciones que posee la empresa es de 4 euros por acción. Anteriormente, la sociedad ha realizado el desembolso pendiente.

Un tiempo después decide vender la mitad de la cartera por 6,20 euros la acción, siendo los gastos, comisiones, etc., de 0,15 euros por título.

*Se pide*: contabilizar las operaciones anteriores.

**Solución**

Por la suscripción y desembolsos pendientes:

| | | | |
|---|---|---|---|
| 50.000 | Inversiones financieras a largo plazo en instrumentos de patrimonio (250) | | |
| | | a | |
| | | Bancos c/c (572) | 25.750 |
| | | Desembolsos pendientes sobre instrumentos de patrimonio (259) | 24.250 |
| | | —x— | |

Por el desembolso pendiente:

| | | | |
|---|---|---|---|
| 24.250 | Desembolsos pendientes sobre instrumentos de patrimonio (259) | | |
| | | a | |
| | | Bancos c/c (572) | 24.250 |
| | | —x— | |

Corrección valorativa a final de año. el coste de las acciones es de 5 euros.

| | | | |
|---|---|---|---|
| 10.000 | Pérdidas por deterioro de participaciones y valores representativos de deudas a l/p (696) | | |
| | | a | |
| | | Inversiones financieras a l/p en instrumentos de patrimonio (259) | 10.000 |
| | | —x— | |

| | | | |
|---|---|---|---|
| 30.250 | Bancos c/c (572) | | |
| | | a | |
| | | Ingresos de participaciones en instrumentos de patrimonio (760) | 5.250 |
| | | Inversiones financieras a l/p en instrumentos financieros (250) | 25.000 |
| | | —x— | |

## 8.5. INVERSIONES EN EL PATRIMONIO DE EMPRESAS DEL GRUPO, MULTIGRUPO Y ASOCIADAS

La problemática contable es análoga al caso general estudiado de la cuenta de *Inversiones financieras a largo plazo en instrumentos de patrimonio* (250), explicado anteriormente.

## 8.6. ACTIVOS POR DERIVADOS FINANCIEROS A LARGO PLAZO, CARTERA DE NEGOCIACIÓN

Se trata de importes correspondientes a las operaciones con derivados financieros, con valoración favorable para la empresa, cuyo plazo de liquidación sea superior al año.

### Criterios de valoración

* Los instrumentos financieros derivados, siempre que no estén designados como instrumentos de cobertura.

* Se valoran por su valor razonable.

* Los gastos de la transacción se incorporan en la cuenta de pérdidas y ganancias.

* Los resultados de la enajenación se imputan directamente a pérdidas y ganancias.

* No es posibles su reclasificación.

### Problemática contable

En el momento de la contratación:

| |
|---|
| Activos por derivados financieros a l/p, cartera de negociación (2550) |
| Otros gastos financieros (669) |
| a |
| Caja (570) |
| —x— |

En el momento de la liquidación:

| |
|---|
| Caja (570) |
| a |
| Activos por derivados financieros a l/p, cartera de negociación (2550) |
| —x— |

Si la inversión se clasifica en *Activos financieros mantenidos para negociar* o como *Otros activos financieros a valor razonable con cambios en la cuenta de pérdidas y ganancias*, las *variaciones positivas del valor razonable* se contabilizan de la manera siguiente:

| | |
|---|---|
| Activos por derivados financieros a l/p, cartera de negociación (2550) | |
| a | |
| | Bº por la valoración de instrumentos financieros por su valor razonable (763) |
| —x— | |

Si la inversión se clasifica en *Activos financieros mantenidos para negociar* o como *Otros activos financieros a valor razonable con cambios en la cuenta de pérdidas y ganancias*, las *variaciones negativas del valor razonable* se contabilizan de la manera siguiente:

| | |
|---|---|
| Pérdidas por la valoración de instrumentos financieros por su valor razonable (663) | |
| a | |
| | Activos derivados financieros a l/p, cartera de negociación (2550) |
| —x— | |

## • CASOS PRÁCTICOS

## CASO PRÁCTICO 8.13. Cartera de negociación

Una sociedad anónima adquiere 20.000 euros en acciones, teniendo unos gastos de trasmisión por valor de 200 euros.

El valor razonable de las acciones, al final del ejercicio, resulta en un incremento de 1.500 euros.

*Se pide*: realizar las operaciones reseñadas.

**Solución**

En el momento de la contratación:

| | | |
|---|---|---|
| 20.000 | Activos por derivados financieros a l/p, cartera de negociación (2550) | |
| 200 | Otros gastos financieros (669) | |
| | a | |
| | Caja (570) | 20.200 |
| | —x— | |

Si la inversión se clasifica en la cuenta *Activos financieros mantenidos para negociar* o en la cuenta de *Otros activos financieros a valor razonable con cambios en la cuenta de pérdidas y ganancias*, las variaciones positivas del valor razonable se contabilizan:

| | | |
|---|---|---|
| 1.500 | Activos derivados financieros a l/p, cartera de negociación (2550) | |
| | a | |
| | Bº por la valoración de instrumentos financieros por su valor razonable (763) | 1.500 |
| | —x— | |

# 8.7. CRÉDITOS A LARGO PLAZO

**Criterios de valoración**

- Los créditos comerciales se valoran por su nominal. De forma análoga se valoran los anticipos de las operaciones comerciales.

- El resto de los créditos se valoran por el coste amortizado, utilizando el método de interés efectivo.

- Cuando no exista diferencia entre el valor inicial y el valor de liquidación de la inversión financiera, el método coste amortizado es igual al valor nominal.

- Las pérdidas por deterioro serán la diferencia entre su valor en libros y el valor actual de los flujos de efectivo futuros estimados, descontados al tipo de interés efectivo calculado en el momento de su reconocimiento inicial.

**Problemática contable**

Por la formalización del crédito:

| | |
|---|---|
| Créditos a largo plazo (252) | |
| a | |
| | Caja (570) |
| —x— | |

Por el reintegro total o parcial, o la baja en el inventario:

| | |
|---|---|
| Caja (570) | |
| Pérdidas de créditos (667) | |
| a | |
| | Créditos a largo plazo (252) |
| | o Ingresos de créditos (762) |
| —x— | |

- **CASOS PRÁCTICOS**

---

## CASO PRÁCTICO 8.14. Créditos a largo plazo

Una sociedad anónima concede un crédito a un tercero por 9.000 euros, a devolver en 3 años de forma proporcional lineal cada 6 meses. Los intereses son del 4% anual, pagaderos semestralmente.

*Se pide*: realizar las operaciones del crédito del primer año. No se contempla la imposición derivada de la operación.

**Solución**

Por la formalización del crédito:

| | | |
|---|---|---|
| 6.000 | Créditos a largo plazo (252) | |
| 3.000 | Créditos a corto plazo (542) | |
| | a | |
| | Caja (570) | 9.000 |
| | —x— | |

Intereses del primer semestre del primer año:

| | | |
|---|---|---|
| 180 | Caja (570) | |
| | a | |
| | Ingresos de créditos (762) | 180 |
| | —x— | |

Reintegro parcial:

| | | |
|---|---|---|
| 1.500 | Caja (570) | |
| | a | |
| | Créditos a corto plazo (542) | 1.500 |
| | —x— | |

Intereses del 2º semestre del primer año:

| | | |
|---|---|---|
| 150 | Caja (570) | |
| | a | |
| | Ingresos de créditos (762) | 150 |
| | —x— | |

Reintegro parcial:

| | | |
|---|---|---|
| 1.500 | Caja (570) | |
| | a | |
| | Créditos a corto plazo (542) | 1.500 |
| | —x— | |

Traspaso de crédito de largo plazo a corto plazo; reintegro parcial:

| | | |
|---|---|---|
| 1.500 | Créditos a corto plazo (542) | |
| | a | |
| | Créditos a largo plazo (252) | 1.500 |
| | —x— | |

## Caso Práctico 8.15. Concesión de un préstamo por la empresa

Una sociedad concede dos préstamos, uno al comercio "A" y otro a la sociedad "B", por importes de 30.000 euros y 120.000 euros, respectivamente.

El tipo de interés aplicable es del 5 por ciento anual. La duración es de un año y cuatro años, respectivamente, para cada uno de los préstamos.

Al finalizar el primer año, el comercio "A" hace frente a 20.000 euros, considerándose perdido el resto, aunque hace efectivo el importe de los intereses.

Por su parte, la sociedad "B", cumple con todos sus compromisos.

*Se pide*:

1. Formalización de los préstamos.

2. Operaciones del primer año.

3. Operaciones del cuarto año.

**Solución**

**1. Formalización de los préstamos**

Por la formalización del crédito:

| | | |
|---|---|---|
| 150.000 | Créditos a largo plazo (252) | |
| | a | |
| | Bancos (572) | 150.000 |
| | —x— | |

### 2. Operaciones del primer año

Por el reconocimiento y cobro de intereses:

| | | |
|---|---|---|
| 7.500  Bancos (572) | | |
| | a | |
| | Ingresos de créditos (762) | 7.500 |
| | —x— | |

Por el reintegro total o parcial o baja en inventario:

| | | |
|---|---|---|
| 20.000  Bancos (572) | | |
| 10.000  Pérdidas de créditos (667) | | |
| | a | |
| | Créditos a largo plazo (252) | 30.000 |
| | —x— | |

### 3. Operaciones del cuarto año

Por el reconocimiento y cobro de intereses:

| | | |
|---|---|---|
| 6.000  Bancos (572) | | |
| | a | |
| | Ingresos de créditos (762) | 6.000 |
| | —x— | |

Por el reintegro total o parcial o baja en inventario:

| | | |
|---|---|---|
| 120.000  Bancos (572) | | |
| | a | |
| | Créditos a largo plazo (252) | 120.000 |
| | —x— | |

## CASO PRÁCTICO 8.16. Pago parcial de la deuda

Una empresa nos adeuda 10.000 euros procedentes de un crédito concedido en el pasado. El interés anual vencido es del 5%.

Ante las dificultades económicas por las que está pasando la empresa deudora, se ha llegado a un acuerdo para que nos pague el 60% de la deuda dentro de un año y el resto del importe, le es condonado.

*Se pide*: contabilizar el deterioro.

**Solución**

Los datos de partida son los siguientes:

- Valor de la deuda: 10.000,00 €.

- Valor actual de los flujos de efectivo esperados:

$$(10.000 \times 60)/100 = 6.000,00 \text{ €.}$$

$$(6.000 \times 1,05^{-1})/100 = 5.714,29 \text{ €}$$

- Valor recuperable: 5.714,29 €.

- Valor contable: (10.000,00) €.

- Deterioro: 4.285,71 €.

Por el deterioro:

| | | |
|---|---|---|
| 4.285,71 | Pérdidas por deterioro de créditos a largo plazo (697) | |
| | a | |
| | Deterioro de valor de créditos a largo plazo (298) | 4.285,71 |
| | —x— | |

# 8.8. CRÉDITOS A LARGO PLAZO POR ENAJENACIÓN DEL INMOVILIZADO

## Criterios de valoración

- Los créditos comerciales se valoran por su nominal. De forma análoga se valoran también los anticipos de las operaciones comerciales.

- El restante de los créditos se valora por el coste amortizado, utilizando el método de interés efectivo.

- Cuando no exista diferencia entre el valor inicial y el valor de liquidación de la inversión financiera, el método del coste amortizado es igual al valor nominal.

- Las pérdidas por deterioro serán la diferencia entre su valor en libros y el valor actual de los flujos de efectivo futuros estimados, descontados al tipo de interés efectivo, calculado en el momento de su reconocimiento inicial.

## Problemática contable

Por la enajenación del inmovilizado a crédito:

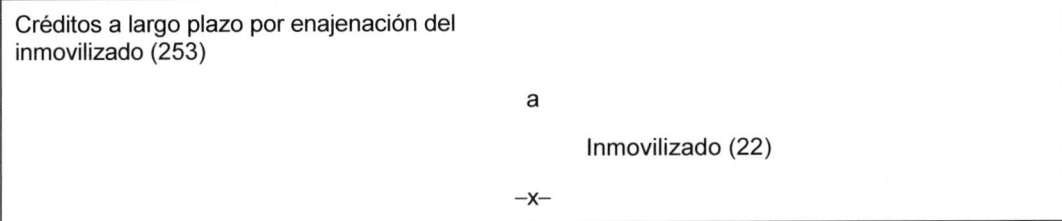

Créditos a largo plazo por enajenación del
inmovilizado (253)

a

        Inmovilizado (22)

–x–

Por la cancelación anticipada, total o parcial o baja en inventario:

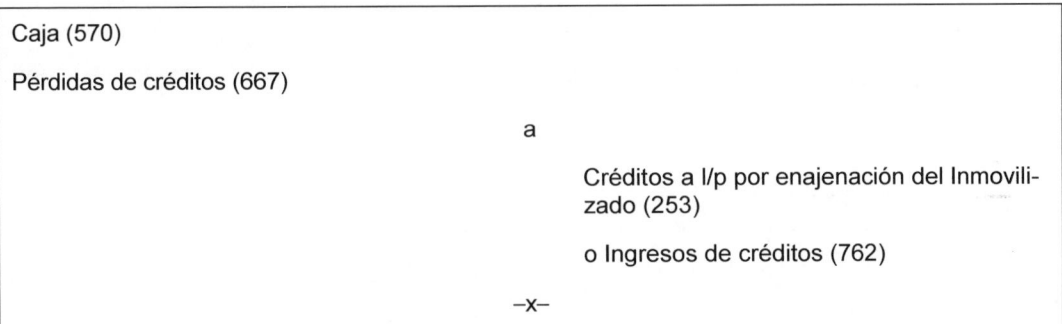

Caja (570)

Pérdidas de créditos (667)

a

        Créditos a l/p por enajenación del Inmovilizado (253)

        o Ingresos de créditos (762)

–x–

- **CASOS PRÁCTICOS**

---

### CASO PRÁCTICO 8.17. Venta a crédito del inmovilizado

Una sociedad vende a crédito un inmovilizado a 5 años. El valor en libros del inmovilizado es de 200.000 euros y se encuentra amortizado en 50.000 euros.

La venta del inmovilizado asciende a 450.000 euros, cobrando en efectivo, por medio de bancos, la cantidad de 150.000 euros. El resto pendiente se va a reembolsar por partes iguales cada año.

No se contempla la imposición *Hacienda Pública, IVA repercutido* (477).

*Se pide*: contabilizar:

1. Operaciones del primer año.

2. Operaciones del quinto año.

**Solución**

1. **Operaciones del primer año.**

Por la enajenación del inmovilizado a crédito:

| | | | |
|---|---|---|---|
| 300.000 | Créditos a largo plazo por enajenación del inmovilizado (253) | | |
| 50.000 | Amortización acumulada del Inmovilizado (282) | | |
| 150.000 | Bancos (572) | | |
| | a | | |
| | | Inmovilizado (22) | 200.000 |
| | | Bº procedente del inmovilizado (77) | 300.000 |
| | —x— | | |

Por la cancelación anticipada total o parcial o baja en inventario:

| | | | |
|---|---|---|---|
| 60.000 | Bancos (572) | | |
| | a | | |
| | | Créditos a l/p por enajenación del inmovilizado (253) | 60.000 |
| | —x— | | |

2. **Operaciones del quinto año.**

Por la cancelación anticipada, total o parcial o baja en inventario:

| | | | |
|---|---|---|---|
| 60.000 | Bancos (572) | | |
| | a | | |
| | | Créditos a l/p por enajenación del inmovilizado (253) | 60.000 |
| | —x— | | |

# 8.9. CRÉDITOS A LARGO PLAZO AL PERSONAL

## Criterios de valoración

El tratamiento contable es análogo al estudiado anteriormente en el Apartado 8.7 "Créditos a largo plazo".

- ## CASOS PRÁCTICOS

### CASO PRÁCTICO 8.18. Crédito al personal

Una sociedad anónima concede un crédito a un tercero por valor de 9.000 euros, a devolver en 3 años de forma proporcional lineal cada 6 meses.

Los intereses son del 4% anual pagadero semestralmente. Las retenciones practicadas suponen el 15%.

*Se pide*: realizar las operaciones del crédito del primer año.

**Solución**

Por la formalización del crédito:

| | | |
|---|---|---|
| 6.000 | Créditos a largo plazo al personal (254) | |
| 3.000 | Créditos a corto plazo al personal (544) | |
| | a | |
| | Caja (570) | 9.000 |
| | —x— | |

Por los intereses del primer semestre del primer año:

| | | |
|---|---|---|
| 180 | Caja (570 | |
| | a | |
| | Ingresos de créditos (762) | 153 |
| | H.P., retenciones y pagos a cuenta (473) | 27 |
| | —x— | |

Reintegro parcial:

| | | |
|---|---|---|
| 1.500 | Caja (570) | |
| | a | |
| | Créditos a corto plazo al personal (544) | 1.500 |
| | —x— | |

Por el pago de las retenciones:

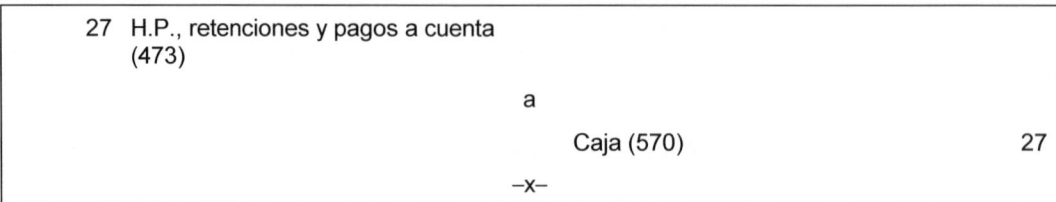

```
27   H.P., retenciones y pagos a cuenta
     (473)
                          a
                             Caja (570)                        27
                    —x—
```

Por los intereses del 2º semestre del primer año:

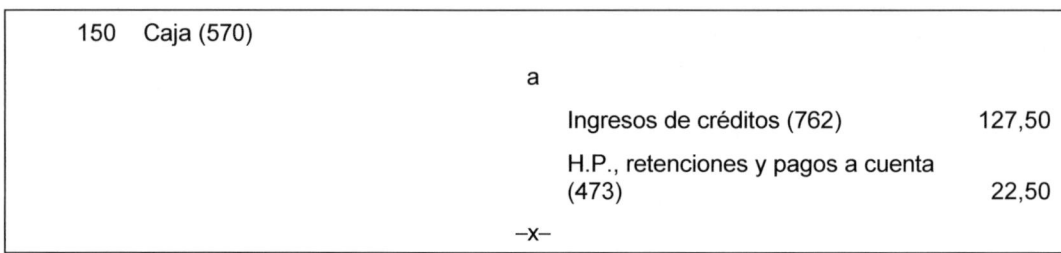

```
150   Caja (570)
                          a
                             Ingresos de créditos (762)       127,50
                             H.P., retenciones y pagos a cuenta
                             (473)                             22,50
                    —x—
```

Reintegro parcial:

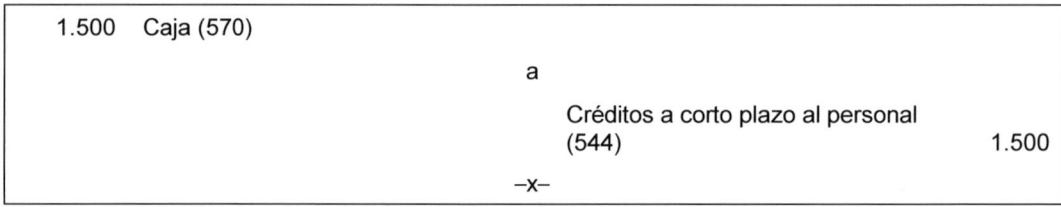

```
1.500   Caja (570)
                          a
                             Créditos a corto plazo al personal
                             (544)                           1.500
                    —x—
```

Por el pago de las retenciones

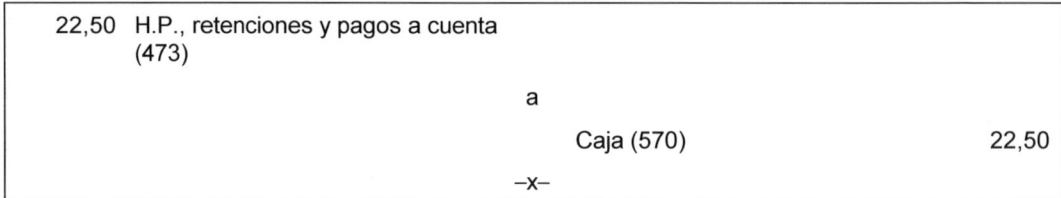

```
22,50   H.P., retenciones y pagos a cuenta
        (473)
                          a
                             Caja (570)                       22,50
                    —x—
```

Traspaso de crédito de largo a corto plazo; reintegro parcial.

```
1.500   Créditos a corto plazo al personal
        (544)
                          a
                             Créditos a largo plazo al personal
                             (254)                           1.500
                    —x—
```

# 8.10. FIANZAS Y DEPÓSITOS CONSTITUIDOS

**Criterios de valoración**

Se valoran por su valor nominal.

**Problemática contable**

Por la constitución:

| | | |
|---|---|---|
| Fianzas constituidas a largo plazo (260) | | |
| | a | |
| | | Caja (570) |
| | —x— | |

Por el traspaso de largo plazo a corto plazo:

| | | |
|---|---|---|
| Fianzas constituidas a corto plazo (565) | | |
| | a | |
| | | Fianzas constituidas a largo plazo (260) |
| | —x— | |

Por el incumplimiento de la obligación afianzada:

| | | |
|---|---|---|
| Otras pérdidas de gestión corriente (659) | | |
| Caja (570) | | |
| | a | |
| | | Fianzas constituidas a corto plazo (565) |
| | —x— | |

- **CASOS PRÁCTICOS**

## CASO PRÁCTICO 8.19. Fianzas y depósitos

Una sociedad requiere constituir una fianza a tres años por importe de 100.000 euros como garantía de una obligación.

Al concluir el tercer año se retienen 20.000 euros por incumplimiento parcial de la obligación afianzada.

*Se pide*: contabilizar las operaciones señaladas.

**Solución**

Por la constitución:

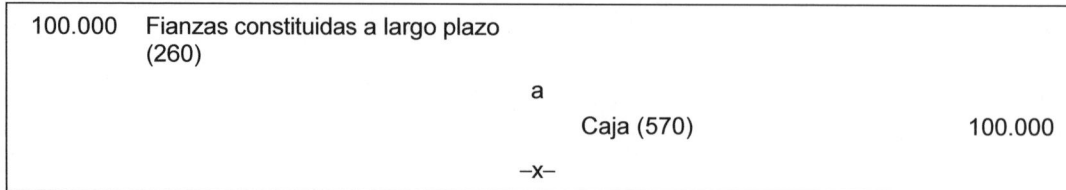

```
100.000   Fianzas constituidas a largo plazo
          (260)
                              a
                                    Caja (570)                        100.000
                              —x—
```

Por el traspaso de largo a corto plazo:

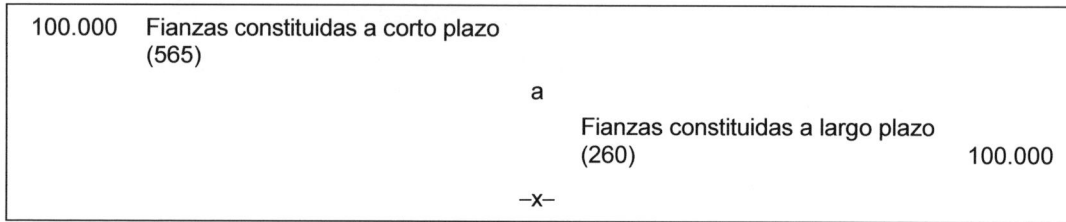

```
100.000   Fianzas constituidas a corto plazo
          (565)
                              a
                                    Fianzas constituidas a largo plazo
                                    (260)                            100.000
                              —x—
```

Por el incumplimiento de la obligación afianzada:

```
20.000    Otras pérdidas de gestión corrien-
          te (659)

80.000    Caja (570)
                              a
                                    Fianzas constituidas a largo plazo
                                    (260)                            100.000
                              —x—
```

CAPITULO **9**

# INVERSIONES FINANCIERAS CUYOS GASTOS FINANCIEROS SE INCORPORAN AL PATRIMONIO NETO

**CONTENIDO**

## CASOS PRÁCTICOS

9.1. Inversiones financieras disponibles para la venta

9.2. Inversiones financieras destinadas a la venta a crédito

9.3. Inversiones disponibles para la venta

9.4. Inversiones disponibles para la venta

9.5. Inversiones disponibles para la venta

9.6. Inversiones disponibles para la venta

9.7. Inversión disponible para la venta a valor razonable

9.8. Opciones

9.9. Derivados financieros como instrumentos de cobertura

9.10. Contratos de seguros

## CUADRO-RESUMEN DE INVERSIONES FINANCIERAS

| Inversión Financiera | Gastos financieros | P y G/ P. Neto |
|---|---|---|
| I.F. instrumentos de patrimonio | Incorporados | P y G |
| I.F. mantenidos para negociar (generalmente a corto plazo) | Gastos financieros | P y G |
| I.F. a valor razonable con cambios en P y G | Gastos financieros | P y G |
| I.F. mantenidas hasta su vencimiento | Incorporado | P y G |
| I.F. derivados financieros en cartera de negociación | Gastos financieros | P y G |
| I.F. derivados financieros a valor razonable con cambios en P y G | Gastos financieros | P y G |
| I.F. mantenidos para la venta | Incorporar | P. Neto |
| I.F. derivados financieros en instrumentos de cobertura | Gastos financieros | P. Neto |

# 9.1. INVERSIONES FINANCIERAS DISPONIBLES PARA LA VENTA

### Criterios de valoración

- Se valoran por su valor razonable e incluyen los gastos atribuibles a la operación.

- La valoración posterior se hará por el valor razonable, sin disminuir los gastos de transacción.

- La diferencia por la valoración posterior se imputará al patrimonio neto hasta que la inversión financiera cause baja en el balance, momento en que el importe reconocido de traspasa a la cuenta de pérdidas y ganancias.

- Sí en ejercicios posteriores se incrementase el valor razonable, la pérdida reconocida en ejercicios anteriores revertirá con abono a la cuenta de pérdidas y ganancias del ejercicio. En el caso de que la reversión corresponda a instrumentos de patrimonio, ésta se realizará directamente contra el patrimonio.

- Puede haber reclasificación entre las inversiones financieras disponibles para la venta y los mantenidos hasta su vencimiento.

### Problemática contable

Por la suscripción al contado:

| | |
|---|---|
| Inversiones financieras a l/p en instrumentos de patrimonio (250) | |
| | a |
| | Bancos c/c (572) |
| | Desembolsos pendientes sobre instrumentos de patrimonio (259) |
| —x— | |

Por las enajenaciones:

| | |
|---|---|
| Bancos c/c (572) | |
| Desembolsos pendientes sobre instrumentos de patrimonio (259) | |
| Pérdidas en participaciones y valores representativos de deudas (666) | |
| | a |
| | Inversiones financieras a l/p en instrumentos de patrimonio (250) |
| —x— | |

Si la inversión se clasifica en *Activos financieros disponibles para la venta,* las *variaciones positivas* del valor razonable se contabilizan de la forma siguiente:

| | |
|---|---|
| Inversiones financieras a l/p en instrumentos de patrimonio (250) | |
| | a |
| | Bº en activos financieros disponibles para la venta (900) |
| −x− | |

Si la inversión se clasifica en "Activos financieros disponibles para la venta". Las *variaciones negativas* del valor razonable:

| | |
|---|---|
| Pérdidas en activos financieros disponibles para la venta (800) | |
| | a |
| | Inversiones financieras a l/p en instrumentos de patrimonio (250) |
| −x− | |

## • CASOS PRÁCTICOS

---

CASO PRÁCTICO **9.1. Inversiones financieras disponibles para la venta**

Una sociedad anónima realiza las siguientes inversiones financieras disponibles para la venta:

- Adquiere acciones por importe de 20.000 euros, con unos gastos de 150 euros.

- Tiene acciones contabilizadas por valor de 10.000 euros y recibe unos dividendos a cuenta de 550 euros.

- Se venden acciones por valor de 5.000 euros. Los gastos han supuesto 100 euros y su valor de compra fue de 6.200 euros.

- Las acciones se contabilizan por 25.000 euros. Al final del ejercicio el valor razonable estimado es de 25.500 euros.

- Se venden acciones por valor de 15.000 euros, con unos gastos de 200 euros. Estas acciones estaban contabilizadas por un valor de 12.000 euros. En ejercicios anteriores, como consecuencia de la aplicación de los valores razonables, se han contabilizado en el patrimonio neto de la empresa incrementos de 500 euros.

- Las inversiones financieras clasificadas como mantenidas hasta el vencimiento, se reclasifican como inversiones financieras destinadas para la venta, por valor de 20.000 euros.

*Se pide*: realizar las operaciones de las inversiones financieras disponibles para la venta.

**Solución**

Por las acciones adquiridas:

| | | |
|---|---|---|
| 20.150 | Inversiones financieras a l/p en instrumentos de patrimonio (250) | |
| | a | |
| | Bancos c/c (572) | 20.150 |
| | —x— | |

Dividendos a cobrar:

| | | |
|---|---|---|
| 550 | Dividendos a cobrar (545) | |
| | a | |
| | Ingresos de participaciones en instrumentos de patrimonio (760) | 550 |
| | —x— | |

Por la venta de acciones:

| | | |
|---|---|---|
| 4.900 | Bancos c/c (572) | |
| 1.300 | Pérdidas en participaciones y en valores representativos de deuda (666) | |
| | a | |
| | Inversiones financieras a l/p en instrumentos de patrimonio (250) | 6.200 |
| | —x— | |

Acciones a valor razonable:

| | | |
|---|---|---|
| 500 | Inversiones financieras a l/p en instrumentos de patrimonio (250) | |
| | a | |
| | Beneficios en activos financieros disponibles para la venta (900) | 500 |
| | —x— | |

Cálculo de la diferencia temporaria imponible con un tipo de gravamen del 30%, lo que supone un importe de 150 euros:

| | | |
|---|---|---|
| 150 | Impuesto diferido (8301) | |
| | a | |
| | Diferencias temporarias imponibles (479) | 150 |
| | —x— | |

Traspaso al patrimonio neto:

| | | |
|---|---|---|
| 500 | Beneficios en activos financieros disponibles para la venta (900) | |
| | a | |
| | Impuesto diferido (8301) | 150 |
| | Ajustes por valoración en activos financieros disponibles para la venta (133) | 350 |
| | —x— | |

Por la venta de las acciones:

| | | |
|---|---|---|
| 14.800 | Bancos c/c (572) | |
| | a | |
| | Inversiones financieras a l/p en instrumentos de patrimonio (250) | 12.000 |
| | Beneficios en participaciones y valores representativos de deuda (766) | 2.800 |
| | —x— | |

Por el incremento obtenido en el patrimonio neto por aplicación del valor razonable y el traspaso de patrimonio neto a resultados, por la venta:

| | | |
|---|---|---|
| 500,00 | Ajustes por valoración en activos financieros disponibles para la venta (133) | |
| 214,29 | Diferencias temporarias imponibles (479) | |
| | a | |
| | Transferencias de Bº en activos financieros disponibles para la venta (806) | 714,29 |
| | —x— | |

| | | |
|---|---|---|
| 714,29 | Transferencias de Bº en activos financieros disponibles para la venta (806) | |
| | a | |
| | Beneficios en participaciones y valores representativos de deuda (766) | 714,29 |
| | —x— | |

---

### CASO PRÁCTICO 9.2. Inversiones financieras destinadas a la venta a crédito

Una sociedad anónima adquiere en Bolsa 10.000 títulos, a una cotización de 4,85 euros el título y con unos gastos, comisiones y corretajes de 1.500 euros, realizando el pago del 50% del desembolso al contado y el resto, aplazado a seis meses. Corresponde a otros activos financieros disponibles para la venta.

A final de año, la cotización de las acciones que posee la empresa es de 4 euros. Anteriormente ha realizado el desembolso pendiente.

Un tiempo después, la sociedad decide vender la mitad de la cartera de acciones a un precio de 6,20 euros la acción, ascendiendo los gastos, comisiones, etc., a 0,15 euros por título.

*Se pide:* contabilizar las operaciones anteriores.

**Solución**

Por la suscripción y desembolsos pendientes:

| | | | |
|---|---|---|---:|
| 50.000 | Inversiones financieras a l/p en instrumentos de patrimonio (250) | | |
| | | a | |
| | | Bancos c/c (572) | 25.750 |
| | | Desembolsos pendientes sobre instrumentos de patrimonio (259) | 24.250 |
| | −x− | | |

Desembolso pendiente:

| | | | |
|---|---|---|---:|
| 24.250 | Desembolsos pendientes sobre instrumentos de patrimonio (259) | | |
| | | a | |
| | | Bancos c/c (572) | 24.250 |
| | −x− | | |

Corrección valorativa a final de año; el coste de las acciones es de 5 euros.

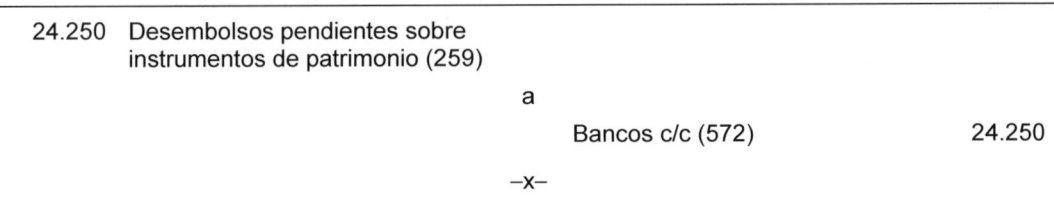

| | | | |
|---|---|---|---:|
| 10.000 | Pérdidas en activos financieros disponibles para la venta (800) | | |
| | | a | |
| | | Inversiones financieras a l/p en instrumentos de patrimonio (250) | 10.000 |
| | −x− | | |

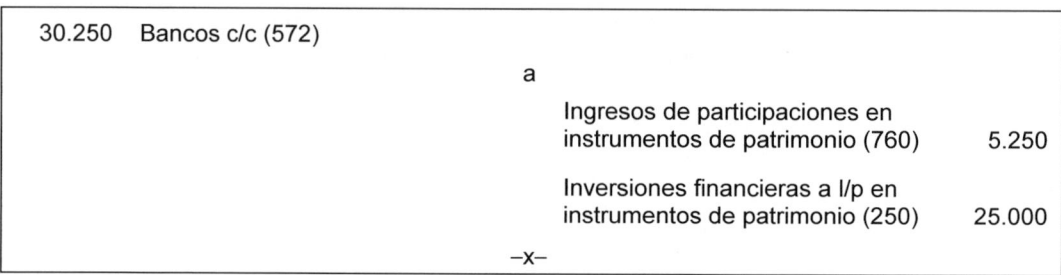

| 10.000 | Ajustes por valoración en activos financieros disponibles para la venta (133) | | |
|---|---|---|---|
| | | a | |
| | | Pérdidas en activos financieros disponibles para la venta (800) | 10.000 |
| | | —x— | |

En el momento de la venta de la mitad de las inversiones financieras:

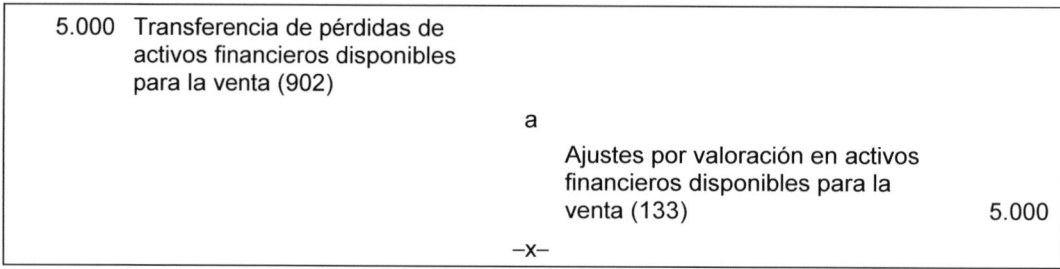

| 30.250 | Bancos c/c (572) | | |
|---|---|---|---|
| | | a | |
| | | Ingresos de participaciones en instrumentos de patrimonio (760) | 5.250 |
| | | Inversiones financieras a l/p en instrumentos de patrimonio (250) | 25.000 |
| | | —x— | |

Al final de ejercicio:

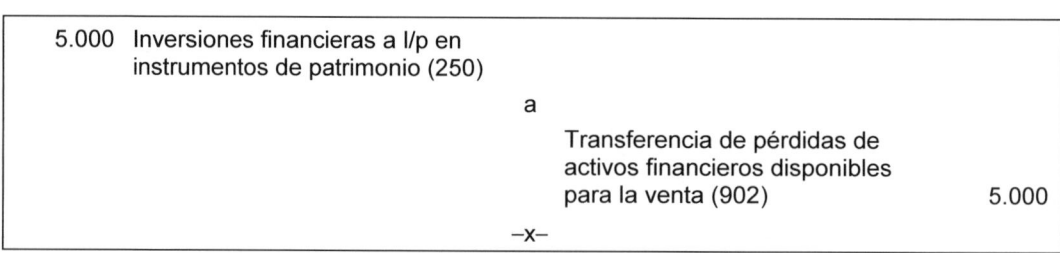

| 5.000 | Transferencia de pérdidas de activos financieros disponibles para la venta (902) | | |
|---|---|---|---|
| | | a | |
| | | Ajustes por valoración en activos financieros disponibles para la venta (133) | 5.000 |
| | | —x— | |

| 5.000 | Inversiones financieras a l/p en instrumentos de patrimonio (250) | | |
|---|---|---|---|
| | | a | |
| | | Transferencia de pérdidas de activos financieros disponibles para la venta (902) | 5.000 |
| | | —x— | |

## CASO PRÁCTICO 9.3. Inversiones disponibles para la venta

Una sociedad anónima adquiere 2.000 acciones, a 12 euros la acción. Los gastos de la transacción suponen 600 euros. Dicha inversión se considera como disponible para la venta.

Posteriormente, la inversión disponible para la venta se valorará por su valor razonable, sin deducir los gastos de transacción.

Al final de ejercicio la cotización de la acción es de 15 euros por acción.

*Se pide:* contabilizar las operaciones reseñadas.

**Solución**

Por la suscripción y desembolsos:

| | | |
|---|---|---|
| 24.600 | Inversiones financieras a l/p en instrumentos de patrimonio (250) | |
| | a | |
| | Bancos c/c (572) | 24.600 |
| | —x— | |

Cotización de la acción es de 15 €:

| | | |
|---|---|---|
| 5.400 | Inversiones financieras a l/p en instrumentos de patrimonio (250) | |
| | a | |
| | Beneficio en activos financieros disponibles para la venta (900) | 5.400 |
| | —x— | |

Tipo impositivo el 30%.

| | | |
|---|---|---|
| 1.620 | Impuesto diferido (8301) | |
| | a | |
| | Diferencias temporarias imponibles (479) | 1.620 |
| | —x— | |

Al cierre del ejercicio:

| | | |
|---|---|---|
| 5.400 | Beneficio en activos financieros disponibles para la venta (900) | |
| | a | |
| | Impuesto diferido (8301) | 5.400 |
| | Ajustes por valoración de activos financieros disponibles para la venta (133) | 3.780 |
| | —x— | |

## CASO PRÁCTICO 9.4. Inversiones disponibles para la venta

Una sociedad anónima adquirió 2.000 acciones a un precio de 12 euros la acción. Los gastos de la transacción ascendieron a 600 euros. Dicha inversión se considera como disponible para la venta.

Posteriormente, la inversión disponible para la venta se valorará por su valor razonable, sin deducir los gastos de transacción.

Al final de ejercicio la cotización de la acción es de 15 euros; procediendo en ese momento a su venta por un valor de 15 euros la acción.

*Se pide:* contabilizar las operaciones reseñadas.

**Solución**

Por la venta de las acciones:

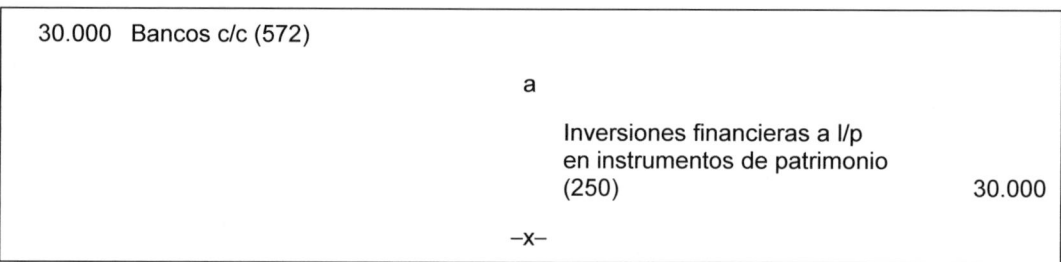

| 30.000 | Bancos c/c (572) | | |
|---|---|---|---|
| | a | | |
| | | Inversiones financieras a l/p en instrumentos de patrimonio (250) | 30.000 |
| | –x– | | |

Tipo impositivo el 30%.

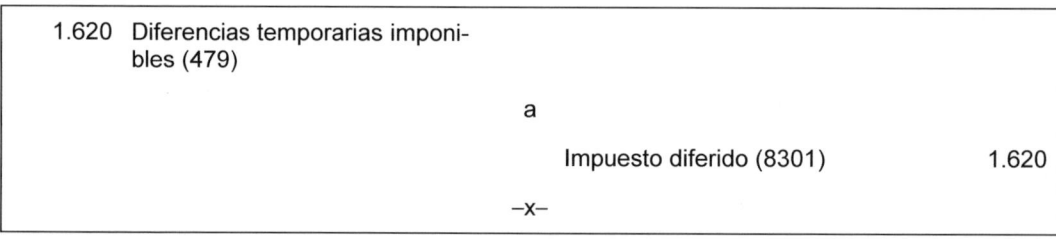

| 1.620 | Diferencias temporarias imponibles (479) | | |
|---|---|---|---|
| | a | | |
| | | Impuesto diferido (8301) | 1.620 |
| | –x– | | |

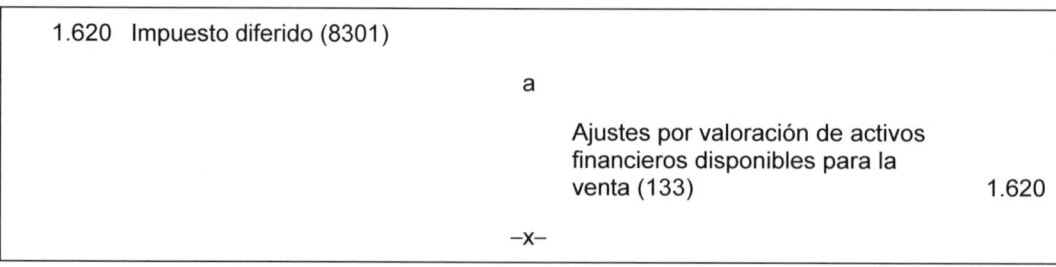

| 1.620 | Impuesto diferido (8301) | | |
|---|---|---|---|
| | a | | |
| | | Ajustes por valoración de activos financieros disponibles para la venta (133) | 1.620 |
| | –x– | | |

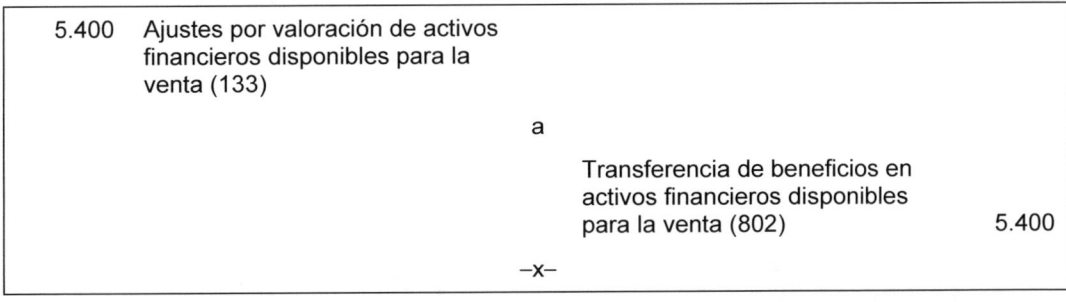

| 5.400 | Ajustes por valoración de activos financieros disponibles para la venta (133) | | |
|---|---|---|---|
| | a | | |
| | | Transferencia de beneficios en activos financieros disponibles para la venta (802) | 5.400 |
| | | —x— | |

| 5.400 | Transferencia de beneficios en activos financieros disponibles para la venta (802) | | |
|---|---|---|---|
| | a | | |
| | | Beneficio de disponibles para la venta (7632) | 5.400 |
| | | —x— | |

| 5.400 | Beneficio de disponibles para la venta (7632) | | |
|---|---|---|---|
| | a | | |
| | | Resultado del ejercicio (129) | 5.400 |
| | | —x— | |

## CASO PRÁCTICO 9.5. Inversiones disponibles para la venta

Una sociedad anónima adquirió 2.000 acciones a un precio de 12 euros la acción. Los gastos de la transacción ascienden a 600 euros. Dicha inversión se califica como disponible para la venta.

Posteriormente, la inversión disponible para la venta se valorará por su valor razonable, sin deducir los gastos de transacción.

Al final de ejercicio, la cotización de la acción es de 15 euros la acción; procediendose a su venta por un valor de 20 euros la acción.

*Se pide:* contabilizar las operaciones reseñadas.

**Solución**

Por la venta de las acciones:

| | | |
|---|---|---|
| 40.000 Bancos c/c (572) | | |
| | a | |
| | Inversiones financieras a l/p en instrumentos de patrimonio (250) | 30.000 |
| | Beneficios de disponibles para la venta (7632) | 10.000 |
| | –x– | |

Tipo impositivo el 30%.

| | | |
|---|---|---|
| 1.620 Diferencias temporarias imponibles (479) | | |
| | a | |
| | Impuesto diferido (8301) | 1.620 |
| | –x– | |

| | | |
|---|---|---|
| 1.620 Impuesto diferido (8301) | | |
| | a | |
| | Ajustes por valoración de activos financieros disponibles para la venta (133) | 1.620 |
| | –x– | |

| | | |
|---|---|---|
| 5.400 Ajustes por valoración de activos financieros disponibles para la venta (133) | | |
| | a | |
| | Transferencia de beneficios en activos financieros disponibles para la venta (802) | 5.400 |
| | –x– | |

| | | |
|---|---|---|
| 5.400 Transferencia de beneficios en activos financieros disponibles para la venta (802) | | |
| | a | |
| | Beneficio de disponibles para la venta (7632) | 5.400 |
| | –x– | |
| 15.400 Beneficio de disponibles para la venta (7632) | | |
| | a | |
| | Resultado del ejercicio (129) | 15.400 |
| | –x– | |

---

## CASO PRÁCTICO 9.6. Inversiones disponibles para la venta

Una sociedad anónima adquirió 2.000 acciones a un pecio de 12 euros la acción. Los gastos de la transacción suponen 600 euros. Dicha inversión es calificada como disponible para la venta.

Posteriormente, la inversión disponible para la venta se valorará por su valor razonable, sin deducir los gastos de transacción.

Al final de ejercicio la cotización de la acción es de 10 euros.

*Se pide*: contabilizar las operaciones reseñadas.

**Solución**

La cotización de la acción es de 10 €:

$$10 \times 2.000 - 24.600 = 4.600 \text{ €.}$$

| | | | |
|---|---|---|---|
| 4.600 | Pérdidas en activos financieros disponibles para la venta (804) | | |
| | a | | |
| | | Inversiones financieras a l/p en instrumentos de patrimonio (250) | 4.600 |
| | −x− | | |

Tipo impositivo el 30%.

| | | | |
|---|---|---|---|
| 1.380 | Activos por diferencias temporarias deducibles (4740) | | |
| | a | | |
| | | Impuesto diferido (8301) | 1.380 |
| | −x− | | |

Al cierre del ejercicio:

| | | | |
|---|---|---|---|
| 3.220 | Ajustes por valoración de activos financieros disponibles para la venta (133) | | |
| 1.380 | Impuesto diferido (8301) | | |
| | a | | |
| | | Pérdidas en activos financieros disponibles para la venta (804) | 4.600 |
| | −x− | | |

---

**CASO PRÁCTICO 9.7. Inversión disponible para la venta a valor razonable**

Una sociedad anónima adquirió 2.000 acciones a 12 euros la acción. Los gastos de la transacción ascienden a 600 euros. Dicha inversión se califica como disponible para la venta.

Posteriormente, la inversión disponible para la venta se valorará por su valor razonable, sin deducir los gastos de transacción.

Al final de ejercicio, la cotización de la acción es de 10 euros la acción y se venden a un precio de 15 euros la acción.

*Se pide:* contabilizar las operaciones reseñadas.

**Solución**

Por la venta:

| | | | |
|---|---|---|---|
| 30.000 | Bancos c/c (572) | | |
| | a | | |
| | | Inversiones financieras a l/p en instrumentos de patrimonio (250) | 20.000 |
| | | Beneficios de disponibles para la venta (7632) | 10.000 |
| | | −x− | |

| | | | |
|---|---|---|---|
| 1.380 | Impuesto diferido (8301) | | |
| | a | | |
| | | Activos por diferencias temporarias deducibles (4740) | 1.380 |
| | | −x− | |

Al cierre del ejercicio:

| | | | |
|---|---|---|---|
| 1.380 | Ajustes por valoración de activos financieros disponibles para la venta (133) | | |
| | a | | |
| | | Impuesto diferido (8301) | 1.380 |
| | | −x− | |
| 4.600 | Transferencia de pérdidas de activos disponibles para la venta (902) | | |
| | a | | |
| | | Ajustes por valoración de activos financieros disponibles para la venta (133) | 4.600 |
| | | −x− | |

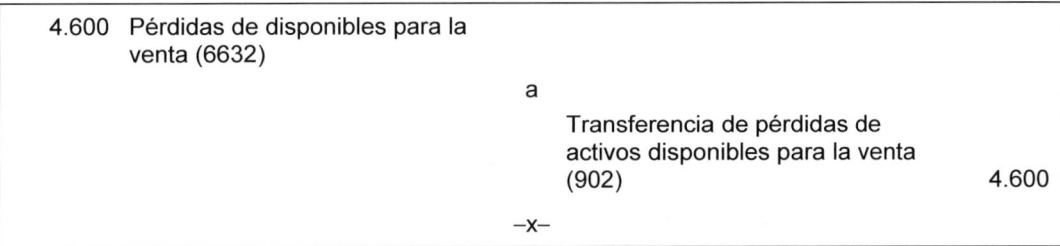

| 4.600 | Pérdidas de disponibles para la venta (6632) | | |
|---|---|---|---|
| | a | | |
| | | Transferencia de pérdidas de activos disponibles para la venta (902) | 4.600 |
| | | –x– | |

| 10.000 | Beneficio de disponibles para la venta (7632) | | |
|---|---|---|---|
| | a | | |
| | | Pérdidas de disponibles para la venta (6632) | 4.600 |
| | | Resultado del ejercicio (129) | 5.400 |
| | | –x– | |

## CASO PRÁCTICO 9.8. Opciones

Una sociedad anónima tiene en su balance 5.000 acciones que fueron adquiridas hace 2 años a un precio de 20 euros la acción, calificadas para la venta.

En el próximo ejercicio pretende vender las acciones. Para protegerse de la volatilidad de los mercados financieros, decide comprar 50 contratos de opciones de venta (compra *puts*) con precio de ejercicio de 25 euros, precio coincidente con la cotización en Bolsa de las acciones, y paga una prima de 0,30 euros por acción. La fecha de vencimiento es el 5-03-X8.

A la fecha de cierre del presente ejercicio 31-12-X7, la cotización de las acciones es de 23 euros la acción y la prima asciende a 0,70 euros.

*Se pide:* contabilizar las operaciones reseñadas.

**Solución**

Por la adquisición de los contratos de la opción:

$$5.000 \times 0,3 = 15.000 \; €.$$

| 1.500 | Derivados financieros a corto plazo (559) | | |
|---|---|---|---|
| | a | | |
| | | Bancos c/c (572) | 1.500 |
| | | –x– | |

La opción de venta se encuentra asegurada por 25 € la acción, que es el valor de cotización de las acciones. Resulta necesario pagar la prima, que cotiza a 0,30 € por acción. Se ejercerá la opción de venta cuando el precio de mercado (*PM*) sea menor que el precio ejercicio (*PE*) y teniendo en cuenta la prima.

$$Beneficio = PE - PM - prima$$

| Precio de mercado de acción al vencimiento | Resultado (€) |
|---|---|
| 22 | 25 – 22 – 0,30 = + 2,70 |
| 24 | 25 – 24 – 0,30 = + 0,70 |
| 24,7 | 25 – 24,7 – 0,30 = 0,00 |
| 25 | 25 – 25 – 0,30 = – 0,30 |
| 27 | 25 – 27 – 0,30 = – 2,30 |

Registro de la variación a final de ejercicio:

$$22 - 20 = 2 \text{ €.}$$

| 10.000 | Inversiones financieras a largo plazo en instrumentos de patrimonio (250) | | |
|---|---|---|---|
| | | a | |
| | | Beneficios en activos disponibles para la venta (900) | 10.000 |
| | —x— | | |

Efecto impositivo por el ingreso reconocido:

| 3.000 | Impuesto diferido (8301) | | |
|---|---|---|---|
| | | a | |
| | | Diferencias temporarias imponibles (479) | 3.000 |
| | —x— | | |

En cuanto al precio de la opción, la prima cotiza a 0,70 €. La diferencia se lleva transitoriamente a patrimonio neto:

$$(0,7 - 0,3) \times 5.000 \text{ títulos} = 2.000 \text{ €.}$$

| 2.000 | Derivados financieros a corto plazo Opciones financieras (559) | | |
|---|---|---|---|
| | | a | |
| | | Beneficios por coberturas de flujos de efectivo (910) | 2.000 |
| | —x— | | |

Efecto impositivo:

| | | |
|---|---|---|
| 600 Impuesto diferido (8301) | | |
| | a | |
| | Diferencias temporarias imponibles (479) | 600 |
| | —x— | |

Al final de ejercicio se procederá a cancelar las cuentas de los grupos 8 y 9:

| | | |
|---|---|---|
| 10.000 Beneficios en activos disponibles para la venta (900) | | |
| | a | |
| | Impuesto diferido (8301) | 3.000 |
| | Ajustes por activos financieros para la venta (1330) | 7.000 |
| | —x— | |

| | | |
|---|---|---|
| 2.000 Beneficios por coberturas de flujos de efectivo (910) | | |
| | a | |
| | Impuesto diferido (8301) | 600 |
| | Cobertura de los flujos de efectivo (1340) | 1.400 |
| | —x— | |

## 9.2. ACTIVOS POR DERIVADOS FINANCIEROS A LARGO PLAZO. INSTRUMENTOS DE COBERTURA

Se trata de instrumentos financieros derivados, siempre que no estén designados como instrumentos de cobertura, ni sean un contrato de ganancias financieras.

**Criterios de valoración**

- Se valoran por su valor razonable.
- Los gastos de la transacción se incorporan en la cuenta de pérdidas y ganancias.
- Los resultados de la enajenación se imputan directamente a pérdidas y ganancias.
- No es posible su reclasificación.

## Problemática contable

Cuando el derivado se utilice como elemento de *cobertura de valor razonable*:

| | |
|---|---|
| Activos por derivados financieros a l/p, instrumento de cobertura (2553) | |
| | a |
| | Bº por la valoración de instrumentos financieros por su valor razonable (763) |
| | o Bº de instrumento de cobertura (7633) |
| —x— | |

Se realiza el abono:

| | |
|---|---|
| Pérdidas por la valoración de instrumentos financieros por su valor razonable (663) | |
| o Pérdidas de instrumentos de cobertura (6633) | |
| | a |
| | Activos por derivados financieras a l/p, instrumentos de cobertura (2553) |
| —x— | |

Cuando el derivado se utilice como instrumento de cobertura en otras operaciones, se cargará por la ganancia del instrumento que sirva de *cobertura eficaz*:

| | |
|---|---|
| Activos por derivados financieros a l/p, instrumentos de cobertura (2553) | |
| | a |
| | Ingresos en operaciones de cobertura (91) |
| —x— | |

Cuando el derivado se utilice como instrumento de cobertura en otras operaciones, se cargará por la ganancia del instrumento cuando la *cobertura resulte ineficaz*:

| | |
|---|---|
| Activos por derivados financieros a l/p, instrumentos de cobertura (2553) | |
| | a |
| | Bº de instrumento de cobertura (7633) |
| —x— | |

Cuando el derivado se utilice como instrumento de cobertura en otras operaciones, se abonará por la pérdida del instrumento que sirva de *cobertura eficaz*:

| | | |
|---|---|---|
| Gastos en operaciones de cobertura (81) | | |
| | a | |
| | | Activos por derivados financieros a l/p, instrumentos de cobertura (2553) |
| | —x— | |

Cuando el derivado se utilice como instrumento de cobertura en otras operaciones, se abonará por la pérdida del instrumento cuando la *cobertura resulte ineficaz*:

| | | |
|---|---|---|
| Pérdida de instrumento de cobertura (6633) | | |
| | a | |
| | | Activos por derivados financieros a l/p, instrumentos de cobertura (2553) |
| | —x— | |

## • CASOS PRÁCTICOS

### CASO PRÁCTICO 9.9. Derivados financieros como instrumentos de cobertura

Una Sociedad anónima realiza una inversión financiera a largo plazo como instrumento de cobertura en un derivado financiero, en activos financieros a valor razonable, por importe de 300.000 euros. Se obtiene un decremento de valor de 15.000 euros.

El derivado se utiliza como instrumento de cobertura en otras operaciones que sirven de cobertura eficaz por valor de 20.000 euros.

*Se pide:* realizar el tratamiento contable en el momento de la contratación y de la liquidación.

**Solución**

En el momento de la contratación:

| | | |
|---|---|---|
| 300.000 | Activos por derivados financieros a l/p, instrumentos de cobertura (2553) | |
| | a | |
| | Caja (570) | 300.000 |
| | —x— | |

Se abona:

| | |
|---|---|
| 15.000 | Pérdidas de instrumento de cobertura (6633) |
| | a |
| | Activos derivados financieras a l/p, instrumento de cobertura (2553) 15.000 |
| | —x— |

Cuando el derivado se utilice como instrumento de cobertura en otras operaciones, se cargará por la ganancia del instrumento que sirva de cobertura eficaz:

| | |
|---|---|
| 20.000 | Activos por derivados financieras a l/p, instrumento de cobertura (2553) |
| | a |
| | Beneficio por cobertura de flujos de efectivo (910) 20.000 |
| | —x— |

# 9.3. DERECHOS DE REEMBOLSO DERIVADOS DE CONTRATOS DE SEGUROS POR RETRIBUCIONES A LARGO PLAZO AL PERSONAL

Son los activos, incluidos las pólizas de seguros, que surjan como consecuencia de la remuneración al personal a largo plazo.

## Cuentas diferenciadoras con las Pymes

(257) *Derechos de reembolso derivados de contratos de seguros relativos a retribuciones a largo plazo al personal.*

## Problemática contable

Por las cantidades satisfechas en concepto de primas:

| | |
|---|---|
| Derechos de reembolsos derivados de contratos de seguros relativos a retribuciones a largo plazo al personal (257) | |
| | a |
| | Caja (570 |
| | —x— |

Por el reconocimiento de la ganancia actuarial:

---

Derechos de reembolsos derivados de contratos de seguros relativos a retribuciones a
largo plazo al personal (257)

a

Ganancias actuariales (950)

—x—

---

Por el reconocimiento de la pérdida actuarial:

---

Pérdidas actuariales (850)

a

Derechos de reembolsos derivados de
contratos de seguros relativos a retribuciones a largo plazo al personal (257)

—x—

---

Por el reconocimiento de los rendimientos esperados de los activos afectos:

---

Derechos de reembolsos derivados de
contratos de seguros relativos a retribuciones a largo plazo al personal (257)

a

Ingresos de activos afectos a planes y de
derechos de reembolso relativo a retribuciones a largo plazo (767)

—x—

---

Por el importe imputado a pérdidas y ganancias de los costes por servicios pasados:

---

Retribuciones a l/p mediante sistemas de
prestaciones definidas (644) o (633) o
(645)

a

Derechos de reembolsos derivados de
contratos de seguros relativos a retribuciones a largo plazo al personal (257)

—x—

---

Por la disposición del derecho de reembolso:

| | |
|---|---|
| Caja (570) | |
| o Provisión por retribuciones a l/p al personal (140) | |
| | a |
| | Derechos de reembolsos derivados de contratos de seguros relativos a retribuciones a largo plazo al personal (257) |
| —x— | |

Por el reconocimiento de pérdidas actuariales, en caso de tratarse de retribuciones post-empleo:

| | |
|---|---|
| Pérdidas actuariales (850) | |
| | a |
| | Derechos de reembolsos derivados de contratos de seguros relativos a retribuciones a largo plazo al personal (257) |
| —x— | |

Cuando se deban a causas diferentes a las señaladas en el asiento anterior, la problemática es la siguiente:

| | |
|---|---|
| Gastos de personal (64) | |
| | a |
| | Derechos de reembolsos derivados de contratos de seguros relativos a retribuciones a largo plazo al personal (257) |
| —x— | |

## • CASOS PRÁCTICOS

### CASO PRÁCTICO 9.10. Contratos de seguros

Una sociedad anónima satisface anualmente primas en concepto de remuneración al personal por importe de 150.000 euros.

Al final del ejercicio, la sociedad reconoce unas pérdidas actuariales del periodo por valor de 60.000 euros.

Los rendimientos obtenidos de los activos afectos al plan de pensiones han ascendido a 40.000 euros.

*Se pide:* realizar las operaciones reseñadas.

**Solución**

Por las cantidades satisfechas en concepto de primas:

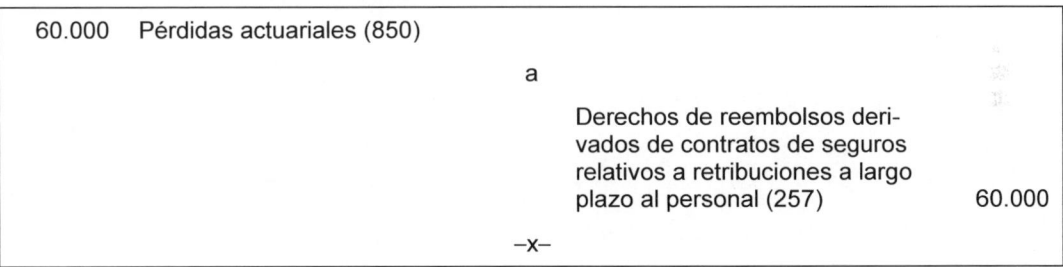

| 150.000 | Derechos de reembolsos derivados de contratos de seguros relativos a retribuciones a largo plazo al personal (257) | | |
|---|---|---|---|
| | a | | |
| | | Bancos (572) | 150.000 |
| | −x− | | |

Por el reconocimiento de la pérdida actuarial:

| 60.000 | Pérdidas actuariales (850) | | |
|---|---|---|---|
| | a | | |
| | | Derechos de reembolsos derivados de contratos de seguros relativos a retribuciones a largo plazo al personal (257) | 60.000 |
| | −x− | | |

Por el reconocimiento de los rendimientos esperados de los activos afectos:

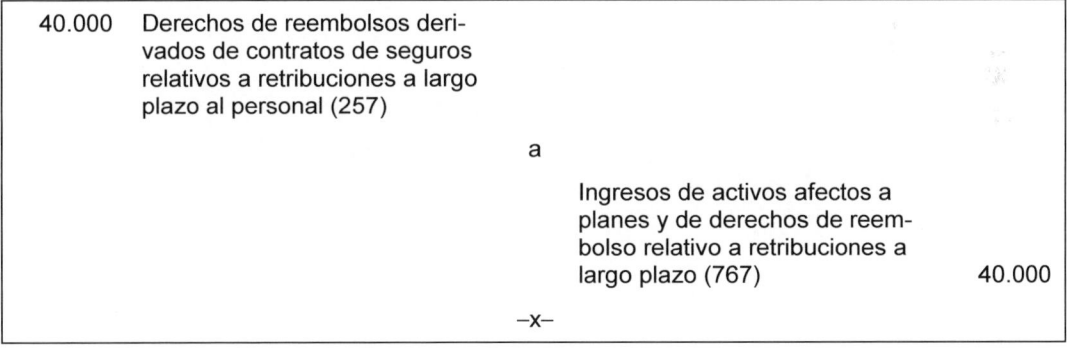

| 40.000 | Derechos de reembolsos derivados de contratos de seguros relativos a retribuciones a largo plazo al personal (257) | | |
|---|---|---|---|
| | a | | |
| | | Ingresos de activos afectos a planes y de derechos de reembolso relativo a retribuciones a largo plazo (767) | 40.000 |
| | −x− | | |

# EXISTENCIAS Y MONEDA EXTRANJERA

CONTENIDO

# 10.1. MÉTODOS DE VALORACIÓN DE LAS EXISTENCIAS

**Criterios de valoración**

- Los métodos de valoración de existencias son variados. Los métodos utilizados más frecuentemente son el método FIFO; LIFO, HIFO, NIFO, el método del Precio medio y el método del Precio medio ponderado.

- La normativa actual en España, Europa, las Normas Internacionales de Contabilidad (IASB) y las normas norteamericanas (FASB), permiten exclusivamente aplicar el método FIFO y el del Precio medio ponderado (cálculo después de cada compra y cálculo al final del periodo).

## 10.1.1. Métodos de cálculo

1. **FIFO**, (*First In, First Out*)

   La primera entrada es la primera que se vende.

   | Entradas | Salidas | Existencias |
   |---|---|---|
   | Coste de compras | Coste de ventas | Existencias finales |

2. **LIFO**, (*Last In Firt Out)*

   La última entrada existencia es la primera que se vende.

   | Entradas | Salidas | Existencias |
   |---|---|---|
   | Coste de compras | Coste de ventas | Existencias finales |

3. **HIFO**, (*High In, First Out)*

   La entrada más cara es la primera que se vende.

4. **NIFO**, (*Next In, First Out)*

   La próxima entrada es la primera en venderse.

5. **Precio medio**

   Entradas = Salidas + Existencias finales =

   $$\text{Coste compras} \quad = \text{Coste ventas} + \quad \text{Existencias finales} \ =$$
   $$\text{(Precio medio)} \qquad \text{(Precio residual)}$$

   $$\text{Precio medio} = \frac{\sum P}{N}$$

6. **Precio medio ponderado**

   Cálculo después de cada compra. Cálculo al final del periodo. *Ci*

   $$Precio\ medio\ ponderado = \frac{\sum_1^n Ci \cdot Pi}{\sum_1^n Ci}$$

   | Entradas | Salidas | Existencias |
   |---|---|---|
   | Coste de compras | Coste de ventas | Existencias finales |

- **CASOS PRÁCTICOS**

---

**CASO PRÁCTICO 10.1. Utilización de todos los métodos de valoración de existencias**

Una sociedad dispone de unas existencias iniciales de 2.000 unidades de un producto, a un precio de 1 euro la unidad. Se realiza una primera compra de 1.500 unidades, a 1,6 euros la unidad y una segunda compra por valor de 2.500 euros, a 1,2 euros por unidad.

Se realiza la venta de 4.000 unidades, a un precio de 8 euros la unidad.

**Se pide:** señalar el criterio de valoración más adecuado para maximizar el beneficio a corto plazo.

**Solución**

**1. FIFO** (*First In, First Out*)

| Entradas | Salidas | Existencias |
|---|---|---|
| $E_i = 2.000 \times 1 = 2.000$ <br> $C_1 = 1.500 \times 1,6 = 2.400$ <br> $C_2 = 2.500 \times 1,2 = 3.000$ | $2.000 \times 1 = 2.000$ <br> $1.500 \times 1,6 = 2.400$ <br> $500 \times 1,2 = 600$ | $2.000 \times 1,2 = 2.400$ |
| $6.000 \ \Sigma = 7.400$ | Coste de ventas = 5.000 | Existencias finales = 2.400 |

Maximizar el beneficio a corto plazo supone que el importe del coste de ventas sea lo más bajo posible.

**2. LIFO** (*Last In, First Out*). La última entrada es la primera que se vende:

| Entradas | Salidas | Existencias |
|---|---|---|
| $E_i = 2.000 \times 1 = 2.000$ <br> $C_1 = 1.500 \times 1,6 = 2.400$ <br> $C_2 = 2.500 \times 1,2 = 3.000$ | $1.500 \times 1,6 = 2.400$ <br> $2.500 \times 1,2 = 3.000$ | $2.000 \times 1 = 2.000$ |
| $6.000 \ \Sigma = 7.400$ | Coste de ventas = 5.400 | Existencias Finales = 2.000 |

Maximizar el beneficio a corto plazo, supone que el coste de ventas debe ser el menor posible. En nuestro caso, FIFO es más bajo a falta de comprobar el del Precio medio ponderado.

**3. HIFO** (*High In, First Out*). La entrada más cara es la primera que se vende. En nuestro ejemplo, éste método coincide con el método LIFO.

**4. NIFO** (*Next In, First Out.*) La próxima entrada es la primera en venderse. Parece que no se dispone datos para su realización.

## 5. Precio medio

$$Entradas = Salidas + Existencias\ finales$$

$$Entradas = 5.064 + 2.336 = 7.400\ €.$$

$$Coste\ compras = Coste\ ventas + Existencias\ finales =$$
$$(Precio\ medio) \quad (Precio\ residual)$$

$$= 4.000 \times 1,266 + 2.000 \times 1,168 = 7.400.$$

$$Precio\ medio = \frac{\sum P}{N} = \frac{3,8}{3} = 1,266\ €.$$

Este criterio de valoración no es válido, por contemplar dos precios diferentes.

## 6. Precio medio ponderado

$$Precio\ medio\ ponderado = \frac{\sum_1^n Ci \cdot Pi}{\sum_1^n Ci} = \frac{7.400}{6.000} = 1,233\ €.$$

| Entradas | Salidas | Existencias |
|---|---|---|
| $E_i = 2.000 \times 1 = 2.000$ <br> $C_1 = 1.500 \times 1,6 = 2.400$ <br> **$C_2 = 2.500 \times 1,2 = 3.000$** | $4.000 \times 1,233 = 4.932$ | $2.000 \times 1,233 = 2.466$ |
| **6.000 Σ = 7.400** | **Coste de ventas = 4.932** | **Existencias finales = 2.466** |

Maximizar el beneficio a corto plazo representa que el coste de ventas sea el importe más bajo posible; en nuestro ejemplo corresponde al Precio medio ponderado.

---

## CASO PRÁCTICO 10.2. Valoración de salidas de almacén y existencias finales

Una empresa comercial presenta los siguientes datos:

| Fecha | Concepto | Cantidad | Precio Ud. | Importe |
|---|---|---|---|---|
| 1-01-09 | Existencias iniciales | 2.000 | 10 | 20.000 |
| 1-02-09 | Venta | 3.000 | | |
| 1-03-09 | Compra | 2.000 | 12 | 24.000 |
| 1-04-09 | Venta | 3.000 | | |
| 1-10-09 | Compra | 2.000 | 15 | 30.000 |
| 1-11-09 | Compra | 2.000 | 15 | 30.000 |
| 1-12-09 | Venta | 3.000 | | |

*Se pide:* calcular el coste medio ponderado después de cada compra.

**Solución**

| Concepto | Cantidad | Precio Ud. | Importe |
|---|---|---|---|
| Existencias iniciales | (1.000) | 10 | (10.000) |
| Compras | 2.000 | 12 | 24.000 |
| | **1.000** | | **14.000** |

14.000/1.000 = 14 €/ unidad.

| Concepto | Cantidad | Precio Ud. | Importe |
|---|---|---|---|
| Existencias iniciales | (2.000) | 14 | (28.000) |
| Compras | 2.000 | 15 | 30.000 |
| Compras | 2.000 | 15 | 30.000 |
| | **4.000** | | **32.000** |

32.000/4.000 = 8 €/unidad.

---

## Caso Práctico 10.3. Valoración de salidas de almacén y existencias finales ordenadas por fechas

Una empresa comercial presenta los siguientes datos:

| Fecha | Concepto | Cantidad | Precio Ud. | Importe |
|---|---|---|---|---|
| 1-01-09 | Existencias iniciales | 2.000 | 10 | 20.000 |
| 1-02-09 | Venta | 3.000 | | |
| 1-03-09 | Compra | 2.000 | 12 | 24.000 |
| 1-04-09 | Venta | 3.000 | | |
| 1-10-09 | Compra | 2.000 | 15 | 30.000 |
| 1-11-09 | Compra | 2.000 | 15 | 30.000 |
| 1-12-09 | Venta | 1.000 | | |

*Se pide:* calcular el coste medio ponderado al final del periodo.

**Solución**

| Concepto | Cantidad | Precio Ud. | Importe |
|---|---|---|---|
| Existencias iniciales | 2.000 | 10 | 20.000 |
| Compras 1-03-09 | 2.000 | 12 | 24.000 |
| Compras 1-10-09 | 2.000 | 15 | 30.000 |
| Compras 1-11-09 | 2.000 | 15 | 30.000 |
| | **8.000** | | **104.000** |

Para calcular el coste de las ventas se calculará el precio medio de la unidad, que es:

$$104.000/8.000 = 13 \text{ €}.$$

El valor de las existencias finales es de: $1.000 \times 13 = 13.000$ €.

---

## CASO PRÁCTICO 10.4. Criterio de valoración

Una sociedad dispone de unas existencias iniciales de 2.000 unidades de producto, a un precio de 1 euro la unidad. Se realiza una primera compra de 1.500 unidades a 1,6 euros la unidad y una segunda compra de 2.500 euros a 1,2 euros/ unidad.

Las unidades vendidas son 4.000, a un precio de venta de 8 euros/ unidad.

*Se pide:* señalar el criterio de valoración más adecuado para maximizar el beneficio a corto plazo.

**Solución**

**1 FIFO** (*First In First Out*):

| Entradas | Salidas | Existencias |
|---|---|---|
| $E_i = 2.000 \times 1 = 2.000$<br>$C_1 = 1.500 \times 1,6 = 2.400$<br>$C_2 = 2.500 \times 1,2 = 3.000$ | $2.000 \times 1 = 2.000$<br>$1.500 \times 1,6 = 2.400$<br>$500 \times 1,2 = 600$ | $2.000 \times 1,2 = 2.400$ |
| **6.000 Σ = 7.400** | **Coste de ventas = 5.000** | **Existencias finales = 2.400** |

Es análogo al Caso Práctico 10.1. Se requiere comparar los resultados obtenidos por el método FIFO con los del método del precio medio ponderado. El importe inferior de los costes de ventas minimiza el beneficio a corto plazo, por lo que hay que seleccionar el método que ofrezca un valor inferior de las existencias finales.

# 10.2  REGULARIZACIÓN DE LAS EXISTENCIAS

## Criterios de valoración

- Consiste en determinar en comparar el valor de las existencias en libros y el valor de existencias físicas en almacén o en todo el proceso.

- Se deben contemplar las diferencias de valor con el deterioro correspondiente.

## Problemática contable

Por las existencias finales: (*Existencias finales – Existencias iniciales*).

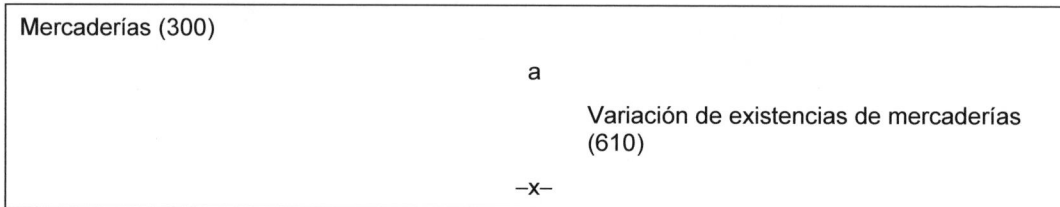

```
Mercaderías (300)
                                    a
                                            Variación de existencias de mercaderías
                                            (610)
                            –x–
```

Al cierre del ejercicio, por el importe del inventario de las existencias iniciales:

```
Variación de existencias de materias primas
(611)
                                    a
                                            Productos terminados (350)
                            –x–
```

- **CASOS PRÁCTICOS**

---

### CASO PRÁCTICO 10.5. Contabilización de las existencias

Al final del ejercicio se tiene la información siguiente de una empresa:

- Coste de existencias en almacén: 100.000 euros.

- Coste de existencias en centro de ventas: 60.000 euros.

- Coste de existencias en camino: 10.000 euros.

- Depreciación de existencias: 5.000 euros.

Al final de ejercicio aparecen contabilizados en balance los saldos siguientes:

- Mercaderías: 160.000 euros.

- Deterioro del valor de mercaderías: 8.000 euros.

*Se pide:*

1. Realizar el inventario final.

2. Realizar la contabilización procedente.

**Solución**

1. Realización del inventario final:

$$100.000 + 60.000 + 10.000 = 170.000 \text{ €.}$$

2. Contabilización procedente.

Por la anulación de las existencias iniciales:

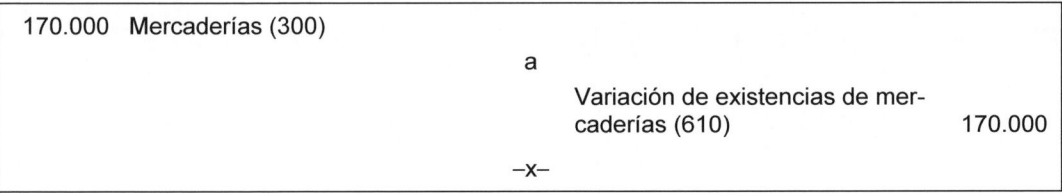

| 160.000 | Variación de existencias de mercaderías (610) | | |
|---|---|---|---|
| | | a | |
| | | Mercaderías (300) | 160.000 |
| | –x– | | |

Por la anulación del deterioro al inicio del año:

| 8.000 | Deterioro de valor de mercaderías (390) | | |
|---|---|---|---|
| | | a | |
| | | Reversión del deterioro de mercaderías (7931) | 8.000 |
| | –x– | | |

Por la entrada de las existencias finales.

| 170.000 | Mercaderías (300) | | |
|---|---|---|---|
| | | a | |
| | | Variación de existencias de mercaderías (610) | 170.000 |
| | –x– | | |

Por la anulación del deterioro al inicio del año:

| 5.000 | Pérdidas por deterioro de mercaderías (693) | | |
|---|---|---|---|
| | | a | |
| | | Deterioro de valor de mercaderías (390) | 5.000 |
| | –x– | | |

## Caso Práctico 10.6. Variación de existencias

Se dispone de los siguientes datos de una empresa en el presente año:

- Compra de materias primas: 300.000 euros.
- Devolución de compras de materias primas: 10.000 euros.
- *Rappels* sobre las compras de materias primas: 20.000 euros.
- Descuentos por pronto pago de materias primas: 1.000 euros.

Inventarios:

- Año anterior: 6.000 euros.
- Presente año: 8.000 euros.

Pérdidas estimadas por deterioro:

- Inventario año anterior: 3.000 euros.
- Inventario presente año: 2.000 euros.

*Se pide:*

1. Calcular de las materias primas consumidas.
2. Contabilizar las existencias.

**Solución**

1. Coste de las materias primas consumidas.

| | |
|---|---:|
| + Compra de materias primas | 300.000 |
| − Devolución de compras de materias primas | (10.000) |
| − *Rappels* sobre las compras de materias primas | (1.000) |
| − Descuentos por pronto pago de materias primas | (20.000) |
| **+ Coste neto de las compras de materias primas** | **269.000** |
| − Inventario final de materias primas | (8.000) |
| − Inventario inicial de materias primas | 6.000 |
| **Coste neto del consumo de materias primas** | **267.000** |

**2.** Contabilización de las existencias.

Por la anulación de las existencias iniciales.

| | | |
|---|---|---|
| 6.000 | Variación de existencias de materias primas (611) | |
| | a | |
| | Materias primas (310) | 6.000 |
| | −x− | |

Por la anulación del deterioro al inicio del año.

| | | |
|---|---|---|
| 3.000 | Deterioro de valor de materias primas (391) | |
| | a | |
| | Reversión del deterioro de materias primas (7932) | 3.000 |
| | −x− | |

Por la entrada de las existencias finales:

| | | |
|---|---|---|
| 8.000 | Materias primas (310) | |
| | a | |
| | Variación de existencias de materias primas (611) | 8.000 |
| | −x− | |

Por la anulación del deterioro al inicio del año:

| | | |
|---|---|---|
| 2.000 | Pérdidas por deterioro de materias primas (6932) | |
| | a | |
| | Deterioro de valor de materias primas (391) | 2.000 |
| | −x− | |

## CASO PRÁCTICO 10.7. Contabilización según el PGC 2007

Los datos de que dispone la empresa son las siguientes:
- El importe de las existencias iniciales de mercaderías es: 10.000 euros.
- El importe de las existencias finales de mercaderías es: 20.000 euros.
- El importe de las existencias iniciales de productos en curso es: 50.000 euros.
- El importe de las existencias finales de productos en curso es: 20.000 euros.

*Se pide:* contabilizar estas operaciones según el PGC 2007.

**Solución**

Por las existencias finales (*Existencias finales – Existencias iniciales*):

| | | |
|---|---|---|
| 10.000 | Materias primas (310) | |
| | a | |
| | Variación de existencias de mercaderías (610) | 10.000 |
| | —x— | |

Al cierre del ejercicio, por el importe del inventario de existencias iniciales:

| | | |
|---|---|---|
| 30.000 | Variación de existencias de productos en curso (6101) | |
| | a | |
| | Productos terminados (350) | 30.000 |
| | —x— | |

## CASO PRÁCTICO 10.8. Contabilización de las existencias de productos

Los costes unitarios del producto A, son los siguientes:

| | |
|---|---|
| Materias primas | 40 euros |
| Mano de obra directa | 50 euros |
| Costes indirectos | 10 euros |
| (20% de los costes directos) | |
| | 100 euros |

El inventario del presente ejercicio es el siguiente:

– Productos terminados: 10.000

– Productos en curso: 2.000

Los productos en curso tienen incorporado el coste de las materias primas, así como el 50% de la mano de obra directa.

A final del año anterior la situación de inventario era la siguiente:

– Productos terminados: 12.000.

– Productos en curso: 3.000.

Los productos en curso tienen incorporado el coste de todas las materias primas y el 40% del coste de la mano de obra directa.

*Se pide:* determinar las operaciones reseñadas de las existencias.

**Solución**

1. Inventario inicial:

Productos terminados: $10.000 \times 100 = 1.000.000$ €.

Productos en curso: 195.000 €.

Materias primas: $2.000 \times 40 = 80.000$ €.

Mano de obra directa: $2.000 \times 50/2 = 75.000$ €.

2. Inventario final

Productos terminados: $12.000 \times 100 = 1.200.000$ €.

Productos en curso: 180.000 €.

Materias primas: $3.000 \times 40 = 120.000$ €.

Mano de obra directa: $3.000 \times 50 \times 40/100 = 60.000$ €.

Anulación de existencias iniciales de productos terminados:

| | | |
|---|---|---|
| 1.000.000 | Variación de existencias de pro-ductos terminados (712) | |
| | a | |
| | Productos terminados (350) | 1.000.000 |
| | –x– | |

Anulación de existencias iniciales de productos en curso:

| | | |
|---|---|---|
| 195.000 | Variación de existencias de pro-ductos terminados (712) | |
| | a | |
| | Productos terminados (350) | 195.000 |
| | –x– | |

Entrada de las existencias finales de productos terminados:

| | | |
|---|---|---|
| 1.200.000 | Productos terminados (350) | |
| | a | |
| | Variación de existencias de pro-ductos terminados (712) | 1.200.000 |
| | –x– | |

Entrada de las existencias finales de productos en curso:

| | | | |
|---|---|---|---|
| 180.000 | Productos terminados (350) | | |
| | | a | |
| | | Variación de existencias de productos terminados (712) | 180.000 |
| | | —x— | |

---

## Caso Práctico 10.9. Cambio de criterio de valoración

Una sociedad anónima cambia su criterio de valoración de las existencias iniciales, pasando del método FIFO, lo que supone un valor de 250.000 euros, al método del Precio medio ponderado, que proporciona un valor 300.000 euros.

*Se pide:* contabilizar las operaciones reseñadas.

**Solución**

La contabilización de la operación es la siguiente:

| | | | |
|---|---|---|---|
| 50.000 | Existencias (300) | | |
| | | a | |
| | | Reservas voluntarias (113) | 50.000 |
| | | —x— | |

# 10.3. DETERIORO DE VALOR DE LAS EXISTENCIAS

**Criterios de valoración**

- Cuando el valor de mercado de un bien sea inferior al precio de adquisición o coste de producción, se procederá a efectuar las oportunas correcciones valorativas.

- Las materias primas se valorarán por su precio de reposición o por su valor neto realizable, si este fuera menor.

- Para las mercaderías, productos en curso y productos terminados se valoran por el valor neto realizable.

## Problemática contable

Por la dotación que se realice en el ejercicio:

| | |
|---|---|
| Pérdidas por deterioro de existencias (693) | |
| | a |
| | Deterioro de valor de las mercaderías (390) |
| —x— | |

Por la cancelación de la provisión efectuada en el ejercicio precedente:

| | |
|---|---|
| Deterioro de valor de las mercaderías (390) | |
| | a |
| | Reversión del deterioro de existencias (793) |
| —x— | |

## • CASOS PRÁCTICOS

### CASO PRÁCTICO 10.10. Deterioro de existencias en almacén

Las existencias del almacén han sufrido un deterioro potencial, en este ejercicio, de 10.000 euros. En el ejercicio anterior, la merma de valor estimada fue de 16.000 euros.

*Se pide:* reflejar contablemente esta situación.

**Solución**

Por la dotación que se realice en el ejercicio:

| | | |
|---|---|---|
| 10.000 | Pérdidas por deterioro de existencias (693) | |
| | a | |
| | Deterioro de valor de las mercaderías (390) | 10.000 |
| | —x— | |

Por la cancelación de la provisión efectuada en el ejercicio precedente:

| | | |
|---|---|---|
| 16.000 | Deterioro de valor de las mercaderías (390) | |
| | a | |
| | Reversión del deterioro de existencias (793) | 16.000 |
| | —x— | |

## Caso Práctico 10.11. Pérdidas estimadas

Una sociedad anónima presenta las siguientes pérdidas estimadas por deterioro:

- Inventario año anterior  : 3.000 euros.

- Inventario presente año  : 2.000 euros.

*Se pide:* contabilizar los deterioros.

**Solución**

Por la anulación del deterioro al inicio del año:

| | | |
|---|---|---|
| 3.000 | Deterioro de valor de materias primas (391) | |
| | a | |
| | Reversión del deterioro de materias primas (7932) | 3.000 |
| | —x— | |

Por la anulación del deterioro al inicio del año:

| | | |
|---|---|---|
| 2.000 | Pérdidas por deterioro de materias primas (6932) | |
| | a | |
| | Deterioro de valor de materias primas (391) | 2.000 |
| | —x— | |

## Caso Práctico 10.12. Depreciación y deterioro

Al final del ejercicio se dispone de la información siguiente en una empresa:
- Depreciación de existencias: 5.000 euros.

Al final del ejercicio aparece contabilizados en el balance el saldo siguiente:
- Deterioro de del valor de mercaderías: 8.000.

*Se pide:* realizar la contabilización procedente.

**Solución**

Por la anulación del deterioro al inicio del año:

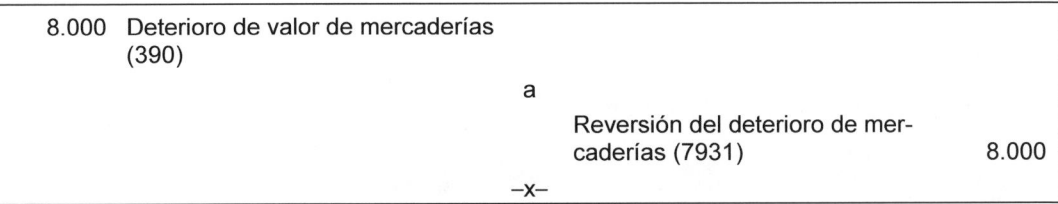

Por la anulación del deterioro al inicio del año:

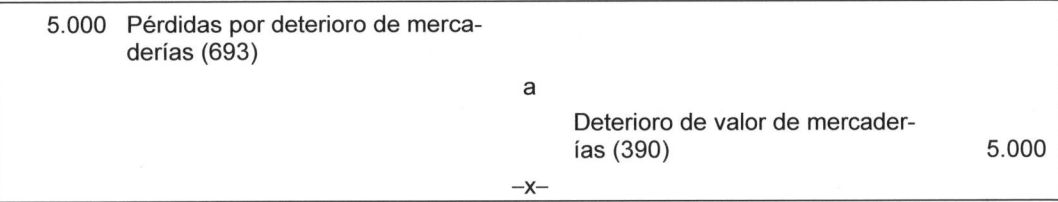

# 10.4. CONSIDERACIONES GENERALES EN MONEDA EXTRANJERA

## Criterios de valoración

Las transacciones en moneda extranjera serán valoradas de acuerdo con el cambio existente en la fecha en que la misma tuvo lugar, manteniéndose dicho valor hasta el momento del cobro o pago. Pueden surgir diferencias entre el momento en que se formaliza el contrato y el momento del cobro o pago del mismo.

### 10.4.1. Moneda funcional

Es la moneda del entorno económico principal en el que opera una empresa. En el caso de España, es el euro.

### 10.4.2. Moneda de presentación

Es la moneda en la que se han de presentar las cuentas anuales. Para las empresas domiciliadas en España, es el euro.

### 10.4.3. Tratamiento de las transacciones en moneda extranjera

#### Partidas monetarias

Recogen el efectivo, activos y pasivos que se vayan a recibir o pagar con una determinada cantidad de unidades monetarias.

**Partidas no monetarias**

Recogen las partidas que se vayan a cobrar o pagar con una cantidad no determinada, como el inmovilizado, existencias, inversiones inmobiliarias, inversiones financieras de otras empresas, anticipos etc.

## 10.4.4. Operaciones aplazadas en moneda extranjera

El problema estriba cuando la operación se realiza a crédito en moneda distinta a la nacional. Las operaciones a crédito en moneda extranjera se desdoblan en tres momentos:

**Momento de la transacción económica**

Es el momento de la transacción del bien se valora en euros a la cotización de la misma fecha de la operación, reconociendo el derecho de cobro y obligación de pago a la mencionada fecha.

**Momento de la presentación de la información anual**

Es un momento posterior, se deben presentar los estados financieros y, por consiguiente, el importe de los derechos de cobro y pago en moneda extranjera. Al estar valorado en momentos anteriores, es probable que las cotizaciones de las monedas hayan cambiado. Por tanto, debe valorarse al nuevo cambio al 31 de diciembre o en un intervalo máximo de un mes. Este hecho supondrá una diferencia positiva o negativa de cambio; estas diferencias de cambio se reconocen en la cuenta de pérdidas y ganancias del ejercicio en que surjan.

**Momento de la corriente financiera**

Consiste en el cobro o pago del derecho u obligación de la transacción comercial. En este momento, se debe conocer nuevamente la cotización de la moneda extranjera para prever el saldo final del derecho de cobro u obligación del pago a satisfacer, corrigiendo y cancelando las diferencias positivas o negativas en moneda extranjera e imputarlo a la cuenta de pérdidas y ganancias del ejercicio en que se han producido.

## 10.4.5. Problemática contable de operaciones en moneda extranjera

**Tratamiento contable de las operaciones de tráfico realizadas en el exterior**

**1. Diferencias positivas de cambio**

Son beneficios producidos por modificaciones del tipo de cambio en partidas monetarias en monedas distinta a la funcional.

En el cierre, por la ganancia de valoración de las partidas monetarias vivas:

| | |
|---|---|
| Clientes (430) | |
| | a |
| | Diferencias positivas de cambio (768) |
| —x— | |

En el momento de la baja, enajenación o cancelación del elemento patrimonial asociado a una diferencia de conversión positiva:

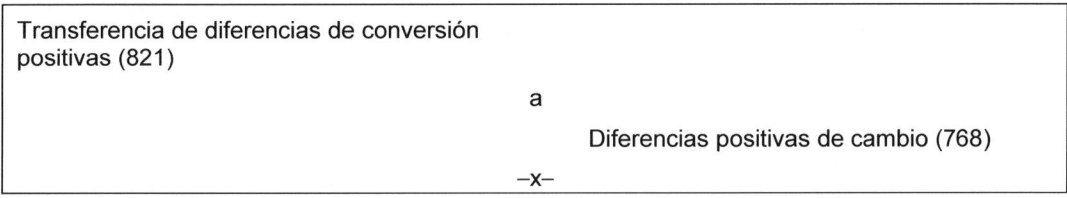

Transferencia de diferencias de conversión
positivas (821)

a

Diferencias positivas de cambio (768)

—x—

Cuando venzan o se cancelen anticipadamente las partidas monetarias:

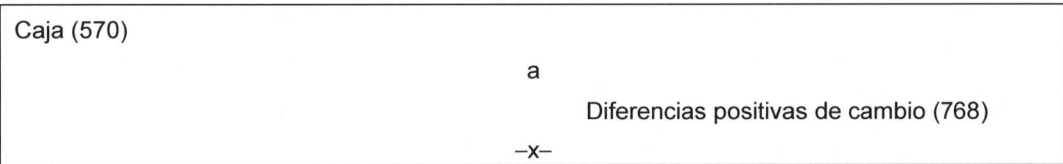

Caja (570)

a

Diferencias positivas de cambio (768)

—x—

## 2. Diferencias negativas de cambio

El Plan General de Contabilidad contempla la posibilidad de aplicar a estas diferencias el asiento siguiente:

Al final de ejercicio, por la pérdida de valoración de las partidas monetarias vivas::

Diferencias negativas de cambio (668)

a

Clientes (430)

—x—

En el momento de la baja, enajenación o cancelación del elemento patrimonial asociado a una diferencia de conversión negativa:

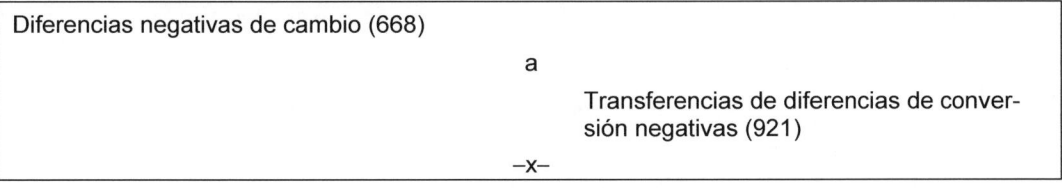

Diferencias negativas de cambio (668)

a

Transferencias de diferencias de conversión negativas (921)

—x—

Cuando venzan o se cancelen anticipadamente las partidas monetarias mediante la entrega en efectivo:

Caja (570)

a

Clientes (430)

—x—

### Tratamiento contable de las diferencias de conversión

Son las diferencias que surgen al convertir la moneda de presentación, las partidas de balance y de la cuenta de pérdidas y ganancias, en el caso que la moneda funcional sea distinta de la moneda de presentación.

### 1. Diferencias positivas al cierre del ejercicio

| |
|---|
| Diferencias de conversión positivas (920) |
| a |
| Diferencias de conversión (135) |
| –x– |

La imputación de ingresos al patrimonio neto tributará con el impuesto sobre beneficios:

| |
|---|
| Impuesto sobre beneficios (830) |
| a |
| Diferencias de conversión (135) |
| –x– |

### 2. Diferencias negativas al cierre del ejercicio

| |
|---|
| Diferencias de conversión (135) |
| a |
| Diferencias de conversión negativas (820) |
| –x– |

Al realizar la imputación de pérdidas al patrimonio neto, debe cancelarse la imputación del impuesto sobre beneficios:

| |
|---|
| Diferencias de conversión (135) |
| a |
| Impuesto sobre beneficios (830) |
| –x– |

## • CASOS PRÁCTICOS

### CASO PRÁCTICO 10.13. Venta a crédito, análogo a venta al contado o monetaria

Una sociedad española vende productos a crédito a EEUU por importe de 10.000 euros en noviembre del año 200X, con una equivalencia euro/dólar de 1 euro por 1,30 dólares. Al cierre del ejercicio la relación es de 1 euro por 1,35 dólares.

Por último, en el momento del cobro, en marzo de 200X+1, la relación de equivalencia es de 1 euro por 1,20 dólares. El pago se realiza a través de banco.

*Se pide:* realizar la contabilización procedente teniendo en cuenta que la operación se ha realizado en euros.

**Solución**

Por la entrega de bienes o prestación de servicios, en noviembre del año 20X0:

| | | |
|---|---|---|
| 10.000 | Clientes (430) | |
| | a | |
| | Venta de productos (70) | 10.000 |
| | –x– | |

Al cierre del ejercicio, no procede realizar anotación alguna.

En el momento del cobro, en marzo de 200X+1:

| | | |
|---|---|---|
| 10.000 | Bancos (572) | |
| | a | |
| | Clientes (430) | 10.000 |
| | –x– | |

## CASO PRÁCTICO 10.14. Venta en moneda extranjera

Una sociedad española vende productos a crédito a EEUU por importe de 13.000 dólares, en noviembre del año 200X, con una equivalencia de 1 euro por 1,30 dólares.

Al cierre de ejercicio la relación de equivalencia es 1 euro por 1,35 dólares.

Por último, en el momento del cobro en marzo de 200X+1 es de 1 euro por 1,20 dólares. El pago se realiza a través de banco.

*Se pide:* realizar la contabilización procedente teniendo en cuenta que la operación se ha realizado en dólares.

**Solución**

Por la entrega de bienes o prestación de servicios, en noviembre del año 200X:

| | | |
|---|---|---|
| 10.000 | Clientes (430) | |
| | a | |
| | Venta de productos (70) | 10.000 |
| | –x– | |

En el cierre, por la pérdida de valoración de las partidas monetarias vivas:

| | |
|---|---|
| 370 Diferencias negativas de cambio (668) | |
| a | |
| Clientes (430) | 370 |
| –x– | |

En el momento del cobro, en marzo de 200X+1:

| | |
|---|---|
| 10.833 Bancos (572) | |
| a | |
| Clientes (430) | 9.630 |
| Diferencias positivas de cambio (768) | 1.203 |
| –x– | |

## Caso Práctico 10.15. Inversiones financieras en moneda extranjera

(Adaptado de Martínez Alfonso, A. P. y Labatut Serer, G. *Casos prácticos del PGC y PGC-PYMES y sus implicaciones fiscales*. Editorial. Ciss, S.A., 2010)

Una sociedad anónima ha adquirido en la Bolsa de Nueva York 500 obligaciones a 20 dólares nominales al 90%, con unos gastos de transacción de 150 dólares. El tipo de cambio aplicable es 1 dólar por 0,8 euros.

La sociedad clasifica la inversión en *activos financieros mantenidos para negociar*.

Las obligaciones han devengado unos intereses explícitos de 350 dólares y unos intereses implícitos de 120 dólares. La cotización al final de ejercicio es del 94%.

*Se pide:*

1. Contabilizar las operaciones anteriores, teniendo en cuenta que el tipo de cambio aplicable al 31 de diciembre es de 1 dólar por 0,90 euros.

2. Contabilizar las operaciones anteriores, teniendo en cuenta que el tipo de cambio aplicable al 31 de diciembre es de 1 dólar por 0,75 euros.

**Solución**

- Por la adquisición: $500 \times 20 \times 90\% \times 0,8 = 7.200$ €.

- Gastos $150 \times 0,8 = 120$ €.

| | | |
|---|---|---|
| 7.200 | Valores representativos de deuda a corto plazo (500) | |
| 120 | Otros gastos financieros (669) | |
| | a | |
| | Bancos c/c (572) | 7.320 |
| | —x— | |

1. Contabilización de las operaciones anteriores, teniendo en cuenta que el tipo de cambio aplicable, al 31 de diciembre es de 1 dólar = 0,90 euros.

Al final de ejercicio, por la periodificación de los intereses explícitos:

$$350 \times 0,9 = 315 \text{ €.}$$

| | | |
|---|---|---|
| 315 | Intereses a corto plazo de valores representativos de deuda (546) | |
| | a | |
| | Ingresos de valores representativos de deuda (761) | 315 |
| | —x— | |

Al final de ejercicio, por la periodificación de los intereses implícitos:

$$120 \times 0,9 = 108 \text{ €.}$$

| | | |
|---|---|---|
| 108 | Intereses a corto plazo de valores representativos de deuda (546) | |
| | a | |
| | Ingresos de valores representativos de deuda (761) | 108 |
| | —x— | |

Al final del ejercicio, se registran la cartera a valor razonable:

− Valor razonable: $500 \times 20 \times 94\% \times 0,90 = 8.460$ €.

− Valor contable: $7.200 \, (120 \times 0,9) + 108 = 7.623$ €.

− Beneficio: 837 €.

El efecto conjunto se registra de la siguiente manera:

| | | |
|---|---|---|
| 837 | Valores representativos de deuda a corto plazo (500) | |
| | a | |
| | Beneficio de cartera de negociación (7630) | 837 |
| | —x— | |

–   El efecto del tipo de cambio es:

$$500 \times 20 \times 90\% = 9.000 \times (0,90 - 0,80) = 900.$$

–   El efecto conjunto: 837 €.

–   Diferencia: (63) €.

| | | |
|---|---|---|
| 837 | Valores representativos de deuda a corto plazo (500) | |
| 63 | Pérdidas de la cartera de negociación (6630) | |
| | a | |
| | Diferencias positivas de cambio (768) | 900 |

–x–

2.  Contabilización de las operaciones anteriores, teniendo en cuenta que el tipo de cambio aplicable al 31 de diciembre es de 1 dólar por 0,75 euros.

Por la periodificación de los intereses explícitos:

$$350 \times 0,75 = 262,50$$

| | | |
|---|---|---|
| 262,50 | Intereses a corto plazo de valores representativos de deuda (546) | |
| | a | |
| | Ingresos de valores representativos de deuda (761) | 262,50 |

–x–

Por la periodificación de los intereses implícitos:

$$120 \times 0,75 = 90 €.$$

| | | |
|---|---|---|
| 90 | Intereses a corto plazo de valores representativos de deuda (546) | |
| | a | |
| | Ingresos de valores representativos de deuda (761) | 90 |

–x–

Al final del ejercicio, se registra la cartera, a valor razonable:

–   Valor razonable: $500 \times 20 \times 94\% \times 0,75 = 7.050$ €.

–   Valor contable $7.200 + 262,5 + 90 = 7.552,50$ €.

–   Beneficio: 502,50 €.

El efecto conjunto se registra de la siguiente manera:

| | | |
|---|---|---|
| 502,50 | Pérdida de cartera de negociación (6630) | |
| | a | |
| | Valores representativos de deuda a corto plazo (541) | 502,50 |

−x−

- El efecto del tipo de cambio es:

$$500 \times 20 \times 90\% = 9.000 \times (0,75 - 0,80) = (450).$$

- El efecto conjunto: (502,50).

- Diferencia: (52,50).

| | | |
|---|---|---|
| 450,00 | Diferencias negativas de cambio (668) | |
| 52,50 | Pérdidas de la cartera de negociación (6630) | |
| | a | |
| | Valores representativos de deuda a corto plazo (541) | 502,50 |

−x−

## CASO PRÁCTICO 10.16. Depósito en moneda extranjera

Se ha realizado un depósito en valores de renta fija por valor de 10.000 dólares. El valor de cotización en octubre, momento de la compra, es de 1 dólar por 0,88 euros. La cotización, a 31 de diciembre, es de 1 dólar por 0,92 euros.

En el momento del vencimiento el dólar cotiza a 0,90 euros.

*Se pide:* realizar el tratamiento contable de las operaciones realizadas.

**Solución**

En el momento de la inversión la relación de equivalencia es: 1 euro por 1,136 dólares.

| | | |
|---|---|---|
| 8.800 | Imposiciones a corto plazo (548) | |
| | a | |
| | Caja (570) | 8.800 |

−x−

En el momento final del ejercicio la relación de equivalencia es: 1euros por 1,087 dólares.

| | | |
|---|---|---:|
| 400 | Imposiciones a corto plazo (548) | |
| | a | |
| | Diferencias positivas de cambio (768) | 400 |
| | −x− | |

| | | |
|---|---|---:|
| 400 | Diferencias de conversión positivas (920) | |
| | a | |
| | Diferencias de conversión (135) | 400 |
| | −x− | |

| | | |
|---|---|---:|
| 120 | Impuesto sobre beneficios (830) | |
| | a | |
| | Diferencias de conversión (135) | 120 |
| | −x− | |

En el momento del vencimiento:

| | | |
|---|---|---:|
| 9.000 | Caja (570) | |
| 400 | Diferencias de conversión (135) | |
| 200 | Diferencias negativas de cambio (668) | |
| | a | |
| | Diferencias de conversión positivas (920) | 400 |
| | Valores de renta fija | 9.200 |
| | −x− | |

| | | |
|---|---|---:|
| 120 | Diferencias de conversión (135) | |
| | a | |
| | Impuesto sobre beneficios (830) | 120 |
| | −x− | |

## Caso Práctico 10.17. Depósito en moneda extranjera

Se ha realizado un depósito en valores de renta fija por valor de 10.000 dólares. El valor de cotización en octubre, momento de la compra, es de 0,88 euros por dólar. La cotización al 31 de diciembre es de 0,92 euros por dólar. En el momento del vencimiento el dólar cotiza a 0,90 euros por dólar.

***Se pide:*** contabilizar las operaciones reseñadas.

**Solución**

En el momento de la inversión:

| | | |
|---|---|---|
| 11.363,64 | Imposiciones a corto plazo (548) | |
| | a | |
| | Bancos c/c (572) | 11.363,64 |
| | —x— | |

En el momento del final del ejercicio:

| | | |
|---|---|---|
| 494,08 | Diferencias negativas de cambio (668) | |
| | a | |
| | Imposiciones a corto plazo (548) | 494,08 |
| | —x— | |

| | | |
|---|---|---|
| 494,08 | Transferencia de diferencias de conversión negativas (921) | |
| | a | |
| | Diferencias de conversión (135) | 494,08 |
| | —x— | |

| | | |
|---|---|---|
| 148,22 | Impuesto sobre beneficios (830) | |
| | a | |
| | Diferencias de conversión (135) | 148,22 |
| | —x— | |

En el momento del vencimiento:

| | | |
|---|---|---|
| 11.111,11 | Bancos c/c (572) | |
| | a | |
| | Imposiciones a corto plazo (548) | 10.869,56 |
| | Diferencias positivas de cambio (768) | 241,55 |
| | —x— | |

| 241,55 | Diferencias de conversión (135) | |
|---|---|---|
| | a | |
| | Transferencia de diferencias de conversión positivas (821) | 241,55 |
| | –x– | |

| 72,47 | Diferencias de conversión (135) | |
|---|---|---|
| | a | |
| | Impuesto sobre beneficios (830) | 72,47 |
| | –x– | |

---

## Caso Práctico 10.18. Diversidad de divisas con IVA

Una sociedad anónima ha realizado las siguientes operaciones comerciales en moneda extranjera:

1. Se han comprado mercaderías a China por valor de 20.000 dólares, a un tipo de cambio de 0,8115 euros por dólar. A la hora de realizar la importación se ha pagado a la aduana las siguientes cantidades:

   – Derechos aduaneros: 1.000 euros.

   – IVA: 3.360 euros.

   – Tasas aduaneras: 340 euros.

   – Honorarios del agente de Aduanas: 1.000 euros.

   – Gastos de transporte: 2.000 euros.

2. Se han comprado mercaderías por valor de 15.000 libras esterlinas, a un tipo de cambio de 1,50 euros por libra.

3. Se han comprado mercaderías por valor de 10.000 dólares, a un tipo de cambio de 0,82 euros por dólar. Los gastos de la operación ascendieron a 100 euros.

4. Se paga la compra al proveedor de China a un tipo de cambio de 0,8101 euros por dólar.

5. Al final del ejercicio, la relación de equivalencia es de 0,8125 dólar por 1,4915 libras.

*Se pide:* realizar las operaciones reseñadas aplicando el IVA correspondiente del 18%.

**Solución**

**1.** Por la compra al proveedor chino:

| 16.230 | Compras de mercaderías (600) | | |
|---|---|---|---|
| | a | | |
| | | Proveedores moneda extranjera (4004) | 16.230 |
| | −x− | | |

Por los gastos de aduana:

| 4.340 | Compras de mercaderías (600) | | |
|---|---|---|---|
| 3.360 | H.P., IVA soportado (472) | | |
| | a | | |
| | | Bancos c/c (572) | 7.700 |
| | −x− | | |

**2.** Por la compra al proveedor británico.

| 22.500 | Compras de mercaderías (600) | | |
|---|---|---|---|
| 4.050 | H.P., IVA soportado (472) | | |
| | a | | |
| | | Proveedores moneda extranjera (4004) | 22.500 |
| | | H.P., IVA repercutido (477) | 4.050 |
| | −x− | | |

**3.** Por la compra de mercaderías en dólares:

| 8.300 | Compras de mercaderías (600) | | |
|---|---|---|---|
| 1.494 | H.P., IVA soportado (472) | | |
| | a | | |
| | | Bancos c/c (572) | 9.794 |
| | −x− | | |

**4.** Se paga al proveedor Chino:

| 16.230 | Proveedores moneda extranjera (4004) | | |
|---|---|---|---|
| | a | | |
| | | Bancos c/c (572) | 16.202 |
| | | Diferencias positivas de cambio (768) | 28 |
| | −x− | | |

**5.** Al final del ejercicio, las cuentas en moneda extranjera son las siguientes:

Diferencias de cambio:

– Valoración al 31-12: 15.000 × 1,4915 = 22.372.50 €.

– Valoración contable: (22.500.00) €.

– Diferencia positiva: 127,50 €.

| | | |
|---|---|---|
| 127,50 | Proveedores moneda extranjera (4004) | |
| | a | |
| | Diferencias positivas de cambio (768) | 127,50 |
| | –x– | |

---

## CASO PRÁCTICO 10.19. Diversidad de divisas con IVA

Una sociedad anónima ha realizado las siguientes operaciones en moneda extranjera:

**1.** Se ha comprado maquinaria a un fabricante suizo por un importe de 20.000 CHF, a un tipo de cambio de 0,7021 dólares por CHF. Se ha pagado a la aduana las siguientes cantidades:

– Derechos aduaneros. 1.000 euros.

– IVA: 3.360 euros.

– Tasas aduaneras: 340 euros.

– Honorarios del agente de Aduanas: 1.000 euros.

– Gastos de transporte: 2.000 euros.

**2.** Se han comprado una maquinaria a un fabricante checo por 200.000 coronas checas a un tipo de cambio de 0,0365 euros por corona checa. Los gastos de la adquisición intracomunitaria ascienden a 1.000 euros.

**3.** Se realiza la adquisición de títulos de la sociedad "Y" por valor de 20.000 dólares, a un tipo de cambio de 0,7702 euros por dólar. Se han destinado a la cartera de negociación.

**4.** Se realiza la adquisición de títulos de la sociedad "Z" por importe de 20.000 dólares, a un tipo de cambio de 0,7695 euros por dólar. Se han destinado a la cartera para la venta.

5. Se paga la compra al proveedor suizo a un tipo de cambio de 0,6990 dólares por CHF.

6. Se paga la compra al proveedor checo a un tipo de cambio de 0,0349 dólares por corona checa.

7. La maquinaria adquirida se amortiza a razón del 20% anual.

8. Al final de ejercicio, la sociedad dispone de las siguientes carteras de títulos:

   – Cartera de negociación: 20.500 dólares a un tipo de cambio de 0,7601 euros por dólar.

   – Cartera para la venta: 19.800 dólares, a un tipo de cambio de 0,7601 euros por dólar.

*Se pide:* realizar las operaciones reseñadas con el IVA respectivo.

**Solución**

1. Por la adquisición de la maquinaria al fabricante suizo:

| | | |
|---|---|---:|
| 18.382 | Maquinaria (213) | |
| 3.360 | H.P., IVA soportado (472) | |
| | a | |
| | Bancos c/c (572) | 7.550 |
| | Proveedores de inmovilizado a corto plazo (523) | 14.042 |
| | H.P., Acreedores por retenciones practicadas (4751) | 150 |
| | —x— | |

2. Por la adquisición de la maquinaria al fabricante checo:

| | | |
|---|---|---:|
| 8.300 | Maquinaria (213) | |
| 1.494 | H.P., IVA soportado (472) | |
| | a | |
| | Proveedores inmovilizado a corto plazo (523) | 7.300 |
| | Bancos c/c (572) | 1.180 |
| | H.P., IVA repercutido (477) | 1.314 |
| | —x— | |

**3.** Por la adquisición de los títulos de la sociedad "Y":

| | | |
|---|---|---|
| 15.404 | IFT en instrumentos de patrimonio (540) | |
| | a | |
| | Bancos c/c (572) | 15.404 |
| | —x— | |

**4.** Por la adquisición de los títulos sociedad "Z":

| | | |
|---|---|---|
| 15.390 | IFT en instrumentos de patrimonio (540) | |
| | a | |
| | Bancos c/c (572) | 15.390 |
| | —x— | |

**5.** Se paga la compra del proveedor suizo:

| | | |
|---|---|---|
| 14.042 | Proveedores de inmovilizado a corto plazo (523) | |
| | a | |
| | Bancos c/c (572) | 13.980 |
| | Diferencias positivas de cambio (768) | 62 |
| | —x— | |

**6.** Se paga la compra del proveedor checo:

| | | |
|---|---|---|
| 7.300 | Proveedores de inmovilizado a corto plazo (523) | |
| | a | |
| | Bancos c/c (572) | 6.980 |
| | Diferencias positivas de cambio (768) | 320 |
| | —x— | |

**7.** Amortización de la maquinaria (20%).

$$18.382 + 8.300 = 19.212 \times 20\% = 3.842,40.$$

| | | |
|---|---|---|
| 3.842,40 | Amortización del inmovilizado material (681) | |
| | a | |
| | Amortización acumulada del inmovilizado material (281) | 3.842,40 |
| | —x— | |

**8.** El valor razonable presenta la siguiente evolución:

*Cartera de negociación:*

- Valor posterior: 20.500 dólares.

- Valor inicial: 20.000 dólares.

- Incremento de valor: 500 dólares.

  $500 \times 0,7702 = 385,1$ €.

*Cartera de negociación con la nueva valoración a valor razonable:*

- Valor posterior: 20.500 \$ $\times 0,7601$ €/\$ $= 15.582,05$ €.

- Valor inicial: 20.000 \$ $\times 0,7702$ €/\$. $= (15.404,00)$ €.

- Incremento de valor $= 178,05$ €.

Como el incremento de valor razonable ha sido de 385,1 €, la diferencia en la cartera de negociación debida a la nueva valoración que es de 178,05 euros, se debe a una diferencia negativa de cambio de 206,05 euros.

| | | |
|---|---|---|
| 178,05 | IFT en instrumentos de patrimonio (540) | |
| 206,05 | Diferencias negativas de cambio (668) | |
| | a | |
| | Beneficios de cartera de negociación (7630) | 385,10 |
| | —x— | |

Cartera de activos financieros disponibles para la venta:

- Valor posterior: 20.000 dólares.

- Valor inicial: 19.800 dólares.

- Decremento de valor: 200 dólares.

  $200 \times 0,7695 = 153,9$ €.

Cartera de activos para la venta con la nueva valoración a valor razonable:

- Valor posterior: 19.800 $×0,7601 €/$ = 15.049,98 €.

- Valor inicial: 20.000 $×0,7695 €/$ = (15.390,00) €.

- Decremento de valor: (340,02) €.

| | | | |
|---|---|---|---|
| 340,02 | Pérdidas en activos financieros disponibles para la venta (800) | | |
| | a | | |
| | | IFT en instrumentos de patrimonio (540) | 340,02 |
| | −x− | | |

| | | | |
|---|---|---|---|
| 102,01 | Diferencias temporarias deducibles (4740) | | |
| | (0,30 × 340,02 = 102,01) | | |
| | a | | |
| | | Impuesto diferido (8301) | 102,01 |
| | −x− | | |

| | | | |
|---|---|---|---|
| 238,01 | Ajustes por activos financieros disponibles para la venta (1330) | | |
| 102,01 | Impuesto diferido (8301) | | |
| | a | | |
| | | Pérdidas en activos financieros disponibles para la venta (800) | 340,02 |
| | −x− | | |

CAPITULO **11**

# PROVEEDORES, ACREEDORES, PERSONAL Y COMPRAS

CONTENIDO

## CASOS PRÁCTICOS

# 11.1. PROVEEDORES

Las obligaciones de pago surgen por el hecho de realizar adquisiciones con pago aplazado; si las adquisiciones son operaciones corrientes, nos encontramos frente a las obligaciones corrientes de pago que corresponden a operaciones a corto plazo.

### Criterios de valoración

La deuda figurará en el *balance* por su valor nominal. Los intereses por operaciones de tráfico se incorporan al nominal de los créditos y débitos. Cuando el periodo de tiempo sobrepasa los seis (6) meses, se recogen en la cuenta *Intereses de deudas* (662).

## 11.1.1. Adquisición de factores corrientes

La empresa requiere de la adquisición de elementos materiales para su incorporación al proceso productivo; estos elementos pueden sufrir transformación, en cuyo caso, la actividad que realiza la sociedad es **industrial**. Cuando los factores corrientes adquiridos por la empresa no sufren transformación, la actividad que realiza es **comercial**.

**Problemática contable**

Por la adquisición de factores corrientes:

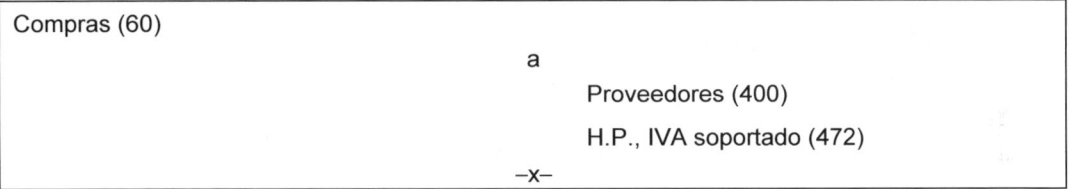

```
Compras (60)
Envases y embalajes a devolver a provee-
dores (406)
Intereses de deudas (662)
                              a
                                    Caja (570)
                                    Proveedores (400)
                         −x−
```

Adquisición de factores corrientes a crédito, con IVA repercutible.

```
Compras (60)
                              a
                                    Proveedores (400)
                                    H.P., IVA soportado (472)
                         −x−
```

Cancelación de factores corrientes:

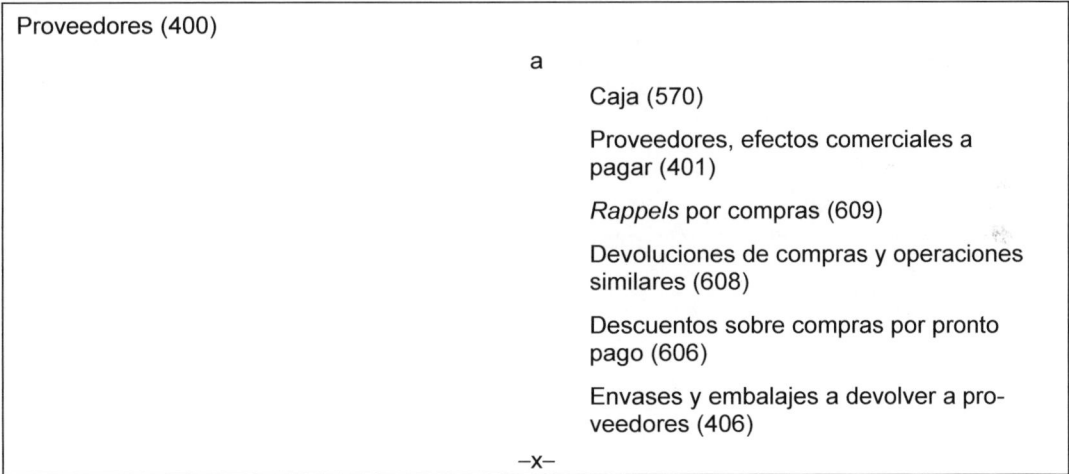

```
Proveedores (400)
                              a
                                    Caja (570)
                                    Proveedores, efectos comerciales a
                                    pagar (401)
                                    Rappels por compras (609)
                                    Devoluciones de compras y operaciones
                                    similares (608)
                                    Descuentos sobre compras por pronto
                                    pago (606)
                                    Envases y embalajes a devolver a pro-
                                    veedores (406)
                         −x−
```

# 11.1.2. Envases y embalajes a devolver a proveedores

La empresa, en función de su actividad, comprará sus factores corrientes en recipientes o vasijas, normalmente destinados a la venta conjunta con el producto que contienen. Estos envases suelen servir únicamente de recipientes para trasladar su contenido que se incorpora en el proceso productivo. En el caso que los envases no sean retornables al proveedor, el valor de los mismos se incorpora al valor del bien.

## Problemática contable

Se carga por el importe de los envases y embalajes en el momento de la recepción:

| Compras (60) | |
| --- | --- |
| Envases y embalajes a devolver a provee-dores (406) | |
| H.P., IVA soportado (472) | |
| a | |
| | Proveedores (400) |
| −x− | |

La cuenta *Hacienda Pública, IVA soportado* (472), recoge el importe total de la factura en concepto de IVA soportado.

Se abonará, por los envases y embalajes devueltos:

| Proveedores (400) | |
| --- | --- |
| a | |
| | Envases y embalajes a devolver a provee-dores (406) |
| | H.P., IVA soportado (472) |
| −x− | |

Al devolver los envases a los proveedores, se reduce el importe de la deuda por el valor de los envases devueltos y se cancela el IVA soportado correspondiente.

El importe de los envases y embalajes que la empresa decida reservarse para su uso, así como los extravíos y deterioros, se contabilizan:

| Proveedores (400) | |
| --- | --- |
| a | |
| | Envases y embalajes a devolver a provee-dores (406) |
| | Compra de otros aprovisionamientos (602) |
| | H.P., IVA soportado (472) |
| −x− | |

La cuenta *Compra de otros aprovisionamientos* (602) corresponde, tanto a la compra como a extravíos o deterioros de envases y embalajes.

La cuenta *Hacienda Pública IVA soportado* (472) se cancela por el IVA correspondiente a los envases y embalajes devueltos y la parte de los mismos que queda en poder de la empresa, que ya soportó el IVA en el momento de recibir los envases.

## 11.1.3. Anticipo a proveedores

La cuenta *Anticipos a proveedores* (407), recoge las entregas de efectivo *a cuenta* de futuras compras. Esta partida figura en el activo.

Se carga por las entregas en efectivo a los proveedores:

| | | |
|---|---|---|
| Anticipo a proveedores (407) | | |
| | a | |
| | | Caja (570) |
| | —x— | |

Se abona por las remesas recibidas:

| | | |
|---|---|---|
| Compras (60) | | |
| | a | |
| | | Anticipo a proveedores (407) |
| | —x— | |

En este caso ya no figurará el IVA, puesto que se ha soportado en el momento anterior.

Estos anticipos se desglosan en anticipos a proveedores y anticipos a empresas del grupo y asociadas. Todas estas cuentas, a su vez, se imputarán en euros o en moneda extranjera.

Cuando el IVA es repercutible, se soportará en el momento de realizar el anticipo a proveedores:

| | | |
|---|---|---|
| Anticipo a proveedores (407) | | |
| H.P., IVA soportado (472) | | |
| | a | |
| | | Caja (570) |
| | —x— | |

- **CASOS PRÁCTICOS**

---

**CASO PRÁCTICO 11.1. Compra por medio de factura**

Una sociedad compra materias primas por valor de 100.000 euros. El IVA aplicado es el 18%. Se realiza el pago del 25% al contado y el resto, se aplaza tres meses. Se consigue una bonificación del 3% fuera de factura.

Se devuelven materias primas, por estar en mal estado, por importe de 4.000 euros. Por último, se consigue un descuento por pronto pago del 4%.

*Se pide*: contabilizar dichas operaciones y determinar el saldo del IVA soportado.

**Solución**

Por la adquisición de materias primas:

| | | |
|---|---|---|
| 100.000 | Compras de materias primas (601) | |
| 18.000 | H.P., IVA soportado (472) | |
| | a | |
| | Proveedores (400) | 84.000 |
| | Caja (570) | 34.000 |
| | —x— | |

Por las bonificaciones concedidas fuera de factura por el volumen de pedido:

| | | |
|---|---|---|
| 3.540 | Proveedores (400) | |
| | a | |
| | *Rappels* por compras (609) | 3.000 |
| | H.P., IVA soportado (472) | 540 |
| | —x— | |

Por la devolución de compras a los proveedores:

| | | |
|---|---|---|
| 4.720 | Proveedores (400) | |
| | a | |
| | H.P., IVA soportado (472) | 720 |
| | Devolución de compras y operaciones similares (608) | 4.000 |
| | —x— | |

Se aplica el porcentaje del descuento sobre el importe pagado sin IVA:

| | | |
|---|---|---|
| 1.180 | Proveedores (400) | |
| | a | |
| | H.P., IVA soportado (472) | 180 |
| | Descuentos sobre compras por pronto pago (606) | 1.000 |
| | —x— | |

Saldo del IVA soportado:

| Debe | | Haber | |
|---|---|---|---|
| | 16.000 | | 480 |
| | | | 640 |
| | | | 160 |
| **Suma** | **16.000** | **Suma** | **1.280** |
| | | **Saldo** | **14.720** |

---

### CASO PRÁCTICO 11.2. Devolución de envases

Una sociedad anónima ha recibido la siguiente factura:

| | |
|---|---|
| Materias primas | 1.000.000 |
| Envases a devolver a proveedores | 200.000 |
| Gastos de transporte | 30.000 |
| Bonificaciones por antiguos clientes | (30.000) |
| **Total** | **1.200.000** |
| IVA 18% | 216.000 |
| **TOTAL** | **1.416.000** |

La costumbre de la empresa es realizar el pago del 50% al contado, un 25% por medio de factura y el resto, después de reconocer la compra, menos los descuentos y bonificaciones, en letras de cambio a 90 días.

Se devuelven la totalidad de los envases a los proveedores y el 10% de las materias primas por estar en mal estado.

– Se obtiene un descuento del 3,5% por pronto pago.

– Se obtiene una bonificación por el volumen del pedido del 4,5%.

– El resto de la deuda pendiente se documenta por medio de una letra de cambio.

*Se pide*:

1. Contabilizar las operaciones reseñadas aplicando un IVA del 18%.

2. Determinar el importe de la deuda.

**Solución**

**1.** Contabilización de las operaciones reseñadas.

Desglosamos el importe total sin IVA y reconocemos por separado el IVA soportado.

| | | | |
|---|---|---|---|
| 1.000.000 | Compras de materias primas (601) | | |
| 200.000 | Envases y embalajes a devolver a proveedores (406) | | |
| 216.000 | H.P., IVA soportado (472) | | |
| | a | | |
| | | Proveedores (400) | 708.000 |
| | | Caja (570) | 708.000 |
| | –x– | | |

Por la devolución de envases a los proveedores:

| | | | |
|---|---|---|---|
| 236.000 | Proveedores (400) | | |
| | a | | |
| | | Envases y embalajes a devolver a proveedores (406) | 200.000 |
| | | H.P., IVA soportado (472) | 36.000 |
| | –x– | | |

Por la devolución de materias primas:

| | | | |
|---|---|---|---|
| 118.000 | Proveedores (400) | | |
| | a | | |
| | | H.P., IVA soportado (472) | 18.000 |
| | | Descuentos sobre compras por pronto pago (606) | 100.000 |
| | –x– | | |

Se obtiene un descuento por pronto pago:

| | | | |
|---|---|---|---|
| 24.780 | Proveedores (400) | | |
| | a | | |
| | | H.P., IVA soportado (472) | 3.780 |
| | | Devolución de compras y operaciones similares (608) | 21.000 |
| | –x– | | |

El descuento por pronto pago se determina sobre el importe pagado y se cancela el IVA correspondiente.

Por las bonificaciones concedidas fuera de factura por el volumen de pedido:

| | | |
|---|---|---|
| 47.790 Proveedores (400) | | |
| | a | |
| | *Rappels* por compras (609) | 40.500 |
| | H.P., IVA soportado (472) | 7.290 |
| | –x– | |

El volumen de operaciones recoge el importe total de las compras netas de devoluciones.

| | | |
|---|---|---|
| 281.430 Proveedores (400) | | |
| | a | |
| | Proveedores, efectos comerciales a pagar (401) | 281.430 |
| | –x– | |

**2.** Determinación del importe de la deuda.

| Debe | | Haber | |
|---|---:|---|---:|
| | 236.000 | | 708.000 |
| | 118.000 | | |
| | 24.780 | | |
| | 47.790 | | |
| | 281.430 | | |
| **Suma** | **708.000** | **Suma** | **708.000** |

El IVA soportado no es considerado como deuda hasta su comparación con el IVA repercutido. Su diferencia nos dará el saldo acreedor o deudor con Hacienda.

# 11.2. ACREEDORES

Las obligaciones de pago surgen por el hecho de las adquisiciones mediante pago aplazado. Cuando el comprador entrega a cambio de los bienes adquiridos una factura sin estar formalmente documentado el crédito, la operación mencionada se recoge en la cuenta de *Acreedores por prestación de servicios* (410). Por el contrario, si se encontrase documentado formalmente mediante pagarés o letras, se contabiliza en la cuenta denominada *Acreedores, efectos comerciales a pagar* (411).

### Criterios de valoración

La deuda figurará en el balance por su valor nominal. Los intereses se incorporan al nominal de los créditos y débitos por operaciones de tráfico. Cuando se sobrepasa el ejercicio económico se recogen en la cuenta *Intereses de deudas* (662).

## 11.2.1 Adquisición de factores no corrientes

La empresa requiere de la adquisición de elementos materiales y servicios como factores no corrientes. Estas adquisiciones de factores no corrientes pueden realizarse al contado o a crédito, demorando el pago unos meses, por lo que surgen obligaciones no corrientes de pago que se recoge en la cuenta de *Acreedores por prestación de servicios* (410).

### Problemática contable

Adquisición de factores no corrientes al contado:

| Servicios exteriores (62) | |
|---|---|
| a | |
| | Caja (570) |
| —x— | |

Por la recepción en conformidad de los servicios:

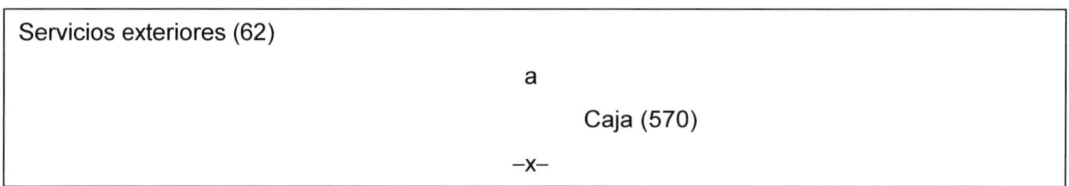

| Servicios exteriores (62) | |
|---|---|
| a | |
| | Acreedores por prestación de servicios (410) |
| —x— | |

Por la cancelación total o parcial de la deuda:

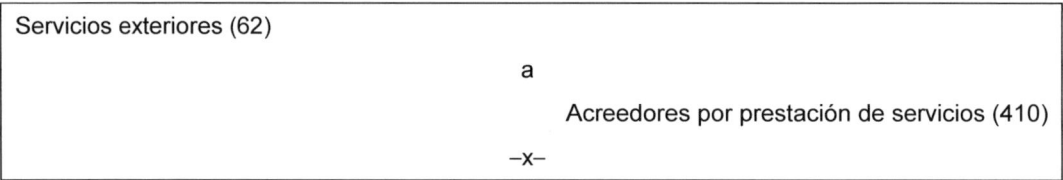

| Acreedores por prestación de servicios (410) | |
|---|---|
| a | |
| | Caja (570) |
| —x— | |

Hasta el momento, hemos contemplado la adquisición de factores no corrientes, al contado y a crédito, exentos del Impuesto sobre el Valor Añadido (IVA).

En la adquisición de factores no corrientes a crédito, por la conformidad de las facturas enviadas por el acreedor se realiza:

```
Servicios exteriores (62)
                              a
                                    Acreedores por prestación de servicios (410)
                                    H.P., IVA soportado (472)
                         —x—
```

El resto de la problemática contable es análogo a lo señalado para los proveedores en el Apartado 11.1.

## • CASOS PRÁCTICOS

### CASO PRÁCTICO 11.3. Moneda extranjera

Una sociedad ha adquirido materias primas en EEUU por valor de 400.000 dólares, a un tipo de cambio de 0,80 euros por dólar. También ha adquirido materias primas en Dinamarca por importe de 100.000 euros y por último, también ha adquirido materias primas a un proveedor nacional por valor de 120.000 euros.

Por la reparación de una maquinaria se ha recibido una factura por importe de 1.000 euros, más el IVA correspondiente.

*Se pide*: realizar las operaciones reseñadas.

**Solución**

Por la adquisición de materias primas, en situación de transporte, procedentes de Estados Unidos:

```
320.000   Compras de materias primas
          (601)
               (400.000×0,8 = 320.000)
                              a
                                    Proveedores facturas pendientes
                                    de recibir o formalizar (4009)      320.000
                         —x—
```

Al formalizar la factura:

```
320.000   Proveedores facturas pendientes
          de recibir o formalizar (4009)
                              a
                                    Proveedores, moneda extranjera
                                    (4004)                             320.000
                         —x—
```

Por la compra de materias primas en Dinamarca:

| | | |
|---|---|---|
| 100.000 Compras de materias primas (601) | | |
| | a | |
| | Proveedores (400) | 100.000 |
| | —x— | |

El asiento del IVA correspondiente será:

| | | |
|---|---|---|
| 18.000 H.P., IVA soportado (472) | | |
| | a | |
| | H.P., IVA repercutido (477) | 18.000 |
| | —x— | |

Por la compra de materias primas al proveedor nacional:

| | | |
|---|---|---|
| 120.000 Compras de materias primas (601) | | |
| 21.600 H.P., IVA soportado (472) | | |
| | a | |
| | Proveedores (400) | 141.600 |
| | —x— | |

Por las reparaciones y conservación de la maquinaria:

| | | |
|---|---|---|
| 1.000 Reparaciones y conservación (622) | | |
| 180 H.P., IVA soportado (472) | | |
| | a | |
| | Acreedores por prestación de servicios (410) | 1.180 |
| | —x— | |

## Caso Práctico 11.4. Gastos a crédito

En una sociedad se han realizado un conjunto de gastos. Todos ellos han sido satisfechos a un 50% y no se ha tenido en cuenta el IVA correspondiente. Los gastos son los siguientes:

- Agua, luz y gas: 1.000 €.
- Publicidad: 2.000 €.
- Servicios bancarios: 3.000 €.
- Prima de seguros: 4.000 €.
- Transporte: 5.000 €.
- Servicios profesionales: 6.000 €.
- Arrendamientos: 7.000 €.

*Se pide*: contabilizar las operaciones presentadas.

**Solución**

La contabilización de las operaciones reseñadas se realiza de la siguiente manera:

| | | |
|---|---|---|
| 1.000 | Suministros (628) | |
| 2.000 | Publicidad, propaganda y relaciones públicas (627) | |
| 3.000 | Servicios bancarios y similares (626) | |
| 4.000 | Prima de seguros (625) | |
| 5.000 | Transportes (624) | |
| 6.000 | Servicios profesionales independientes (623) | |
| 7.000 | Arrendamientos y cánones (621) | |
| | a | |
| | Caja (570) | 14.000 |
| | Acreedores por prestación de servicios (410) | 14.000 |
| | —x— | |

# 11.3. OPERACIONES EN COMÚN

La sociedad actúa en el mundo de los negocios y ejerce su actividad de forma conjunta como persona jurídica que es. Si bien, en ocasiones, los accionistas o las personas físicas o jurídicas vinculadas a la sociedad, mediante contratos privados, pueden actuar en su propio nombre, desarrollando su actividad. Estas personas que actúan por cuenta de la sociedad contribuyen con parte del capital que hayan convenido, haciéndose partícipes de sus resultados, prósperos o adversos, en la proporción que se determine.

La sociedad puede realizar operaciones en común con otras sociedades. La cuestión central estriba en la responsabilidad de la sociedad gestora. Respecto a los resultados, beneficios o pérdidas, se imputarán en función del grado de participación establecido previamente, mediante contrato de participación entre las sociedades participadas o que ejerzan las operaciones en común.

La cuenta *Acreedores por operaciones en común* (419) recoge las deudas con partícipes en las operaciones reguladas por los arts. 239 al 243 del Código de Comercio y en otras operaciones en común de análogas características.

**Problemática contable**

Se abona, siendo la empresa partícipe gestor, por el beneficio que deba atribuirse a los partícipes o asociados no gestores:

| | | |
|---|---|---|
| Beneficio transferido-gestor (6510) | | |
| | a | |
| | | Acreedores por operaciones en común (419) |
| | –x– | |

Por la pérdida que corresponda a la empresa como partícipe no gestor:

| | | |
|---|---|---|
| Pérdida soportada del partícipe (6511) | | |
| | a | |
| | | Acreedores por operaciones en común (419) |
| | –x– | |

Se carga:

| | | |
|---|---|---|
| Acreedores por operaciones en común (419) | | |
| | a | |
| | | Caja (570) |
| | –x– | |

## 11.4. PERSONAL

En este epígrafe se estudiarán los saldos con personas que prestan sus servicios a la empresa y cuyas remuneraciones se contabilizan en el subgrupo 64, *Gastos de personal*, bien se trate de sueldos correspondientes al presente ejercicio, como anticipos sobre el mismo.

**Problemática contable**

En el momento de la entrega:

| | | |
|---|---|---|
| Anticipo de remuneraciones (460) | | |
| | a | |
| | | Caja (570) |
| | –x– | |

La cuenta *Anticipos de remuneraciones* (460) recoge las entregas a cuenta de las remuneraciones al personal de la empresa.

Cualquier otro anticipo que tenga la consideración de préstamos al personal se incluye en la cuenta *Créditos a corto plazo al personal* (544), o en la cuenta *Créditos a largo plazo al personal* (254).

Al compensar los anticipos con las remuneraciones devengadas:

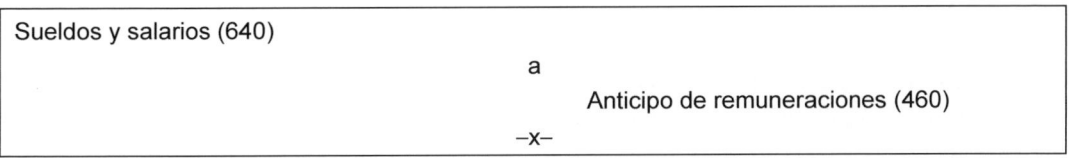

En la cuenta *Sueldos y salarios* (640) se agrupan las remuneraciones fijas y eventuales al personal de la empresa.

En la cuenta *Remuneraciones pendientes de pago* (465) se recogen los débitos de la empresa al personal por los conceptos citados en las cuentas *Sueldos y Salarios* (640) e *Indemnizaciones* (641) y figurarán en el pasivo del balance. Su movimiento contable es el siguiente:

Por las remuneraciones devengadas y no pagadas:

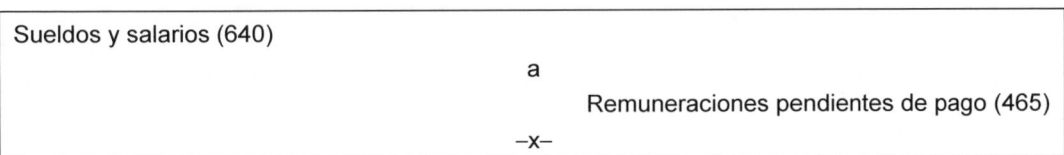

Cuando se paguen las remuneraciones:

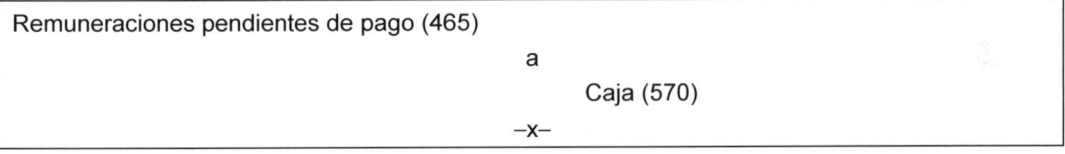

La cuenta *Remuneraciones mediante sistemas por aportaciones definidas pendientes de pago* (466) se abonará por los importes devengados y no pagados, con cargo a la cuenta *Retribuciones a largo plazo mediante sistemas de aportaciones definidas* (643):

Cuando se paguen las contribuciones:

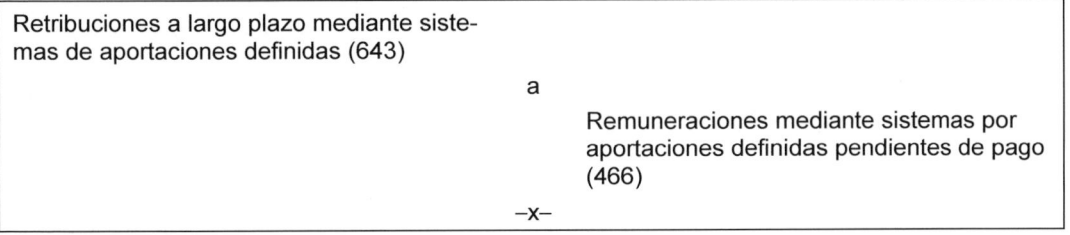

Cuando se paguen las contribuciones:

| | |
|---|---|
| Remuneraciones mediante sistemas por aportaciones definidas pendientes de pago (466) | |
| | a |
| | Caja (570) |

−x−

El tratamiento contable de la cuenta *Remuneraciones por prestaciones definidas pendiente de pago* (467) no ofrece dificultad añadida a lo señalado para la cuenta (466) *Remuneraciones mediante sistemas por aportaciones definidas pendientes de pago*.

## • Casos Prácticos

### Caso Práctico 11.5. Personal

Una sociedad satisface una paga al personal que asciende a 100.000 euros, las retenciones medias practicadas ascienden al 20%.

La sociedad satisface los impuestos especiales del ejercicio económico por valor de 6.000 euros.

*Se pide*: contabilizar las operaciones anteriores.

**Solución**

Por el pago de la nómina y las retenciones practicadas:

| | | |
|---|---|---|
| 20.000 | Sueldos y salarios (640) | |
| | a | |
| | Caja (570) | 80.000 |
| | H.P., acreedores por conceptos fiscales (475) | 20.000 |

−x−

En el momento del pago a la Hacienda Pública:

| | | |
|---|---|---|
| 20.000 | H.P., acreedores por conceptos fiscales (475) | |
| | a | |
| | Caja (570) | 20.000 |

−x−

El importe de los impuestos especiales se carga al resultado del ejercicio:

| | | |
|---|---|---|
| 6.000 | Otros tributos (631) | |
| | a | |
| | Caja (570) | 6.000 |
| | —x— | |

## Caso Práctico 11.6. Nómina

Los sueldos del personal de una empresa correspondientes al mes de marzo ascienden a la cantidad de 300.000 euros. La cuota que la empresa paga a la Seguridad Social alcanza los 65.000 euros y la cuota obrera, 15.000 euros. Al mes siguiente se ingresa al organismo Público las cuotas satisfechas.

*Se pide*: realizar las operaciones reseñadas.

**Solución**

| | | |
|---|---|---|
| 300.000 | Sueldos y salarios (640) | |
| 65.000 | Seguridad Social a cargo de la empresa (642) | |
| | a | |
| | Caja (570) | 285.000 |
| | Organismos de la S.S. acreedores (476) | 80.000 |
| | —x— | |

En el momento del pago a la Seguridad Social:

| | | |
|---|---|---|
| 80.000 | Organismos de la S.S. acreedores (476) | |
| | a | |
| | Caja (570) | 80.000 |
| | —x— | |

## Caso Práctico 11.7. Nómina del personal

Una empresa satisface la nomina del personal por importe de 1.000.000 euros. Su aportación al régimen general de la Seguridad Social es de 200.000 euros.

La empresa realiza también una aportación a un Plan y Fondo de pensiones, de contribuciones definidas, de 150.000 euros, gestionado externamente.

A los empleados, la empresa se les retiene en la nómina el importe correspondiente a la cotización a la Seguridad Social, que alcanza el valor de 50.000 euros y la aportación al Fondo de pensiones, por importe de 250.000 euros.

Al término de un mes se ingresan en la Tesorería de la Seguridad Social las cotizaciones practicadas, al igual que las cotizaciones al régimen privado de pensiones.

*Se pide*: contabilizar estas operaciones.

**Solución**

| | | | |
|---|---|---|---|
| 1.000.000 | Sueldos y salarios (640) | | |
| 200.000 | Seguridad Social a cargo de la empresa (642) | | |
| 150.000 | Retribuciones a l/p mediante sistema de aportaciones definidas (643) | | |
| | a | | |
| | | Caja (570) | 700.000 |
| | | Organismos de la S.S. acreedores (476) | 250.000 |
| | | Remuneraciones mediante sistema de aportaciones definidas pendientes de pagos (466) | 400.000 |
| | –x– | | |

En el momento del pago a la Seguridad Social:

| | | | |
|---|---|---|---|
| 250.000 | Organismos de la S.S. acreedores (476) | | |
| | a | | |
| | | Caja (570) | 250.000 |
| | –x– | | |

En el momento del pago a la gestora del plan de pensiones:

| | | | |
|---|---|---|---|
| 400.000 | Remuneraciones mediante sistema de aportaciones definidas pendientes de pagos (466) | | |
| | a | | |
| | | Caja (570) | 400.000 |
| | –x– | | |

## CASO PRÁCTICO 11.8. Plan de pensiones

Una sociedad dispone de un Plan y Fondo de pensiones de prestaciones definidas para sus empleados. La aportación anual es de 500.000 euros y la rentabilidad obtenida por la inversión del montante de aportaciones en el presente año es de 30.000 euros.

*Se pide*: contabilizar las operaciones reseñadas.

**Solución**

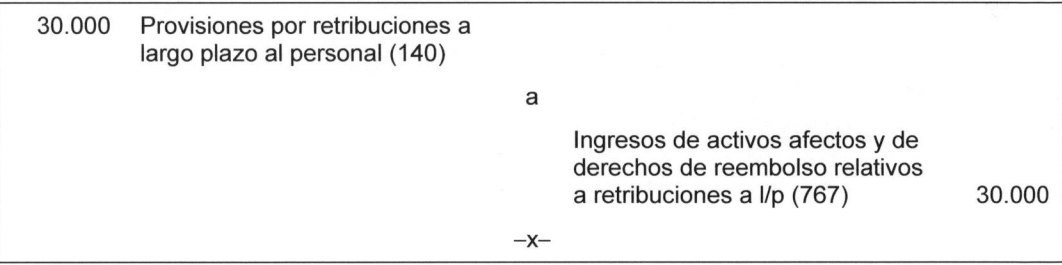

| 500.000 | Retribuciones a l/p mediante sistema de prestaciones definidas (644) | | |
|---|---|---|---|
| | a | | |
| | | Provisiones por retribuciones a largo plazo al personal (140) | 500.000 |
| | −x− | | |

| 30.000 | Provisiones por retribuciones a largo plazo al personal (140) | | |
|---|---|---|---|
| | a | | |
| | | Ingresos de activos afectos y de derechos de reembolso relativos a retribuciones a l/p (767) | 30.000 |
| | −x− | | |

## CASO PRÁCTICO 11.9. Ayudas al personal

Una sociedad anónima satisface la nómina de su personal correspondiente al mes de marzo de 20XY. La nómina asciende a 900.000 euros, pagados a través de banco. La cuota patronal correspondiente a la Seguridad Social es de 200.000 euros y la cuota obrera, de 50.000 euros. Las retenciones practicadas han sido de 300.000 euros.

La empresa concede a su personal ayudas para comedores y transporte, por importe de 50.000 euros mensuales.

Por el despido de un trabajador se paga una indemnización de 50.000 euros.

La empresa tiene constituido un Plan y Fondo de pensiones con sus empleados de carácter interno, cuya aportación asciende a 200.000 euros por parte de la empresa y 100.000 por parte de los trabajadores.

La empresa concede un préstamo personal a un trabajador, a dos años, por importe de 100.000 euros y, a su vez, le reembolsan 50.000 euros de otro préstamo a corto plazo concedido a otro trabajador.

*Se pide*:

1. Realizar las operaciones del mes de marzo.

2. Determinar el saldo de los Bancos.

**Solución**

La empresa se encuentra obligada a realizar el ingreso en las arcas del Tesoro Público de la retención practicada en la nómina a los trabajadores.

| | | |
|---|---|---|
| 900.000 | Sueldos y salarios (640 | |
| 200.000 | S.S. a cargo de la empresa (642) | |
| 50.000 | Indemnizaciones (641) | |
| 50.000 | Otros gastos sociales (649) | |
| 200.000 | Aportaciones a sistemas complementarios de pensiones(644) | |
| 100.000 | Créditos a largo plazo al personal (254) | |
| | a | |
| | Bancos c/c (572) | 600.000 |
| | Organismos de la S.S. acreedores (476) | 250.000 |
| | H.P., Acreedores por conceptos fiscales (475) | 300.000 |
| | Provisión para retribuciones y otras prestaciones al personal (140) | 300.000 |
| | Créditos a corto plazo al personal (544) | 50.000 |
| | —x— | |

El resto de las operaciones no ofrecen dificultad, entre otras razones, porque han sido suficientemente explicadas en los apartados anteriores.

## 11.5. COMPRAS

Las compras son aprovisionamientos de mercaderías y demás bienes adquiridos por la empresa para revenderlos, bien sea sin alterar su forma y sustancia, o previo sometimiento a procesos industriales de adaptación, transformación o construcción.

El gasto es el quebranto necesario para el desenvolvimiento de la actividad mercantil del comerciante, cuyo importe generalmente se recupera con el producto de las ventas.

## Criterios de valoración

Las compras se valoran a precio de adquisición o de producción, como se ha puesto de manifiesto anteriormente, teniendo en cuenta las siguientes consideraciones:

- Se incluyen como mayor valor de compra los transportes, impuestos no repercutibles, los seguros de transporte, etc., y todos los gastos adicionales hasta la entrada de las existencias en almacén.

- Los descuentos y similares incluidos en la factura que no son debidos a pronto pago, si no que se considerarán como menor importe de la compra. Los descuentos sobre compras por pronto pago se considerarán como ingresos (cuenta 706).

- Los descuentos y asimilados que conceda la empresa a sus clientes, por pronto pago, estén o no incluidos en factura, se contabilizan en la cuenta (606).

- Los descuentos debidos a alcanzar un determinado volumen son *rappels* sobre compras (cuenta 609), cuando no se incorporan en la factura.

- Los descuentos posteriores a la recepción de la factura originados por defecto de calidad, incumplimiento de los plazos de entrega u otras causas se contabilizarán en devolución de compras (cuenta 608).

- Los envases cargados en factura con facultad de devolución se cargarán a la cuenta (406) *Envases y embalajes a devolver a proveedores*.

## Problemática contable

Se resume en la adquisición de bienes y servicios, estando la operación sujeta al Impuesto sobre el Valor Añadido. Estas operaciones se realizarán al contado o a crédito.

Cuando el volumen de operaciones de la compra es elevado se suelen conceder bonificaciones o descuentos, si estos no se contemplan en factura, como un *rappel*.

---

Compras (60)

H.P., IVA soportado (472)

a

Caja (570)

Proveedores (40)

Devolución de compras y operaciones similares (608)

*Rappels* por compras (609)

—x—

---

Por la variación de las existencias finales (positiva):

| | |
|---|---|
| Comerciales (30) | |
| | a |
| | Variación de existencias (61) |
| | Materias primas (31) |
| | Otros aprovisionamientos (32) |
| −x− | |

Por la variación de las existencias iniciales (negativa):

| | |
|---|---|
| Variación de existencias (61) | |
| | a |
| | Comerciales (30) |
| | Materias primas (31) |
| | Otros aprovisionamientos (32) |
| −x− | |

## • CASOS PRÁCTICOS

### CASO PRÁCTICO 11.10. Compra de mercaderías

Se han comprado mercaderías por valor de 1.000 u.m., realizándose el pago de la mitad al contado y el resto, a crédito, por medio de factura. El IVA correspondiente es del 18%.

Se venden mercaderías por valor de 1.500 u.m., cobrándose al contado 800 u.m., y el resto queda documentado formalmente. El IVA correspondiente es del 18%.

*Se pide*: liquidar el IVA en el supuesto de que se realicen las operaciones de crédito.

**Solución**

Por la compra de mercaderías:

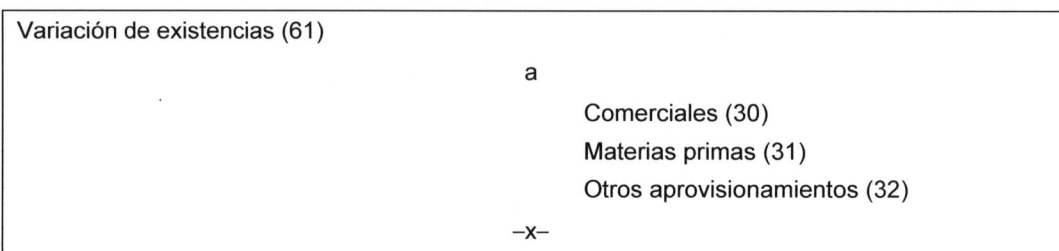

| | | | |
|---|---|---|---|
| 1.000 | Compras de mercaderías (600) | | |
| 180 | H.P., IVA soportado (472) | | |
| | | a | |
| | | Caja (570) | 590 |
| | | Proveedores (400) | 590 |
| | −x− | | |

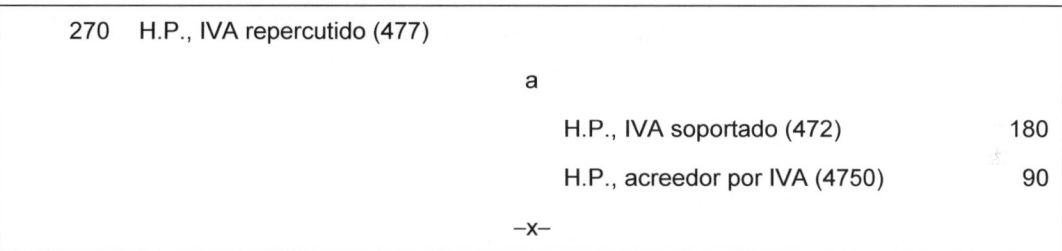

Por la liquidación del IVA:

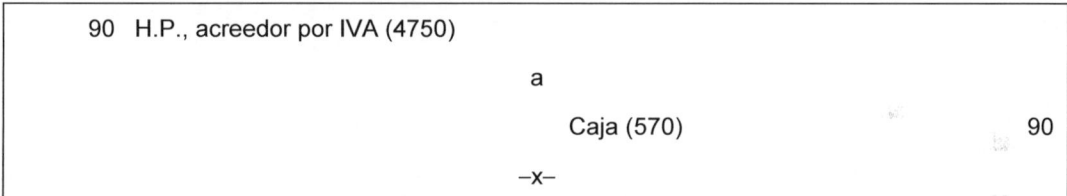

Por el ingreso en la Hacienda Pública:

| 90 | H.P., acreedor por IVA (4750) | |
|----|-------------------------------|-----|
| | a | |
| | Caja (570) | 90 |
| | –x– | |

---

## CASO PRÁCTICO 11.11. Materias primas

En una sociedad se compran materias primas por valor de 100.000 euros. El IVA correspondiente es del 18%.

Las devoluciones realizadas ascienden a 5.000 euros en factura y las bonificaciones ascienden a 6.000 euros en propia factura.

La operación se realiza pagando el 50% al contado, el 25% por medio de factura y el resto documentado por medio de efectos.

*Se pide*: contabilizar dichas operaciones.

**Solución**

| | | |
|---|---|---|
| 89.000 | Compras de materias primas (601) | |
| 16.020 | H.P., IVA soportado (472) | |
| | a | |
| | Caja (570) | 52.510 |
| | Proveedores (400) | 26.225 |
| | Proveedores, efectos comerciales a pagar (401) | 26. 225 |
| | —x— | |

---

## CASO PRÁCTICO 11.12. Procedimiento administrativo

Se compran mercaderías por valor de 30.000 euros, pagando la mitad al contado y el resto, a crédito.

Se venden las mismas mercaderías por 50.000 euros, cobrando la mitad al contado, el 25% por medio de factura y el resto, mediante letra de cambio a 90 días.

*Se pide*: contabilizar las operaciones utilizando el procedimiento administrativo, sin IVA.

**Solución**

Por la adquisición:

| | | |
|---|---|---|
| 30.000 | Mercaderías (30) | |
| | a | |
| | Caja (570) | 15.000 |
| | Proveedores (400) | 15.000 |
| | —x— | |

Por la venta:

| | | |
|---|---|---|
| 25.000 | Caja (570) | |
| 12.500 | Clientes (430) | |
| 12.500 | Clientes, efectos comerciales a cobrar (431) | |
| | a | |
| | Mercaderías (30) | 30.000 |
| | Ingresos por ventas (70) | 20.000 |
| | —x— | |

## CASO PRÁCTICO 11.13. Procedimiento especulativo

Se compran mercaderías por valor de 30.000 euros, pagando la mitad al contado y el resto, a crédito.

Se venden a continuación, las mismas mercaderías por un importe total de 50.000 euros, cobrando la mitad al contado, el 25% por medio de factura y el resto, mediante una letra de cambio a 90 días.

*Se pide*: contabilizar las mencionadas operaciones utilizando el procedimiento especulativo, sin IVA.

**Solución**

Por la adquisición:

| | | | |
|---|---|---|---|
| 30.000 | Mercaderías (30) | | |
| | a | | |
| | | Caja (570) | 15.000 |
| | | Proveedores (400) | 15.000 |
| | | —x— | |

Por la venta:

| | | | |
|---|---|---|---|
| 25.000 | Caja (570) | | |
| 12.500 | Clientes (430) | | |
| 12.500 | Clientes, efectos comerciales a cobrar (431) | | |
| | a | | |
| | | Mercaderías (30) | 50.000 |
| | | —x— | |

Para determinar el resultado de las operaciones se debe tener en cuenta el valor de las existencias finales mediante el proceso de regularización:

| | | | |
|---|---|---|---|
| 20.000 | Mercaderías (30) | | |
| | a | | |
| | | Ingresos por ventas (70) | 20.000 |
| | | —x— | |

## 11.6. AJUSTES POR PERIODIFICACIÓN

La **periodificación** consiste en la imputación real de los gastos y los ingresos ocasionados en el ejercicio donde se produzcan. En este sentido, existe una clara diferenciación entre el momento del devengo, que supone la imputación de los gastos e ingresos, corriente real, y el momento del pago o cobro, corriente financiera.

Por otra parte, hay que imputar el anticipo de los gastos e ingresos que corresponden a la corriente de naturaleza real, y los anticipos de intereses pagados y cobrados por anticipados que corresponden a la corriente financiera. Estas situaciones se registran en las cuentas siguientes:

La cuenta *Gastos anticipados* (480) recoge los gastos registrados en el ejercicio que se cierra y que corresponden o se imputan al siguiente. Esta cuenta figura en el activo del balance.

**Problemática contable**

Al final de ejercicio:

| |
|---|
| Gastos anticipados (480) |
| a |
| Cuentas del grupo (6) |
| —x— |

Al comienzo del siguiente:

| |
|---|
| Cuentas del grupo (6) |
| a |
| Gastos anticipados (480) |
| —x— |

La cuenta *Ingresos anticipados* (485) recoge los ingresos registrados en el ejercicio que se cierra y que se imputan al siguiente. Esta cuenta figura en el pasivo. Se abona al cierre del ejercicio con cargo al grupo 7, y se carga al principio del siguiente ejercicio con abono al grupo 7.

Al final de ejercicio actual:

| |
|---|
| Cuentas del grupo (7) |
| a |
| Ingresos anticipados (485) |
| —x— |

Al comienzo del ejercicio siguiente:

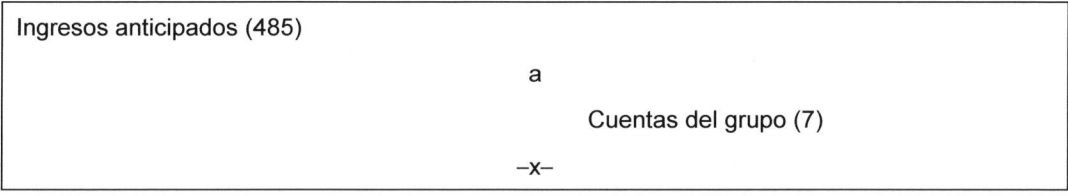

La cuenta *Intereses pagados por anticipado* (567) recoge los intereses pagados por la empresa que corresponden a los ejercicios siguientes.

Al final de ejercicio actual:

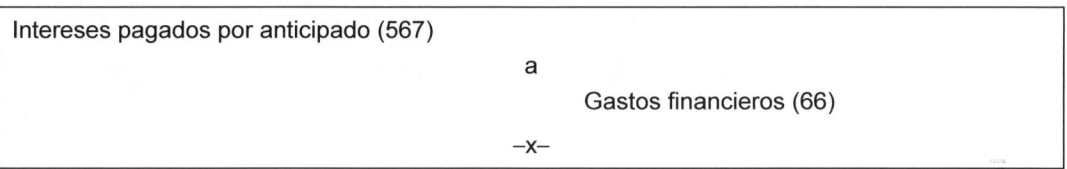

Al comienzo del ejercicio siguiente:

```
Gastos financieros (66)
                                    a
                                        Intereses pagados por anticipado (567)
                    —x—
```

La cuenta *Intereses cobrados por anticipado* (568) recoge los intereses cobrados por la empresa que corresponden a los ejercicios siguientes.

Al final de ejercicio actual:

```
Ingresos financieros (76)
                                    a
                                        Ingresos cobrados por anticipado (568)
                    —x—
```

Al comienzo del ejercicio siguiente:

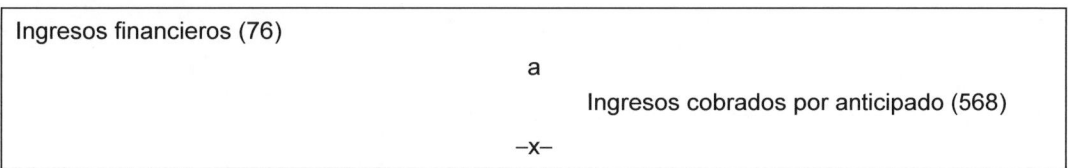

CAPITULO **12**

# CLIENTES, DEUDORES Y VENTAS

**CONTENIDO**

## 12.1. CLIENTES Y VENTAS

**Criterios de valoración**

- Los ingresos procedentes de ventas de bienes y prestación de servicios se valorarán generalmente, por el precio acordado en la transacción.

- Del precio de las ventas se deducen el importe de cualquier descuento, bonificación o rebaja comercial que la empresa pueda conceder.

- No tienen el carácter financiero los descuentos por pronto pago.

- No se hace distinción entre deducciones incluidas en factura y fuera de factura.

- Los intereses con vencimiento inferior al año se incluirán en el importe de las ventas o prestación de servicios.

- Los intereses con vencimiento superior al año serán excluidos del valor del bien.

- Los gastos relacionados con las operaciones de venta y prestación de servicios, como transporte, comisiones, etc., no deben deducirse de los ingresos y se contabilizan como gastos independientes del grupo 6.

**Problemática contable**

Cuando se produce la enajenación de productos:

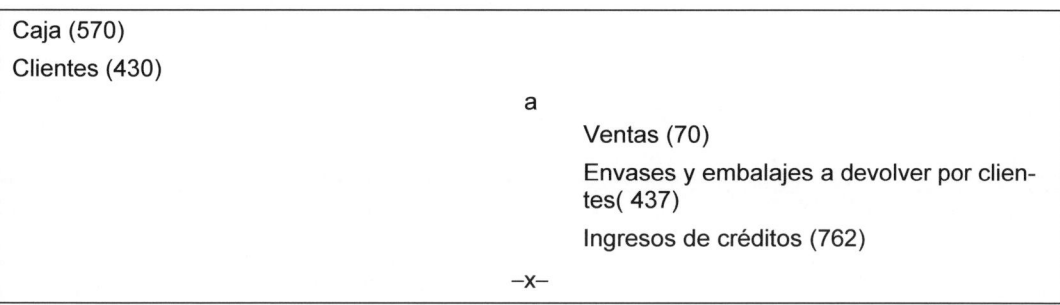

```
Caja (570)
Clientes (430)
                                        a
                                            Ventas (70)
                                            Envases y embalajes a devolver por clien-
                                            tes( 437)
                                            Ingresos de créditos (762)
                            —x—
```

Por la enajenación de productos con IVA repercutible:

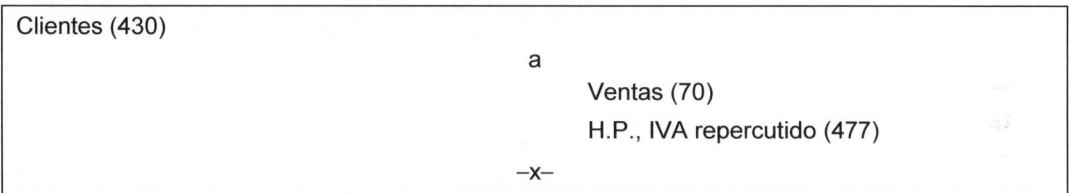

```
Clientes (430)
                                        a
                                            Ventas (70)
                                            H.P., IVA repercutido (477)
                            —x—
```

Cuando se produce la cancelación de factores corrientes:

```
Caja (570)
Clientes, efectos comerciales a cobrar (431)
Clientes de dudoso cobro (436)
Pérdidas de créditos comerciales incobra-
bles (650)
Rappels sobre ventas (709)
Devoluciones de compras y operaciones
similares (708)
Descuentos sobre ventas por pronto pago
(606)
Envases y embalajes a devolver por clientes
(437)
                                        a
                                            Clientes (430)
                            —x—
```

# 12.1.1. Anticipo de clientes

Se refiere a la entrega por parte de los clientes de una cantidad determinada sobre el importe de la venta, normalmente en efectivo, en concepto de «a cuenta» de suministros futuros.

Se abona por la recepción en efectivo:

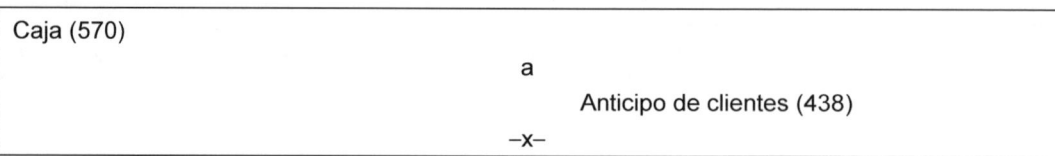

```
Caja (570)
                                 a
                                        Anticipo de clientes (438)
                              —x—
```

Se cargará por las remesas de mercaderías:

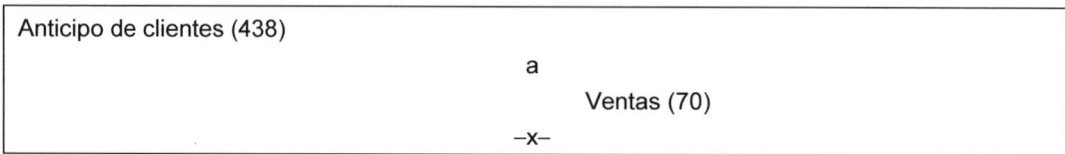

```
Anticipo de clientes (438)
                                 a
                                        Ventas (70)
                              —x—
```

En este caso, ya no figurará el IVA, puesto que se ha soportado en el momento anterior.

Estas cantidades anticipadas se desglosan en anticipos a proveedores, empresas del grupo y asociadas. Todas estas cuentas a su vez, se contabilizarán en euros o en moneda extranjera.

Cuando el IVA es repercutible, se soportará en el momento de recibir el anticipo de los clientes:

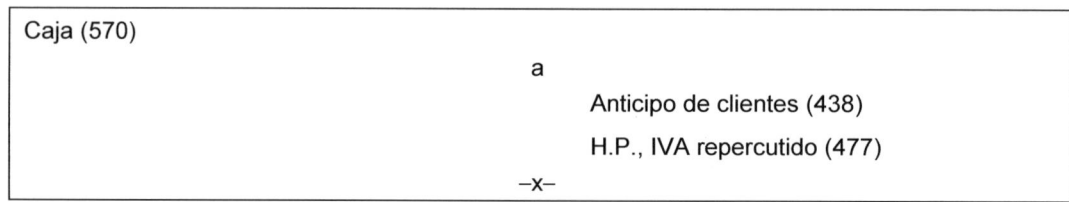

```
Caja (570)
                                 a
                                        Anticipo de clientes (438)
                                        H.P., IVA repercutido (477)
                              —x—
```

## • CASOS PRÁCTICOS

### CASO PRÁCTICO 12.1. Venta de productos

Se venden productos a un cliente por importe de 100.000 euros a crédito. El IVA sometido es del 18%.

Se concede a este cliente una bonificación, fuera de factura, de un 4% por el volumen de la operación realizada. El cliente devuelve productos por valor de 2.000 euros.

Se paga el importe de la deuda, reconociendo un 2% de descuento en el momento posterior al cobro.

*Se pide*: contabilizar las operaciones reseñadas.

**Solución**

Por la entrega de bienes o prestación de servicios:

| 118.000 | Clientes (430) | | |
|---|---|---|---|
| | a | | |
| | | Venta de productos terminados (701) | 100.000 |
| | | H.P., IVA repercutido (477) | 18.000 |
| | | –x– | |

Por las bonificaciones concedidas fuera de factura por el volumen del pedido:

| 4.000 | *Rappels* sobre ventas (709) | | |
|---|---|---|---|
| 720 | H.P., IVA repercutido (477) | | |
| | a | | |
| | | Clientes (430) | 4.720 |
| | | –x– | |

Por devolución de los clientes de las remesas enviadas:

| 360 | H.P., IVA repercutido (477) | | |
|---|---|---|---|
| 2.000 | Devoluciones de ventas y operaciones similares (708) | | |
| | a | | |
| | | Clientes (430) | 2.360 |
| | | –x– | |

Por el cobro de las ventas:

| 109.040 | Caja (570) | | |
|---|---|---|---|
| | a | | |
| | | Clientes (430) | 109.040 |
| | | –x– | |

Se aplica el porcentaje del descuento sobre el importe cobrado sin IVA:

| 1.880,00 | Descuentos sobre ventas por pronto pago (706) | | |
|---|---|---|---|
| 338,40 | H.P., IVA repercutido (477) | | |
| | a | | |
| | | Caja (570) | 2.218,40 |
| | | –x– | |

## CASO PRÁCTICO 12.2. Operaciones de venta

Las operaciones de ventas que ha llevado a cabo una empresa en el mes de marzo han sido:

- Venta al contado de 10.000 euros. El IVA de todas las operaciones es del 18%.

- Venta de productos por importe de 10.000 euros, con vencimiento a 30 días. Los gastos de transporte ascienden a 300 euros y son satisfechos por parte del vendedor.

- Venta a plazos en 40 mensualidades, con financiación por parte de la empresa, de la siguiente manera:

  - Importe de la venta, con el IVA incluido, 10.000 euros.

  - Entrega inicial por parte del cliente de 1.000 euros.

  - Intereses 1.000 euros.

- Venta de productos por importen de 10.000 euros, con un descuento del 5%.

- El cliente anterior paga antes del plazo establecido y se le hace un descuento del 1%.

- Se conceden bonificaciones a un cliente por importe de 500 euros.

- Un cliente devuelve productos por valor de 1.000 euros.

- Se reciben de un cliente anticipos sobre el importe de la venta realizada por valor de 2.000 euros.

*Se pide*: contabilizar las operaciones reseñadas.

**Solución**

Por la venta al contado:

| | | | |
|---|---|---|---|
| 11.800 | Clientes (430) | | |
| | a | | |
| | | Venta de productos terminados (701) | 10.000 |
| | | H.P., IVA repercutido (477) | 1.800 |
| | −x− | | |

Por la venta de productos:

| | | | |
|---|---|---|---|
| 11.800 | Clientes (430) | | |
| | a | | |
| | | Venta de productos terminados (701) | 10.000 |
| | | H.P., IVA repercutido (477) | 1.800 |
| | −x− | | |

Por los gastos de transporte:

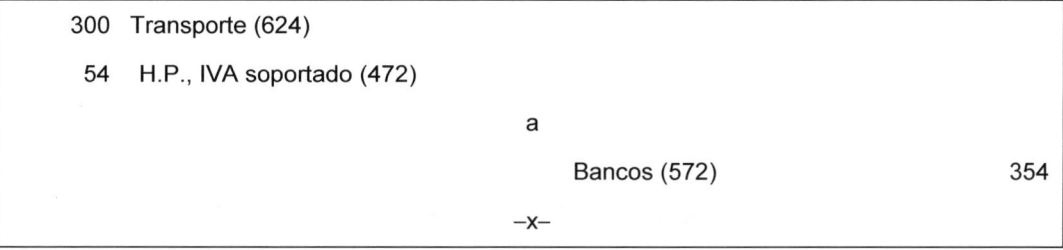

| | | |
|---|---|---|
| 300 | Transporte (624) | |
| 54 | H.P., IVA soportado (472) | |
| | a | |
| | Bancos (572) | 354 |
| | —x— | |

Por las ventas a plazo:

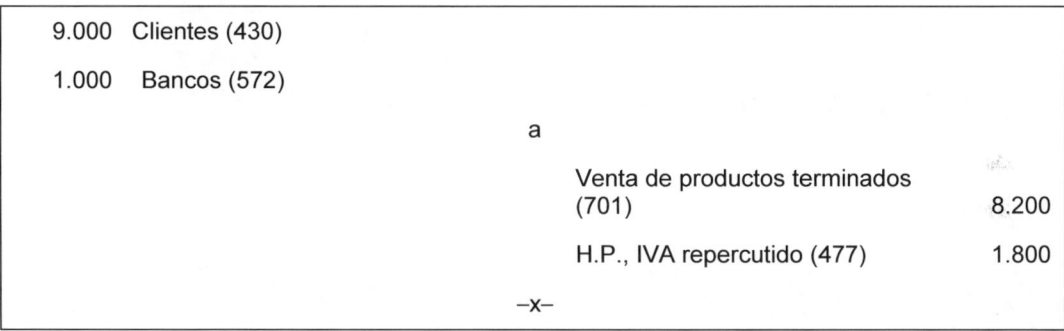

| | | |
|---|---|---|
| 9.000 | Clientes (430) | |
| 1.000 | Bancos (572) | |
| | a | |
| | Venta de productos terminados (701) | 8.200 |
| | H.P., IVA repercutido (477) | 1.800 |
| | —x— | |

Ahora tenemos que realizar el cálculo de cada mensualidad en la venta que se realiza a un cliente en 40 mensualidades con financiación por parte de la empresa:

- Importe de la venta, incluido el IVA: 10.000 €.

- Entrega inicial por parte del cliente: (1.000) €.

- Intereses: 1.000 €.

- Cuota mensual: 10.000/40 = 250 €.

Por el cobro de cada mensualidad:

| | | |
|---|---|---|
| 250 | Bancos (572) | |
| | a | |
| | Clientes (430) | 225 |
| | Ingresos financieros de créditos comerciales (764) | 25 |
| | —x— | |

Por las ventas de los productos con descuento:

| | | |
|---|---|---|
| 11.210 Clientes (430) | | |
| | a | |
| | Venta de productos terminados (701) | 9.500 |
| | H.P., IVA repercutido (477) | 1.710 |
| | –x– | |

Pago antes del plazo convenido y descuento del 1%.

| | | |
|---|---|---|
| 11.097,90 Bancos (572) | | |
| 95,00 Descuentos sobre ventas por pronto pago (706) | | |
| 17,10 H.P., IVA repercutido (477) | | |
| | a | |
| | Clientes (430) | 11.210,00 |
| | –x– | |

Bonificaciones:

| | | |
|---|---|---|
| 500 *Rappels* sobre ventas (709) | | |
| 90 H.P., IVA repercutido (477) | | |
| | a | |
| | Bancos (572) | 590 |
| | –x– | |

Devolución de clientes:

| | | |
|---|---|---|
| 1.000 Devoluciones de ventas y operaciones similares (708) | | |
| 180 H.P., IVA repercutido (477) | | |
| | a | |
| | Clientes (430) | 1.180 |
| | –x– | |

Anticipo de clientes:

| 2.360 | Bancos (572) | | |
|---|---|---|---|
| | | a | |
| | | Anticipos de clientes (438) | 2.000 |
| | | H.P., IVA repercutido (477) | 360 |
| | –x– | | |

## CASO PRÁCTICO 12.3. Efectos comerciales

Se venden productos por valor de 100.000 euros a crédito. El IVA sometido es del 18%. Posteriormente, se giran letras por el importe de la deuda. El 50% de la deuda se descuenta en una entidad financiera, ascendiendo los gastos y comisiones al 7%.

Al vencimiento, solo una letra, cuyo nominal es de 1.000 euros, resulta impagada, procediendo la empresa abonar al banco el importe de la letra mas unos gastos de protesto de 100 euros. El resto de las letras permanecen en cartera hasta su vencimiento, que se cobra en su totalidad.

*Se pide*: contabilizar las operaciones señaladas.

**Solución**

Por la entrega de bienes o prestación de servicios:

| 118.000 | Clientes (430) | | |
|---|---|---|---|
| | | a | |
| | | Venta de productos terminados (701) | 100.000 |
| | | H.P., IVA repercutido (477) | 18.000 |
| | –x– | | |

Se giran letras por el importe de la deuda:

| 118.000 | Clientes, efectos comerciales a cobrar (431) | | |
|---|---|---|---|
| | | a | |
| | | Clientes (430) | 118.000 |
| | –x– | | |

Se carga por el cobro de los efectos al vencimiento:

| | | | |
|---|---|---|---|
| 54.870 | Bancos (572) | | |
| 4.130 | Intereses por descuentos de efectos (665) | | |
| | | a | |
| | | Clientes, efectos comerciales a cobrar (431) | 59.000 |
| | | —x— | |

Al vencimiento de las letras, una resulta impagada por importe de 1.000 euros:

| | | | |
|---|---|---|---|
| 53.940 | Pérdidas de créditos comerciales incobrables (650) | | |
| 100 | Otros gastos financieros (669) | | |
| | | a | |
| | | Bancos (572) | 1.100 |
| | | —x— | |

Al vencimiento el cliente hace efectivo el importe del efecto:

| | | | |
|---|---|---|---|
| 58.000 | Caja (570) | | |
| | | a | |
| | | Clientes, efectos comerciales a cobrar (431) | 58.000 |
| | | —x— | |

## 12.2. DESCUENTOS DE EFECTOS COMERCIALES

Los créditos comerciales son descontados en entidades financieras en forma de letras de cambio y pagarés.

**Problemática contable**

Se envía al banco una remesa de efectos para su descuento:

| | | |
|---|---|---|
| Bancos (572) | | |
| Intereses por descuento de efectos y operaciones de *factoring* (665) | | |
| Servicios bancarios y similares (626) | | |
| H.P., IVA soportado (472) | | |
| | a | |
| | Deudas con entidades de crédito por efectos descontados (5208) | |
| | —x— | |

Simultáneamente se registra:

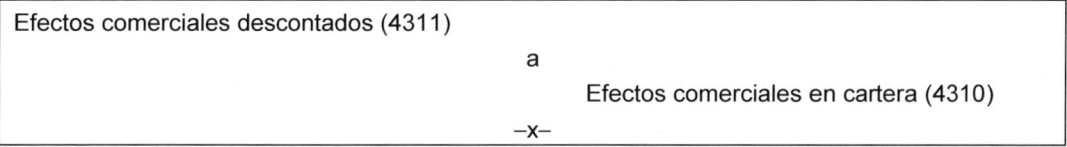

| Efectos comerciales descontados (4311) | | |
|---|---|---|
| | a | |
| | | Efectos comerciales en cartera (4310) |
| | —x— | |

Por la devolución de los efectos por el banco:

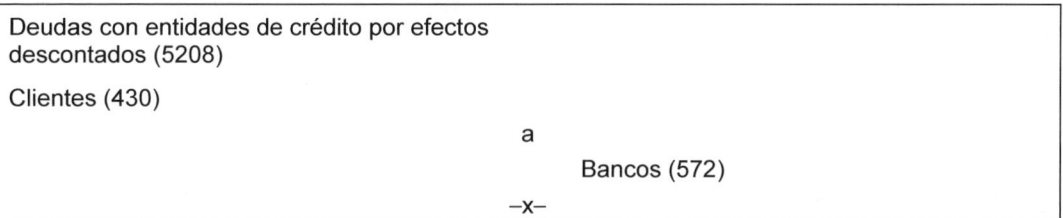

| Deudas con entidades de crédito por efectos descontados (5208) | | |
|---|---|---|
| Clientes (430) | | |
| | a | |
| | | Bancos (572) |
| | —x— | |

## • CASOS PRÁCTICOS

### CASO PRÁCTICO 12.4. Efectos comerciales: descuento

Una sociedad realiza las siguientes operaciones de descuento de efectos comerciales:

- Se envían al banco una remesa de efectos comerciales y el banco realiza la siguiente liquidación:

| | |
|---|---|
| Nominal de efectos | 30.000 |
| Intereses descontados | (600) |
| Comisiones de cobro | (100) |
| IVA soportado | (18) |
| **Liquido abonado en cuenta** | **29.284** |

- Al vencimiento de los efectos, los clientes han atendido efectos por 28.000 euros.
- Los restantes efectos han sido devueltos por el banco, cargando 100 euros de gastos.
- Los efectos impagados y los gastos originados se cargan a los clientes.
- La mitad de los efectos impagados son pagados anticipadamente. Los gastos de demora ascienden a 25 euros.
- El resto de efectos impagados se ponen en circulación con unos gastos de 40 euros.

*Se pide*: contabilizar las operaciones reseñadas.

**Solución**

Se envía al banco remesa de efectos para su descuento:

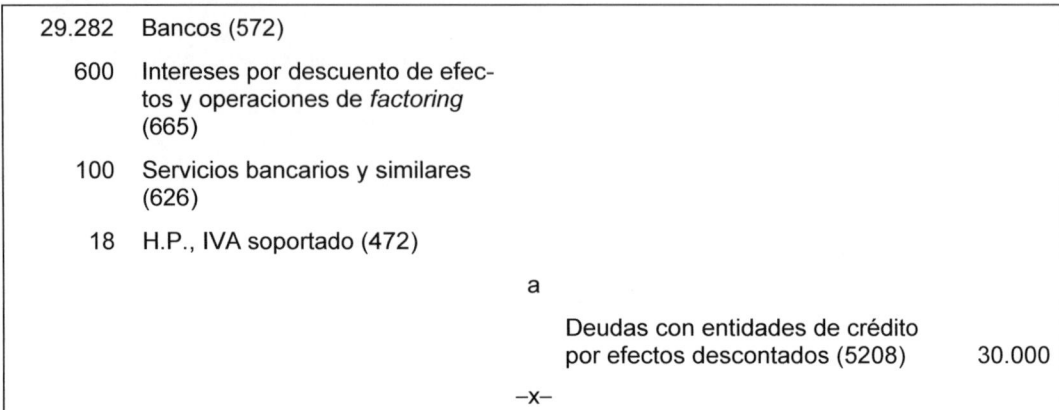

| 29.282 | Bancos (572) | | |
|---|---|---|---|
| 600 | Intereses por descuento de efectos y operaciones de *factoring* (665) | | |
| 100 | Servicios bancarios y similares (626) | | |
| 18 | H.P., IVA soportado (472) | | |
| | | a | |
| | | Deudas con entidades de crédito por efectos descontados (5208) | 30.000 |
| | | —x— | |

Simultáneamente se registra:

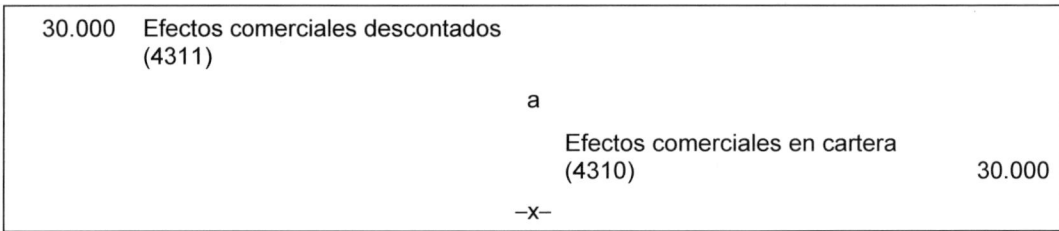

| 30.000 | Efectos comerciales descontados (4311) | | |
|---|---|---|---|
| | | a | |
| | | Efectos comerciales en cartera (4310) | 30.000 |
| | | —x— | |

Al vencimiento, por los efectos que han sido atendidos:

| 28.000 | Deudas con entidades de crédito por efectos descontados (5208) | | |
|---|---|---|---|
| | | a | |
| | | Efectos comerciales descontados (4311) | 28.000 |
| | | —x— | |

Por la devolución de los efectos por parte del banco:

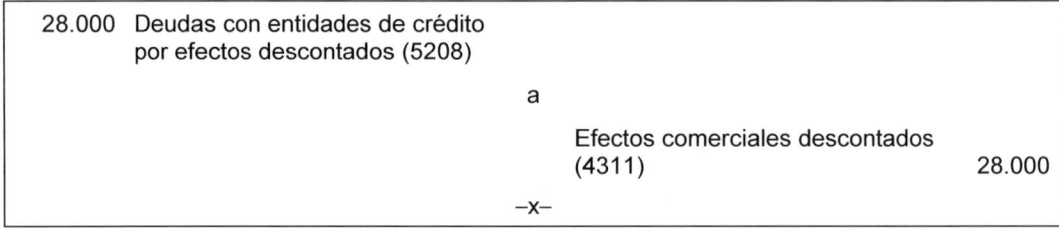

| 2.000 | Deudas con entidades de crédito por efectos descontados (5208) | | |
|---|---|---|---|
| 100 | Clientes (430) | | |
| | | a | |
| | | Bancos (572) | 2.100 |
| | | —x— | |

Simultáneamente se registra:

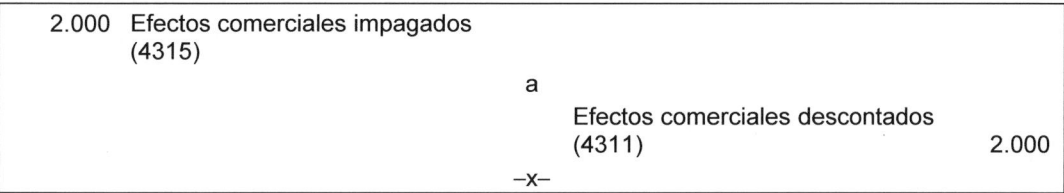

```
2.000   Efectos comerciales impagados
        (4315)
                                a
                                    Efectos comerciales descontados
                                    (4311)                              2.000
                            —x—
```

Por los efectos comerciales impagados:

```
2.000   Clientes (430)
                                a
                                    Efectos comerciales descontados
                                    (4311)                              2.000
                            —x—
```

Por el cobro anticipadamente de la mitad de los efectos impagados:

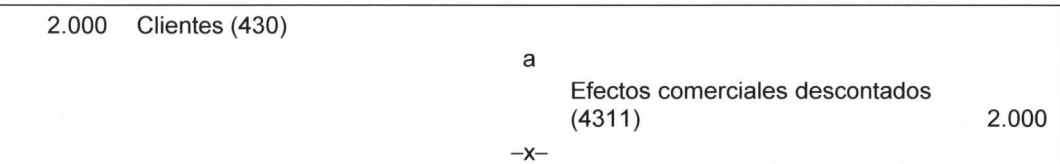

```
1.075   Bancos (572)
                                a
                                    Clientes (430)
                                        (100 + 2000) /2 = 1.050        1.050
                                    Otros ingresos financieros (769)      25
                            —x—
```

Por el cobro anticipadamente del resto de los efectos:

```
1.090   Efectos comerciales en cartera
        (4310)
                                a
                                    Clientes (430)                      1.050
                                    Otros ingresos financieros (769)       40
                            —x—
```

## CASO PRÁCTICO 12.5. Venta de productos

Se venden productos a un cliente por valor de 100.000 euros a crédito, con un IVA sometido del 18%. Posteriormente, se giran letras por el importe de la deuda. El 50% de la deuda se descuenta en una entidad financiera, ascendiendo los gastos y comisiones al 7%.

Al vencimiento, solo una letra, cuyo valor nominal es de 1.000 euros, resulta impagada, procediendo la empresa abonar al banco el importe de la letra, más unos gastos de protesto de 100 euros. El resto de las letras permanecen en cartera hasta su vencimiento, que se cobra en su totalidad.

*Se pide*: contabilizar las operaciones señaladas.

**Solución**

Por la entrega de bienes o prestación de servicios:

| 118.000 | Clientes (430) | | |
|---|---|---|---|
| | a | | |
| | | Venta de productos terminados (701) | 100.000 |
| | | H.P., IVA repercutido (477) | 18.000 |
| | —x— | | |

Se giran letras por el importe de la deuda:

| 118.000 | Clientes efectos comerciales a cobrar (431) | | |
|---|---|---|---|
| | a | | |
| | | Clientes (430) | 118.000 |
| | —x— | | |

Se carga por el cobro de los efectos al vencimiento:

| 54.870 | Bancos (572) | | |
|---|---|---|---|
| 4.130 | Intereses por descuentos de efectos y operaciones de *factoring* (665) | | |
| | a | | |
| | | Clientes, efectos comerciales a cobrar (431) | 59.000 |
| | —x— | | |

Al vencimiento de las letras, una resulta impagada por importe de 1.000 euros:

| 1.000 | Efectos comerciales impagados (4315) | | |
|---|---|---|---|
| 100 | Otros Gastos financieros (669) | | |
| | a | | |
| | | Bancos (572) | 1.100 |
| | —x— | | |

Al vencimiento, el cliente hace efectivo el importe del efecto:

| 58.000 | Caja (570) | | |
|---|---|---|---|
| | a | | |
| | | Clientes, efectos comerciales a cobrar (431) | 58.000 |
| | —x— | | |

## 12.3. *FACTORING*

### Criterios de valoración

El *factoring* consiste en la transferencia o cesión de un crédito comercial a un tercero (factor), que gestiona el cobro y presta un conjunto de servicios, destacando el anticipo financiero. Los costes para el usuario se contemplan como los intereses anticipados más las inversiones.

### Criterios de valoración

- Los costes para el usuario son intereses del anticipo financiero.
- Los costes para el usuario son comisiones por servicios.

### Problemática contable

Es análoga a la estudiada en el caso de los clientes, con la diferencia de que el único cliente es el factor.

### • CASOS PRÁCTICOS

---

### CASO PRÁCTICO 12.6. Operación de *factoring*

Una sociedad cede al factor créditos a clientes por importe de 30.000 euros. El factor carga por comisiones la cantidad de 3.000 euros. También se reciben del factor 15.000 euros por cobros efectuados en la cesión.

*Se pide*: contabilizar las operaciones reseñadas.

### Solución

Por la cesión:

| | | | |
|---|---|---|---|
| 30.000 | Clientes por operaciones de *factoring* (432) | | |
| 3.000 | Otros servicios (629) | | |
| | a | Clientes (430) | 33.000 |
| | —x— | | |

Por el cobro parcial de la cesión:

| | | | |
|---|---|---|---|
| 15.000 | Bancos (572) | | |
| | a | Clientes por operaciones de *factoring* (432) | 15.000 |
| | —x— | | |

## 12.4. ENVASES Y EMBALAJES A DEVOLVER POR CLIENTES

### Criterios de valoración

El importe de los envases y embalajes cargados en factura corresponde a los clientes, con la facultad de devolución por parte de estos. Esta partida figurará en el activo corriente del balance minorando la cuenta (430) *Clientes*.

### Problemática contable

Se abona por el importe de los envases y embalajes en el momento de la recepción:

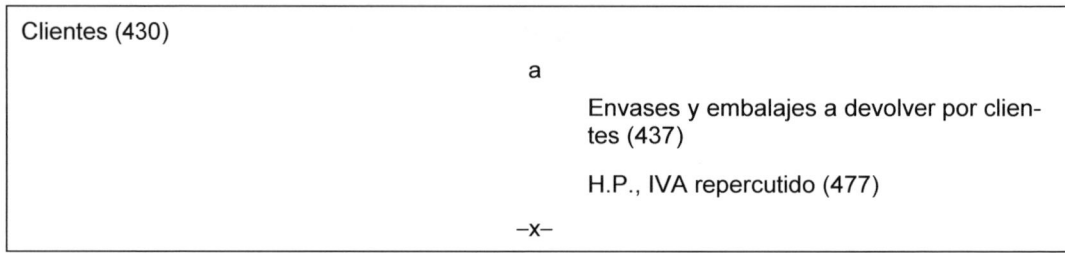

```
Clientes (430)
                                        a
                                            Envases y embalajes a devolver por clien-
                                            tes (437)
                                            H.P., IVA repercutido (477)
                            –x–
```

La cuenta *Hacienda Pública, IVA repercutido* (477) recoge el importe total de la factura en concepto de IVA repercutido.

Se cargará por los envases y embalajes devueltos y por la recepción de estos:

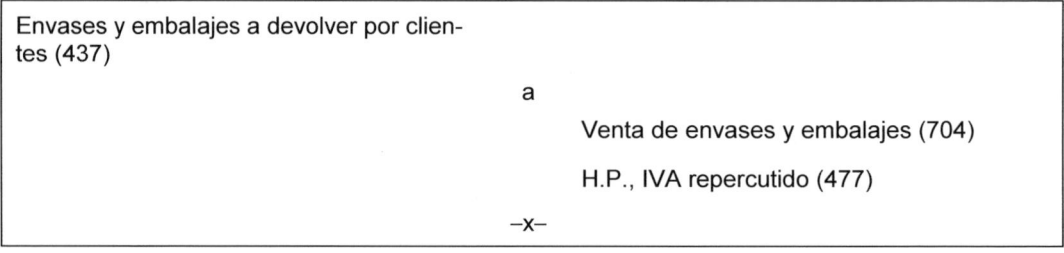

```
Envases y embalajes a devolver por clien-
tes (437)
                                        a
                                            Venta de envases y embalajes (704)
                                            H.P., IVA repercutido (477)
                            –x–
```

## • Casos Prácticos

### Caso Práctico 12.7. Envases y embalajes

Una empresa vende mercaderías por valor de 100.000 euros, con unos envases a devolver por los clientes por valor de 500.000 euros, con un IVA del 18%.

El cliente devuelve el 90% de los envases y el resto, se le gira como efectos. Se cobra el importe de las facturas y las letras pendientes.

*Se pide*: contabilizar dichas operaciones.

**Solución**

Por el importe de los envases y embalajes cargados en factura a los clientes:

| 708.000 | Clientes (430) | | |
|---|---|---|---|
| | a | Envases y embalajes a devolver por clientes (437) | 500.000 |
| | | H.P., IVA repercutido (477) | 108.000 |
| | | Venta de mercaderías (700) | 100.000 |
| | —x— | | |

Por la devolución de los envases y los embalajes por el cliente:

| 450.000 | Envases y embalajes a devolver por clientes (437) | | |
|---|---|---|---|
| 81.000 | H.P., IVA repercutido (477) | | |
| | a | Clientes (430) | 531.000 |
| | —x— | | |

En el caso de que el cliente compre o deteriore los envases:

| 50.000 | Envases y embalajes a devolver por clientes (437) | | |
|---|---|---|---|
| | a | Venta de envases y embalajes (704) | 50.000 |
| | —x— | | |

Se giran letras por los envases vendidos o no devueltos:

| 50.000 | Clientes, efectos comerciales a cobrar (431) | | |
|---|---|---|---|
| | a | Clientes (430) | 50.000 |
| | —x— | | |

Se cobran las facturas y efectos:

| 174.000 | Caja (570) | | |
|---|---|---|---|
| | a | Clientes, efectos comerciales a cobrar (431) | 500.000 |
| | | Clientes (430) | 96.000 |
| | —x— | | |

## 12.5. OPERACIONES DE TRÁFICO REALIZADAS EN EL EXTERIOR

### Criterios de valoración

**1. Diferencias positivas de cambio:**

Son los beneficios producidos por las modificaciones en el tipo de cambio en partidas monetarias, en monedas distintas a la funcional.

En el cierre, por la ganancia de valoración de las partidas monetarias vivas:

```
Clientes (430)
                                a
                                        Diferencias positivas de cambio (768)
                            —x—
```

En el momento de la baja, enajenación o cancelación del elemento patrimonial asociado a una diferencia de conversión positiva:

```
Transferencia de diferencias de conversión
positivas (821)
                                a
                                        Diferencias positivas de cambio (768)
                            —x—
```

Cuando venzan o se cancelen anticipadamente las partidas monetarias:

```
Caja (570)
                                a
                                        Diferencias positivas de cambio (768)
                            —x—
```

**2. Diferencias negativas de cambio:**

El Plan General de Contabilidad contempla la posibilidad de aplicar a estas diferencias el asiento siguiente:

A final de ejercicio, por la pérdida de valoración de las partidas monetarias vivas:

```
Diferencias negativas de cambio (668)
                                a
                                        Clientes (430)
                            —x—
```

En el momento de la baja, enajenación o cancelación del elemento patrimonial asociado a una diferencia de conversión negativa:

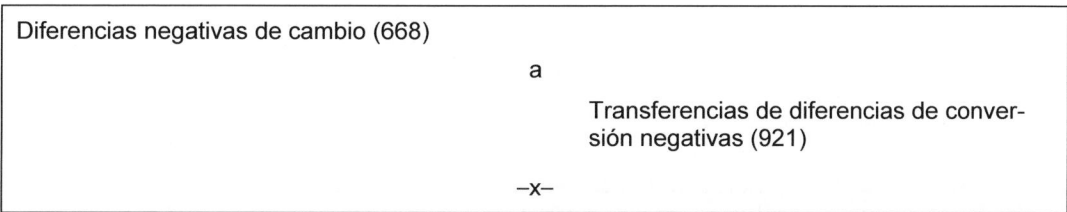

Cuando venzan o se cancelen anticipadamente las partidas monetarias mediante entrega en efectivo:

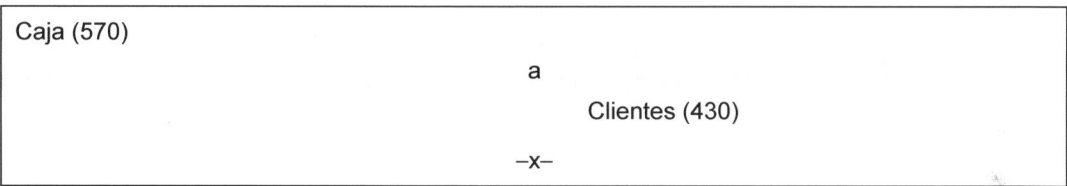

- ## CASOS PRÁCTICOS

### CASO PRÁCTICO 12.8. Moneda extranjera

Una sociedad española vende productos a crédito en noviembre del año 201X, a una empresa de EEUU por valor de 10.000 euros, con una tasa de equivalencia de 1 euro por 1,30 dólares. Al cierre de ejercicio, la relación de equivalencia es de 1 euro por 1,35 dólares.

En el momento del cobro, que se realiza a través de banco en marzo de 201X+1, la relación de equivalencia es de 1 euro por 1,20 dólares.

*Se pide*: contabilizar la operación que se ha realizado en euros.

**Solución**

Por la entrega de bienes o la prestación de servicios, en noviembre año 201X:

| | | | |
|---|---|---|---|
| 10.000 | Clientes (430) | | |
| | | a | |
| | | Venta de productos (70) | 10.000 |
| | –x– | | |

Al cierre del ejercicio, no procede realizar anotación alguna.

En el momento del cobro, en marzo de 201X+1:

| | | |
|---|---|---|
| 10.000 Bancos (572) | | |
| | a | |
| | Clientes (430) | 10.000 |
| | —x— | |

---

## CASO PRÁCTICO 12.9. Moneda extranjera

Una sociedad española vende productos a crédito a una empresa de EEUU en noviembre del año 201X, por valor de 13.000 dólares, con una tasa de equivalencia de 1 euro por 1,30 dólares.

Al cierre de ejercicio, la relación es 1 euro por 1,35 dólares. En el momento del cobro, que se realiza a través de banco, en marzo de 201X+1, la equivalencia es de 1 euro por 1,20 dólares.

*Se pide*: contabilizar la operación que se ha realizado en dólares.

**Solución**

Por la entrega de bienes o prestación de servicios en noviembre año 201X:

| | | |
|---|---|---|
| 10.000 Clientes (430) | | |
| | a | |
| | Venta de productos (70) | 10.000 |
| | —x— | |

En el momento del cierre, por la pérdida de valoración de las partidas monetarias vivas:

| | | |
|---|---|---|
| 370 Diferencias negativas de cambio (668) | | |
| | a | |
| | Clientes (430) | 370 |
| | —x— | |

En el momento del cobro en marzo de 201X+1:

| | | |
|---|---|---|
| 10.833 Bancos (572) | | |
| | a | |
| | Clientes (430) | 9.630 |
| | Diferencias positivas de cambio (768) | 1.203 |
| | —x— | |

## CASO PRÁCTICO 12.10. Moneda extranjera

Una sociedad anónima compra en EEUU mercaderías a crédito por valor de 50.000 dólares. El tipo de cambio vigente es 1 dólar por 0,7142 euros. Los gastos de transporte y el seguro ascienden a 400 euros.

Al final del ejercicio, el tipo de cambio vigente es 1 por 0,7410 euros. En el momento del pago al proveedor, la cotización del dólar es 1 dólar por 0,7010 euros.

*Se pide*: realizar la contabilización de las operaciones reseñadas.

**Solución**

Por la compra de mercaderías a crédito:

$$50.000/1,40 = 35.714,29 \ €.$$

| | | |
|---|---|---|
| 35.714,29 Compra de mercaderías (600) | | |
| | a | |
| | Proveedores moneda extranjera. Dólares USA (4004) | 35.714,29 |
| | —x— | |

Por el pago del gasto del transporte y seguro:

| | | |
|---|---|---|
| 400 Compra de mercaderías (600) | | |
| | a | |
| | Bancos c/c (572) | 400 |
| | —x— | |

Al final del ejercicio, al tipo de cambio vigente:

$$50.000 \times (0,7410 - 0,7142) = 1.335,71 \ €.$$

| | | |
|---|---|---|
| 1.335,71 Diferencias negativas de cambio (668) | | |
| | a | |
| | Proveedores moneda extranjera. Dólares USA (4004) | 1.335,71 |
| | —x— | |

En el momento de liquidar la deuda con el proveedor:

$$50.000 \times (0,7010 - 0,7410) = 37.050 \ €.$$

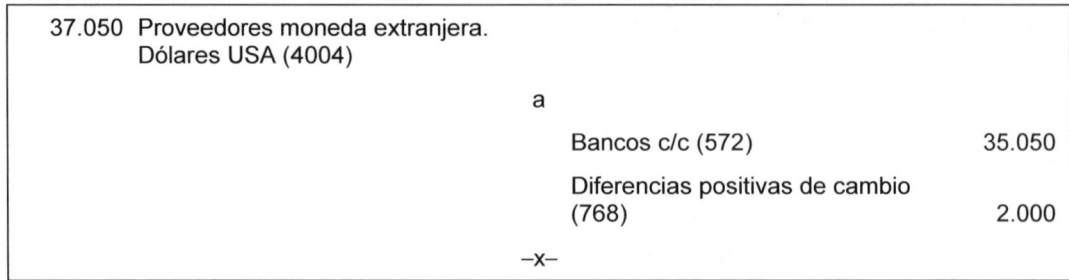

```
37.050  Proveedores moneda extranjera.
        Dólares USA (4004)
                                    a
                    Bancos c/c (572)                        35.050
                    Diferencias positivas de cambio
                    (768)                                    2.000
                        —x—
```

## 12.6. DIFERENCIAS DE CONVERSIÓN

**Criterios de valoración**

Diferencia que surge al convertir la moneda de presentación, las partidas de balance y de la cuenta de pérdidas y ganancias en el caso de que la moneda funcional sea distinta de la moneda de presentación.

**1.  Diferencias positivas al cierre del ejercicio**

```
Diferencias de conversión positivas (920)
                                    a
                    Diferencias de conversión (135)
                        —x—
```

La imputación de ingresos al patrimonio neto tributará con el impuesto sobre beneficios:

```
Impuesto sobre beneficios (830)
                                    a
                    Diferencias de conversión (135)
                        —x—
```

**2.  Diferencias negativas al cierre del ejercicio**

```
Diferencias de conversión (135)
                                    a
                    Diferencias de conversión negativas (820)
                        —x—
```

En el momento de la imputación de pérdidas al patrimonio neto, debe cancelarse la imputación del impuesto sobre beneficios:

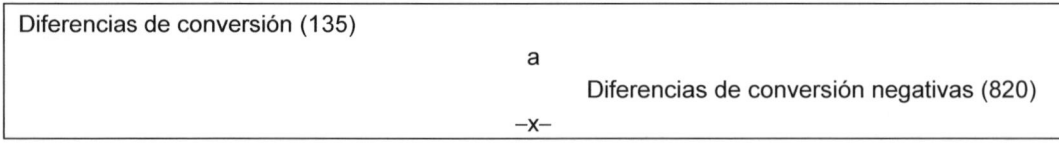

```
Diferencias de conversión (135)
                                    a
                    Impuesto sobre beneficios (830)
                        —x—
```

- **CASOS PRÁCTICOS**

---

**CASO PRÁCTICO 12.11. Depósitos en moneda extranjera**

---

Se ha realizado un depósito en valores de renta fija por importe de 10.000 dólares. El valor de cotización del dólar, según el momento, es el siguiente:

- En octubre, momento de la compra de los valores, la cotización es de 1 dólar por 0,88 euros.

- La cotización a 31 de diciembre, es de 1 dólar por 0,92 euros.

- En el momento del vencimiento, el dólar cotiza a 0,90 euros.

*Se pide*: realizar la contabilización reseñada.

**Solución**

En el momento de la inversión, la cotización es 1 euro por 1,136 dólares.

| | | |
|---|---|---|
| 8.800 | Imposiciones a corto plazo (548) | |
| | a | |
| | Caja (570) | 8.800 |
| | —x— | |

En el momento del final del ejercicio, la cotización es de 1 euro por 1,087 dólares.

| | | |
|---|---|---|
| 400 | Imposiciones a corto plazo (548) | |
| | a | |
| | Diferencias positivas de cambio (768) | 400 |
| | —x— | |

| | | |
|---|---|---|
| 400 | Diferencias de conversión positivas (920) | |
| | a | |
| | Diferencias de conversión (135) | 400 |
| | —x— | |

| | | |
|---|---|---|
| 120 | Impuesto sobre beneficios (830) | |
| | a | |
| | Diferencias de conversión (135) | 120 |
| | —x— | |

Momento del vencimiento:

| | | | | |
|---|---|---|---|---|
| 9.000 | Caja (570) | | | |
| 400 | Diferencias de conversión (135) | | | |
| 200 | Diferencias negativas de cambio (668) | | | |
| | | a | | |
| | | | Diferencias de conversión positivas (920) | 400 |
| | | | Imposiciones a largo plazo (258) | 9.200 |
| | | –x– | | |

| | | | | |
|---|---|---|---|---|
| 120 | Diferencias de conversión (135) | | | |
| | | a | | |
| | | | Impuesto sobre beneficios (830) | 120 |
| | | –x– | | |

# 12.7. SERVICIOS EXTERIORES

**Criterios de valoración**

Los criterios de valoración son análogos a los utilizados en el caso de los clientes.

- **CASOS PRÁCTICOS**

**CASO PRÁCTICO 12.12. Contabilización de servicios externos**

El importe estimado de la factura del teléfono en una empresa para diciembre es de 1.000 €. El importe del recibo correspondiente a los meses de diciembre y enero es de 3.200 €.

El importe de la póliza de seguros correspondiente al año que vence el 31 de marzo de 200X es de 6.000 €.

*Se pide*: contabilizar las operaciones reseñadas.

**Solución**

Al final de ejercicio, por la periodificación de los gastos de teléfono:

| | | | | |
|---|---|---|---|---|
| 1.000 | Suministros (628) | | | |
| | | a | | |
| | | | Acreedores por prestación de servicios (410) | 1.000 |
| | | –x– | | |

Al comienzo del año siguiente, por el pago del recibo del teléfono:

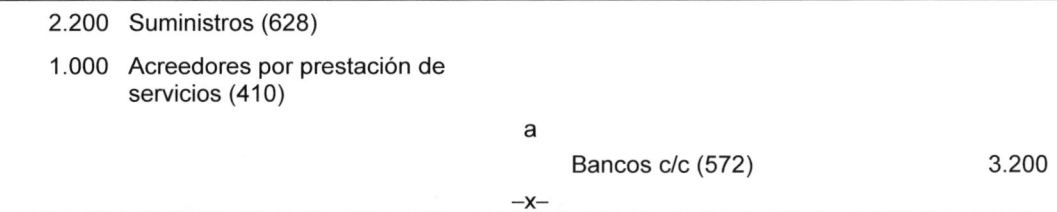

```
2.200   Suministros (628)
1.000   Acreedores por prestación de
        servicios (410)
                          a
                            Bancos c/c (572)            3.200
                      —x—
```

El 31 de marzo de 200X:

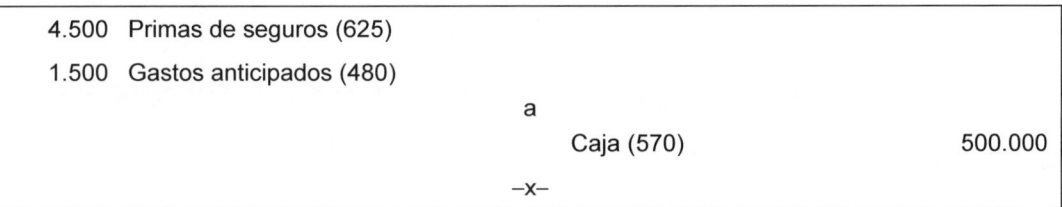

```
4.500   Primas de seguros (625)
1.500   Gastos anticipados (480)
                          a
                            Caja (570)                500.000
                      —x—
```

# 12.8. CLIENTES DE DUDOSO COBRO. DETERIORO DE CRÉDITOS COMERCIALES

Corresponde a clientes de los que se tienen razones fundadas para estimar que no van a hacer efectivo el pago de su deuda.

**Problemática contable**

Por los saldos de dudoso cobro:

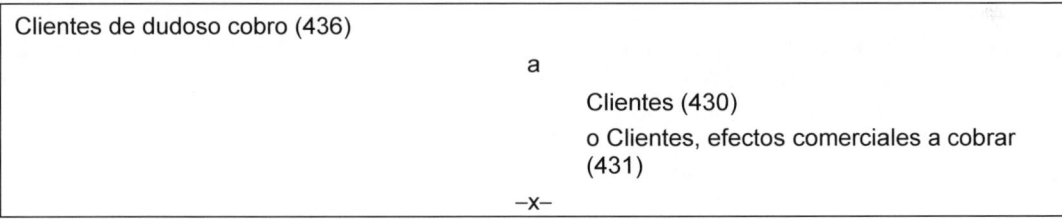

```
Clientes de dudoso cobro (436)
                          a
                            Clientes (430)
                            o Clientes, efectos comerciales a cobrar
                            (431)
                      —x—
```

Por las insolvencias firmes y los cobros parciales:

```
Pérdidas de créditos comerciales incobra-
bles (650)
Caja (570)
                          a
                            Clientes de dudoso cobro (436)
                      —x—
```

Al cierre del ejercicio, por la estimación realizada:

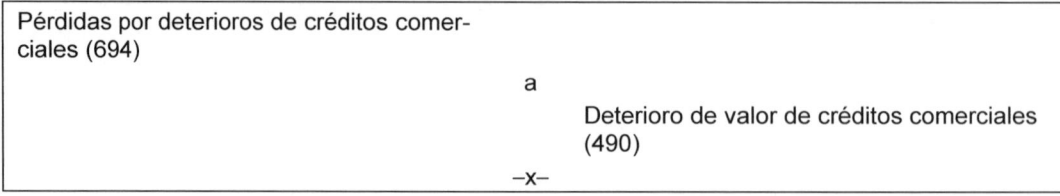

| | Pérdidas por deterioros de créditos comerciales (694) | | |
|---|---|---|---|
| | | a | |
| | | | Deterioro de valor de créditos comerciales (490) |
| | | —x— | |

Al cierre del ejercicio, por la dotación efectuada en el ejercicio anterior:

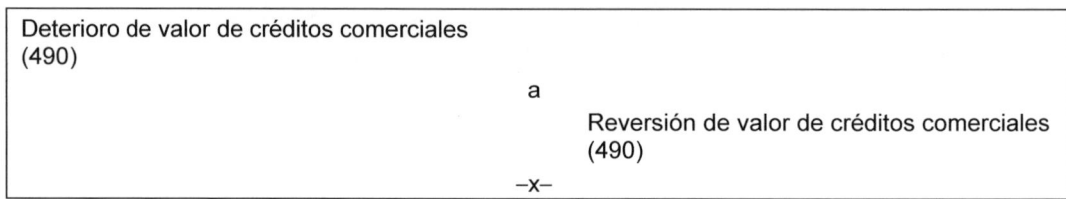

| | Deterioro de valor de créditos comerciales (490) | | |
|---|---|---|---|
| | | a | |
| | | | Reversión de valor de créditos comerciales (490) |
| | | —x— | |

Por las insolvencias definitivas:

| | Deterioro de valor de créditos comerciales (490) | | |
|---|---|---|---|
| | | a | |
| | | | Clientes de dudoso cobro (436) |
| | | —x— | |

## • CASOS PRÁCTICOS

### CASO PRÁCTICO 12.13. Clientes de dudoso cobro

Una empresa vende productos a crédito por importe de 100.000 euros. El IVA sometido es del 18%. Se cobra al contado el 80%, un 15% es considerado de dudoso cobro y el resto, se da definitivamente como perdido.

*Se pide*: contabilizar las operaciones anteriores.

**Solución**

Por la entrega de bienes o prestación de servicios:

| | | | |
|---|---|---|---|
| 118.000 | Clientes (430) | | |
| | | a | |
| | | Venta de productos terminados (701) | 100.000 |
| | | H.P., IVA repercutido (477) | 18.000 |
| | | —x— | |

Por el importe parcial cobrado de los saldos incobrables:

| | | | |
|---|---|---|---|
| 94.400 | Caja (570) | | |
| 17.700 | Clientes de dudoso cobro (436) | | |
| 5.900 | Pérdidas por deterioro de créditos de operaciones comerciales (694) | | |
| | | a | |
| | | Clientes (430) | 118.000 |
| | –x– | | |

Por la provisión para insolvencias dotada al final de ejercicio:

| | | | |
|---|---|---|---|
| 17.700 | Pérdidas por deterioro de créditos de operaciones comerciales (694) | | |
| | | a | |
| | | Deterioro de valor de créditos por operaciones comerciales (490) | 17.700 |
| | –x– | | |

Por el importe total cobrado a los clientes de dudoso cobro:

| | | | |
|---|---|---|---|
| 17.700 | Caja (570) | | |
| | | a | |
| | | Clientes de dudoso cobro (436) | 17.700 |
| | –x– | | |

Por la anulación de la dotación del ejercicio precedente:

| | | | |
|---|---|---|---|
| 17.700 | Deterioro de valor de créditos por operaciones comerciales (490) | | |
| | | a | |
| | | Reversión del deterioro de créditos por operaciones comerciales (794) | 17.700 |
| | –x– | | |

## Caso Práctico 12.14. Clientes de dudoso cobro

Durante el ejercicio *N* han tenido lugar en una empresa las insolvencias siguientes:

- Un cliente debe 2.000 euros a la empresa y se considera de difícil cobro. Este cliente paga dentro del año.

- Otro cliente que debe 5.000 euros y también se considera de difícil cobro, no hace frente a los pagos y la deuda anterior se considera definitivamente perdida.

*Se pide*: realizar las operaciones reseñadas.

**Solución**

Primer cliente de dudoso cobro.

| | | |
|---|---|---|
| 2.000 | Clientes de dudoso cobro (436) | |
| | a | |
| | Clientes (430) | 2.000 |
| | –x– | |

| | | |
|---|---|---|
| 2.000 | Pérdidas por deterioros de créditos comerciales (694) | |
| | a | |
| | Deterioro de valor de créditos comerciales (490) | 2.000 |
| | –x– | |

Cuando el cliente paga dentro del año:

| | | |
|---|---|---|
| 2.000 | Bancos (572) | |
| | a | |
| | Clientes de dudoso cobro (436) | 2.000 |
| | –x– | |

| | | |
|---|---|---|
| 2.000 | Deterioro de valor de créditos comerciales (490) | |
| | a | |
| | Reversión de valor de créditos comerciales (794) | 2.000 |
| | –x– | |

Segundo cliente de dudoso cobro:

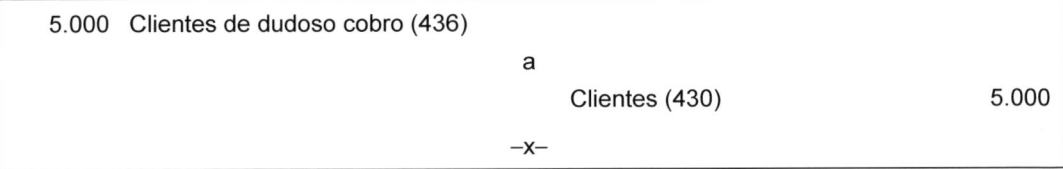

| 5.000 | Clientes de dudoso cobro (436) | |
| | a | |
| | Clientes (430) | 5.000 |
| | —x— | |

| 5.000 | Pérdidas por deterioros de crédi-<br>tos comerciales (694) | |
| | a | |
| | Deterioro de valor de créditos<br>comerciales (490) | 5.000 |
| | —x— | |

Cuando la deuda se considera definitivamente perdida:

| 5.000 | Deterioro de valor de créditos<br>comerciales (490) | |
| | a | |
| | Clientes de dudoso cobro (436) | 5.000 |
| | —x— | |

## CASO PRÁCTICO 12.15. Insolvencias de créditos

Una sociedad se basa estadísticamente en contemplar las posibles insolvencias presentadas anualmente.

En el año actual se estiman unas posibles insolvencias de 30.000 euros, mientras que en el ejercicio anterior fueron de 25.000 euros, de los que finalmente se cobraron 20.000 euros, quedando en vigor la diferencia, salvo 1.000 euros que se consideran definitivamente perdidos.

*Se pide*: contabilizar las operaciones reseñadas.

**Solución**

Al cierre del ejercicio, por la estimación realizada:

| 30.000 | Pérdidas por deterioros de crédi-<br>tos comerciales (694) | |
| | a | |
| | Deterioro de valor de créditos<br>comerciales (490) | 30.000 |
| | —x— | |

Al cierre del ejercicio, por la dotación efectuada en el ejercicio anterior:

| | | |
|---|---|---|
| 20.000 | Deterioro de valor de créditos comerciales (490) | |
| | a | |
| | Reversión de valor de créditos comerciales (794) | 20.000 |
| | −x− | |

Por las insolvencias definitivas:

| | | |
|---|---|---|
| 1.000 | Deterioro de valor de créditos comerciales (490) | |
| | a | |
| | Clientes de dudoso cobro (436) | 1.000 |
| | −x− | |

En el momento actual quedan 4.000 euros de insolvencias con dotación adjudicada.

CAPITULO **13**

# TRIBUTOS, GASTOS E INGRESOS

**CONTENIDO**

**CASOS PRÁCTICOS**

# 13.1. TASAS Y CONTRIBUCIONES ESPECIALES

## 13.1.1. Tasas

Se definen las **tasas** como aquellos tributos cuyo hecho imponible consiste en la utilización del dominio público, la prestación de un servicio público o la realización por la Administración de una actividad que se refiera, afecte o beneficie, de modo particular, al sujeto pasivo.

Las principales características de las tasas pueden sintetizarse en los puntos siguientes:

- No puede confundirse la tasa con el precio de una empresa pública. El precio se forma en régimen de mercado y la tasa es una obligación *ex lege*.

- En la tasa es esencial la utilización directa de dominio público.

- La tasa responde a la idea de contraprestación.

- Para que exista tasa es necesario un gasto público del que se beneficie el sujeto pasivo por la utilización del dominio público, prestación de servicio público o la realización de una actividad administrativa.

## Problemática contable

En el tratamiento contable, las tasas son contempladas como un gasto del ejercicio y se registran en la cuenta *Otros tributos* (631), que recoge el importe de los tributos de los que la empresa es contribuyente y no tengan asiento específico en otras cuentas.

| |
|---|
| Otros tributos (631) |
| a |
| Caja (570) |
| o H.P., acreedor por conceptos fiscales (475) |
| –x– |

## 13.1.2. Contribuciones especiales

Las contribuciones especiales son aquellos tributos cuyo hecho imponible consiste en la obtención por el sujeto pasivo de un beneficio o de un aumento del valor de sus bienes, debido de la realización de obras públicas o del establecimiento o ampliación de servicios públicos.

Las contribuciones especiales son compensaciones parciales del coste financiero de obras públicas o del establecimiento de servicios públicos en cuanto que:

* Produzcan un aumento de valor.

* Proporcionen beneficios, especialmente a personas.

## Problemática contable

El tratamiento contable de las contribuciones especiales da lugar a una dicotomía respecto a su contemplación. En efecto, se puede considerar que el pago de la contribución especial es un tributo satisfecho anualmente a la Administración. En este caso, se podría contemplar como gasto del ejercicio y el asiento es análogo al tratamiento de la tasa. Si bien es cierto que la Administración ha realizado un conjunto de mejoras públicas, mediante un proceso de inversiones. Esto supone un incremento de valor de los bienes afectos a la inversión practicada, lo que implica una plusvalía del bien.

* ## CASOS PRÁCTICOS

## CASO PRÁCTICO 13.1. Tributos

Una sociedad satisface el siguiente un conjunto de tributos:

–  Tasas por importe de 4.000 euros.

–  Paga anualmente a la Administración una contribución de 3.000 euros.

–  El municipio donde desarrolla su actividad ha realizado un conjunto de mejoras en la vía pública que suponen una repercusión en el valor de la construcción de 5.000 euros.

Se satisfacen a la Administración los tributos pendientes.

*Se pide:* contabilizar estas operaciones.

**Solución**

En el tratamiento contable las tasas son contempladas como gasto del ejercicio y se registran en la cuenta *Otros tributos* (631).

| | | | |
|---|---|---|---|
| 4.000 | Otros tributos (631) | | |
| | | a | |
| | | H.P., acreedor por conceptos fiscales (475) | 4.000 |
| | –x– | | |

Como ya se ha indicado, el tratamiento contable de las contribuciones especiales da lugar a una dicotomía respecto a su contemplación. Podemos considerar, por tanto, que el pago de la contribución especial es un tributo satisfecho anualmente a la Administración.

Por el tratamiento de la tasa:

| | | | |
|---|---|---|---|
| 3.000 | Otros tributos (631) | | |
| | | a | |
| | | H.P., acreedor por conceptos fiscales (475) | 3.000 |
| | –x– | | |

El municipio ha realizado un conjunto de mejoras públicas. Como este hecho implica una plusvalía del bien, el asiento contable es el siguiente:

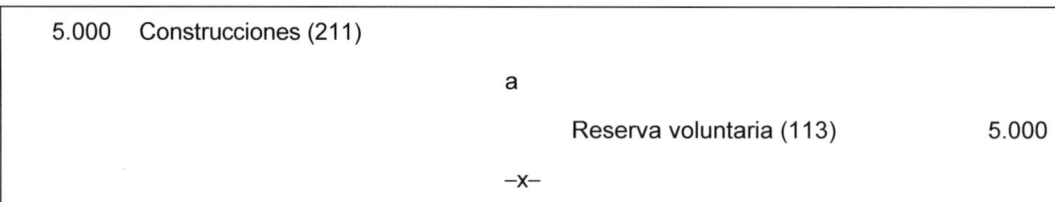

| | | | |
|---|---|---|---|
| 5.000 | Construcciones (211) | | |
| | | a | |
| | | Reserva voluntaria (113) | 5.000 |
| | –x– | | |

Se satisface la deuda pendiente:

| | | | |
|---|---|---|---|
| 7.000 | H.P., acreedor por conceptos fiscales (475) | | |
| | | a | |
| | | Caja (570) | 7.000 |
| | –x– | | |

# 13.2. IMPUESTOS: CONCEPTOS Y CLASIFICACIÓN

Los **impuestos** son tributos exigidos sin contraprestación, cuyo hecho imponible está constituido por negocios, actos o hechos de naturaleza jurídica o económica, que ponen de manifiesto la capacidad contributiva del sujeto pasivo como posesión de un patrimonio, la circulación de bienes o la adquisición o gasto de la renta.

La diferencia entre tasas, contribuciones especiales e impuestos se centra, en las primeras, el devengo o realización del hecho imponible es obra conjunta de la Administración Pública y del particular que provoca o pide la actividad administrativa.

En los impuestos, el devengo o realización del hecho imponible es obra exclusiva del particular. En la contribución especial, es la Administración Pública la que a su sola iniciativa, y en función de la inversión realizada, genera el nacimiento de la correspondiente obligación tributaria.

## 13.2.1. Clases de impuestos

Los impuestos se clasifican en **directos** e **indirectos**. Son *impuestos directos* los que gravan manifestaciones o exteriorizaciones inmediatas de la capacidad contributiva. Los *impuestos indirectos* son los que recaen sobre manifestaciones mediatas de la capacidad contributiva.

### Imposición directa

1.  **Impuesto sobre la Renta de Personas Físicas**. Tributo directo, personal y subjetivo que grava la renta de las personas físicas. El objetivo es gravar dicha renta y la totalidad de sus rendimientos netos e incrementos de patrimonio.

    Su contabilización no tiene demasiado sentido, ya que estamos contabilizando la actividad empresarial, la cual queda afectada en las retenciones practicadas en la nómina de los trabajadores de la empresa.

    Las cuentas que se utilizan son: *Sueldos y salarios* (640), para las remuneraciones, fijas y eventuales, al personal de la empresa, y la cuenta *H.P., acreedor por conceptos fiscales* (475) para el importe de las retenciones tributarias efectuadas pendientes de pago, a la Hacienda pública.

| | |
|---|---|
| Sueldos y salarios (640) | |
| a | |
| | Caja (570) |
| | H.P., acreedor por conceptos fiscales (475) |
| −x− | |

En el momento del pago a la Hacienda Pública:

```
H.P., acreedor por conceptos fiscales (475)
                            a
                                    Caja (570)
                            –x–
```

## • Casos Prácticos

**Caso Práctico 13.2. Ejemplo del Impuesto sobre la Renta de personas físicas**

Una sociedad satisface una paga al personal por valor de 100.000 euros. Las retenciones medias practicadas ascienden al 20%. La sociedad satisface los impuestos especiales del ejercicio económico por importe de 6.000 euros.

*Se pide:* contabilizar las operaciones anteriores.

**Solución**

Por el pago de la nómina y las retenciones practicadas:

```
100.000   Sueldos y salarios (640)
                            a
                                  Caja (570)                         80.000
                                  H.P., acreedor por conceptos
                                  fiscales (475)                     20.000
                            –x–
```

En el momento del pago a la Hacienda pública:

```
20.000    H.P., acreedor por conceptos
          fiscales (475)
                            a
                                  Caja (570)                         20.000
                            –x–
```

El importe de los impuestos especiales se carga a resultados del ejercicio:

```
6.000     Otros tributos (631)
                            a
                                  Caja (570)                          6.000
                            –x–
```

2.  **El Impuesto sobre el Patrimonio.** Tributo de carácter directo y personal que grava el patrimonio neto de las personas físicas. Se denomina patrimonio neto al conjunto de bienes y derechos de contenido económico de que sea titular menos las cargas, gravámenes, deudas y obligaciones personales.

    Su contabilización no tiene sentido si estamos contabilizando la actividad empresarial, que corresponden a personas jurídicas.

3.  **El Impuesto sobre Sociedades.** Impuesto directo y personal que recae sobre las sociedades y personas jurídicas gravando sus rentas.

    Su contabilización requiere de un detalle específico, objeto de tratamiento en un epígrafe que será abordado separadamente.

4.  **El Impuesto sobre Sucesiones y Donaciones**. Impuesto directo y subjetivo que grava los incrementos de patrimonio obtenidos a título lucrativo por las personas físicas. No están sujetos los incrementos de patrimonio obtenidos por personas jurídicas.

    La contabilización de las Donaciones se realiza a valor razonable, recogiendo el bien recibido como donación o legado con abono a los recursos propios.

## Imposición indirecta

1.  **El Impuesto sobre Trasmisiones Patrimoniales y Actos Jurídicos Documentados**. Tributo de naturaleza indirecta que grava trasmisiones patrimoniales onerosas *inter vivos*, operaciones societarias y actos jurídicos documentados.

    En la contabilización, este impuesto se activa, incorporándose como mayor valor del bien.

2.  **El Impuesto sobre el Valor Añadido.** Tributo indirecto que recae sobre el consumo. Grava las entregas de bienes y prestaciones de servicios realizadas por empresarios, adquisiciones intracomunitarias de bienes e importación de bienes.

    Debido a su importancia se dedica al estudio de este tributo indirecto el Apartado 13.3 de este capítulo.

3.  **Los impuestos especiales.** Son tributos indirectos sobre consumos específicos que gravan, en fase única, la fabricación, importación y, en su caso, la introducción territorial de ciertos bienes y la matriculación de determinados medios de transportes.

    Para su contabilización, el importe del impuesto se incorpora como mayor valor del bien objeto de la transacción.

**Hacienda local**

1.  **Los impuestos municipales.** Son impuestos directos, reales y municipales de carácter obligatorio.

    Para su contabilización, el importe del impuesto se carga a resultados del ejercicio.

---

Otros tributos (631)

a

        Caja (570)

        o H.P., acreedor por conceptos fiscales (475)

–x–

---

# 13.3. IMPUESTOS SOBRE EL VALOR AÑADIDO

El tratamiento contable del IVA se desdobla en dos momentos: el momento del devengo y el momento de la liquidación del impuesto.

## 13.3.1. Devengo

El **devengo** puede corresponder a operaciones de adquisiciones de bienes o a prestaciones de servicios solicitadas e importaciones de bienes. Para su contabilización se utiliza la cuenta *Hacienda Pública, IVA soportado* (472) que recoge el IVA devengado con motivo de la adquisición de bienes y servicios y de otras operaciones comprendidas que tengan carácter deducible.

El devengo puede corresponder también a operaciones de enajenación de bienes o prestaciones de servicios realizadas por empresas. Para su contabilización se utiliza la cuenta *Hacienda Pública, IVA repercutido* (477) que recoge el IVA devengado con motivo de la entrega de bienes o prestación de servicios y otras operaciones comprendidas en el texto legal.

## 13.3.2. Liquidación

En cada periodo impositivo se debe conocer el saldo o diferencia entre el IVA repercutido y el IVA soportado. Si el total del primero respecto al segundo, para el mismo período, supone un exceso del IVA repercutido sobre el IVA soportado deducible, para su registro se utiliza la cuenta *Hacienda Pública, acreedor por conceptos fiscales* (475). En el caso que se prefiera utilizar una subcuenta, se empleará *Hacienda Pública, acreedor por IVA* (4750).

Si el total del IVA repercutido es inferior al total del IVA soportado para el mismo período impositivo, esto supone un exceso del IVA soportado deducible sobre el IVA repercutido. En este caso, se utiliza la cuenta *Hacienda Pública, deudor por diversos conceptos* (470). De forma análoga, si se prefiere utilizar una subcuenta, se puede emplear la subcuenta *Hacienda Pública, deudor por IVA* (4700).

**NOTA**. Los impuestos, en línea general, siguen el principio de caja; esto es, cuando surge la corriente financiera se imputa el impuesto correspondiente. Actualmente existe una excepción que es el IVA soportado, que se contempla siguiendo el principio del devengo, lo que significa imputar el IVA soportado con independencia de la corriente financiera. En la próxima modificación prevista del IVA se cambiará, atendiendo al principio de caja. Se contemplará este supuesto con la resolución de algún ejemplo más adelante.

En términos generales, el periodo impositivo es trimestral, si bien, en empresas que realizan un volumen de operaciones elevado se liquida el IVA de forma mensual.

## Problemática contable del IVA soportado

Por el importe del IVA deducible cuando se devengue el impuesto:

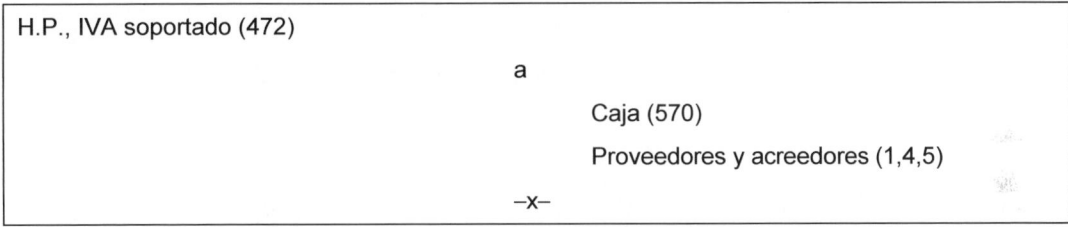

| | | |
|---|---|---|
| H.P., IVA soportado (472) | | |
| | a | |
| | | Caja (570) |
| | | Proveedores y acreedores (1,4,5) |
| | —x— | |

Por las diferencias positivas que resulten en el IVA deducible, correspondientes a operaciones de bienes o servicios del circulante o de bienes de inversión, al practicarse las regularizaciones previstas en la regla de Prorrata:

| | | |
|---|---|---|
| H.P., IVA soportado (472) | | |
| | a | |
| | | Ajustes positivos en la imposición indirecta (639) |
| | —x— | |

La cuenta *Ajustes positivos de la imposición indirecta* (639) recoge la disminución de los gastos por impuestos indirectos, que se producen como consecuencia de regularizaciones y cambios en la situación tributaria de la empresa.

Por las diferencias negativas que resulten en el IVA deducible, correspondiente a operaciones de bienes o servicios del circulante o de bienes de inversión, al practicarse la regularización prevista en la regla de Prorrata:

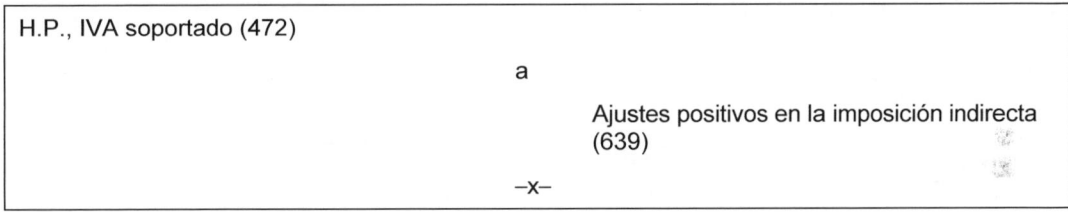

| | | |
|---|---|---|
| Ajustes negativos en la imposición indirecta (634) | | |
| | a | |
| | | H.P., IVA soportado (472) |
| | —x— | |

La cuenta *Ajustes negativos en la imposición indirecta* (634) se utiliza para registrar el aumento de los gastos por impuestos indirectos que se producen como consecuencia de regularizaciones y cambios en la situación tributaria de la empresa.

## Problemática contable del IVA repercutido

Se utiliza la cuenta *Hacienda Pública, IVA repercutido* (477) para imputar el IVA devengado con motivo de la entrega de bienes o de la prestación de servicios y de otras operaciones comprendidas en el texto legal.

Por el importe del IVA repercutido cuando se devengue el impuesto:

| |
|---|
| Caja (570) |
| Deudores y clientes (2,4,5) |
| a |
| H.P., IVA repercutido (477) |
| —x— |

## Problemática contable de la liquidación del IVA

Generalmente, cada tres meses, la empresa debe determinar el saldo del IVA repercutido y del IVA soportado; pudiendo ser el saldo acreedor o deudor.

En el momento de la cancelación de las cuentas *H.P., IVA soportado* (472) y *H.P., IVA repercutido* (477).

| |
|---|
| H.P., IVA repercutido (477) |
| H.P., deudor por IVA (4700) |
| a |
| H.P., IVA soportado (472) |
| o H.P., acreedor por IVA (4750) |
| —x— |

Por el ingreso a la Hacienda Pública.

| |
|---|
| H.P., acreedor por IVA (4750) |
| a |
| Caja (570) |
| —x— |

En el caso de compensación en declaración-liquidación posterior:

| | |
|---|---|
| H.P., IVA repercutido (477) | |
| H.P., deudor por IVA (4700) | |
| | a |
| | H.P., deudor por IVA (4700) |
| –x– | |

En el caso de devolución por la Hacienda Pública:

| | |
|---|---|
| Caja (570) | |
| | a |
| | H.P., deudor por IVA (4700) |
| –x– | |

## • Casos Prácticos

### Caso Práctico 13.3. Tratamiento del IVA y su modificación

Se han comprado mercaderías por importe de 1.000 euros por medio de una factura, pagando la mitad al contado y el resto a crédito. El IVA aplicado es del 18%.

Se venden mercaderías por importe de 1.500 euros. Se cobran al contado 800 euros y el resto, queda documentado formalmente. Se aplica el mismo porcentaje para el IVA.

*Se pide:*

1. Liquidar el IVA correspondiente en el supuesto de que se realicen las operaciones de crédito.

2. Contemplar la problemática si se sigue el principio de caja.

**Solución**

**1.** El IVA, atendiendo al principio del devengo.

| | | |
|---|---|---|
| 1.000 | Compra de mercaderías (600) | |
| 180 | H.P., IVA soportado (472) | |
| | a | |
| | Caja (570) | 590 |
| | Proveedores (400) | 590 |
| | –x– | |

| | | | | |
|---|---|---|---|---|
| 826 | Clientes, efectos comerciales a cobrar (431) | | | |
| 944 | Caja (570) | | | |
| | | a | | |
| | | | Venta de mercaderías (700) | 1.500 |
| | | | H.P., IVA repercutido (477) | 270 |
| | | —x— | | |

Liquidación del IVA.

| | | | | |
|---|---|---|---|---|
| 270 | H.P., IVA repercutido (477) | | | |
| | | a | | |
| | | | H.P., IVA soportado (472) | 180 |
| | | | H.P., acreedor por IVA (4750) | 90 |
| | | —x— | | |

**2.** El IVA, atendiendo al principio del devengo.

| | | | | |
|---|---|---|---|---|
| 1.000 | Compra de mercaderías (600) | | | |
| 90 | H.P., IVA soportado (472) | | | |
| | | a | | |
| | | | Caja (570) | 590 |
| | | | Proveedores (400) | 500 |
| | | —x— | | |

| | | | | |
|---|---|---|---|---|
| 591 | Clientes, efectos comerciales a cobrar (431) | | | |
| 1044 | Caja (570) | | | |
| | | a | | |
| | | | Venta de mercaderías (700) | 1.500 |
| | | | H.P., IVA repercutido (477) | 135 |
| | | —x— | | |

Liquidación del I.V.A.

| | | | | |
|---|---|---|---|---|
| 135 | H.P., IVA repercutido (477) | | | |
| | | a | | |
| | | | H.P., IVA soportado (472) | 90 |
| | | | H.P., acreedor por IVA (4750) | 45 |
| | | —x— | | |

Por el ingreso a la Hacienda Pública:

| | | |
|---|---|---:|
| 80 | H.P., acreedor por IVA (4750) | |
| | a | |
| | Caja (570) | 80 |
| | —x— | |

## Caso Práctico 13.4. IVA en vigor hasta 2012

Se venden productos por valor de 100.000 euros a crédito, siendo el IVA sometido del 18%. Se concede una bonificación por el volumen de operaciones, fuera de factura, de un 4%.

El cliente ha devuelto productos por importe de 2.000 euros. Se paga el importe de la deuda, reconociendo un 2% de descuento en el momento posterior al cobro.

*Se pide:* contabilizar las operaciones reseñadas.

**Solución**

Por la entrega de bienes o prestación de servicios:

| | | |
|---|---|---:|
| 118.000 | Clientes (430) | |
| | a | |
| | Venta de productos terminados (701) | 100.000 |
| | H.P., IVA repercutido (477) | 18.000 |
| | —x— | |

Bonificaciones concedidas fuera de factura por el volumen del pedido:

| | | |
|---|---|---:|
| 4.000 | *Rappels* sobre ventas (709) | |
| 720 | H.P., IVA repercutido (477) | |
| | a | |
| | Clientes (430) | 4.720 |
| | —x— | |

Por la devolución realizada de las remesas enviadas a los clientes:

| | | |
|---|---|---:|
| 320 | H.P., IVA repercutido (477) | |
| 2.000 | Devoluciones de ventas y operaciones similares (708) | |
| | a | |
| | Clientes (430) | 2.320 |
| | —x— | |

Por el cobro de las ventas:

| | | | |
|---|---|---|---|
| 109.040 | Caja (570) | | |
| | | a | |
| | | Clientes (430) | 109.040 |
| | | –x– | |

Se aplica el porcentaje del descuento sobre el importe cobrado sin IVA:

| | | | |
|---|---|---|---|
| 1.880,00 | Descuentos sobre ventas por pronto pago (706) | | |
| 300,80 | H.P., IVA repercutido (477) | | |
| | | a | |
| | | Caja (570) | 2.180,80 |
| | | –x– | |

## CASO PRÁCTICO 13.5. Tratamiento del IVA

Las operaciones de ventas del mes de marzo de una empresa han sido las siguientes:

- Se venden productos al contado por valor de 10.000 euros.

- Se venden productos por valor de 10.000 euros, con vencimiento a 30 días. Los gastos de transporte ascienden a 300 euros y son satisfechos por el vendedor.

- Venta a plazo de productos en 40 mensualidades, con financiación por parte de la empresa:

  - El importe de la venta con el IVA incluido es de 10.000 euros.

  - La entrega inicial por parte del cliente es de 1.000 euros.

  - Los intereses ascienden a 1.000 euros.

- Se venden productos por valor de 10.000 euros, con un descuento del 5%.

- El cliente anterior hace efectivo el pago antes del plazo establecido y se le hace un descuento del 1%.

- Se conceden bonificaciones a un cliente por valor de 500 euros.

- Un cliente devuelve productos por importe de 1.000 euros.

- Se reciben anticipos de un cliente por importe de 2.000 euros.

- El IVA de todas las operaciones es del 18%.

*Se pide:* contabilizar las operaciones reseñadas.

**Solución**

Por la venta de los productos al contado:

| | | | |
|---|---|---|---|
| 11.800 | Clientes (430) | | |
| | | a | |
| | | Venta de productos terminados (701) | 10.000 |
| | | H.P., IVA repercutido (477) | 1.800 |
| | | –x– | |

Por la venta de productos con vencimiento a 30 días:

| | | | |
|---|---|---|---|
| 11.800 | Clientes (430) | | |
| | | a | |
| | | Venta de productos terminados (701) | 10.000 |
| | | H.P., IVA repercutido (477) | 1.800 |
| | | –x– | |

Por los gastos de transporte:

| | | | |
|---|---|---|---|
| 300 | Transporte (624) | | |
| 54 | H.P., IVA soportado (472) | | |
| | | a | |
| | | Bancos (572) | 354 |
| | | –x– | |

Por la venta a plazos:

| | | | |
|---|---|---|---|
| 9.000 | Clientes (430) | | |
| 1.000 | Bancos (572) | | |
| | | a | |
| | | Venta de productos terminados (701) | 8.474,58 |
| | | H.P., IVA repercutido (477) | 1.525,42 |
| | | –x– | |

Vamos a realizar el cálculo de cada mensualidad:

| | |
|---|---|
| Importe de ventas, IVA incluido | 10.000 |
| Entrega inicial | (1.000) |
| Intereses | 1.000 |
| **Total** | **10.000** |
| **Cuota mensual** (10.000 /40) | **250** |

Por el cobro de cada mensualidad:

| | | |
|---|---|---|
| 250 | Bancos (572) | |
| | a | |
| | Clientes (430) | 225 |
| | Ingresos financieros de créditos comerciales (764) | 25 |
| | –x– | |

Por las ventas de los productos con descuento:

| | | |
|---|---|---|
| 11.210 | Clientes (430) | |
| | a | |
| | Venta de productos terminados (701) | 9.500 |
| | H.P., IVA repercutido (477) | 1.710 |
| | –x– | |

Por el pago antes del plazo convenido y la aplicación del descuento del 1%:

| | | |
|---|---|---|
| 10.607,90 | Bancos (572) | |
| 95,00 | Descuentos sobre ventas por pronto pago (706) | |
| 17,10 | H.P., IVA repercutido (477) | |
| | a | |
| | Clientes (430) | 10.720,00 |
| | –x– | |

Por las bonificaciones a un cliente:

| | | |
|---|---|---|
| 500 | *Rappels* sobre ventas (709) | |
| 90 | H.P., IVA repercutido (477) | |
| | a | |
| | Bancos (572) | 590 |
| | –x– | |

Por la devolución de productos de los clientes:

| | | |
|---|---|---|
| 1.000 | Devoluciones de ventas y operaciones similares (708) | |
| 180 | H.P., IVA repercutido (477) | |
| | a | |
| | Clientes (430) | 1.180 |
| | –x– | |

Por el anticipo de clientes:

| 2.360 | Bancos (572) | | |
|---|---|---|---|
| | a | | |
| | | Anticipos de clientes (438) | 2.000 |
| | | H.P., IVA repercutido (477) | 360 |
| | –x– | | |

---

## CASO PRÁCTICO 13.6. Envases a devolver por los clientes

Una empresa realiza una venta de mercaderías por importe de 100.000 euros, con unos envases a devolver por los clientes de un valor de 500.000 euros y con un IVA aplicable del 18%.

El cliente devuelve el 90% de los envases y el resto se le gira mediante efectos. Se cobra el importe de las facturas y de las letras pendientes.

*Se pide:* contabilizar dichas operaciones.

**Solución**

Importe de los envases y embalajes cargados en factura a los clientes:

| 708.000 | Clientes (430) | | |
|---|---|---|---|
| | a | | |
| | | Envases y embalajes a devolver por clientes (437) | 500.000 |
| | | H.P., IVA repercutido (477) | 108.000 |
| | | Venta de mercaderías (700) | 100.000 |
| | –x– | | |

Por la devolución de los envases y los embalajes por el cliente.

| 450.000 | Envases y embalajes a devolver por clientes (437) | | |
|---|---|---|---|
| 72.000 | H.P., IVA repercutido (477) | | |
| | a | | |
| | | Clientes (430) | 522.000 |
| | –x– | | |

En el caso que el cliente los compre o deteriore los embalajes:

| 50.000 | Envases y embalajes a devolver por clientes (437) | | |
|---|---|---|---|
| | a | | |
| | | Venta de envases y embalajes (704) | 50.000 |
| | –x– | | |

Se giran las letras por los envases vendidos o no devueltos:

| | | |
|---|---|---|
| 50.000 | Clientes, efectos comerciales a cobrar (431) | |
| | a | |
| | Clientes (430) | 50.000 |
| | —x— | |

Se cobran las facturas y los efectos:

| | | |
|---|---|---|
| 174.000 | Caja (570) | |
| | a | |
| | Clientes, efectos com. a cobrar (431) | 50.000 |
| | Clientes (430) | 124.000 |
| | —x— | |

## CASO PRÁCTICO 13.7. Moneda extranjera

Una sociedad ha adquirido materias primas en Estados Unidos por valor de 400.000 dólares, a un tipo de cambio de 0,80 euros por dólar. También ha adquirido materias primas en Dinamarca por valor de 100.000 euros. Asimismo, ha adquirido materias primas a un proveedor nacional por importe de 120.000 euros.

Por la reparación de una maquinaria se ha recibido una factura de 1.000 euros, más el 18% del IVA correspondiente.

*Se pide:* realizar las operaciones reseñadas.

**Solución**

Por la adquisición de materias primas en tránsito procedentes de Estados Unidos:

| | | |
|---|---|---|
| 320.000 | Compras de materias primas (601) (400.000 × 0,8 = 320.000) | |
| | a | |
| | Proveedores facturas pendientes de recibir o formalizar (4009) | 320.000 |
| | —x— | |

Al formalizar la factura:

| | | |
|---|---|---|
| 320.000 | Proveedores facturas pendientes de recibir o formalizar (4009) | |
| | a | |
| | Proveedores, moneda extranjera (4004) | 320.000 |
| | —x— | |

Por la compra de materias primas en Dinamarca:

| | | |
|---|---|---|
| 100.000 | Compras de materias primas (601) | |
| | a | |
| | Proveedores (400) | 100.000 |
| | —x— | |

El asiento del IVA:

| | | |
|---|---|---|
| 18000 | H.P., IVA soportado (472) | |
| | a | |
| | H.P., IVA repercutido (477) | 18.000 |
| | —x— | |

Por la compra de materias primas al proveedor nacional:

| | | |
|---|---|---|
| 120.000 | Compras de materias primas (601) | |
| 21.600 | H.P., IVA soportado (472) | |
| | a | |
| | Proveedores (400) | 141.600 |
| | —x— | |

Por las reparaciones y conservación de la maquinaria:

| | | |
|---|---|---|
| 1.000 | Reparaciones y conservación (622) | |
| 180 | H.P., IVA soportado (472) | |
| | a | |
| | Acreedores por prestación de servicios (410) | 1.180 |
| | —x— | |

## 13.4. SERVICIOS EXTERIORES

La empresa, al realizar operaciones de producción, requiere de los servicios de otras empresas con las que colabora con frecuencia, pero estas no tienen la consideración de proveedores.

### Problemática contable

En este apartado se ha optado por reflejar la problemática general de los servicios exteriores y en otros epígrafes específicos, la problemática particular de estos servicios.

| | |
|---|---|
| Servicios exteriores (62) | |
| a | |
| | Tesorería (57) |
| | Acreedores por prestaciones de servicios (410) |
| | Provisiones para riesgos y gastos (14) |
| | H.P., acreedor por conceptos fiscales (475) |
| –x– | |

Todas estas cuentas se abonan con cargo a la cuenta *Pérdidas y Ganancias* (129).

| | |
|---|---|
| Pérdidas y ganancias (129) | |
| a | |
| | Servicios exteriores (62) |
| –x– | |

* **CASOS PRÁCTICOS**

### CASO PRÁCTICO 13.8. Servicios exteriores

En una empresa se ha producido un conjunto de gastos; todos ellos han sido satisfechos en un 50% y no se ha tenido en cuenta el IVA aplicable correspondiente. Los gastos son los siguientes:

- Agua, luz y gas: 1.000 euros.
- Publicidad: 2.000 euros.
- Servicios bancarios: 3.000 euros.
- Prima de seguros: 4.000 euros.
- Transporte: 5.000 euros.
- Servicios profesionales:   6.000 euros.
- Arrendamientos: 7.000 euros.

*Se pide:* contabilizar las operaciones presentadas sin el IVA.

**Solución**

Las operaciones reseñadas se contabilizan de la siguiente manera:

| | | | |
|---|---|---|---|
| 1.000 | Suministros (628) | | |
| 2.000 | Publicidad y propaganda (627) | | |
| 3.000 | Servicios bancarios y similares (626) | | |
| 4.000 | Prima de seguros (625) | | |
| 5.000 | Transportes (624) | | |
| 6.000 | Servicios profesionales indepen- dientes (623) | | |
| 7.000 | Arrendamientos y cánones (621) | | |
| | a | | |
| | | Acreedores por prestaciones de servicios (410) | 14.000 |
| | | Caja (570) | 14.000 |
| | –x– | | |

---

## CASO PRÁCTICO 13.9. Servicios exteriores

En una empresa se han producido un conjunto de gastos; todos ellos han sido satisfechos en un 50% y no se ha tenido en cuenta el IVA aplicable correspondiente. Los gastos producidos son los siguientes:

- Agua, luz y gas: 1.000 euros.
- Publicidad: 2.000 euros.
- Servicios bancarios: 3.000 euros.
- Prima de seguros: 4.000 euros.
- Transporte: 5.000 euros.
- Servicios profesionales: 6.000 euros.
- Arrendamientos : 7.000 euros.

*Se pide*: contabilizar las operaciones presentadas.

**Solución**

| | | |
|---|---|---|
| 1.000 | Suministros (628) | |
| 2.000 | Publicidad y propaganda (627) | |
| 3.000 | Servicios bancarios y similares (626) | |
| 4.000 | Prima de seguros (625) | |
| 5.000 | Transportes (624) | |
| 6.000 | Servicios profesionales indepen-dientes (623) | |
| 7.000 | Arrendamientos y cánones (621) | |
| 5.040 | H.P., IVA soportado (472) | |
| | a | |
| | Acreedores por prestaciones de servicios (410) | 16.520 |
| | Caja (570) | 16.520 |
| | —x— | |

---

## CASO PRÁCTICO 13.10. Investigación y desarrollo a corto plazo

El importe de un trabajo realizado por un departamento universitario ascendió a la cantidad de 10.000 euros.

*Se pide:* contabilizar las operaciones correspondientes para su registro.

**Solución**

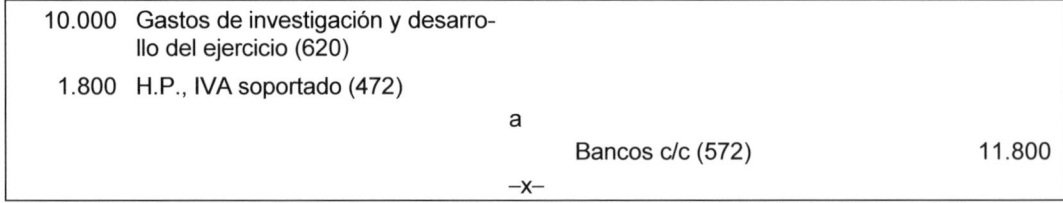

| | | |
|---|---|---|
| 10.000 | Gastos de investigación y desarro-llo del ejercicio (620) | |
| 1.800 | H.P., IVA soportado (472) | |
| | a | |
| | Bancos c/c (572) | 11.800 |
| | —x— | |

# 13.5.  GASTOS FINANCIEROS

Los **gastos financieros** vienen establecidos en el subgrupo 66 del Plan General de Contabilidad. Se destina este grupo a intereses satisfechos por la empresa y a pérdidas ocurridas por la enajenación de activos financieros. El tratamiento contable es sencillo y se contemplara en los casos prácticos siguientes.

- **CASOS PRÁCTICOS**

---

**CASO PRÁCTICO 13.11. Gastos financieros**

Una sociedad ha realizado las operaciones siguientes:

- Cobro de un cupón de las obligaciones, por valor de 10.000 euros.

- Vencimiento de pago de intereses de un préstamo de una empresa del grupo, por importe de 1.000 euros.

- Venta de obligaciones por valor de 10.000 euros, contabilizadas por 12.000 euros.

- Crédito concedido a un empleado, que se considera perdido definitivamente, por importe de 1.000 euros.

- Diferencia de arqueo de caja, por valor de 100 euros.

- A final de año, los intereses devengados pendientes de vencimiento por la emisión de obligaciones ascienden a 10.000 euros y la deuda del préstamo de la empresa del grupo a 5.000 euros.

- A final de año la diferencia de cambio desfavorable en moneda extranjera en caja es de 1.000 euros.

*Se pide:* realizar las operaciones reseñadas.

**Solución**

| | | |
|---|---|---|
| 10.000 | Intereses de obligaciones y bonos (661) | |
| | a | |
| | Intereses de empréstitos y otras emisiones análogas (506) | 10.000 |
| | –x– | |

| | | |
|---|---|---|
| 10.000 | Intereses de empréstitos y otras emisiones análogas (506) | |
| | a | |
| | Bancos c/c (572) | 8.200 |
| | H. P. acreedor por retenciones practicadas (4751) | 1.800 |
| | –x– | |

| | | |
|---|---|---|
| 1.000 Intereses de deudas (662) | | |
| | a | |
| | Intereses a corto plazo de deudas con partes vinculadas (513) | 1.000 |
| | –x– | |

| | | |
|---|---|---|
| 1.000 Intereses a corto plazo de deudas con partes vinculadas (513) | | |
| | a | |
| | Bancos c/c (572) | 820 |
| | H. P. acreedor por retenciones practicadas (4751) | 180 |
| | –x– | |

| | | |
|---|---|---|
| 2.000 Pérdidas en participaciones y valores representativos de deuda (666) | | |
| 10.000 Bancos c/c (572) | | |
| | a | |
| | Valores representativos de deudas a largo plazo (251) | 12.000 |
| | –x– | |

| | | |
|---|---|---|
| 1.000 Pérdidas de créditos (667) | | |
| | a | |
| | Deudores (440) | 1.000 |
| | –x– | |

| | | |
|---|---|---|
| 100 Otros gastos financieros (669) | | |
| | a | |
| | Caja (570) | 100 |
| | –x– | |

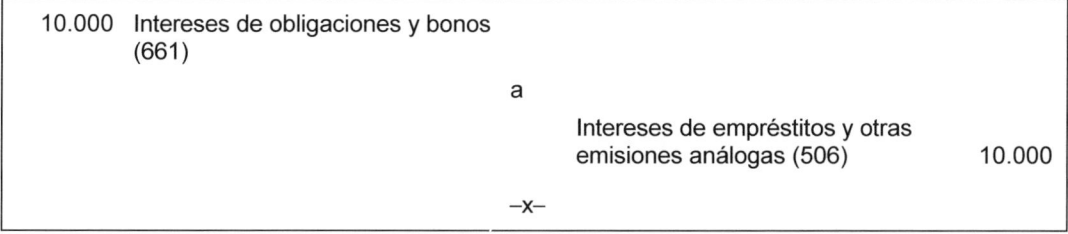

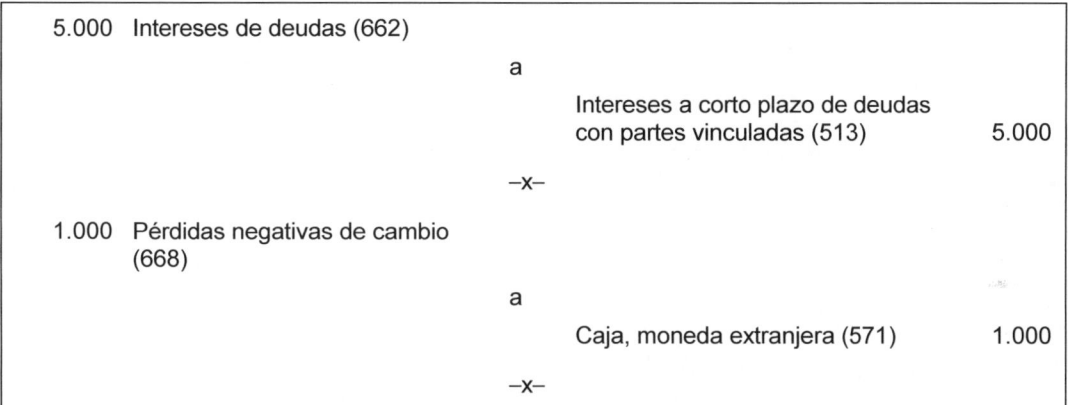

## 13.6. PÉRDIDAS PROCEDENTES DE ACTIVOS NO CORRIENTES Y GASTOS EXCEPCIONALES

Viene establecido en el subgrupo 67 del Plan General de Contabilidad. Los casos prácticos referentes a este epígrafe ya se han estudiado en otros temas.

## 13.7. DOTACIONES, AMORTIZACIÓN Y POR DETERIOROS

Este apartado ya se ha estudiado en otros capítulos. Los casos prácticos referentes a este epígrafe ya se han desarrollado en otros temas.

## 13.8. OTROS INGRESOS DE GESTIÓN

Vienen establecidos en el subgrupo 75 del Plan General de Contabilidad. Los ingresos de gestión son los obtenidos por operaciones habituales fuera del tráfico normal y se recogen dentro del apartado de *ingresos de gestión*. De la misma forma que, anteriormente hemos contemplado los gastos, podemos contemplar los ingresos de gestión y financieros.

- **CASOS PRÁCTICOS**

---

### CASO PRÁCTICO 13.12. Ingresos de gestión

Los ingresos que registra una sociedad son los siguientes:

- – Alquileres procedentes de arrendamientos, por importe de 3.000 euros.

- – Cánones por cesión a terceros de propiedad intelectual, por valor de 10.000 euros.

- – Comisiones por gestión comercial no habitual, por importe de 2.000 euros.

- – Alquileres de viviendas arrendadas a su personal, por 5.000 euros.

- – Trabajos realizados de informática, que han ascendido a 3.000 euros.

*Se pide:* realizar las operaciones reseñadas.

**Solución**

Por los cobros procedentes de los alquileres del arrendamiento:

| | | | |
|---|---|---|---|
| 540 | H.P., retenciones y pagos a cuenta (473) | | |
| 3.000 | Bancos c/c (572) | | |
| | a | | |
| | | H.P., IVA repercutido (477) | 540 |
| | | Ingresos por arrendamientos (752) | 3.000 |
| | –x– | | |

Por los cobros de los cánones:

| | | | |
|---|---|---|---|
| 11.800 | Bancos c/c (572) | | |
| | a | | |
| | | H.P., IVA repercutido (477) | 1.800 |
| | | Ingresos de propiedad industrial cedida en explotación (753) | 10.000 |
| | –x– | | |

Por las comisiones:

| | | | |
|---|---|---|---|
| 2.360 | Bancos c/c (572) | | |
| | a | | |
| | | H.P., IVA repercutido (477) | 360 |
| | | Ingresos por comisiones (754) | 2.000 |
| | –x– | | |

Los alquileres de viviendas al personal de la empresa no están gravados por el IVA:

| | | | |
|---|---|---|---|
| 5.000 | Bancos c/c (572) | | |
| | a | | |
| | | Ingresos por servicios al personal (755) | 5.000 |
| | –x– | | |

Por los servicios de informática:

| | | | |
|---|---|---|---|
| 3.540 | Bancos c/c (572) | | |
| | a | | |
| | | H.P., IVA repercutido (477) | 540 |
| | | Ingresos por servicios diversos (759) | 3.000 |
| | –x– | | |

# 13.9. INGRESOS FINANCIEROS

Viene establecido en el subgrupo 76 del Plan General de Contabilidad. Como decíamos anteriormente, para los gastos de naturaleza financiera podemos hablar de ingresos de igual naturaleza.

## • CASOS PRÁCTICOS

### CASO PRÁCTICO 13.13. Ingresos financieros

Las cantidades retenidas a una empresa por los rendimientos del capital mobiliario ascienden a 1.000 euros, que suponen el 25% de los intereses. Esta cantidad es cobrada a través de los bancos.

*Se pide*: contabilizar las operaciones señaladas.

**Solución**

```
   750  Bancos c/c (572)
   250  H.P., retenciones y pagos a cuenta
        (473)
                            a
                                 Otros ingresos financieros (769)        1.000
                      –x–
```

## Caso Práctico 13.14. Devolución de mercaderías

Se venden mercaderías a una empresa por valor de 100.000 euros con un IVA del 18%. La empresa devuelve mercaderías por importe de 10.000 euros.

Por el volumen de operaciones se realiza una bonificación de 5.000 euros y se aplica un descuento por pronto pago del 4%; el importe cobrado finalmente por las mercaderías asciende a 90.000 euros.

Los envases a devolver por parte de los clientes suponen 30.000 euros.

*Se pide:* contabilizar dichas operaciones.

**Solución**

Las operaciones referidas se contabilizan de la siguiente manera:

```
   90.000  Bancos (572)
   10.000  Devolución de ventas y operacio-
           nes similares (708)
    5.000  Rappels sobre ventas
   41.452  Clientes (430)
    3.600  Descuentos sobre ventas por
           pronto pago (706)
    3.348  H.P., IVA repercutido (477)
                            a
                                 Venta de mercaderías (700)        100.000
                                 H.P., IVA repercutido (477)        23.400
                                 Envases y embalajes a devolver
                                 por clientes (437)                 30.000
                      –x–
```

## CASO PRÁCTICO 13.15. Cálculo del resultado

Una sociedad anónima presenta los saldos siguientes a 31 de diciembre de 200X:

| Cuenta | Cantidad |
|---|---|
| Compra de materias primas | 29.000 |
| Devolución de compras y operaciones similares | 4.200 |
| Venta de productos terminados | 45.000 |
| Sueldos y salarios | 11.000 |
| Intereses de deudas | 1.000 |
| Otros gastos financieros | 500 |
| Compra de otros aprovisionamientos | 600 |
| Ingresos excepcionales | 400 |
| Suministros | 900 |
| Transportes | 3.000 |
| Subvenciones, donaciones y legados a la explotación | 4.000 |
| Ingresos de participaciones de instrumentos de patrimonio | 800 |
| Amortización del inmovilizado material | 5.000 |
| Existencias iniciales de materias primas | 1.500 |
| Existencias finales de materias primas | 1.000 |
| Existencias iniciales de productos en curso | 600 |
| Existencias finales de productos en curso | 900 |
| Existencias iniciales de productos terminados | 1.200 |
| Existencias finales de productos terminados | 1.400 |
| Pérdidas en participaciones y valores representativos de deudas | 200 |

*Se pide:*

1. Realizar el cálculo del resultado, sabiendo que el tipo impositivo aplicable es del 30%.

2. Presentar la Cuenta de Pérdidas y ganancias.

3. Realizar la distribución de beneficios en base a las siguientes proporciones de reparto:

    – 40 % reservas.

    – 40% dividendos.

    – El resto para los trabajadores

**Solución**

**1. Calculo del resultado.**

| 51.700 Pérdidas y ganancias (129) | | |
|---|---|---|
| a | | |
| | Materias primas (611) | 500 |
| | Compra materias primas (601) | 29.000 |
| | Sueldos y salarios (640) | 11.000 |
| | Intereses de deudas (662) | 1.000 |
| | Otros gastos financieros (669) | 500 |
| | Suministros (628) | 900 |
| | Transportes (624) | 3.000 |
| | Compras de otros aprovisionamientos (602) | 600 |
| | Amortización del inmovilizado material (681) | 5.000 |
| | Pérdidas en participaciones y valores representativos de deudas (666) | 200 |
| —x— | | |

| 300 | Productos en curso (710) | |
|---|---|---|
| 200 | Productos terminados (712) | |
| 45.000 | Venta de productos terminados (701) | |
| 800 | Ingresos de participaciones de instrumentos de patrimonio (760) | |
| 4.000 | Subvenciones, donaciones y legados a la explotación (740) | |
| 4.200 | Devoluciones de compras y operaciones similares (608) | |
| 400 | Ingresos excepcionales (778) | |
| | a | |
| | Pérdidas y ganancias (129) | 54.900 |
| —x— | | |

Vamos a calcular el beneficio bruto o beneficio antes de impuestos (ingresos – gastos):

$$54.900 - 51700 = 3.200$$

Los asientos de la liquidación del Impuesto de Sociedades son los siguientes:

| 960 Impuesto sobre beneficios (630) | | |
|---|---|---|
| a | | |
| | H.P., acreedora por Impuesto sobre Sociedades (4752) | 960 |
| —x— | | |

```
960   Pérdidas y ganancias (129)
                                      a
                                            Impuesto sobre beneficio (630)        960
                              –x–
```

## 2.  Presentación de la Cuenta de Pérdidas y ganancias.

| Cuenta | | Nota | 200X | 200X–1 |
|---|---|---|---|---|
| | **A) OPERACIONES CONTINUADAS** | | | |
| | 1. Importe neto de la cifra de negocios | | | |
| 701 | a) Ventas | | 45.000 | |
| | b) Prestaciones de servicios | | | |
| 710, 712 | 2. Variación de existencias de productos terminados y en curso de fabricación | | 500 | |
| — | 3. Trabajos realizados por la empresa para su activo | | — | |
| (601),(602), 608,(611) | 4. Aprovisionamientos | | (25.900) | |
| 740 | 5. Otros ingresos de explotación | | 4.000 | |
| (640) | 6. Gastos de personal | | (11.000) | |
| (624),(628) | 7. Otros gastos de explotación | | (3.900) | |
| (681) | 8. Amortización del inmovilizado | | (5.000) | |
| | 9. Imputación de subvenciones de inmovilizado no financiero y otros. | | — | |
| | 10. Excesos de provisiones | | — | |
| 778 | 11. Deterioro y resultado por enajenación del inmov. | | 400 | |
| | **A-1) RESULTADO DE EXPLOTACIÓN** | | **4.100** | |
| 760 | 12. Ingresos financieros | | 800 | |
| (662),(666), (669) | 13. Gastos financieros | | (1.700) | |
| | 14. Variación de valor razonable en instrumentos financieros | | — | |
| | 15. Diferencias de cambio | | — | |
| | 16. Deterioro y resultado por enajenación de instrumentos financieros | | — | |
| | **A-2) RESULTADO FINANCIERO** | | **(900)** | |
| | **A-3) RESULTADO ANTES DE IMPUESTOS** | | **3.200** | |
| | 17. Impuesto sobre beneficios | | (960) | |
| | **A-4) RESULTADO OPERACIONES CONTINUAS** | | **2.300** | |
| | **B) OPERACIONES INTERRUMPIDAS** | | — | |
| | 18. Resultado De operaciones interrumpidas neto de impuestos | | — | |
| | **A-5) RESULTADO DEL EJERCICIO** | | **2.300** | |

3. **Distribución del beneficio.**

| 2.300 | Pérdidas y ganancias (129) | |
|---|---|---|
| | a | |
| | Reserva legal (112) | 920 |
| | Dividendo activo a pagar (526) | 920 |
| | Remuneraciones pendientes de pago (469) | 460 |
| | —x— | |

## CASO PRÁCTICO 13.16. Distribución de resultados

Supongamos una sociedad anónima que presenta el Balance que se muestra a continuación a 31 de diciembre de 19X4. Se desea repartir el beneficio obtenido por partes iguales entre reservas, dividendos y los trabajadores.

| Activo | | Pasivo | |
|---|---|---|---|
| 100.000 | Construcciones | Capital | 100.000 |
| 38.000 | Maquinaria | Reserva legal | 18.000 |
| 10.000 | Caja | Pérdidas. y ganancias | 30.000 |
| **148.000** | | | **148.000** |

S*e pide*: confeccionar el nuevo balance.

**Solución**

- El 20% del capital social asciende a: 20.000 euros.
- Actualmente tenemos: 18.000 euros.
- De libre disposición tenemos (sobre 30.000): 28.000 euros.
- Estamos obligados a dotar una reserva legal por valor de 2.000 euros.

El límite mínimo para dedicar a reservas es del 20% de la cifra del capital social, que asciende a 20.000 euros. Al tener dotada la reserva legal por 18.000, faltaría, por tanto, dotar otros 2.000 €.

| 30.000 | Pérdidas y ganancias (129) | |
|---|---|---|
| | a | |
| | Reserva legal (112) | 2.000 |
| | Reserva voluntaria (113) | 8.000 |
| | Dividendo activo a pagar (526) | 10.000 |
| | Remuneraciones pendientes pago (465) | 10.000 |
| | —x— | |

## CASO PRÁCTICO 13.17. Operaciones de regularización

Una sociedad anónima presenta el siguiente balance a 1 de enero de 201Y:

| Activo | | Pasivo | |
|---|---|---|---|
| 500.000 | Edificios | Capital social | — |
| 50.000 | Mercaderías | Reserva legal | — |
| 40.000 | Clientes | Acreedores prestación de servicios | 50.000 |
| 10.000 | Clientes, efectos a cobrar | Amortización acumulada inmovilizado material | 50.000 |
| 80.000 | Inversiones financieras a l/p instrumentos de patrimonio | | |
| 20.000 | Caja | | |

La relación de los gastos e ingresos de la sociedad hasta el 1 de diciembre de 201Y, han sido los siguientes:

- Descuentos sobre ventas por pronto pago: 10.000 €.

- Sueldos y salarios: 60.000 €.

- *Rappels* sobre compras: 20.000 €.

- Descuentos sobre compras por pronto pago: 10.000 €.

- Compra de mercaderías: 100.000 €.

- Venta de mercaderías: 160.000€.

- Otros ingresos financieros: 10.000 €.

Las operaciones de gastos e ingresos se han realizado en efectivo y el importe de Caja durante los once meses asciende a 30.000 euros.

La Reserva legal está constituida, mínimamente, según la Ley de Sociedades Anónimas.

Las operaciones hasta el final del ejercicio son las siguientes:

- Se obtienen dos tipos de subvenciones oficiales, una de capital, por importe de 100.000 euros y otra de explotación, por 20.000 euros, que se cobran en el mes de enero. Se traspasarán a resultados del ejercicio en diciembre de 201Y.

- Se cobra el importe de los efectos.

- El recibo del teléfono correspondiente a los meses de diciembre y enero se estima en 10.000 euros.

- Se pagan 10.000 euros a acreedores del balance inicial y en febrero se compromete a pagar otros 10.000 euros.

- Se cobran de clientes 20.000 euros, incluyendo 5.000 considerados de difícil cobro.

- Dotamos la amortización del ejercicio por importe de 20.000 euros.

- La cartera de valores está formada por 400 títulos a 100 euros por título al 200%. La cotización al final de ejercicio es del 250%.

- Las existencias al final del ejercicio han sido de 30.000 euros.

*Se pide:*

1. Calcular el Capital y las Reservas en el balance inicial.

2. Contabilizar las operaciones del ejercicio.

3. Calcular el Resultado después de impuestos.

4. Presentar el Balance de situación.

5. Presentar el Balance según el PGC.

**Solución**

1. **Determinación del Capital social y de la Reserva.**

   - Activo = Pasivo = 700.000 €.

   - Capital + Reservas = 600.000 €.

   - Capital + 1/5 Capital = 600.000 €.

     Capital = 500.000 €.

   - Reserva legal = 1/5 Capital:

     Reserva Legal = 100.000 €.

2. **Operaciones del ejercicio.**

   En el momento de la percepción:

| | | |
|---|---|---|
| 100.000 Caja (570) | | |
| | a | |
| | Ingresos de subvenciones oficiales de capital (940) | 100.000 |
| | —x— | |

En el momento de la percepción:

| | | |
|---|---|---|
| 2.000 Caja (570) | | |
| | a | |
| | Subvenciones, donaciones y legados a la explotación (740) | 2.000 |
| | —x— | |

Al final de ejercicio se cargará por la parte de la subvención:

| | | |
|---|---|---:|
| 100.000 | Ingresos de subvenciones oficiales de capital (940) | |
| | a | |
| | Subvenciones oficiales de capital (130) | 100.000 |
| | –x– | |

| | | |
|---|---|---:|
| 30.000 | Impuesto sobre beneficios (830) | |
| | a | |
| | Subvenciones oficiales de capital (130) | 30.000 |
| | –x– | |

Al final de ejercicio 201Y:

| | | |
|---|---|---:|
| 100.000 | Transferencia de subvenciones oficiales de capital (840) | |
| | a | |
| | Subvenciones, donaciones y legados de capital transferido al resultado del ejercicio (746) | 100.000 |
| | –x– | |

Anulación de operaciones del Patrimonio Neto:

| | | |
|---|---|---:|
| 100.000 | Subvenciones oficiales de capital (130) | |
| | a | |
| | Transferencia de subvenciones oficiales de capital (840) | 100.000 |
| | –x– | |

| | | |
|---|---|---:|
| 30.000 | Subvenciones oficiales de capital (130) | |
| | a | |
| | Impuesto sobre beneficios(830) | 30.000 |
| | –x– | |

| | | |
|---|---|---:|
| 10.000 | Caja (570) | |
| | a | |
| | Clientes, efectos comerciales a cobrar (431) | 10.000 |
| | –x– | |

| | | |
|---|---|---|
| 5.000 Suministros (628) | | |
| | a | |
| | Acreedores por prestaciones de servicios (410) | 5.000 |
| | —x— | |

| | | |
|---|---|---|
| 10.000 Acreedores por prestaciones de servicios (410) | | |
| | a | |
| | Caja (570) | 10.000 |
| | —x— | |

| | | |
|---|---|---|
| 20.000 Caja (570) | | |
| | a | |
| | Clientes (430) | 20.000 |
| | —x— | |

| | | |
|---|---|---|
| 20.000 Clientes de dudoso cobro (436) | | |
| | a | |
| | Clientes (430) | 20.000 |
| | —x— | |

| | | |
|---|---|---|
| 5.000 Pérdidas por deterioro de créditos por operaciones comerciales (694) | | |
| | a | |
| | Deterioro de valor de créditos por operaciones comerciales (490) | 5.000 |
| | —x— | |

| | | |
|---|---|---|
| 20.000 Amortización del inmovilizado material (681) | | |
| | a | |
| | Amortización acumulada del inmovilizado material (281) | 20.000 |
| | —x— | |

| | | |
|---|---|---|
| 50.000 Variación de mercaderías( 610) | | |
| | a | |
| | Mercaderías (300) | 50.000 |
| | —x— | |

| | | |
|---|---|---|
| 30.000 Mercaderías (300) | | |
| | a | |
| | Variación de mercaderías (610) | 30.000 |
| | —x— | |

## 3. Calculo del resultado.

| | | | |
|---|---|---|---|
| 250.000 | Pérdidas y ganancias (129) | | |
| | a | | |
| | | Variación de mercaderías (iniciales) (610) | 50.000 |
| | | Sueldos y salarios (640) | 60.000 |
| | | Compra de mercaderías (600) | 100.000 |
| | | Descuentos ventas por pronto pago (706) | 10.000 |
| | | Amortización del inmovilizado Material (681) | 20.000 |
| | | Suministros (628) | 5.000 |
| | | Pérdidas por deterioro de créditos por operaciones comerciales (694) | 5.000 |
| | –x– | | |
| 30.000 | Variación de existencias (finales) (610) | | |
| 10.000 | Descuentos sobre compras por pronto pago (606) | | |
| 20.000 | *Rappels* sobre compras (609) | | |
| 160.000 | Venta de mercaderías (700) | | |
| 10.000 | Ingresos financieros (76) | | |
| 20.000 | Subvenciones oficiales a la explotación (740) | | |
| 100.000 | Subvenciones, donaciones y legados de capital transferido al resultado del ejercicio (746) | | |
| | a | | |
| | | Pérdidas y ganancias (129) | 350.000 |
| | –x– | | |

El impuesto de sociedades es el 30% de 100.000 € = 30.000 €

| | | | |
|---|---|---|---|
| 100.000 | Pérdidas y ganancias (129) | | |
| | a | | |
| | | Impuesto sobre beneficios (630) | 30.000 |
| | | Remanente (120) | 70.000 |
| | –x– | | |
| 30.000 | Impuesto sobre beneficios (630) | | |
| | a | | |
| | | H.P., acreedora por Impuesto sobre Sociedades (4754) | 30.000 |
| | –x– | | |

4. **Balance de situación.**

| ACTIVO | | PASIVO | |
|---|---|---|---|
| 500.000 | Edificios | Capital social | 500.000 |
| 30.000 | Mercaderías | Reserva legal | 100.000 |
| 15.000 | Clientes | Remanente | 70.000 |
| 5.000 | Clientes, efectos a cobrar | Acreedores prestación de servicios | 85.000 |
| 80.000 | I. F. a l/p en instrumentos de patrimonio | Amortización acumulada del inmovilizado material | 70.000 |
| 120.000 | H.P., deudora por diversos conceptos | H.P., acreedor impuesto de sociedades | 30.000 |
| 110.000 | Caja | Deterioro de valor de créditos de operaciones comerciales | 5.000 |
| **860.000** | | | **860.000** |

5. **Presentación del Balance según el PGC.**

| ACTIVO | Ej. N | Ej. N–1 |
|---|---|---|
| **A) ACTIVO NO CORRIENTE** | **510.000** | **530.000** |
| **I. Inmovilizado intangible** | | |
| **II. Inmovilizado material** | 430.000 | 450.000 |
| 1. Terrenos y construcciones | | |
| 2. Instalaciones técnicas y otro inmovilizado material | | |
| 3. Inmovilizado en curso y anticipos | | |
| **III. Inversiones inmobiliarias** | | |
| **IV Inversiones en empresas del grupo y asociadas** | | |
| **V Inversiones financieras a largo plazo** | | |
| 1. Instrumentos de patrimonio | | |
| **VI Activos por impuestos diferidos** | 80.000 | 80.000 |
| **B) ACTIVO CORRIENTE** | **275.000** | **120.000** |
| **I. Activos no corrientes mantenidos para la venta** | | |
| **II. Existencias** | | |
| 1. Comerciales | | |
| **III. Deudores comerciales y otras cuentas a cobrar** | 30.000 | 50.000 |
| 1. Clientes por ventas y prestación de servicios | | |
| 2. Clientes empresas del grupo y asociadas | 15.000 | 50.000 |
| 3. Deudores varios | | |
| **IV. Inversiones en empresas del grupo y asociadas a corto plazo** | 120.000 | — |
| **V. Inversiones financieras a corto plazos** | | |
| **VI. Periodificaciones a corto plazo** | | |
| **VII. Efectivo y otros activos líquidos equivalentes** | | |
| 1. Tesorería | 110.000 | 20.000 |
| **TOTAL** | **785.000** | **650.000** |

| PATRIMONIO NETO Y PASIVO | Ej. N | Ej. N–1 |
|---|---|---|
| | | |
| **A) PATRIMONIO NETO** | **670.000** | **600.000** |
| **A-1) Fondos propios** | | |
| **I. Capital** | | |
| 1. Capital escriturado | 500.000 | 500.000 |
| **II. Prima de emisión** | | |
| **III. Reservas** | | |
| 1. Reserva legal y estatutaria | 100.000 | 100.000 |
| **IV. (Acciones y participaciones en patrimonio propio)** | | |
| **V. Resultado de ejercicios anteriores** | | |
| **VI. Otras aportaciones de socios** | | |
| **VII. Resultado del ejercicio** | 70.000 | — |
| **VIII. (Dividendo a cuenta)** | | |
| **IX. Otros instrumentos de patrimonio neto** | | |
| **A-2) Ajustes por cambio de valor** | | |
| **A-3) Subvenciones, donaciones y legados recibidos** | | |
| | | |
| **B) PASIVO NO CORRIENTE** | — | — |
| | | |
| **C) PASIVO CORRIENTE** | **85.000** | **50.000** |
| Acreedores por prestación de servicios | 85.000 | 50.000 |
| **TOTAL** | **785.000** | **650.000** |

# CAPITULO 14

# IMPUESTO DE SOCIEDADES

**C**ONTENIDO

# 14.1. CÁLCULO DEL IMPUESTO DE SOCIEDADES

Se `presenta a continuación el esquema del cálculo de sociedades desde la óptica contable

## 14.1.1. Impuesto devengado

| | |
|---|---|
| Resultado del ejercicio según contabilidad | — |
| + Gastos permanentes no deducibles | — |
| − Ingresos permanentes no imputables | — |
| **RESULTADO CONTABLE AJUSTADO** | — |
| Resultado contable ajustado | — |
| × Tipo impositivo correspondiente (30%) | — |
| **IMPUESTO BRUTO** | — |
| Impuesto Bruto | — |
| − Bonificaciones y deducciones de la cuota | — |
| **IMPUESTO DEVENGADO** | — |

## 14.1.2. Base imponible y cuota a pagar

Nos interesa en estos momentos determinar el Impuesto sobre Sociedades desde la óptica fiscal. Para ello, necesitamos conocer el importe de la base imponible, la cuota íntegra, la cuota líquida y la cuota a pagar.

| | |
|---|---|
| Resultado contable antes de impuestos | — |
| + Gastos permanentes no deducibles | — |
| – Ingresos permanentes no imputables | — |
| +/– Diferencias temporales: | — |
| • Amortización (+) | — |
| • Ingresos financieros (–) | — |
| Pérdidas a compensar (–) | — |
| **BASE IMPONIBLE** | — |
| × Tipo impositivo (30%) | — |
| **CUOTA ÍNTEGRA** | — |
| – Bonificaciones y deducciones | — |
| **CUOTA LIQUIDA** | — |
| – Retenciones y pagos a cuenta | — |
| **CUOTA A PAGAR** | — |

## 14.2. IMPUESTO CORRIENTE (6300)

El **impuesto corriente** es la cantidad que satisface la empresa como consecuencia de las liquidaciones fiscales del impuesto sobre beneficios relativos al ejercicio.

### Criterio de valoración

Los activos y pasivos por impuesto corriente se valorarán por las cantidades que se espera pagar o recuperar de las autoridades fiscales, conforme a la normativa vigente.

El gasto o el ingreso por impuesto corriente se corresponderá con la cancelación de las retenciones y pagos a cuenta, así como con el reconocimiento de los pasivos y activos por impuesto corriente.

### Problemática contable

Por el importe del efecto impositivo:

| | |
|---|---|
| Impuesto sobre beneficios (630) | |
| a | |
| | H.P., acreedor por conceptos fiscales (475) |

–x–

La cuenta *H.P., acreedor por conceptos fiscales* (475), imputa los tributos a favor de la Administración Pública pendientes de pago, tanto si la empresa es contribuyente como si es sustituto o retenedor.

Por las retenciones soportadas y los ingresos a cuenta del impuesto realizados:

| |
|---|
| Impuesto sobre beneficios (630) |
| a |
| H.P., retenciones y pagos a cuenta (473) |
| —x— |

La cuenta *H.P., retenciones y pagos a cuenta* (473) recoge las cantidades retenidas a la empresa y los pagos realizados por la misma a cuenta de impuestos.

Por la cuota de ejercicios anteriores:

| |
|---|
| H.P., deudora por diversos conceptos (470) |
| a |
| Impuesto sobre beneficios (630) |
| —x— |

Se abonará o cargará, con cargo o abono a la cuenta (129) *Resultado del ejercicio*:

| |
|---|
| Resultado del ejercicio (129) |
| a |
| Impuesto sobre beneficios (630) |
| —x— |

La cuenta *Resultado del ejercicio* (129) es la que contabiliza los resultados positivos o negativos del último ejercicio cerrado, pendiente de aplicación.

## 14.3. DIFERENCIAS TEMPORARIAS

Las *diferencias temporarias* son aquellas derivadas de la diferente valoración contable y fiscal atribuida a activos, pasivos y determinados instrumentos de patrimonio de la empresa que tengan incidencia en la carga fiscal futura.

Las diferencias temporarias se producen en los casos siguientes:

a) Por la existencia de diferencias entre la base imponible y el resultado contable antes de impuestos.

b) En los ingresos y gastos registrados directamente en el patrimonio neto que no se computen en la base imponible del impuesto.

c) En una combinación de negocios, cuando los elementos patrimoniales se registren por su valor contable, que difiere del valor atribuido fiscalmente.

## Criterio de valoración

En el cálculo de la cuota a pagar surgen diferencias entre el resultado contable y la base imponible del impuesto. Existen dos métodos para su cálculo:

1. Basado la cuenta de P y G, son las diferencias de valoración entre los gastos deducibles y los ingresos computables, y los gastos e ingresos contables. Es método es el que se utilizaba en el PGC 1990.

2. Basado en el balance, muestra una diferente valoración entre los activos y pasivos fiscales, y los activos y pasivos contables. Este es el método utilizado con el PGC 2007 actual.

Los criterios de valoración son:

- Valor contable → Valor en libros.
- Valor fiscal → Legislación fiscal.
- diferencias → temporarias

## Esquema

- Diferencias temporarias deducibles.

    – (menos) cantidades a pagar.

    + (más) cantidades a devolver.

- Diferencias temporarias imponibles.

    + (más) cantidades a pagar.

    – (menos) cantidades a devolver.

Según el PGC 2007, se observa que las diferencias temporarias pueden ser deducibles o imponibles dependiendo de sí, en el futuro, van a generar un menor o un mayor importe a pagar.

# 14.4. IMPUESTO DIFERIDO (6301)

En general, se reconocerá un pasivo por **impuesto diferido** por todas las diferencias temporarias imponibles, salvo por el reconocimiento de un fondo de comercio o reconocimiento inicial de un activo o pasivo en una transacción que no sea combinación de negocio y que no afecte al resultado contable ni a la base del impuesto de sociedades y las inversiones en empresas dependientes, asociadas y de negocios conjuntos.

Conforme al principio de prudencia, solo se reconocerán los activos por impuestos diferidos en la medida en que resulte probable que la empresa disponga de ganancias fiscales futuras.

### Criterio de valoración

Los activos y pasivos por impuestos diferidos se valorarán según los tipos de gravámenes esperados en el momento de su reversión, conforme a la normativa vigente.

El gasto o el ingreso por impuesto diferido, se corresponderá con la cancelación de las retenciones y pagos a cuenta, así como con el reconocimiento de los pasivos y activos por impuesto diferido También, en su caso, por el reconocimiento e imputación a la cuenta de pérdidas y ganancias del ingreso directamente imputado al patrimonio neto resultante.

### Problemática contable

Por el importe de los pasivos por diferencias imponibles originadas en el ejercicio:

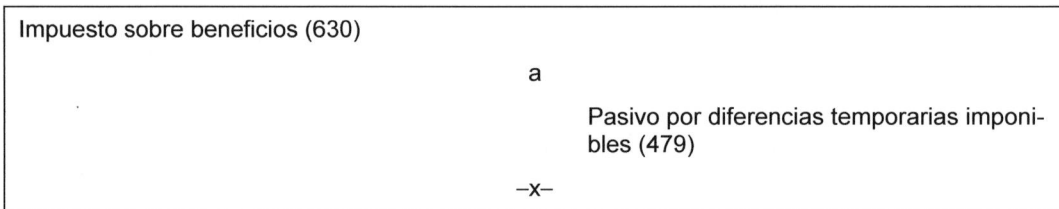

Por la aplicación de los activos por diferencias deducibles de ejercicios anteriores:

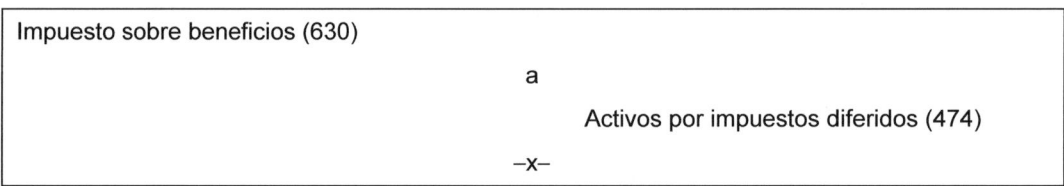

Por la aplicación del crédito impositivo como consecuencia de la compensación en el ejercicio de bases imponibles negativas de ejercicios anteriores:

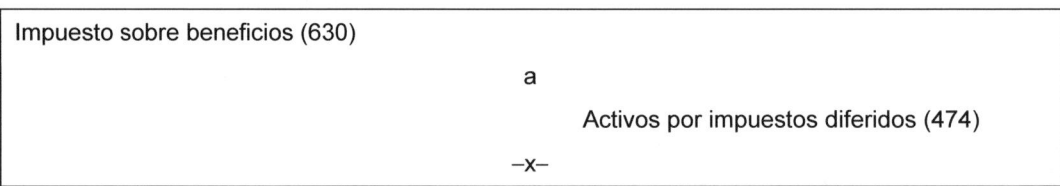

Por el importe del efecto impositivo de las diferencias permanentes a imputar en varios ejercicios:

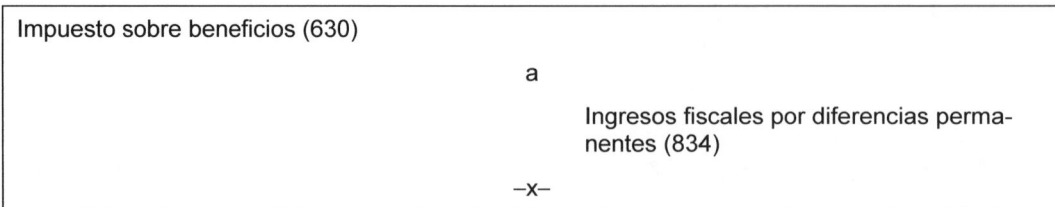

Por el importe del efecto impositivo correspondiente a las deducciones y bonificaciones a imputar en varios ejercicios:

| | |
|---|---|
| Impuesto sobre beneficios (630) | |
| | a |
| | Ingresos fiscales por deducciones y bonificaciones (835) |
| —x— | |

Por la aplicación fiscal de las deducciones y bonificaciones de ejercicios anteriores:

| | |
|---|---|
| Impuesto sobre beneficios (630) | |
| | a |
| | Activos por impuestos diferidos (474) |
| —x— | |

Por el importe de los activos por diferencias imponibles originadas en el ejercicio:

| | |
|---|---|
| Activos por impuestos diferidos (474) | |
| | a |
| | Impuesto sobre beneficios (630) |
| —x— | |

Por el crédito impositivo generado en el ejercicio como consecuencia de la existencia de base imponible negativa a compensar:

| | |
|---|---|
| Activos por impuestos diferidos (474) | |
| | a |
| | Impuesto sobre beneficios (630) |
| —x— | |

Por la cancelación de pasivos por diferencias imponibles de ejercicios anteriores:

| | |
|---|---|
| Pasivo por diferencias temporarias imponibles (479) | |
| | a |
| | Impuesto sobre beneficios (630) |
| —x— | |

Por las diferencias permanentes periodificadas que se imputan en el ejercicio:

| | |
|---|---|
| Transferencia de diferencias permanentes (836) | |
| | a |
| | Impuesto sobre beneficios (630) |
| —x— | |

Por las deducciones y bonificaciones periodificadas que se imputan en el ejercicio:

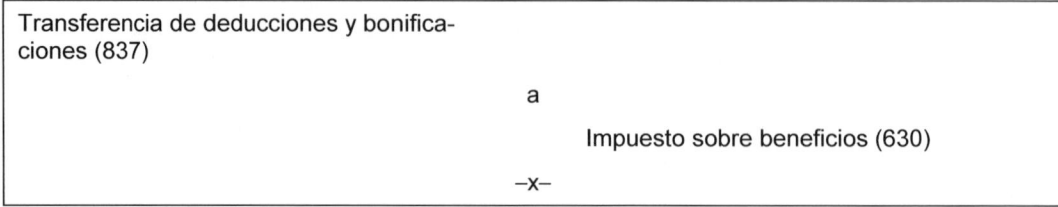

Transferencia de deducciones y bonificaciones (837)

a

Impuesto sobre beneficios (630)

–x–

Por los activos por deducciones y otras ventajas fiscales pendientes de aplicar fiscalmente:

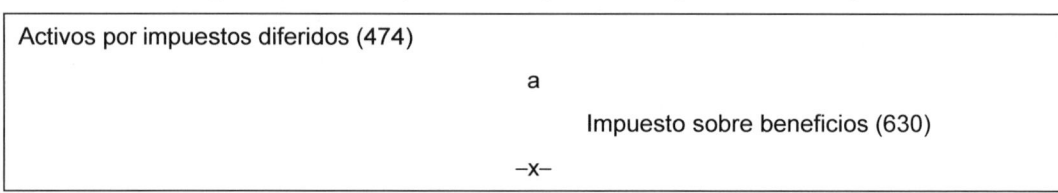

Activos por impuestos diferidos (474)

a

Impuesto sobre beneficios (630)

–x–

## 14.5. AJUSTES EN LA IMPOSICIÓN SOBRE BENEFICIOS Y DEVOLUCIÓN DE IMPUESTOS (633), (638) Y (636)

La cuenta *Ajustes negativos en la imposición sobre beneficios* (633) es la cuenta que recoge la disminución, conocida en el ejercicio, de los activos por impuestos diferidos o aumento, igualmente conocido en el ejercicio, de los pasivos por impuestos diferidos respecto de los activos y pasivos por impuesto diferido generados anteriormente, salvo que dichos saldos se hayan originado como consecuencia de una transacción que se hubiera reconocido en una partida de patrimonio neto.

Por el menor importe del activo por las diferencias deducibles:

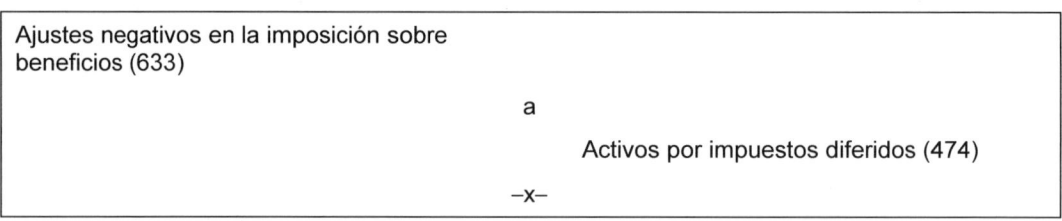

Ajustes negativos en la imposición sobre beneficios (633)

a

Activos por impuestos diferidos (474)

–x–

Por el menor importe del crédito impositivo por las pérdidas a compensar:

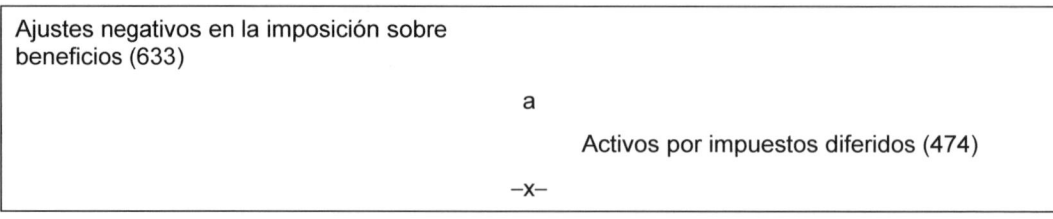

Ajustes negativos en la imposición sobre beneficios (633)

a

Activos por impuestos diferidos (474)

–x–

Por el menor importe del activo por las deducciones y bonificaciones pendientes de aplicar:

```
Ajustes negativos en la imposición sobre
beneficios (633)
                              a
                                    Activos por impuestos diferidos (474)
                    —x—
```

Por el mayor importe del pasivo por las diferencias imponibles:

```
Ajustes negativos en la imposición sobre
beneficios (633)
                              a
                                    Pasivo por diferencias temporarias imponi-
                                    bles (479)
                    —x—
```

La cuenta *Ajustes positivos en la imposición sobre beneficios* (638) imputa el aumento, conocido en el ejercicio, de los activos por impuestos diferidos o la disminución, igualmente conocida en el ejercicio, de los pasivos por impuestos diferidos respecto de los activos y pasivos por impuesto diferido generados anteriormente, salvo que dichos saldos se hayan originados como consecuencia de una transacción que se hubiera reconocido en una partida de patrimonio neto.

Por el mayor importe del activo debido a las diferencias deducibles:

```
Activos por impuestos diferidos (474)
                              a
                                    Ajustes positivos en la imposición sobre
                                    beneficios (638)
                    —x—
```

Por el mayor importe del crédito impositivo por las pérdidas a compensar:

```
Activos por impuestos diferidos (474)
                              a
                                    Ajustes positivos en la imposición sobre
                                    beneficios (638)
                    —x—
```

Por el mayor importe del activo debido a las deducciones y bonificaciones pendientes de aplicar:

| | | |
|---|---|---|
| Activos por impuestos diferidos (474) | | |
| | a | |
| | | Ajustes positivos en la imposición sobre beneficios (638) |
| | –x– | |

Por el menor importe del pasivo por diferencias imponibles:

| | | |
|---|---|---|
| Pasivos por diferencias temporarias imponibles (479) | | |
| | a | |
| | | Ajustes positivos en la imposición sobre beneficios (638) |
| | –x– | |

La cuenta *Devolución de impuestos* (636) se encarga de recoger el importe de los reintegros de impuestos exigidos por la empresa, como consecuencia de pagos indebidamente realizados.

Cuando sean exigibles las devoluciones:

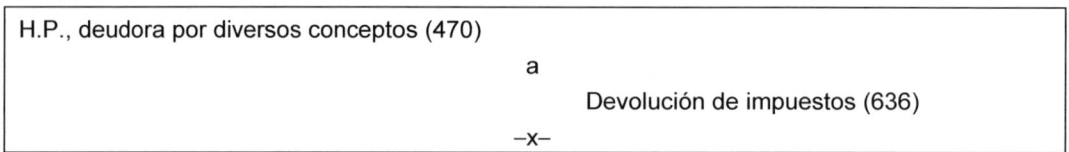

| | | |
|---|---|---|
| H.P., deudora por diversos conceptos (470) | | |
| | a | |
| | | Devolución de impuestos (636) |
| | –x– | |

Al cierre del ejercicio:

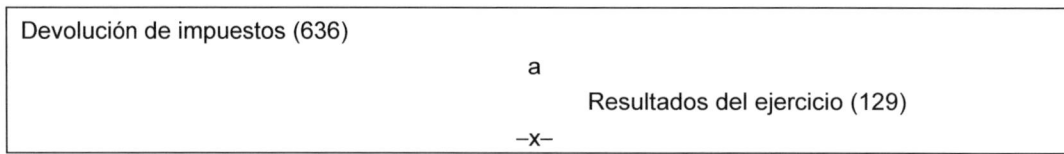

| | | |
|---|---|---|
| Devolución de impuestos (636) | | |
| | a | |
| | | Resultados del ejercicio (129) |
| | –x– | |

## • CASOS PRÁCTICOS

### CASO PRÁCTICO 14.1. Cálculo del impuesto de sociedades

Una sociedad presenta a 31 de diciembre de 201X, la siguiente información agregada, antes del cálculo del Impuesto sobreSociedades.

- – Ventas e ingresos contables (saldo acreedor): 60.000 euros.
- – Compras y gastos (saldo deudor): 48.000 euros.

Los ingresos y gastos contables coinciden con los regulados en la legislación fiscal.

*Se pide*: calcular el gasto correspondiente al Impuesto sobre Sociedades del ejercicio 201X, sabiendo que el tipo impositivo es el 30%.

**Solución**

$$Is(c) = (Rc\ (a) \times t) - Bo,$$

siendo,

*Is* (c) = impuesto sobre sociedades devengado contablemente.

*Rc* (a) = resultado contable ajustado.

*t* = tipo impositivo vigente.

*Bo* = bonificaciones y deducciones aplicables en la cuota.

Por tanto:

$$Is(c) = 12.000 \times 30\% = 3.600\ €.$$

| | | |
|---|---|---|
| 3.600 Impuesto sobre beneficios (630) | | |
| | a | |
| | H.P., acreedora por impuesto sobre sociedades (4752) | 3.600 |
| | −x− | |

- ## CASOS PRÁCTICOS

### CASO PRÁCTICO 14.2. Contabilización del impuesto de sociedades

Una sociedad presenta a 31 de diciembre de 201X, la siguiente información agregada antes del cálculo del Impuesto sobre Sociedades.

Los ingresos y gastos contables coinciden con los regulados en la legislación fiscal.

- *Venta de mercaderías* (700): 30.000 euros.

- *Compra de mercaderías* (600): 24.000 euros.

- *Sueldos y salarios* (640): 1.200 euros.

- *Servicios bancarios y similares* (626): 120 euros.

- *Descuentos sobre compras por pronto pago* (606): 120 euros.

- *Seguridad social a cargo de la empresa* (642): 600 euros.

*Se pide*: calcular el gasto correspondiente al Impuesto sobre Sociedades del ejercicio 201X, sabiendo que el tipo impositivo es el 30%.

**Solución**

| | | |
|---|---|---|
| 25.920 Pérdidas y ganancias (129) | | |
| a | | |
| | Compra de mercaderías (600) | 24.000 |
| | Sueldos y salarios (640) | 1.200 |
| | Servicios bancarios y similares (626) | 120 |
| | Seguridad social a cargo de la empresa (642) | 600 |
| —x— | | |

| | | |
|---|---|---|
| 30.000 Venta de mercaderías (700) | | |
| 120 Descuentos sobre compras por pronto pago (606) | | |
| a | | |
| | Pérdidas y ganancias (129) | 30.120 |
| —x— | | |

- Resultados antes de impuestos: 4.200 €.
- Tipo impositivo. 30%.
- $4.200 \times 30\% = 1.260$ €.
- Resultado después de impuestos: 2.940 €.

| | | |
|---|---|---|
| 1.260 Impuesto sobre beneficios (630) | | |
| a | | |
| | H.P., acreedor por impuesto de sociedades (4752) | 1.260 |
| —x— | | |

---

## CASO PRÁCTICO 14.3. Cálculo del resultado

Una sociedad ha abonado durante el año 20X1, a cuenta del impuesto de sociedades, la cantidad de 1.800 euros. A la sociedad le han retenido, por impuesto sobre las rentas de capital, la cantidad de 120 euros.

A 31 de diciembre de 20X1, la sociedad realiza el asiento correspondiente al gasto del impuesto sobre beneficios, en base a la siguiente información:

- *Venta de mercaderías* (700): 60.000 euros.

- *Compra de mercaderías* (600): 36.000 euros.

- *Variación de existencias de mercaderías*, (acreedor) (610): 6.000 euros.

- *Transportes* (624): 3.000 euros.

- *Intereses de deudas* (662): 3.000 euros.

- *Ingresos por arrendamiento* (752): 1.200 euros.

- *Ingresos por valores representativos de deudas* (761): 4.800 euros.

Posteriormente, se procede a la regularización contable.

El 20 de julio de 20X2 se efectúa el ingreso del importe correspondiente en la Hacienda Pública.

*Se pide*: contabilizar las operaciones reseñadas.

**Solución**

Al realizar el pago a Hacienda a cuenta del Impuesto sobre beneficios:

| | | |
|---|---|---|
| 1.800 | H.P., retenciones y pagos a cuenta (473) | |
| | a | |
| | Bancos (572) | 1.800 |
| | —x— | |

Cuando a la empresa le retuvieron parte de los ingresos en concepto de valores representativos de deudas:

| | | |
|---|---|---|
| 120 | H.P., retenciones y pagos a cuenta (473) | |
| 360 | Bancos (572) | |
| | a | |
| | Ingresos por valores representativos de deudas (761) | 480 |
| | —x— | |

Calculo del saldo de la cuenta (630) *Impuesto sobre beneficios*:

- Ingresos contables: 72.000 €.

- Gastos contables: 42.000 €.

- Resultado contable antes de impuestos: 30.000 €.

- Impuesto sobre beneficios 30.000 × 30%: 9.000 €.

Calculo de la deuda con la Hacienda Pública en concepto de Impuesto sobre beneficios:

– Ingresos fiscales: 72.000 €.

– Gastos fiscales: (42.000) €.

– Base imponible del impuesto: 30.000 €.

– Tipo de gravamen: 30%.

– Cuota íntegra: 9.000 €.

– Retenciones y pagos a cuenta: (1.920) €.

– Deuda tributaria: 7.080 €.

El asiento contable es el siguiente:

| | | |
|---|---|---:|
| 9.000 | Impuesto sobre beneficios (630) | |
| | a | |
| | H.P., acreedora por impuesto de sociedades (4752) | 7.080 |
| | H.P., retenciones y pagos a cuenta (473) | 1.920 |
| | –x– | |

La regularización contable:

| | | |
|---|---|---:|
| 51.000 | Pérdidas y ganancias (129) | |
| | a | |
| | Compra de mercaderías (600) | 36.000 |
| | Transportes (642) | 3.000 |
| | Intereses de deudas (662) | 3.000 |
| | Impuesto sobre beneficios (630) | 9.000 |
| | –x– | |

| | | |
|---|---|---:|
| 60.000 | Venta de mercaderías (700) | |
| 6.000 | Variación de existencias de mercaderías (610) | |
| 1.200 | Ingresos por arrendamiento (752) | |
| 4.800 | Ingresos por valores representativos de deudas (761) | |
| | a | |
| | Pérdidas y ganancias (129) | 72.000 |
| | –x– | |

Resultado del ejercicio: 21.000 €.

El 20 de julio de 20X2 se liquida a Hacienda Pública:

| | | |
|---|---|---|
| 7.080 | H.P., acreedora por impuesto de sociedades (4752) | |
| | a | |
| | Bancos (572) | 7.080 |
| | –x– | |

## CASO PRÁCTICO 14.4. Resultado contable y fiscal
(*Inmaculada Alonso*)

Una sociedad presenta los siguientes datos al final de un determinado ejercicio:

- Resultado contable antes de impuestos: 10.000 euros.
- Diferencias permanentes positivas originadas en el ejercicio: 30 euros.
- Diferencias permanentes negativas originadas en el ejercicio: 50 euros.
- Tipo impositivo: 30%
- Deducciones y bonificaciones: 100 euros.
- Retenciones y pagos a cuenta: 800 euros.

*Se pide*: contabilizar las operaciones reseñadas.

**Solución**

### Óptica Contable:

| | |
|---|---|
| **RESULTADO CONTABLE ANTES DE IMPUESTOS** | **10.000** |
| +/– Diferencias permanentes: | |
| • Diferencia permanente positiva (+) | + 30 |
| • Diferencia permanente negativa (–) | – 50 |
| **RESULTADO CONTABLE AJUSTADO** | **9.980** |
| *Resultado contable ajustado × Tipo impositivo = Impuesto bruto* | |
| **IMPUESTO BRUTO** | **2.994** |
| +/– Bonificaciones y deducciones | – 100 |
| **GASTO POR IMPUESTOS** | **2.894** |

**Óptica Fiscal:**

| | |
|---|---:|
| **RESULTADO CONTABLE ANTES DE IMPUESTOS** | **10.000** |
| +/– Diferencias permanentes: | |
| • Diferencia permanente positiva (+) | + 30 |
| • Diferencia permanente negativa (–) | – 50 |
| **BASE IMPONIBLE** | **9.980** |
| *Base imponible × Tipo impositivo = Cuota íntegra* | |
| **CUOTA INTEGRA** | **2.994** |
| +/– Bonificaciones y deducciones | – 100 |
| **CUOTA LIQUIDA** | **2.894** |
| – Retenciones y pagos a cuenta | – 800 |
| **CUOTA A INGRESAR** | **2.094** |

Problemática contable

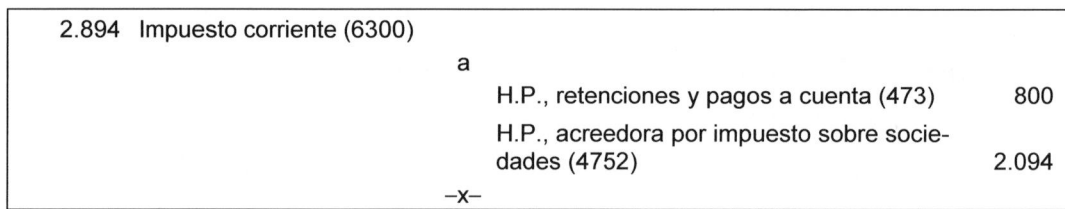

| | | |
|---|---|---:|
| 2.894 Impuesto corriente (6300) | | |
| | a | |
| | H.P., retenciones y pagos a cuenta (473) | 800 |
| | H.P., acreedora por impuesto sobre sociedades (4752) | 2.094 |
| | –x– | |

---

## CASO PRÁCTICO 14.5. Resultado contable y fiscal
(*Inmaculada Alonso*)

Una sociedad presenta los siguientes datos al final de un determinado ejercicio:

- Resultado contable antes de impuestos: 10.000 euros.
- Diferencias permanentes positivas originadas en el ejercicio: 30 euros.
- Diferencias permanentes negativas originadas en el ejercicio: 50 euros.
- Diferencias temporarias deducibles o positivas originadas en el ejercicio, relacionadas con los resultados del ejercicio: 300 euros.
- Diferencias temporarias deducibles o positivas que revierten en el ejercicio, relacionadas con los resultados del ejercicio: 500 euros.
- Diferencias temporarias imponibles que aparecen en el ejercicio, relacionadas con el resultado del ejercicio: 1.000 euros.
- Diferencias temporarias imponibles que revierten en el ejercicio, relacionadas con el resultado del ejercicio: 200 euros.
- Tipo impositivo: 30%.

– Deducciones y bonificaciones: 100 euros.

– Retenciones y pagos a cuenta: 800 euros.

*Se pide*: determinar el resultado contable y fiscal.

**Solución**

**Óptica Contable:**

| | |
|---|---:|
| **RESULTADO CONTABLE ANTES DE IMPUESTOS** | **10.000** |
| +/– Diferencias permanentes: | |
| • Diferencia permanente positiva (+) | + 30 |
| • Diferencia permanente negativa (–) | – 50 |
| **RESULTADO CONTABLE AJUSTADO** | **9.980** |
| *Resultado contable ajustado × Tipo impositivo = Impuesto bruto* | |
| **IMPUESTO BRUTO** | **2.994** |
| +/– Bonificaciones y deducciones | – 100 |
| **GASTO POR IMPUESTOS** | **2.894** |

**Óptica Fiscal:**

| | |
|---|---:|
| **RESULTADO CONTABLE ANTES DE IMPUESTOS** | **10.000** |
| +/– **DIFERENCIAS PERMANENTES**: | |
| • Diferencia permanente positiva (+) | + 30 |
| • Diferencia permanente negativa (–) | – 50 |
| +/– **DIFERENCIAS TEMPORARIAS**: | |
| • Diferencias temporarias deducibles (positivas) (+) | + 300 |
| • Diferencias temporarias que revierten en el ejercicio | – 500 |
| • Diferencias temporarias imponibles del ejercicio | – 1.000 |
| • Diferencias temporarias imponibles que revierten en el ejercicio | + 200 |
| • Pérdidas a compensar de ejercicios anteriores | — |
| **BASE IMPONIBLE** | **8.880** |
| *Base imponible × Tipo impositivo = Cuota íntegra* | |
| **CUOTA INTEGRA** | **2.694** |
| +/– Bonificaciones y deducciones | – 100 |
| **CUOTA LIQUIDA** | **2.594** |
| – Retenciones y pagos a cuenta | – 800 |
| **CUOTA A INGRESAR** | **1.794** |

Problemática contable:

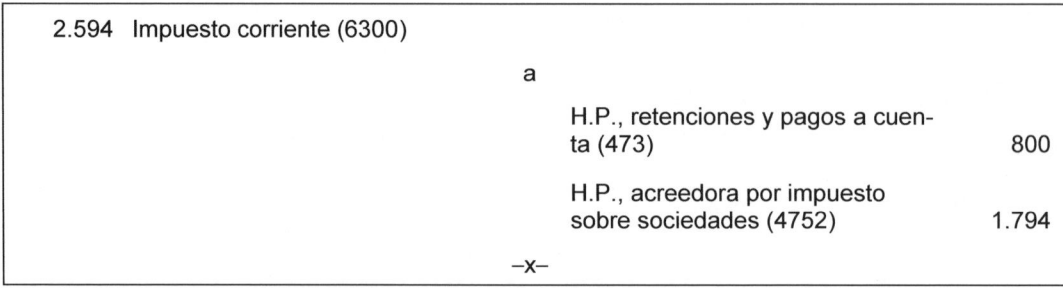

```
2.594   Impuesto corriente (6300)

                                   a
                                        H.P., retenciones y pagos a cuen-
                                        ta (473)                            800
                                        H.P., acreedora por impuesto
                                        sobre sociedades (4752)           1.794
                                   –x–
```

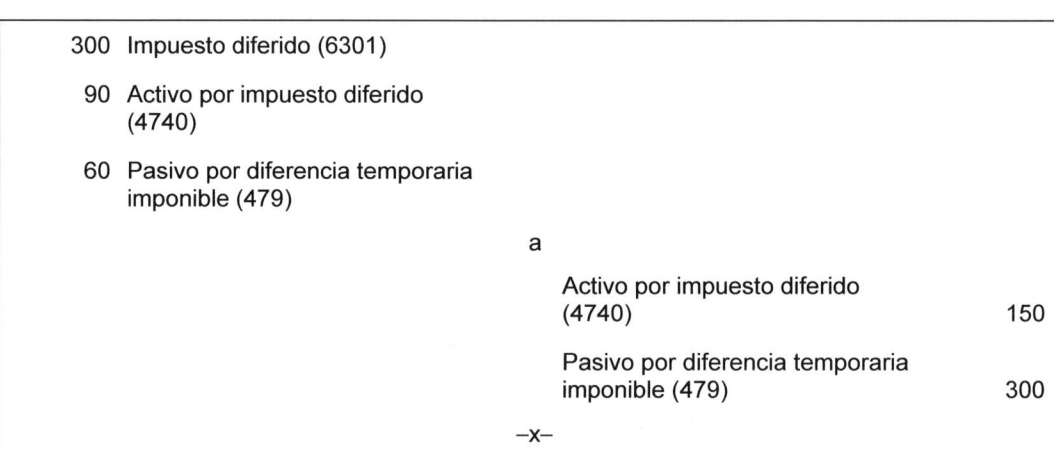

```
300   Impuesto diferido (6301)

 90   Activo por impuesto diferido
      (4740)

 60   Pasivo por diferencia temporaria
      imponible (479)

                                   a
                                        Activo por impuesto diferido
                                        (4740)                              150
                                        Pasivo por diferencia temporaria
                                        imponible (479)                     300
                                   –x–
```

## Caso Práctico 14.6. Liquidación a la Administración Pública
(*Inmaculada Alonso*)

Una sociedad presenta a 31 de diciembre un saldo en la partida de clientes de 8.000 u.m. A 31 de diciembre del año de liquidación, cuando han transcurrido tres meses desde el vencimiento de una deuda por valor de 1.000 u.m. De la información que maneja la sociedad, se deduce que es improbable que se haga efectivo el saldo adeudado.

*Se pide*:

1.  Realizar la liquidación con la Administración Pública, si el resultado contable antes de impuestos es de 10.000 u.m. No hay diferencias permanentes, y a lo largo del ejercicio las retenciones y los pagos a cuenta ascienden a 500 u.m.

2.  Al año siguiente, el saldo de la partida de clientes asciende a 5.000 u.m., y se confirma la imposibilidad del cobro del saldo que en el ejercicio anterior se consideró de dudosa realización.

**Solución**

|  | Año 1 | Año 2 |
|---|---|---|
| Valor contable | 7.000 | 5.000 |
| Base fiscal | 8.000 | 4.000 |
| Diferencia temporaria deducible | 1.000 | (1.000) |
| Activo por diferencia temporaria deducible | 300 | — |
| Reversión del activo por impuesto anticipado | — | 300 |
| Acumulado | 300 | |

**Año 1.**

| 3.300 | Impuesto corriente (6300) | |
|---|---|---|
| | a | |
| | H.P., retenciones y pagos a cuenta (473) | 500 |
| | H.P., acreedora por impuesto sobre sociedades (4752) | 2.800 |
| | —x— | |

| 300 | Activo por diferencias temporarias deducible (4740) | |
|---|---|---|
| | a | |
| | Impuesto diferido (6301) | 300 |
| | —x— | |

**Año 2.**

| 2.700 | Impuesto corriente (6300) | |
|---|---|---|
| | a | |
| | H.P., retenciones y pagos a cuenta (473) | 500 |
| | H.P., acreedora por impuesto sobre sociedades (4752) | 2.200 |
| | —x— | |

| 300 | Activo por diferencias temporarias deducible (4740) | |
|---|---|---|
| | a | |
| | Impuesto diferido (6301) | 300 |
| | —x— | |

## CASO PRÁCTICO 14.7. Liquidación del impuesto de sociedades
(*Inmaculada Alonso*)

Supongamos que la empresa Y adquiere en el año 1, un bien de inmovilizado por valor de 15.000 u.m., que tiene una vida útil estimada de tres años (coincidiendo con la amortización máxima fijada en las tablas de amortización) y un valor residual cero.

A efectos fiscales, la empresa puede acogerse a los supuestos que la ley del Impuesto de sociedades (LIS) establece respecto a la libertad de amortización; contablemente la empresa amortiza el elemento de manera lineal a lo largo de su vida útil.

*Se pide*: realizar la liquidación del impuesto sobre sociedades, teniendo en cuenta los siguientes datos:

- Año 1: el resultado contable es de 20.000 u.m.

- Las retenciones y pagos a cuenta suponen 1.000 u.m.

**Solución**

|  | Año 1 |
|---|---|
| Valor contable | 20.000 |
| Base fiscal | 20.000 |
| Diferencia temporaria deducible | — |
| Pasivo por impuesto diferido | — |
| Reversión del activo por impuesto anticipado | — |
| Acumulado | — |

| | | |
|---|---|---|
| 6.000 Impuesto corriente (6300) | | |
| | a | |
| | H.P., retenciones y pagos a cuenta (473) | 1.000 |
| | H.P., acreedora por impuesto sobre sociedades (4752) | 5.000 |
| | —x— | |

## CASO PRÁCTICO 14.8. Contabilización del impuesto de sociedades
(*Inmaculada Alonso*)

Una sociedad presenta en el año 1 una base imponible negativa del impuesto sobre sociedades de 1.000 euros. En el año 2, tiene una base imponible positiva de 700 euros y en el año 3, de 800 euros, procediéndose a la compensación de las mismas con la base imponible negativa del año 1, en la cuantía máxima permitida.

Suponemos que las causas que han originado las bases imponibles negativas son excepcionales y se considera que las mismas podrán ser compensadas en el plazo máximo previsto por la normativa tributaria

*Se pide*: contabilizar las operaciones reseñadas.

**Solución**

**Año 1.**

| | | | | |
|---|---|---|---|---|
| 300 | Créditos por pérdidas a compensar año 1 (4745) | | | |
| | | a | | |
| | | | Impuesto diferido (6301) | 300 |
| | | —x— | | |

**Año 2.**

| | | | | |
|---|---|---|---|---|
| 210 | Impuesto diferido (6301) | | | |
| | | a | | |
| | | | Créditos por pérdidas a compensar año 1 (4745) | 210 |
| | | —x— | | |

**Año 3.**

| | | | | |
|---|---|---|---|---|
| 90 | Impuesto diferido (6301) | | | |
| 150 | Impuesto corriente (6300) | | | |
| | | a | | |
| | | | Créditos por pérdidas a compensar año 1 (4745) | 90 |
| | | | H.P., acreedora por impuesto sobre sociedades (4752) | 150 |
| | | —x— | | |

---

## CASO PRÁCTICO 14.9. Impuesto devengado
(*Inmaculada Alonso*)

El resultado del ejercicio de una empresa antes de impuestos es de 100.000 euros. La empresa ha realizado un donativo a un empleado por importe de 10.000 euros. Para mejorar la oficina del director financiero, también se ha incurrido en un gasto de 20.000 euros y se han obtenido 40.000 euros procedentes de la reinversión de los beneficios obtenidos de la enajenación del inmovilizado.

Los dividendos obtenidos por la sociedad ascienden a 10.000 euros.

Asimismo, ha obtenido unos rendimientos en Argentina por valor de 10.000 euros, pagando de impuestos por valor de 3.000 euros.

El 1 enero 20X3, la sociedad adquirió un inmovilizado material con los siguientes datos:

- Precio de adquisición 60.000 euros.
- Amortización anual 12.000 euros.
- Periodo: 5 años.
- Amortización fiscal máxima anual: 10.000 euros.

La empresa ha obtenido unos ingresos por valor de 100.000 euros, que cobrará dentro de dos años, pero que han sido devengados en este ejercicio.

En el ejercicio anterior tuvo una pérdida de 20.000 euros, que compensa en el ejercicio actual. Las retenciones practicadas y pagos a cuenta ascienden a 1.000 euros.

*Se pide*:

1. Determinar del impuesto devengado.
2. Calcular la base imponible y la cuota a pagar.
3. Desarrollar la problemática contable.

**Solución**

Existen dos diferencias positivas: el donativo de 10.000 euros y la mejora del despacho del director financiero por importe de 20.000 euros.

Existe una diferencia negativa, por la reinversión de los resultados procedentes de la enajenación del inmovilizado por importe de 40.000 euros. En este ejemplo se supone que la empresa es una Pyme.

**1. Cálculo del impuesto devengado.**

| Resultado del ejercicio según contabilidad | 100.000 |
|---|---|
| + Gastos permanentes no deducibles | 30.000 |
| – Ingresos permanentes no imputables | 40.000 |
| **RESULTADO CONTABLE AJUSTADO** | 90.000 |
| *Resultado contable ajustado × Tipo impositivo 30% (correspondiente) = Impuesto bruto* | |
| **IMPUESTO BRUTO** | **27.000** |

Los dividendos obtenidos ascienden a 10.000 euros. La parte proporcional se obtendrá multiplicando el tipo impositivo (30%) por la cantidad anterior:

$$30\% \times 10.000 = 3.000 \ €.$$

El importe de la deducción se obtendrá aplicando el 50% a la cantidad obtenida anteriormente:

$$50\% \times 3.000 = 1.500.$$

La sociedad ha obtenido unos rendimientos en Argentina por importe de 10.000 euros, pagando en concepto de impuestos 3.000 euros. La cantidad que le correspondería satisfacer en España ascendería al importe obtenido de multiplicar el tipo impositivo (30%) por los rendimientos resultantes:

$$30\% \times 10.000 = 3.000 \ €$$

La cantidad menor, 3.000 €, es la considerada como deducción.

| | |
|---|---:|
| **Impuesto Bruto** | **27.000** |
| – Bonificaciones y deducciones de la cuota | 4.500 |
| **IMPUESTO DEVENGADO** | **22.500** |

El impuesto devengado se recoge en la cuenta (630) *Impuestos sobre beneficios*.

2.  **Calculo de la base imponible del impuesto.**

| | |
|---|---:|
| Resultado contable antes de impuestos | 100.000 |
| + Gastos permanentes no deducibles | 30.000 |
| – Ingresos permanentes no imputables | 40.000 |
| +/– Diferencias temporales: | |
|     Amortización (+) | 2.000 |
| Pérdidas a compensar (–) | 20.000 |
| **BASE IMPONIBLE** | **72.000** |

La diferencia temporaria positiva ocasionada es de 2.000 euros, que deriva de la imputación como gasto contable de 12.000 euros, mientras que desde el punto de vista fiscal, únicamente se consideran deducibles 10.000 euros. La diferencia nos incrementará la base imponible del Impuesto sobre Sociedades, por lo que dará lugar al Impuesto sobre beneficios anticipados por el importe resultante de multiplicar el tipo impositivo aplicado sobre el valor de la diferencia temporal:

$$30\% \times 2.000 = 600,$$

y será recogido, desde el punto de vista contable, en la cuenta *Diferencias temporarias deducibles* (4740).

El crédito, como consecuencia de esta pérdida, se obtiene multiplicando el tipo impositivo (30%) por el valor total de la pérdida

$$30\% \times 20.000 = 6.000,$$

que se recoge en la cuenta *Créditos por Pérdidas a compensar del ejercicio* (4745).

Las bases imponibles negativas podrán ser compensadas con las rentas positivas de los periodos impositivos que concluyan en los 7 años sucesivos.

En el ejercicio anterior, la sociedad realizó el siguiente asiento:

| | | |
|---|---|---|
| 70.000 | Crédito por pérdidas a compensar del ejercicio (4745) | |
| | a | |
| | H.P., acreedora por impuesto sobre sociedades (4752) | 70.000 |
| | –x– | |

El saldo de la cuenta *Créditos por pérdidas a compensar del ejercicio* (4745), debe anularse en el ejercicio en que se decide realizar la compensación.

| | |
|---|---|
| **BASE IMPONIBLE** | **72.000** |
| *Base imponible × Tipo impositivo (30 %) = Cuota integra* | |
| **CUOTA INTEGRA** | **21.600** |
| – Bonificaciones y deducciones | 4.500 |
| **CUOTA LIQUIDA** | **17.100** |
| – Retenciones y pagos a cuenta | 1.000 |
| **CUOTA A PAGAR** | **16.100** |

La base imponible multiplicada por el tipo impositivo (30%) da lugar a la cuota íntegra, que, menos las bonificaciones y deducciones, proporciona la cuota líquida. Si a esta la restamos las retenciones y los pagos a cuenta, que han ascendido a 1.000 euros, obtenemos la cuota a pagar, que se recoge en la cuenta *Hacienda Pública, acreedora por el impuesto sobre sociedades* (4752).

3. **Problemática contable.**

| | | |
|---|---|---|
| 22.500 | impuesto sobre sociedades | |
| 600 | Activos por diferencias temporarias deducibles | |
| | a | |
| | H.P., acreedora por el impuesto sobre sociedades (4752) | 16.100 |
| | H.P., acreedora por retenciones y pagos a cuenta | 1.000 |
| | Créditos por pérdidas a compensar (4745) | 6.000 |
| | –x– | |

---

## CASO PRÁCTICO 14.10. Diferencias temporarias

En una empresa se dispone de los siguientes datos:

- Beneficio antes de impuestos: 120.000 euros.

- Retenciones y pagos a cuenta: 12.000 euros.

- Se ha contabilizado un deterioro por 1.200 euros que no es admitido como gasto deducible fiscalmente.

- Se han pagado unas sanciones medioambientales por valor de 1.200 euros, no admitidas como gasto deducible fiscalmente.

- Los activos financieros disponibles para la venta se han revalorizado por importe de 1.200 euros; dicha revalorización se han contabilizado en el patrimonio neto. Cuando se vende el importe abonado a patrimonio neto se traslada a resultados.

- Los activos financieros para negociar se han depreciado en 1.200 euros al aplicar el valor razonable; dicha minusvalía se ha cargado a resultados. Fiscalmente se aplicarán cuando se vendan.

- El tipo impositivo es del 30%.

*Se pide*: realizar las operaciones reseñadas.

**Solución**

| | |
|---|---:|
| Beneficio contable antes de impuestos | 120.000 |
| Deterioro de clientes | 1.200 |
| Sanciones administrativas | 1.200 |
| Activos financieros por negociar | 1.200 |
| **Beneficio fiscal** | **123.600** |
| Impuesto bruto (123.600 × 30%) | 37.080 |
| Deducciones fiscales | |
| **Impuesto líquido** | **37.080** |
| Retenciones y pagos a cuenta | (12.000) |
| **Impuesto a pagar** | **25.080** |

Asientos contables:

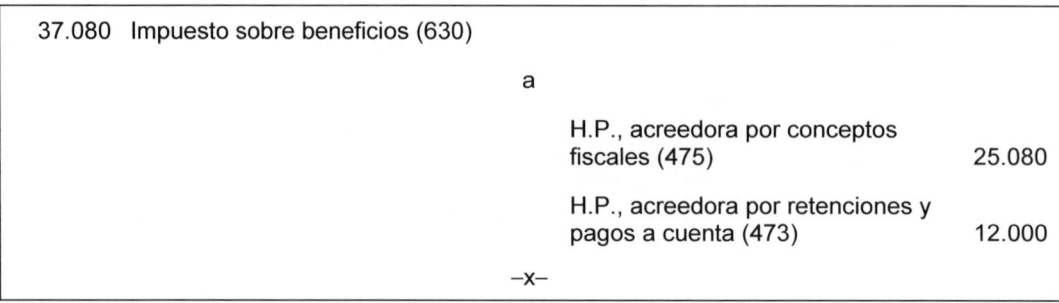

| | | |
|---|---|---|
| 37.080 | Impuesto sobre beneficios (630) | |
| | a | |
| | H.P., acreedora por conceptos fiscales (475) | 25.080 |
| | H.P., acreedora por retenciones y pagos a cuenta (473) | 12.000 |
| | —x— | |

Por el deterioro:

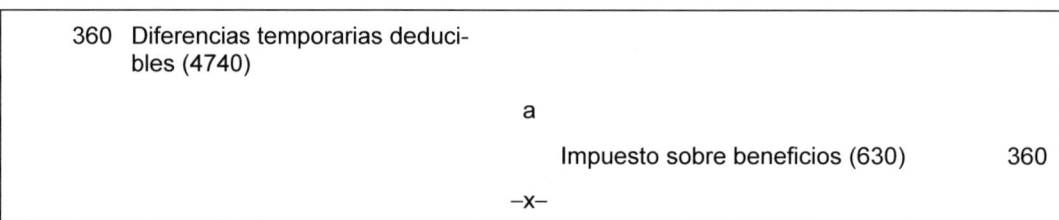

| | | |
|---|---|---|
| 360 | Diferencias temporarias deducibles (4740) | |
| | a | |
| | Impuesto sobre beneficios (630) | 360 |
| | —x— | |

Por las sanciones:

| | | |
|---|---|---|
| 360 | Impuesto diferido (8301) | |
| | a | |
| | Diferencias temporarias imponibles (479) | 360 |
| | —x— | |

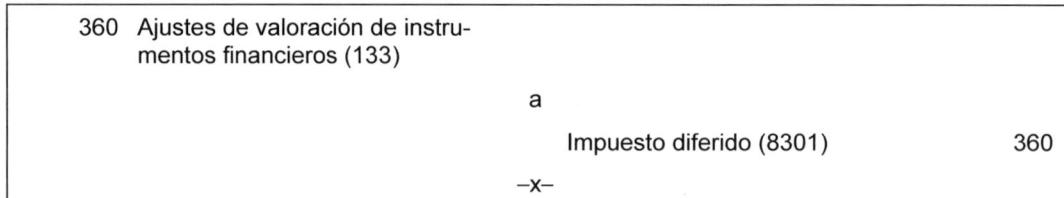

| | | |
|---|---|---|
| 360 | Ajustes de valoración de instrumentos financieros (133) | |
| | a | |
| | Impuesto diferido (8301) | 360 |
| | —x— | |

Por la depreciación de activos financieros para negociar:

| | | |
|---|---|---|
| 360 | Diferencias temporarias deducibles (4740) | |
| | a | |
| | Impuesto sobre beneficios (630) | 360 |
| | —x— | |

## CASO PRÁCTICO 14.11. Incidencia fiscal

Una sociedad anónima ha obtenido un resultado contable antes de impuestos de 9.400 euros. Se reconocen los datos siguientes de la sociedad:

- – Al final del ejercicio recibe una subvención para su inmovilizado material por importe de 2.000 euros, que se imputarán en cuatro ejercicios de forma lineal en función de las cuotas de amortización a partir el ejercicio siguiente.

- – Las deducciones generadas en este ejercicio ascienden a 500 euros.

- – Entre los gastos contabilizados en la cuenta de resultados se encuentra un pago recibido de un paraíso fiscal, por importe de 600 euros.

- – Las retenciones y pagos a cuenta ascienden a 1.000 euros.

- – El tipo impositivo aplicable es del 30% para el régimen general y del 25% para las empresas Pymes, hasta los primeros 120.202 euros, siendo del 30% a partir de ese importe.

*Se pide*: determinar la incidencia fiscal y contabilizar las operaciones reseñadas.

**Solución**

Por el reconocimiento de la subvención:

| | | |
|---|---|---|
| 2.000 | Bancos c/c (572) | |
| | a | |
| | Ingresos por subvenciones oficiales de capital (940) | 2.000 |
| | —x— | |

Por el pasivo derivado de la diferencia temporaria imponible:

| | | |
|---|---|---|
| 600 | Impuesto sobre beneficios diferidos (8301) | |
| | a | |
| | Pasivos por diferencias temporarias imponibles (479) | 600 |
| | —x— | |

Por la imputación al patrimonio neto de la subvención recibida y su efecto impositivo:

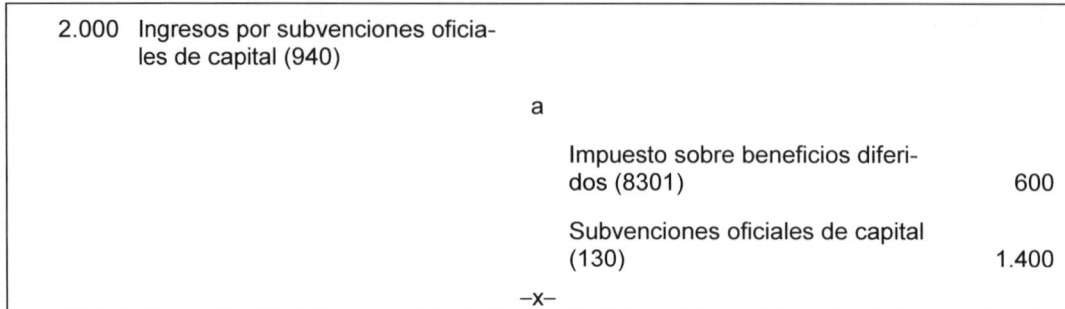

| 2.000 | Ingresos por subvenciones oficiales de capital (940) | | |
|---|---|---|---|
| | a | | |
| | | Impuesto sobre beneficios diferidos (8301) | 600 |
| | | Subvenciones oficiales de capital (130) | 1.400 |
| | —x— | | |

Liquidación fiscal:

| LIQUIDACIÓN FISCAL | AÑO |
|---|---|
| **Resultado contable antes de impuestos** | **9.400** |
| **Diferencias permanentes (+/–)** | |
| Informe del paraíso fiscal (+) | + 600 |
| **Diferencias temporarias en origen (+/–)** | |
| **Reversión diferencias temporarias de ejercicios anteriores** | |
| **BASE IMPONIBLE PREVIA** | **10.000** |
| Compensación de bases imponibles negativas ejercicios anteriores (–) | — |
| **BASE IMPONIBLE** | **10.000** |
| Tipo impositivo | 30% |
| **CUOTA INTEGRA** | **3.000** |
| Deducciones y bonificaciones (–) | – 500 |
| **CUOTA LÍQUIDA** | **2.500** |
| Retenciones y pagos a cuenta (–) | – 1.000 |
| **CUOTA AINGRESAR/DEVOLVER** | **1.500** |

Contabilización del gasto corriente:

| 2.500 | Impuesto corriente (6300) | | |
|---|---|---|---|
| | a | | |
| | | H.P., acreedora por impuesto sobre sociedades (4752) | 1.500 |
| | | H.P., retenciones y pagos a cuenta (473) | 1.000 |
| | —x— | | |

Registro contable durante el año siguiente:

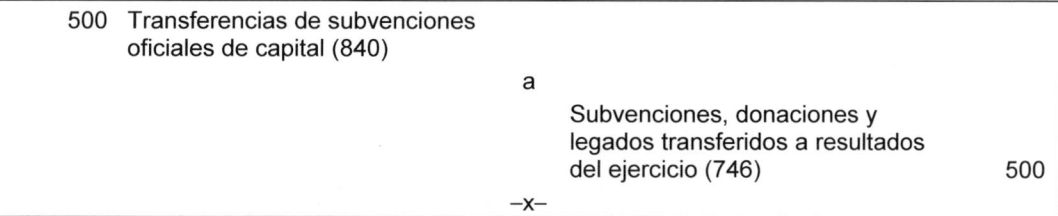

| 500 | Transferencias de subvenciones oficiales de capital (840) | | |
|---|---|---|---|
| | | a | |
| | | Subvenciones, donaciones y legados transferidos a resultados del ejercicio (746) | 500 |

—x—

Por la reversión del pasivo por las diferencias temporarias imponibles:

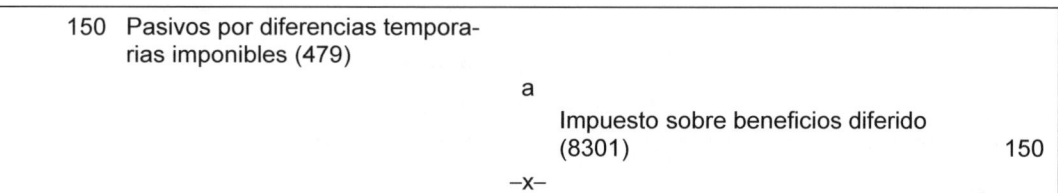

| 150 | Pasivos por diferencias temporarias imponibles (479) | | |
|---|---|---|---|
| | | a | |
| | | Impuesto sobre beneficios diferido (8301) | 150 |

—x—

Al cierre, por la imputación al patrimonio neto:

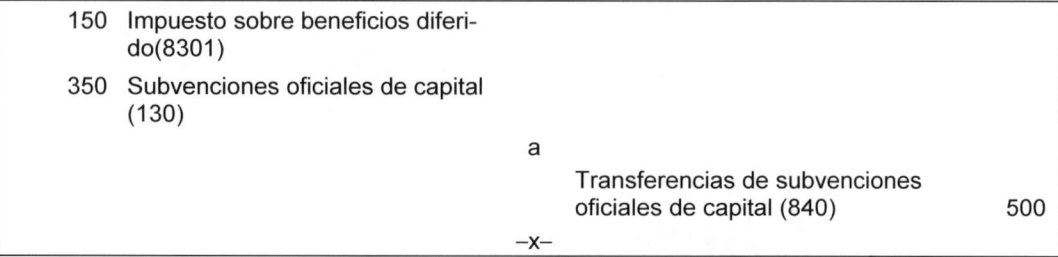

| 150 | Impuesto sobre beneficios diferido(8301) | | |
|---|---|---|---|
| 350 | Subvenciones oficiales de capital (130) | | |
| | | a | |
| | | Transferencias de subvenciones oficiales de capital (840) | 500 |

—x—

## CASO PRÁCTICO 14.12. Aspectos fiscales y contables

Una sociedad anónima ha obtenido un resultado contable antes de impuestos que asciende a 9.400 euros. Se reconocen los datos siguientes de la sociedad:

- Al final del ejercicio, la sociedad recibe una subvención para su inmovilizado material por importe de 2.000 euros, que se imputarán en cuatro ejercicios de forma lineal en función de las cuotas de amortización, a partir el ejercicio siguiente.
- Las deducciones generadas en este ejercicio ascienden a 500 euros.
- Entre los gastos contabilizados en la cuenta de resultados se encuentra un pago recibido desde un paraíso fiscal, por importe de 600 euros.
- Las retenciones y pagos a cuenta ascienden a 1.000 euros.
- El tipo impositivo para las Pymes es del 25% hasta 120.202 euros, siendo del 30% a partir de ese importe.

*Se pide*: determinar la incidencia fiscal y contabilizar las operaciones reseñadas.

**Solución**

Por el reconocimiento de la subvención:

| | | | |
|---|---|---|---|
| 2.000 | Bancos c/c (572) | | |
| | | a | |
| | | Ingresos por subvenciones oficiales de capital (940) | 2.000 |
| | | —x— | |

Por el pasivo derivado de la diferencia temporaria imponible

$$2.000 \times 0,25 = 50.000 €.$$

| | | | |
|---|---|---|---|
| 500 | Subvenciones oficiales de capital (130) | | |
| | | a | |
| | | Pasivos por diferencias temporarias imponibles (479) | 500 |
| | | —x— | |

Liquidación fiscal

| LIQUIDACIÓN FISCAL | AÑO |
|---|---|
| **Resultado contable antes de impuestos** | **9.400** |
| **Diferencias permanentes (+/–)** | |
| Informe del paraíso fiscal (+) | + 600 |
| **Diferencias temporarias en origen (+/–)** | |
| **Reversión diferencias temporarias de ejercicios anteriores** | |
| **BASE IMPONIBLE PREVIA** | **10.000** |
| Compensación de bases imponibles negativas ejercicios anteriores (–) | — |
| **BASE IMPONIBLE** | **10.000** |
| Tipo impositivo | 25% |
| **CUOTA ÍNTEGRA** | **2.500** |
| Deducciones y bonificaciones (–) | – 500 |
| **CUOTA LÍQUIDA** | **2.000** |
| Retenciones y pagos a cuenta (–) | – 1.000 |
| **CUOTA A INGRESAR/DEVOLVER** | **1.000** |

Contabilización del gasto corriente:

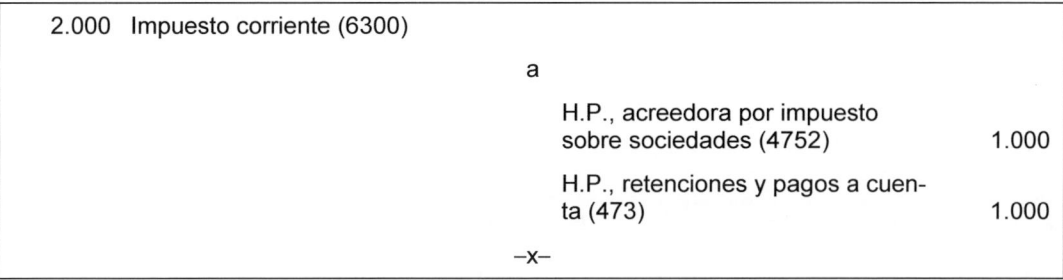

```
2.000   Impuesto corriente (6300)

                            a

                                H.P., acreedora por impuesto
                                sobre sociedades (4752)            1.000

                                H.P., retenciones y pagos a cuen-
                                ta (473)                           1.000
                            —x—
```

Registro contable durante el año siguiente:

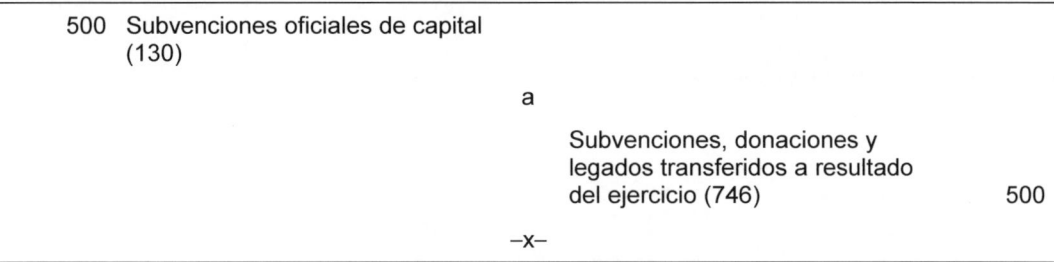

```
500   Subvenciones oficiales de capital
      (130)

                            a

                                Subvenciones, donaciones y
                                legados transferidos a resultado
                                del ejercicio (746)                 500
                            —x—
```

Por la reversión del pasivo por las diferencias temporarias imponibles:

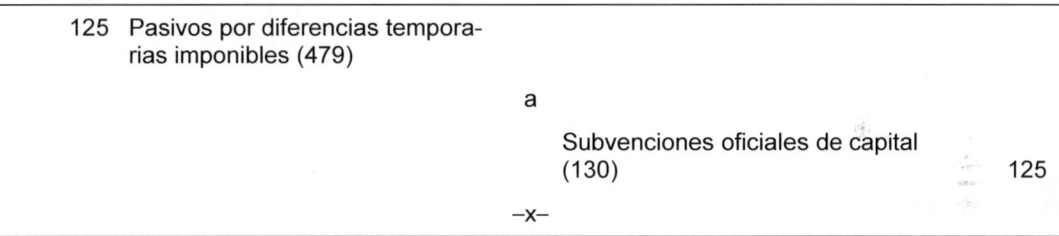

```
125   Pasivos por diferencias tempora-
      rias imponibles (479)

                            a

                                Subvenciones oficiales de capital
                                (130)                               125
                            —x—
```

CAPITULO **15**

# CUENTAS ANUALES

## Ejercicio completo

**CONTENIDO**

## CASOS PRÁCTICOS

# 15.1. LAS CUENTAS ANUALES

Las **Cuentas anuales** se presentan con una periodicidad mínima anual. Para ello, se utiliza el modelo normal de las cuentas anuales del Plan General de Contabilidad para todas las sociedades mercantiles, salvo para el empresario individual y aquellas sociedades que puedan acogerse a la figura de los modelos abreviados de cuentas anuales del Plan General de Contabilidad.

1.  Requisitos de los modelos anuales abreviados:

    *   **Balance**: cuando concurran dos de las tres circunstancias siguientes:

        a)  Que el total del activo sea inferior a 3.080.000 euros.

        b)  Que el importe neto de la cifra anual de negocios sea inferior a 6.160.000 euros.

        c)  Que el número medio de trabajadores empleados durante el ejercicio sea inferior a 50.

- **Cuenta de Pérdidas y ganancias,** cuando concurran dos de las tres circunstancias siguientes:

    a)   Que el total del activo sea inferior a 12.320.000 euros.

    b)   Que el importe neto de la cifra anual de negocios sea inferior a 24.640.000 euros.

    c)   Que el número medio de trabajadores empleados durante el ejercicio sea inferior a 250.

2.  Las sociedades cuyas acciones coticen en el mercado regulado en cualquier Estado miembro de la Unión europea, deberán utilizar para la presentación de sus cuentas anuales el Modelo normal de las cuentas anuales.

3.  Si a lo largo de dos años consecutivos, una sociedad que utilice el modelo abreviado de presentación de las cuentas anuales, reúne los condicionantes señalados de sociedad con modelo normal, debe efectuar el cambio de modelo de presentación de las cuentas anuales.

4.  En cada ejercicio deben figurar las cifras del ejercicio que se cierra, así como las del ejercicio inmediatamente anterior.

5.  No podrán cambiarse los criterios de contabilización de un ejercicio a otro, salvo casos justificados, explicitándose este hecho en la Memoria.


# 15.2. REGULARIZACIÓN


- ## CASOS PRÁCTICOS

### CASO PRÁCTICO 15.1. Regularización

Disponemos de los siguientes datos de una sociedad anónima:

1.  La empresa satisface la nómina del personal por valor de 1.000.000 de euros, su aportación a un Plan y Fondo de Pensiones, gestionado externamente, es de 150.000 euros. A los empleados, la empresa retiene en la nómina para el Fondo de pensiones, 250.000 euros. Al término de un mes, la empresa ingresa las cotizaciones al régimen privado de pensiones.

2.  La sociedad obtiene un préstamo de un tercero, entidad no financiera, el primero de marzo de 20FD +1, con una duración de cinco años, por importe de 1.000.000 de euros. Los gastos de formalización, impuestos y comisiones ascienden a 5.000 euros. Los intereses aplicables son del 10% anual, pagadero por semestres vencidos a partir del 1 de septiembre de 20FD +1. El reembolso se realiza en su totalidad, el 1 de marzo de 20FD+6.

3.  La sociedad tiene 10.000 acciones, correspondiéndole por cada cinco acciones antiguas una nueva por acudir a una ampliación de capital. El valor de cotización es del 120% y el valor nominal, de 6 euros al 100%. La empresa adquiere los derechos que le corresponden a su valor teórico. Se deben contabilizar la adquisición de derechos y las nuevas acciones.

4.  Las existencias del almacén han sufrido un deterioro potencial de 10.000 euros, en este ejercicio. En el ejercicio anterior, la merma de valor estimada fue de 16.000 euros. Por la dotación que se realice en euros el ejercicio:

5.  La sociedad anónima ha recibido la siguiente factura, con un IVA para ese ejercicio del 16%:

    | | |
    |---|---:|
    | Materias primas | 1.000.000 |
    | Envases a devolver a proveedores | 200.000 |
    | Gastos de transporte | 30.000 |
    | Bonificaciones por antiguos clientes | (30.000) |
    | **Total** | **1.200.000** |
    | IVA 16%: | 192.000 |
    | **TOTAL** | **1.392.000** |

    –   La costumbre de la empresa es realizar el 50% del pago al contado, el 25% por medio de factura y el resto, después de reconocer la compra; los descuentos y bonificaciones se giran en letras de cambio a 90 días.

    –   Se devuelven la totalidad de los envases a los proveedores, y el 10% de las materias primas por estar en mal estado.

    –   Se obtiene un descuento del 3,5% por pronto pago.

    –   Se obtiene una bonificación por el volumen de pedido del 4,5%.

    –   El resto de la deuda pendiente se documenta por medio de letra de cambio.

6.  Se venden productos por 2.000.000 euros a crédito, con un IVA sometido del 16%. Posteriormente se giran letras por el importe de la deuda. El 50 % de la deuda se descuenta en una entidad financiera, ascendiendo los gastos y comisiones al 7% Al vencimiento, solo una letra, cuyo nominal es de 10.000 euros, resulta impagada, procediendo la empresa a abonar al banco el importe de la letra más unos gastos de protesto de 1.000 euros. El resto de las letras permanecen en cartera hasta su vencimiento que se cobra en su totalidad.

7.  El importe estimado del teléfono correspondiente al mes de diciembre es de 1.000 euros. La póliza de seguros que vence el 31 de marzo del año próximo es de 6.000 euros.

8.  Se distribuyen los resultados del ejercicio anterior de la forma siguiente: 300.000 dividendos, 200,000 para reserva legal, y 150.000 para reserva voluntaria.

**Información adicional**: el valor de las materias primas a final de año es de 120.000 euros; y el valor de las mercaderías a la misma fecha asciende a 35.000 euros.

*Se pide*: contabilizar y regularizar las operaciones reseñadas.

**Solución**

**1. Contabilización de las operaciones.**

**1.1.** Retribuciones del personal:

| | | | |
|---|---|---|---|
| 1.000.000 | Sueldos y salarios (640) | | |
| 150.000 | Retribuciones a largo plazo mediante sistemas de aportaciones definidas (643) | | |
| | a | | |
| | | Caja (570) | 750.000 |
| | | Provisiones para retribuciones y otras prestaciones al personal (5290) | 400.000 |
| | —x— | | |

Al mes:

| | | | |
|---|---|---|---|
| 400.000 | Provisiones para retribuciones y otras prestaciones al personal (5290) | | |
| | a | | |
| | | Caja (570) | 400.000 |
| | —x— | | |

**1.2.** Formalización de préstamos:

| | | | |
|---|---|---|---|
| 995.000 | Caja (570) | | |
| 5.000 | Otros gastos financieros (669) | | |
| | a | | |
| | | Deudas a largo plazo (171) | 1.000.000 |
| | —x— | | |

La cuenta *Deudas a largo plazo* (171) se utiliza para contabilizar las deudas contraídas con terceros por préstamos recibidos y otros débitos con vencimiento superior al año (en este caso, 5 años).

A continuación, hay que contabilizar el reconocimiento de los intereses que vencen en el ejercicio.

Por el pago de intereses a 1 de septiembre de 20FD +1.

| | | |
|---|---|---|
| 50.000 Intereses de deudas (6624) | | |
| | a | |
| | Caja (570) | 50.000 |
| | —x— | |

Ahora, realizamos la periodificación de los intereses que vencen en el ejercicio. Como los intereses se comienzan a pagar a partir del 1 de septiembre del ejercicio, hasta el cierre, el 31 de diciembre, se contabilizan los intereses correspondientes a ese periodo, es decir 4 meses.

| | | |
|---|---|---|
| 33.333 Intereses de deudas (6624) | | |
| | a | |
| | Deudas a corto plazo (521) | 33.333 |
| | —x— | |

**1.3.** Por la adquisición de derechos; se calcula primero el valor teórico de los derechos:

$$0,2 \times 2.000 = 400 \ €.$$

| | | |
|---|---|---|
| 400 Inversiones financieras a l/p en instrumentos de patrimonio (derechos) (250) | | |
| | a | |
| | Caja (570) | 500.000 |
| | —x— | |

Por la conversión en acciones:

| | | |
|---|---|---|
| 12.400 Inversiones financieras a l/p en instrumentos de patrimonio (derechos) (250) | | |
| | a | |
| | Caja (570) | 12.000 |
| | Inversiones financieras a l/p en instrumentos de patrimonio (derechos) (250) | 400 |
| | —x— | |

**1.4.** Deterioro de las existencias:

| | | |
|---|---|---|
| 10.000 | Pérdida por deterioro de merca-<br>derías (6931) | |
| | a | |
| | Deterioro del valor de mercader-<br>ías (390) | 10.000 |
| | –x– | |

Por la cancelación de la provisión efectuada en el ejercicio precedente:

| | | |
|---|---|---|
| 16.000 | Deterioro del valor de mercaderías<br>(390) | |
| | a | |
| | Reversión del deterioro de mer-<br>caderías (7931) | 16.000 |
| | –x– | |

**1.5.** Factura recibida por la sociedad:

La primera operación que debemos contabilizar es reconocer la factura, siempre y cuando esta sea correcta. Para ello, desglosamos el importe total sin IVA y reconocemos por separado el IVA soportado.

En principio contemplamos el pago del 50% al contado y el resto, por medio de factura (proveedores), en espera de reconocer el resto de las bonificaciones, descuentos y devoluciones.

| | | | |
|---|---|---|---|
| 1.000.000 | Compras de materias primas (601) | | |
| 200.000 | Envases y embalajes a devolver a<br>proveedores (406) | | |
| 192.000 | Hacienda Pública, IVA soportado<br>(472) | | |
| | a | | |
| | | Caja (570) | 696.000 |
| | | Proveedores (4000) | 696.000 |
| | –x– | | |

Al devolver a los proveedores los envases, deberemos cancelar el 16% del IVA soportado sobre el importe de los envases devueltos.

| 232.000 | Proveedores (4000) | | |
|---|---|---|---|
| | a | | |
| | | Envases y embalajes a devolver a proveedores (406) | 200.000 |
| | | Hacienda Pública, IVA soportado (472) | 32.000 |
| | —x— | | |

Por la devolución de materias primas en mal estado, que suponen el 10% de las compras, y suponen 100.000 euros y se cancela el IVA soportado, correspondiente a la devolución.

| 116.000 | Proveedores (4000) | | |
|---|---|---|---|
| | a | | |
| | | Devolución de compras de materias primas (6081) | 100.000 |
| | | Hacienda Pública, IVA soportado (472) | 16.000 |
| | —x— | | |

Se obtiene un descuento por pronto pago. El descuento por pronto pago se determina sobre el importe pagado y se cancela el correspondiente IVA.

| 24.360 | Proveedores (4000) | | |
|---|---|---|---|
| | a | | |
| | | Descuentos sobre compras por pronto pago de MP (6061) | 21.000 |
| | | Hacienda Pública, IVA soportado (472) | 3.360 |
| | —x— | | |

Bonificaciones concedidas fuera de factura por el volumen de pedido. Para determinar el volumen de las operaciones se tiene en cuenta el importe total de las devoluciones,

$$900.000 \times 4,5/100 = 40.500 \text{ €.}$$

Se cancela el respectivo IVA soportado.

| 46.980 | Proveedores (4000) | | |
|---|---|---|---|
| | a | | |
| | | *Rappels* por compras de materias primas (6091) | 40.500 |
| | | Hacienda Pública, IVA soportado (472) | 6.480 |
| | —x— | | |

Por el registro a efectos comerciales:

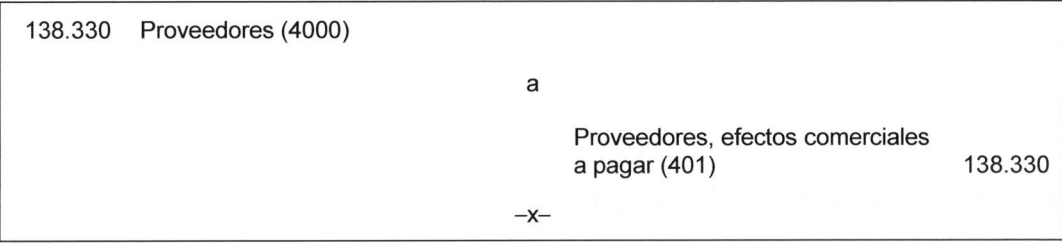

| | | |
|---|---|---|
| 138.330 | Proveedores (4000) | |
| | a | |
| | Proveedores, efectos comerciales a pagar (401) | 138.330 |
| | —x— | |

**1.6.** Por la entrega de bienes o prestación de servicios:

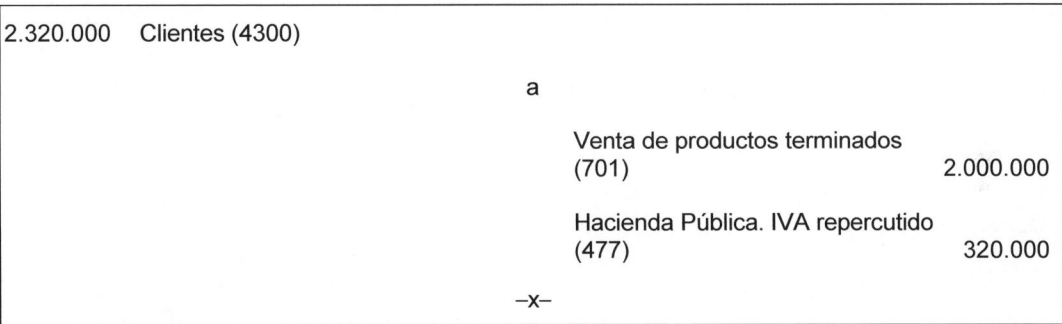

| | | |
|---|---|---|
| 2.320.000 | Clientes (4300) | |
| | a | |
| | Venta de productos terminados (701) | 2.000.000 |
| | Hacienda Pública. IVA repercutido (477) | 320.000 |
| | —x— | |

Se giran letras por el importe de la deuda:

| | | |
|---|---|---|
| 2.320.000 | Clientes efectos comerciales descontados (4311) | |
| | a | |
| | Clientes (4300) | 2.320.000 |
| | —x— | |

Se cargan por el cobro de los efectos al vencimiento:

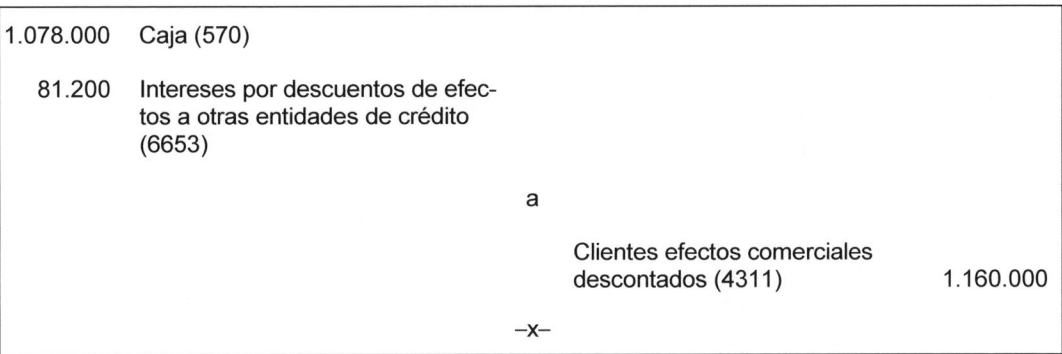

| | | |
|---|---|---|
| 1.078.000 | Caja (570) | |
| 81.200 | Intereses por descuentos de efectos a otras entidades de crédito (6653) | |
| | a | |
| | Clientes efectos comerciales descontados (4311) | 1.160.000 |
| | —x— | |

Al vencimiento de las letras hay un impago de 10.000 €:

| | | | |
|---|---|---|---|
| 10.000 | Pérdidas de créditos comerciales incobrables (650) | | |
| 1.000 | Otros gastos financieros (669) | | |
| | a | | |
| | | Caja (570) | 11.000 |

–x–

Al vencimiento, el cliente hace efectivo el importe del efecto:

| | | | |
|---|---|---|---|
| 1.160.000 | Caja (570) | | |
| | a | | |
| | | Clientes efectos comerciales descontados (4311) | 1.160.000 |

–x–

**1.7.** Reconocimiento del gasto del mes de diciembre:

| | | | |
|---|---|---|---|
| 1.000 | Suministros (628) | | |
| | a | | |
| | | Acreedores por prestación de servicios (4100) | 1.000 |

–x–

Para contabilizar el importe de la prima de seguros a 31 de marzo (se registran los 9 meses de este año a gastos), se hace:

| | | | |
|---|---|---|---|
| 4.500 | Primas de seguros (625) | | |
| 1.500 | Gastos anticipados (480) | | |
| | a | | |
| | | Caja (570) | 6.000 |

–x–

**1.8.** Distribución de los resultados del ejercicio.

Se realiza la distribución según las indicaciones recibidas:

| | | | |
|---|---|---|---|
| 650.000 | Resultado del ejercicio (129) | | |
| | a | | |
| | | Reserva legal (112) | 200.000 |
| | | Reserva voluntaria (113) | 150.000 |
| | | Dividendo activo a pagar (526) | 300.000 |

–x–

Se produce la cancelación de los dividendos y de los impuestos sobre los beneficios obtenidos.

| | |
|---|---|
| 350.000 | H.P., acreedor por impuestos de sociedades (4752) |
| 300.000 | Dividendo activo a pagar (526) |

a

Caja (570)      650.000

−x−

## 2. Regularización.

Con base en los saldos que se han obtenido de las cuentas, después de imputar cada uno de los asientos descritos anteriormente, tomamos las cuentas correspondientes a los grupos 6 y 7 y realizamos la correspondiente regularización.

| Código de la cuenta | Debe | Haber | Orden |
|---|---|---|---|
| 601 | | 1.000.000 | 4b |
| 6061 | | (21.000) | 4b |
| 6081 | | (100.000) | 4b |
| 6091 | | (40.500) | 4b |
| 610 | | 765.000 | 4a |
| 611 | | (12.000) | 4b |
| 625 | | 4.500 | 7a |
| 628 | | 1.000 | 7a |
| 640 | | 1.000.000 | 6a |
| 643 | | 150.000 | 6b |
| 650 | | 10.000 | 7c |
| 6624 | | 83.333 | 13b |
| 6653 | | 81.200 | 13b |
| 669 | | 6.000 | 13b |
| 6931 | | 10.000 | 4d |
| 701 | 2.000.000 | | 1a |
| 7931 | 16.000 | | 4d |
| **Subtotal** | **2.016.000** | **2.937.533** | |
| **Pérdida del ejercicio** | **921.533** | | |
| **Impuestos 30%** | **276.459.90** | | |

| | | | |
|---|---|---|---|
| 3.111.033 | Resultado del ejercicio (129) | | |
| | | a | |
| | | Compras de materias primas (601) | 1.000.000 |
| | | Variación de existencias de mercaderías (610) | 765.000 |
| | | Primas de seguros (625) | 4.500 |
| | | Suministros (628) | 1.000 |
| | | Sueldos y salarios (640) | 1.000.000 |
| | | Retribuciones a largo plazo mediante sistemas de aportaciones definidas (643) | 150.000 |
| | | Pérdidas de créditos comerciales incobrables (650) | 10.000 |
| | | Intereses deudas, a otras empresas (6624) | 83.333 |
| | | Intereses por descuentos de efectos de otras entidades de crédito (6653) | 81.200 |
| | | Otros gastos financieros (669) | 6.000 |
| | | Pérdida por deterioro de mercaderías (6931) | 10.000 |

–x–

| | | | |
|---|---|---|---|
| 21.000 | Descuentos sobre compras por pronto pago de materias primas (6061) | | |
| 100.000 | Devolución de compras de materias primas (6081) | | |
| 40.500 | *Rappels* por compras de materias primas (6091) | | |
| 12.000 | Variación de existencias de materias primas (611) | | |
| 2.000.000 | Venta de productos terminados (701) | | |
| 16.000 | Reversión del deterioro de materias primas (7931) | | |
| | | a | |
| | | Resultado del ejercicio (129) | 2.189.500 |

–x–

Ganancia del ejercicio:

$$921.533 \times 30\% = 276.459,90 €$$

| | | | |
|---|---|---|---|
| 276.459,90 | Resultado del ejercicio (129) | | |
| | a | | |
| | | Impuesto sobre beneficios (630) | 276.459,90 |
| | –x– | | |

## 15.3. GASTOS E INGRESOS IMPUTADOS AL PATRIMONIO NETO

En este apartado se recogen las variaciones negativas, o positivas, en el valor razonable de los activos o pasivos financieros.

- **CASOS PRÁCTICOS**

### CASO PRÁCTICO 15.2. Gastos e ingresos imputados al Patrimonio Neto

Una sociedad anónima dispone los siguientes activos financieros:

- Inversiones financieras temporales destinadas a la venta: 5.000 títulos valorados a 6 euros por título. En la actualidad, la cotización es de 8 euros por título.

- Inversiones a corto plazo para negociar: 10.000 títulos a 1,60 euros por título. Su valor al final de año es 1,00 euros por título.

*Se pide*: contabilizar las operaciones reseñadas al final de ejercicio.

**Solución**

Activos financieros disponibles para la venta:

| | | | |
|---|---|---|---|
| 10.000 | Inversiones financieras a largo plazo en instrumentos de patrimonio (250) | | |
| | a | | |
| | | Bº en activos financieros disponibles para la venta (900) | 10.000 |
| | –x– | | |

Activos financieros disponibles para la venta:

| | | |
|---|---|---|
| 10.000 | Bº en activos financieros disponibles para la venta (900) | |
| | a | |
| | Ajustes por valoración en instrumentos financieros (133) | 10.000 |
| | —x— | |

Beneficios en activos financieros para la venta: impuesto sobre el beneficio corriente.

| | | |
|---|---|---|
| 3.000 | Impuesto sobre beneficios (8300) | |
| | a | |
| | H.P., acreedora por impuesto sobre sociedades (4752) | 3.000 |
| | —x— | |

Al cierre del ejercicio, en activos financieros disponibles para la venta:

| | | |
|---|---|---|
| 3.000 | Ajustes por valoración en instrumentos financieros (133) | |
| | a | |
| | Impuesto sobre beneficios (8300) | 3.000 |
| | —x— | |

Activos financieros disponibles para negociar:

| | | |
|---|---|---|
| 6.000 | Pérdidas por valoración de instrumentos financieros por su valor razonable (663) | |
| | a | |
| | Inversiones financieras. en instrumentos de patrimonio (250) | 6.000 |
| | —x— | |

Al cierre del ejercicio se regularizan los gastos y los ingresos:

| | | |
|---|---|---|
| 1.800 | Impuesto sobre beneficios (6300) | |
| | a | |
| | Pérdidas por valoración de instrumentos financieros por su valor razonable (663) | 1.800 |
| | —x— | |

# 15.4.  CUENTA DE PÉRDIDAS Y GANANCIAS

- ## CASOS PRÁCTICOS

### CASO PRÁCTICO 15.3. Cuenta de Pérdidas y ganancias

Una sociedad anónima presenta los saldos siguientes al final de ejercicio:

| | |
|---|---:|
| Compra materias primas | 29.000 |
| Devolución de compras y operaciones similares | 4.200 |
| Venta de productos terminados | 45.000 |
| Sueldos y salarios | 11.000 |
| Intereses de deuda | 1.000 |
| Otros gastos financieros | 500 |
| Compra de otros aprovisionamientos | 600 |
| Ingresos financieros | 400 |
| Suministros | 900 |
| Transportes | 3.000 |
| Subvenciones, donaciones y legados a la explotación | 4.000 |
| Ingresos de participaciones en instrumento de patrimonio | 800 |
| Amortización del inmovilizado material | 5.000 |
| Existencias iniciales de materias primas | 2.100 |
| Existencias finales de materias primas | 1.900 |
| Existencias iniciales de productos terminados | 1.200 |
| Existencias finales de productos terminados | 1.400 |
| Pérdidas en participaciones y valores representativos de deudas | 200 |

*Se pide*:

1.  Calcular el resultado, sabiendo que el tipo impositivo es del 30%.
2.  Presentar la cuenta de Pérdidas y ganancias.
3.  Realizar una propuesta de distribución de resultados de la siguiente manera:
    - –  10% para la reserva legal.
    - –  30% para reservas voluntarias.
    - –  40% para reparto de dividendos.
    - –  El resto se repartirá entre los trabajadores.

**Solución**

1. **Cálculo del resultado.**

| | | |
|---|---|---:|
| 54.500 | Resultado del ejercicio (129) | |
| | a | |
| | Materias primas (existencias iniciales) (310) | 2.100 |
| | Productos terminados (existencias iniciales) (350) | 1.200 |
| | Compras materias primas (600) | 29.000 |
| | Sueldos y salarios (640) | 11.000 |
| | Intereses de deudas (662) | 1.000 |
| | Otros gastos financieros (669) | 500 |
| | Suministros (628) | 900 |
| | Transportes (624) | 3.000 |
| | Compra de otros aprovisionamientos (602) | 600 |
| | Amortización del inmovilizado material (682) | 5.000 |
| | Pérdidas en participaciones y valores representativos de deudas (606) | 200 |

—x—

| | | |
|---:|---|---:|
| 1.900 | Materias primas (existencias finales) (310) | |
| 1.400 | Productos terminados (existencias finales) (350) | |
| 45.000 | Venta de productos (701) | |
| 800 | Ingresos de participaciones en instrumentos de patrimonio (760) | |
| 4.000 | Subvenciones, donaciones y legados a la explotación (740) | |
| 4.200 | Devoluciones de compras y operaciones similares (608) | |
| 400 | Ingresos financieros (76) | |
| | a | |
| | Resultado del ejercicio (129) | 57.700 |

—x—

El saldo de la Cuenta de Pérdidas y Ganancias es de 3.200 €.

| | |
|---|---|
| 960     Impuesto sobre beneficios (8300) | |
| a | |
|        H.P., acreedor por conceptos<br>       fiscales (475) | 960 |
| –x– | |

| | |
|---|---|
| 960     Resultado del ejercicio (129) | |
| a | |
|        Impuesto sobre beneficios (8300) | 960 |
| –x– | |

## 2. Cuenta de Pérdidas y ganancias.

| CUENTA DE PÉRDIDAS Y GANANCIAS (Debe) Haber | Nota | Ej. X | Ej. X–1 |
|---|---|---|---|
| **A) OPERACIONES CONTINUADAS** | | | |
| **1. Importe neto de la cifra de negocios (70)** | | 45.000 | |
| a) Ventas | | | |
| **2. Variación de existencias de productos terminados y en curso de fabricación (71)** | | 200 | |
| **3. Trabajos realizados por la empresa para su activo (73)** | | | |
| **4. Aprovisionamientos (62)** | | | |
| a) Consumo de mercaderías | | (29.000) | |
| b) Consumo de materias primas y otras materias consumibles | | (200) | |
| d) Deterioro de mercaderías, materias primas y otros aprovisionamientos. | | 4.200 | |
| **5. Otros ingresos de explotación (74) (75)** | | | |
| b) Subvenciones de explotación incorporadas a resultado del ejercicio | | | |
| **6. Gastos de personal (64)** | | 4.000 | |
| a) Sueldos y salarios y asimilados | | | |
| **7. Otros gastos de explotación (62) (63) (65)** | | (11.000) | |
| a) Servicios exteriores | | | |
| c) Otros gastos de gestión corriente | | (600) | |
| d) Suministros | | (3.000) | |
| **8. Amortización del inmovilizado (68)** | | (900) | |
| **9. Imputación de subvenciones de capital y otras (74)** | | (5.000) | |
| **10. Excesos de provisiones** | | | |
| **11. Deterioro y enajenaciones del inmovilizado** | | | |
| **A-1) RESULTADO DE EXPLOTACIÓN**<br>    (1 +/– 2 + 3 – 4 + 5 – 6 –7 – 8 + 9 +/– 10 +/ – 11 +/– 12) | | 3.700 | |

| | | |
|---|---|---|
| **12. Ingresos financieros ( )** | | |
| a) De participaciones en instrumentos de patrimonio | | |
| **13. Gastos financieros ( )** | 1.200 | |
| b) Por deudas con terceros | | |
| c) Otros gastos financieros | (1.000) | |
| **14. Variación de valor razonable en un instrumentos financieros ( )** | (500) | |
| **15. Diferencias de cambio ( )** | | |
| **16. Deterioro, bajas y enajenaciones de instrumentos financieros ( )** | | |
| b) De terceros | (200) | |
| **A-2) RESULTADO FINANCIERO** **(12 + 13 – 14 +/ – 15 +/– 16)** | **(500)** | |
| **A-3) RESULTADO ANTES DE IMPUESTOS** **(+ / – A-1) + / – A-2)** | **3.200** | |
| **17. Impuesto sobre beneficios** | (960) | |
| **A-4) RESULTADO DEL EJERCICIO PROCEDENTE DE OPERACIONES CONTINUADAS (+ / – A-3) + / – 18)** | **2.240** | |
| **B) OPERACIONES INTERRUMPIDAS** | — | |
| **18. Resultado del ejercicio procedentes de operaciones interrumpidas** | — | |
| **A-5) RESULTADO DEL EJERCICIO (+/– A-4) +/– 19)** | **2.240** | |

## 3. Distribución del resultado.

| | | |
|---|---|---|
| 2.240 | Resultado del ejercicio (129) | |
| | a | |
| | Reserva legal | 224 |
| | Reserva voluntaria | 672 |
| | Dividendo activo a pagar | 896 |
| | Remuneraciones pendientes de pago | 448 |
| | —x— | |

## 15.5. BALANCE

- ### CASOS PRÁCTICOS

### CASO PRÁCTICO 15.4. Balance

Una sociedad anónima presenta al 31-12-2007 el balance, siguiendo la normativa del PGC-90, es tal como se muestra a continuación:

| ACTIVO | Ej. N | Ej. N–1 | PASIVO | Ej. N | Ej. N–1 |
|---|---|---|---|---|---|
| INMOVILIZADO | | | FONDOS PROPIOS | | |
| I. Material | | | Capital | 5.000 | 5.000 |
| Construcciones | 5.000 | 5.000 | Reservas legal y | | |
| Amortización acumulada | | | estatutaria | 1.000 | 1.000 |
| del Inmovilizado material | (700) | (500) | Subvenciones en capital | 1.000 | — |
| I. Financiero | | | | | |
| Cartera de valores | 800 | 800 | ACREEDORES C/P | | |
| | | | Acreedores por presta- | | |
| A. CIRCULANTE | | | ción de servicios | 500 | 500 |
| Existencias | | | | | |
| Comerciales | 300 | 500 | | | |
| Deudores | | | | | |
| Clientes | 150 | 400 | | | |
| Clientes de dudoso cobro | 50 | — | | | |
| Provisiones insolvencias | (50) | — | | | |
| H.P., deudor por diversos | | | | | |
| conceptos | 1.200 | — | | | |
| Tesorería | | | | | |
| Caja | 700 | 300 | | | |
| | | | | | |
| Ajustes por periodificación | | | | | |
| Gastos anticipados | 50 | — | | | |
| **TOTAL** | **7.500** | **6.500** | **TOTAL** | **7.500** | **6.500** |

*Se pide*: presentar el Balance del 2007 con la nueva normativa del PGC 2007.

Es necesario contemplar el hecho de que la sociedad tiene una inversión en activos financieros destinados para la venta, formada por 400 títulos a 1 euro por título y a una cotización del 200%. La cotización al final de ejercicio es del 240%.

**Solución**

Antes de confeccionar el Balance siguiendo la normativa del nuevo PGC 2007, resulta necesario realizar los ajustes que tengan incidencia en el Patrimonio neto y en la cuenta de Pérdidas y Ganancias.

En el caso de que los activos financieros se clasifiquen en *Activos financieros disponibles para la venta*:

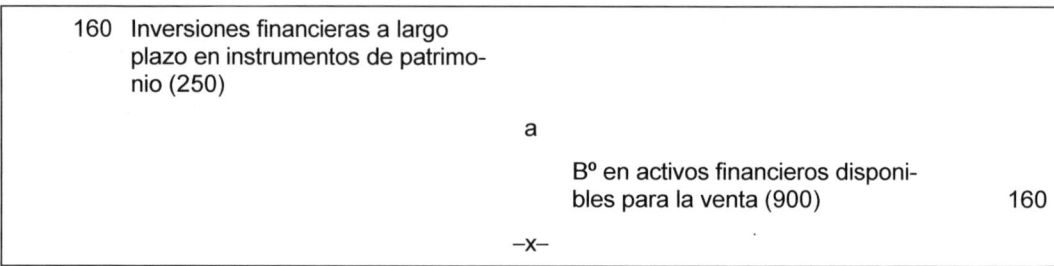

| 160 | Inversiones financieras a largo plazo en instrumentos de patrimonio (250) | | |
|---|---|---|---|
| | | a | |
| | | Bº en activos financieros disponibles para la venta (900) | 160 |
| | –x– | | |

Ajustes en el patrimonio:

| 160 | Bº en activos financieros disponibles para la venta (900) | | |
|---|---|---|---|
| | | a | |
| | | Ajustes por valoración en instrumentos financieros (133) | 160 |
| | –x– | | |

| ACTIVO | Nota en Memoria | Ej. X | Ej. X–1 |
|---|---|---|---|
| **A) ACTIVO NO CORRIENTE** | | | |
| **I. Inmovilizado intangible** | | | |
| **II. Inmovilizado material** | | | 5.000 |
| Terrenos y construcciones | 5.000 | | (500) |
| Amortización acumulada I. Material | (700) | | |
| **III. Inversiones inmobiliarias** | | | |
| **IV. Inversiones en empresas del grupo y asociados a largo plazo.** | | | 800 |
| **V. Inversiones financieras a largo plazo** | | | |
| 1. Acciones y participaciones en patrimonio a largo plazo | | | |
| **VI. Activos por impuestos diferidos** | 960 | | |

| ACTIVO | Nota en Memoria | Ej. X | Ej. X–1 |
|---|---|---|---|
| **B) ACTIVO CORRIENTE** | | | |
| **I. Activos no corrientes mantenidos para la venta** | | | |
| **II. Existencias** | | | |
|   1. Comerciales | | 300 | 500 |
| **III. Deudores comerciales y otras cuentas a cobrar** | | | |
|   1. Clientes por ventas y prestaciones de servicios | | 150 | 400 |
|     Clientes de dudoso cobro | | 50 | |
|     Deterioro valor créditos comerciales | | (50) | |
|   2. Activos por impuestos corrientes | | 1.200 | |
| **IV. Inversiones en empresas del grupo y asociadas a corto plazo** | | | |
| **V. Inversiones financieras a corto plazo** | | | |
| **VI. Efectos y otros activos líquidos equivalentes** | | 700 | 300 |
|   1. Tesorería | | | |
| **VII. Periodificaciones** | | 50 | |
| **A) ACTIVO NO CORRIENTE** | | **5.260** | **5.300** |
| **B) ACTIVO CORRIENTE** | | **2.400** | **1.200** |
|   **TOTAL ACTIVO** | | **7.660** | **6.500** |

| PATRIMONIO NETO Y PASIVO | Nota en Memoria | Ej. X | Ej. X–1 |
|---|---|---|---|
| **A) PATRIMONIO NETO** | | | |
| **A-1) Fondos propios** | | | |
| **I. Capital** | | | |
|   1. Capital escriturado | | 5.000 | 5.000 |
| **II. Prima de emisión** | | | |
| **III. Reservas** | | | |
|   1. Legal y estatutaria | | 1.000 | 1.000 |
| **IV. (Acciones y participaciones en patrimonio propias)** | | | |
| **V. Resultados de ejercicios anteriores** | | | |
| **VI. Otras aportaciones de socios** | | | |
| **VII. Resultado del ejercicio** | | | |
| **VIII. (Dividendos a cuenta)** | | | |
| **IX. Otros instrumentos de patrimonio** | | | |

| PATRIMONIO NETO Y PASIVO | Nota en Memoria | Ej. X | Ej. X–1 |
|---|---|---|---|
| **A-2) Ajustes por cambios de valor** | | | |
| I. Instrumentos financieros disponibles para la venta | | 160 | |
| II. Operaciones de cobertura | | | |
| III. Diferencias de conversión | | | |
| IV. Activos no corrientes en venta | | | |
| V. Otros | | | |
| | | | |
| **A-3) Subvenciones, donaciones y legados recibidos** | | 1.000 | |
| **B) PASIVO NO CORRIENTE** | | | |
| VI. Provisiones a largo plazo | | | |
| VII. Deudas a largo plazo | | | |
| VIII. Deudas con empresas del grupo y asociados a corto plazo | | | |
| IX. Pasivos por impuestos diferidos | | | |
| **C) PASIVOS CORRIENTES** | | | |
| I. Pasivos no corrientes vinculados con activos mantenidos para la venta | | | |
| II. Provisiones a corto plazo | | | |
| III. Deudas a corto plazo | | | |
| IV. Deudas con empresas del grupo y asociadas a corto plazo | | | |
| V. Acreedores comerciales y otras cuentas a pagar | | | |
| 3. Acreedores varios | | 500 | 500 |
| VI. Periodificaciones | | | |
| **A) PATRIMONIO NETO** | | 7.160 | 6.000 |
| **B) PASIVO NO CORRIENTE** | | — | — |
| **C) PASIVOS CORRIENTES** | | 500 | 500 |
| **TOTAL PASIVO** | | 7.660 | 6.500 |

## 15.6. ESTADO DE CAMBIOS EN EL PATRIMONIO NETO

El **Estado de Cambios en el Patrimonio Neto (ECPN)**, se desdobla propiamente en los dos estados que se presentan a continuación: Estado de Cambios en el Patrimonio Neto y Estado Total de Cambios en el Patrimonio Neto.

### 15.6.1. Estado de Cambios en el Patrimonio Neto

Recoge los cambios en el patrimonio neto derivados de:

a. El resultado del ejercicio.

b. Los ingresos y gastos deben imputarse directamente al patrimonio neto.

c. Las transferencias realizadas irán a la cuenta de Pérdidas y ganancias, según lo dispuesto en el PGC.

### 15.6.2. Estado Total de Cambios en el Patrimonio Neto

Esta parte del Estado de cambios en el patrimonio neto informa sobre los cambios producidos en el patrimonio neto derivados de:

a. La totalidad de los ingresos y gastos reconocidos.

b. Las variaciones originadas en el patrimonio neto por operaciones con los socios o propietarios de la empresa, cuando actúen como tales.

c. Las restantes variaciones que se produzcan en el patrimonio neto.

d. Los ajustes en el patrimonio neto debidos a cambios en criterios contables y correcciones de errores.

Cuando se detecten errores en el ejercicio que se cierra correspondientes al ejercicio anterior, deben informarse en la Memoria y se realizará el correspondiente ajuste en el epígrafe A.II del Estado Total de Cambios en el Patrimonio Neto, de forma que el patrimonio inicial de dicho ejercicio comparativo será objeto de modificación, corrigiendo el mencionado error.

En el caso de que el error corresponda al ejercicio comparativo, dicho ajuste se incluirá en el epígrafe C.II., del Estado Total de Cambios en el Patrimonio Neto.

Las mismas reglas se aplicarán respecto a los cambios de criterios contables.

## • CASOS PRÁCTICOS

### CASO PRÁCTICO 15.5. Estado de Cambios en el Patrimonio Neto

Los datos de que se dispone de una sociedad son los siguientes:

- El resultado antes de impuestos de una sociedad ha ascendido a 10.000 euros.

- Los ingresos obtenidos en activos financieros disponibles para la venta ascienden a 3.000 euros.

- Los gastos por pasivos financieros a valor razonable con cambios en el patrimonio neto ascienden a 1.000 euros.

- Los ingresos por cobertura de flujos en efectivo suponen 500 euros.

- Las diferencias negativas de conversión ascienden a 800 euros.

- Las subvenciones recibidas ascienden a 3.000 euros.

- El efecto impositivo es de 3.500 euros.

- Las transferencias que se realizan a la cuenta de Pérdidas y ganancias son las siguientes:

  • Los ingresos de activos financieros disponibles para la venta son de 200 euros.

  • Los ingresos por pasivos financieros, valorados a valor razonable, suponen 50 euros.

  • Los gastos por cobertura de flujos de efectivo ascienden a 100 euros.

  • El efecto impositivo es de 45 euros.

Supongamos que los datos para el ejercicio X–1 son iguales a los datos del año X, pero multiplicados por un factor del 90%, de forma que, tenemos los siguientes datos referidos al ejercicio X–1:

- El capital suscrito es ahora de 62.000 euros, con un total dedicado a las reservas de 2.000 euros.

- El resultado del ejercicio anterior es de 9.000 euros.

- Los dividendos del año X ascienden a 4.500 euros y los del año X–1, a 5.000 euros. Se dedican 850 euros a la reserva legal.

*Se pide*:

1. Presentar el Estado de ingresos y gastos reconocidos.

2. Presentar el Estado Total de Cambios en el Patrimonio Neto del ejercicio X.

**Solución**

1. **Estado de ingresos y gastos reconocidos.**

| | Nota | Ej. X | Ej. X–1 |
|---|---|---|---|
| A) **Resultado de la cuenta de Pérdidas y ganancias** | | 10.000 | 9.000 |
| **B) Ingresos y gastos imputados directamente al Patrimonio neto** | | | |
| **I. Por valoración de activos y pasivos.** | | | |
| 1. Ingresos/ gastos de activos financieros disponibles para la venta | | 3.000 | 2.700 |
| 2. Ingresos/ gastos por pasivos a valor razonable con cambios en el patrimonio neto. | | (1.000) | (900) |
| **II. Por cobertura** | | | |
| 1. Ingresos/ gastos por cobertura de flujos de efectivo | | 500 | 450 |
| **III. Diferencias de conversión** | | (800) | (720) |
| **IV. Subvenciones, donaciones y legados** | | 3.000 | 2.700 |
| **V. Efecto impositivo** | | (3.500) | (3.150) |
| B) **Total ingresos y gastos imputados directamente en el patrimonio neto (+ / – I + / – II + / – III + IV + / – V)** | | **1.200** | **1.080** |
| **Transferencias a la cuenta de pérdidas y ganancias** | | | |
| **VI. Por valoración de activos y pasivos** | | | |
| 1. Ingresos/ gastos de activos financieros disponibles para la venta | | 200 | 180 |
| 2. Ingresos/ gastos por pasivos a valor razonable con cambios en el patrimonio neto | | 50 | 45 |
| **VII. Por cobertura de flujos de efectivo** | | | |
| 1. Ingresos/gastos por cobertura de flujos de efectivo | | (100) | (90) |
| **VIII. Subvenciones, donaciones y legados** | | | |
| **X. Efecto impositivo** | | (45) | (40,50) |
| C) **Total transferencias a la cuenta de pérdidas y ganancias (+ / – VI + / – VII + / – VIII – IX + / – X)** | | **105** | **94,50** |
| **TOTAL DE INGRESOS Y GASTOS RECONOCIDOS ( + / – A + / – B + / – C)** | | **11.305** | **10.174,50** |

2. **Estado Total de Cambios en el Patrimonio Neto del ejercicio X.**

| | Capital no exigido | Otras reservas | (Acciones propias) | Rdtos. anteriores | Aportac. socios | Rdto. ejercicio | Dividendos | Otros Inst. de patrim. | Ajustes Cambio Valor | Subv. dona. lega. |
|---|---|---|---|---|---|---|---|---|---|---|
| **A. SALDO, FINAL DEL AÑO X – 2** | | | | | | | | | | |
| I. Ajustes por cambios de créditos X–2 y ant. | | | | | | | | | | |
| II. Ajustes por errores X–2 y anteriores | | | | | | | | | | |
| **B. SALDO AJUSTADO, INICIO X–1** | | | | | | | | | | |
| I. Total ingresos y gastos reconocidos | | | | | | | | | | |
| II. Operaciones con socios o propietarios | | | | | | | | | | |
| 1. Aumentos de capital | | | | | | | | | | |
| 2. (–) Reducción de capital | | | | | | | | | | |
| 3. Conversión de pasivos financieros en P.N., (conversión de obligaciones, condonaciones de deudas) | | | | | | | | | | |
| 4. (–) Distribución de resultados | | | | | | | | | | |
| 5. Operaciones con acciones o participaciones propias (netas) | | | | | | | | | | |
| 6. Incremento (reducción) de P. N., resultante de una combinación de negocios. | | | | | | | | | | |
| 7. Emisiones y cancelaciones de otros instrumentos de patrimonio neto | | | | | | | | | | |
| III. Otras variaciones del patrimonio neto | | | | | | | | | | |
| **C. SALDO, FINAL AÑO X– 1** | 62.000 | 850 | | 5.850 | | | ( 5.000) | | | |
| I. Ajustes por cambios de criterio X–1 | | | | | | | | | | |
| II. Ajustes por errores X–1 | | | | | | | | | | |

| | Capital Suscrito | Capital no exigido | Prima emisión | Otras reservas | (Acciones propias) | Rdos. anteriores | Aportac. socios | Rdo. ejercicio | Dividendos | Otros inst. patrim. | Ajustes cambio valor | Subv. dona. lega. |
|---|---|---|---|---|---|---|---|---|---|---|---|---|
| **D. SALDO AJUSTADO, INICIO AÑO X** | **62.000** | — | — | 850 | — | 5.850 | — | | (5.000) | | | |
| I. Total ingresos y gastos reconocidos | | | | | | | | 6.500 | | 1.700 | 105 | 3.000 |
| II. Operaciones con socios o propietarios | | | | | | | | | | | | |
| 1. Aumentos de capital | | | | | | | | | | | | |
| 2. (–) Reducción de capital | | | | | | | | | | | | |
| 3. Conversión de pasivos financiero en P.N., (conversión de obligaciones) | | | | | | | | | | | | |
| 4. (–) Distribución de Rdtos. | | | | | | | | | | | | |
| 5. Operaciones con acciones o participaciones propias (netas) | | | | 2.000 | | | | | (4.500) | | | |
| 6. Incremento (reducción) de P.N., resultante de una combinación de negocios. | | | | | | | | | | | | |
| 7. Emisiones y cancelaciones de otros instrumentos de patrimonio neto | | | | | | | | | | | | |
| III. Otras variaciones del patrimonio neto | | | | | | | | | | | | |
| **E. SALDO, FINAL AÑO X** | **62.000** | | | **2.850** | | **5.850** | | **6.500** | **(9.500)** | **1.700** | **105** | **3.000** |

## 15.7. ESTADO DE FLUJOS DE EFECTIVO DEL EJERCICIO

El **Estado de Flujos de Efectivo** informa sobre el origen y utilización de los activos monetarios representativos de efectivo. Clasifica los movimientos por actividades, indicando la variación neta de estos en el ejercicio, tal como se muestra a continuación:

1. Los flujos de efectivo procedentes de las actividades de explotación son los ocasionados por la actividad normal de la empresa. La variación del flujo de efectivo ocasionado por estas actividades se contabilizará por su importe neto.

   a. Ajustes a realizar:

      - Correcciones valorativas, tales como amortizaciones, deterioros de valor, o resultados surgidos por la aplicación del valor razonable y variaciones de provisiones.

      - Operaciones que deban ser clasificadas como actividades de inversión o financiación, como son la enajenación de inmovilizado o instrumentos financieros.

      - Remuneración de activos y pasivos financieros cuyos flujos de efectivo deben mostrarse separadamente.

   b. Se incluyen los cambios en el capital corriente que tengan su origen en una diferencia en el tiempo entre la renta real de bienes y servicios de explotación y su renta financiera.

   c. Se contemplan los flujos por intereses y cobros de dividendos.

   d. Se incorporan los flujos por impuesto sobre beneficios.

2. Los flujos de efectivo por actividades de inversión son los pagos que tienen su origen en la adquisición de activos no corrientes, como las inmovilizaciones intangibles, materiales, las inversiones inmobiliarias o financieras, así como los cobros procedentes de su enajenación o de su amortización al vencimiento.

3. Los flujos de efectivo por actividades de financiación provienen de los cobros procedentes de la adquisición por terceros de títulos valores emitidos por la empresa, o de recursos concedidos por las entidades financieras en forma de préstamos u otros instrumentos de financiación.

4. Los cobros y pagos procedentes de activos y pasivos financieros de rotación elevada podrán mostrarse netos, siempre que se informe de ellos en la Memoria.

5. Los flujos de efectivo procedentes de transacciones en moneda extranjera se convertirán a la moneda funcional, al tipo de cambio vigente en la fecha en que se produjo cada flujo.

- ## CASOS PRÁCTICOS

---

## CASO PRÁCTICO 15.6. Estados de Flujos de Efectivo

Los datos del ejercicio se han incorporado directamente en la presentación del Estado de flujos de efectivo.

| | Nota | Ej. X | Ej. X–1 |
|---|---|---|---|
| **A) FLUJOS DE EFECTIVO DE EXPLOTACIÓN** | | 50.000 | |
| 1. Resultado del ejercicio antes de impuestos | | | |
| 2. Ajustes del resultado | | | |
| a) Amortización del inmovilizado (+) | | 5.000 | |
| b) Correcciones valorativas por deterioro (+ / − ) | | 1.000 | |
| e) Resultado por bajas y enajenaciones instrumentos financieros ( + / − ) | | (3.000) | |
| f) Ingresos financieros ( − ) | | (500) | |
| g) Gastos financieros ( + ) | | 600 | |
| i) Variación de valor razonable de instrumentos financieros ( + / − ) | | (1.000) | |
| 3. Cambios en el capital corriente | | | |
| a) Existencias ( + / − ) | | 800 | |
| c) Otros activos corrientes ( + / − ) | | (2.000) | |
| e) Otros pasivos corrientes ( + / − ) | | 1.000 | |
| 4. Otros flujos de efectivo de las actividades de explotación | | | |
| a) Pagos de intereses ( − ) | | (900) | |
| b) Cobros de dividendos ( + ) | | 2.000 | |
| d) Pagos (cobros) por impuesto sobre Bº ( − / + ) | | (17.500) | |
| **5. Flujos de efectivo de las actividades de explotación ( + / − 1 + / − 2 + / − 3 + / − 4)** | | **35.500** | |

| | Nota | Ej. X | Ej. X–1 |
|---|---|---|---|
| **B) FLUJOS DE EFECTIVO DE INVERSIÓN** | | | |
| 6. Pagos por inversiones ( – ) | | | |
| c) Inmovilizado material | | (20.000) | |
| e) Otros activos financieros | | (5.000) | |
| 7. Cobros por desinversiones | | | |
| e) Otros activos financieros | | 30.500 | |
| **8. Flujos de efectivo de las actividades de inversión (7– 6 )** | | **5.500** | |

| | Nota | Ej. X | Ej. X–1 |
|---|---|---|---|
| **C) FLUJOS DE EFECTIVO DE FINANCIACIÓN** | | | |
| 9. Aumentos y disminuciones de instrum. de Patrimonio | | | |
| a) Emisión de instrumentos de patrimonio | | 2.000 | |
| 10. Aumentos y disminuciones en instrum. de pasivo financiero | | | |
| a) Emisión: | | | |
| 2. Deudas con entidades de crédito (+ ) | | 15.000 | |
| b) Devolución y amortización de: | | | |
| 2. Deudas con entidades de crédito (– ) | | (1.000) | |
| 11. Pagos por dividendos y remuneración de otros instrumentos de patrimonio | | | |
| a) Dividendos ( – ) | | (10.000) | |
| **12. Flujos de efectivo de las actividades de financiación ( + / – 9 + / – 10 – 11 )** | | **6.000** | |
| **D) EFECTO DE LAS VARIACIONES DE LOS TIPOS DE CAMBIO** | | | |
| **E) AUMENTO / DISMINUCIÓN NETA DEL EFECTIVO O EQUIVALENTES (+ / – 5 + / – 8 + / – 12 + / – D)** | | **47.000** | |
| Efectivo o equivalentes al comienzo del ejercicio | | | |
| Efectivo o equivalentes al final del ejercicio | | | |

## 15.8. MEMORIA

La Memoria completa amplia y comenta la información contenida en los otros documentos que integran las cuentas anuales. La Memoria debe contener siempre los apartados que se enumeran a continuación:

1. Actividad de la empresa.

2. Bases de presentación de las cuentas anuales.

3. Aplicación de resultados.

4. Normas de registro y valoración.

5. Inmovilizado material.

6. Inversiones inmobiliarias.

7. Inmovilizado intangible (incluye fondo de comercio).

8. Arrendamientos y otras operaciones de naturaleza similar.

9. Instrumentos financieros (incluye riesgos y fondos propios).

10. Existencias.

11. Moneda extranjera.

12. Situación fiscal.

13. Ingresos y gastos.

14. Provisiones y contingencias.

15. Información sobre medio ambiente.

16. Retribuciones a largo plazo al personal.

17. Transacciones con pagos basados en instrumentos de patrimonio.

18. Subvenciones, donaciones y legados.

19. Combinaciones de negocios.

20. Negocios conjuntos.

21. Activos no corrientes mantenidos para la venta y operaciones interrumpidas.

22. Hechos posteriores al cierre.

23. Operaciones con partes vinculadas.

24. Otra información.

25. Información segmentada.

## 15.9. CASO PRÁCTICO COMPLETO

CASO PRÁCTICO 15.7. Presentación de las Cuentas anuales

1. Una sociedad anónima presenta el siguiente Balance correspondiente a 31 de diciembre del año, inmediatamente anterior, al ejercicio correspondiente a las demás transacciones (para este ejemplo lo denominaremos 20FD). El tipo impositivo de IVA considerado en este ejercicio es el 16%.

| ACTIVO | Nota | FD (miles €) | FD −1 (miles €) |
|---|---|---|---|
| **A) ACTIVO NO CORRIENTE** | | | |
| **I. Inmovilizado intangible** | | 4.320 | 5.000 |
| **II. Inmovilizado material** | | 4.300 | 5.000 |
| 1. Terrenos y construcciones | | | |
| 2. Instalaciones técnicas, maquinaria, utillaje, mobiliario y otro inmovilizado material | | 20 | |
| **III. Inversiones inmobiliarias** | | | |
| **IV. Inversiones en empresas del grupo y asociados a largo plazo.** | | 1.960 | |
| **V. Inversiones financieras a largo plazo** | | 960 | 800 |
| 1. Acciones y participaciones en patrimonio a largo plazo | | 1.000 | 800 |
| 3. Otras inversiones financieras a largo plazo | | | |
| **VI. Activos por impuestos diferidos** | | | |

| | | | |
|---|---|---|---|
| **B) ACTIVO CORRIENTE** | | | |
| **I. Activos no corrientes mantenidos para la venta** | | 30 | |
| **II. Existencias** | | 800 | 500 |
| 1. Comerciales | | 800 | 500 |
| **III. Deudores comerciales y otras cuentas a cobrar** | | 850 | 400 |
| 1. Clientes por ventas y prestaciones de servicios | | 150 | 400 |
| 5. Activos por impuestos corrientes | | 380 | |
| 6. Otros créditos con las Administraciones públicas | | 320 | |
| **IV. Inversiones en empresas del grupo y asociadas a corto plazo** | | | |
| **V. Inversiones financieras a corto plazo** | | 10 | |
| 1. Acciones y participaciones en patrimonio a corto plazo | | 10 | |
| **VI. Periodificaciones** | | 50 | 300 |
| **VII. Efectos y otros activos líquidos equivalentes** | | 140 | 300 |
| 1. Tesorería | | 140 | |
| **A) ACTIVO NO CORRIENTE** | | 6.280 | 5.300 |
| **B) ACTIVO CORRIENTE** | | 1.880 | 1.200 |
| **TOTAL ACTIVO** | | 8.160 | 6.500 |

| PASIVO | Nota | FD (miles €) | FD –1 (miles €) |
|---|---|---|---|
| **A) PATRIMONIO NETO** | | | |
| **A-1) Fondos propios** | | **7.150** | **6.000** |
| **I. Capital** | | **5.000** | **5.000** |
|    1. Capital escriturado | | 5.000 | 5.000 |
| **II. Prima de emisión** | | | |
| **III. Reservas** | | **1.500** | **1.000** |
|    1. Legal y estatutaria | | 1.000 | 1.000 |
|    2. Otras reservas | | 500 | |
| **IV. (Acciones y participaciones en patrimonio propias)** | | | |
| **V. Resultados de ejercicios anteriores** | | **650** | |
| **VI. Otras aportaciones de socios** | | | |
| **VII. Resultado del ejercicio** | | | |
| **VIII. (Dividendos a cuenta)** | | **160** | |
| **IX. Otros instrumentos de patrimonio** | | **160** | |
| **A-2) Ajustes por cambios de valor** | | | |
| **I. Instrumentos financieros disponibles para la venta** | | | |
| **II. Operaciones de cobertura** | | | |
| **III. Otros** | | | |
| **A-3) Subvenciones, donaciones y legados recibidos** | | | |
| **B) PASIVO NO CORRIENTE** | | | |
| **I. Provisiones a largo plazo** | | | |
| **II. Deudas a largo plazo** | | | |
| **III. Deudas con empresas del grupo y asociados a l/p** | | | |
| **IV. Pasivos por impuestos diferidos** | | | |
| **C) PASIVOS CORRIENTES** | | | |
| **I. Pasivos no corrientes vinculados con activos mantenidos para la venta** | | | |
| **II. Provisiones a corto plazo** | | | |
| **III. Deudas a corto plazo** | | | |
| **IV. Deudas con empresas del grupo y asociadas a C.P.** | | | |
| **V. Acreedores comerciales y otras cuentas a pagar** | | **850** | **500** |
|    3. Acreedores varios | | 500 | 500 |
|    5. Pasivo por impuesto corriente | | 350 | |
| **VI. Periodificaciones** | | | |
| **A) PATRIMONIO NETO** | | **7.310** | **6.000** |
| **B) PASIVO NO CORRIENTE** | | — | — |
| **C) PASIVOS CORRIENTES** | | **850** | **500** |
| **TOTAL PASIVO** | | **8.160** | **6.500** |

Las operaciones del ejercicio FD+1 son las siguientes:

1. Se recibe una subvención oficial no reintegrable a principios del mes de enero para financiar parte de una maquinaria de alta tecnología, por importe de 100.000 euros. Se adquiere e instala la maquinaria cuyo importe asciende a 220.000 euros, pagando al contado el 50% y el resto, a pagar en 5 años, reembolsando cada año la parte proporcional y con unos intereses del 5% anual pagaderos anualmente.

2. La empresa satisface la nómina del personal por importe de 1.000.000 euros y su aportación a un Plan y Fondo de pensiones gestionado externamente es de 150.000 euros. A los empleados, la empresa retiene en la nómina para el Fondo de pensiones, 250.000 euros. Al término de un mes ingresa las cotizaciones al régimen privado de pensiones.

3. La sociedad tiene implantado un sistema de remuneración de prestaciones definidas a largo plazo al personal. Al final del ejercicio los datos relativos al mismo son los siguientes:

    – Valor actual de las retribuciones comprometidas: 530.000 euros.

    – Valor razonable de los activos afectos: 550.000 euros.

    – Diferencia (Ganancia actuarial): 20.000 euros.

4. La empresa ha despedido a un trabajador, pagándole una indemnización de 30.000 euros. El trabajador ha demandado a la sociedad por despido improcedente, solicitando una indemnización total de 50.000 euros.

5. La sociedad toma un préstamo de un tercero, entidad no financiera, el primero de marzo del presente año, con una duración de cinco años, por 1.000.000 de euros. Los gastos de formalización, impuestos y comisiones ascienden a 5.000 euros. Los intereses aplicables son del 10% anual, pagaderos por semestres vencidos a partir del 1 de septiembre de este año. La retención practicada correspondiente a los intereses satisfechos alcanza el 25% de los mismos, liquidándose a Hacienda al término de los tres meses de la fecha de devengo.

6. La sociedad pretende llevar a cabo un proyecto de investigación; para ello, satisface por caja unos gastos de personal de 40.000 euros y unos gastos generales de 20.000 euros. Este proyecto resulta positivo y viable para su desarrollo, procediendo la empresa a patentar dicho proyecto, cuyos gastos ascienden a 2.000 euros. Para los años consecutivos se pretende amortizar en cinco años.

7. La empresa adquiere un vehículo mediante un contrato de arrendamiento financiero con una duración de 3 años, pagando como cuota inicial 20.000 euros. El valor que dicho vehículo nuevo tiene en el mercado es de 60.000 euros. Cuando se ejercite la opción de

compra se pagará una última cuota adicional de 10.000 euros. La cuota anual a pagar es de 12.000 euros durante los 3 años que dura el contrato de arrendamiento.

**8.** La sociedad, con el objeto de adquirir 500 acciones de 50 euros nominales al 200% y con unos gastos directamente atribuibles del 3% del valor de la transacción, debió adquirir 1000 derechos de suscripción a un precio de 2 euros el derecho. La sociedad determina que la presente inversión será calificada como disponibles para la venta. Al cierre del ejercicio las acciones cotizaban al 210% y los costes de estimados de la venta ascendían a 300 euros.

**9.** La sociedad adquiere en Bolsa 10.000 acciones, a una cotización de 4,85 euros por acción y unos gastos, comisiones y corretajes de 1.500 euros. A final del año, la cotización de las acciones que posee la empresa es de 4 euros por acción.

**10.** La sociedad ha recibido la siguiente factura:

| | |
|---|---:|
| Materias primas | 1.000.000 |
| Envases a devolver a proveedores | 200.000 |
| Gastos de transporte | 30.000 |
| Bonificaciones por antiguos clientes | (30.000) |
| **Total** | **1.200.000** |
| IVA 16% | 192.000 |
| **TOTAL** | **1.392.000** |

La empresa realizará el pago de la siguiente manera: el 50%, al contado y el resto después de reconocer la compra, con los descuentos y bonificaciones, se realizan mediante letras de cambio a 90 días.

Se devuelve la totalidad de los envases a los proveedores, así como el 10% de las materias primas por estar en mal estado. Se obtiene un descuento del 3,5% por pronto pago. También se obtiene una bonificación por el volumen del pedido del 4,5%. El resto de la deuda pendiente se documenta por medio de letra de cambio.

**11.** Se venden productos terminados por importe de 2.000.000 euros a crédito, con un IVA sometido del 16%. Posteriormente, se reciben letras por el importe de la deuda. El 50% de la deuda se descuenta en una entidad financiera, ascendiendo los gastos y comisiones al 7%. Al vencimiento, sólo una letra, cuyo valor nominal es de 10.000 euros, resulta impagada, procediendo la empresa abonar al banco el importe de la letra más unos gastos de protesto de 1.000 euros. El resto de las letras permanecen en cartera hasta su vencimiento, que se cobra en su totalidad.

12. Las existencias del almacén han sufrido en este ejercicio un deterioro potencial de 10.000 euros. En el ejercicio anterior, la merma estimada de valor fue de 16.000 euros.

13. El importe estimado de los gastos de teléfono correspondiente al mes de diciembre es de 1.000 euros. La póliza de seguros con vigencia de un año que vence el 31 de marzo del año próximo es de 6.000 euros.

14. La sociedad vende productos a crédito a una empresa de EEUU en noviembre del presente año, por un importe de 650.000 dólares, con una equivalencia de 1euro por 1.30 dólares. Al cierre de ejercicio la relación de equivalencia es de euro por 1.35 dólares.

15. Se procede a la distribución de los resultados positivos del ejercicio inmediatamente anterior, una vez descontado e imputado el pasivo correspondiente al impuesto corriente, el cual quedó reflejado en el balance inicial de este ejercicio. La distribución se hace de la siguiente forma:

  – Dividendos: 300.000 euros.

  – Reserva legal: 200.000 euros.

  – Reserva voluntaria: 150.000 euros.

16. El valor de las existencias finales en el almacén de las mercaderías asciende a la suma de 795.000 euros; el valor final de las materias primas se valora en 50.000 euros y el importe del inventario final de los productos terminados llega a la cifra de 100.000 euros.

*Se pide*:

1. Realizar las operaciones en el diario según la normativa vigente.

2. Presentar el balance de sumas y saldos, una vez se hayan registrado la totalidad de las transacciones en el libro diario.

3. Calcular el resultado después de impuestos.

4. Presentación de las Cuentas anuales, según el PGC 2007.

**Solución**

**1. Operaciones en el diario.**

**1.1.** Con base en lo descrito en el PGC 2007, realizamos la siguiente imputación en el momento de la recepción de la subvención:

| | | |
|---|---|---|
| 100.000 Caja (570) | | |
| | a | |
| | Ingresos de subvenciones oficiales de capital (940) | 100.000 |
| | –x– | |

Por la adquisición de la maquinaria:

| | | |
|---|---|---:|
| 220.000 Maquinaria (213) | | |
| | a | |
| | Caja (570) | 110.000 |
| | Proveedores inmovilizado l/p (173) | 88.000 |
| | Proveedores inmovilizado c/p (523) | 22.000 |
| | –x– | |

El importe total de la deuda con los proveedores inmovilizado es de 110.000 €, que se deben reclasificar en deudas a largo plazo 88.000 € y a deudas a corto plazo 22.000 €.

La depreciación sufrida por la maquinaria correspondiente al primer año es:

$$220.000/5 = 44.000 \text{ €.}$$

| | | |
|---|---|---:|
| 44.000 Amortización del Inmovilizado material (681) | | |
| | a | |
| | Amortización Acumulada de Maquinaria (2813) | 44.000 |
| | –x– | |

En el momento de imputación a pérdidas y ganancias, con base en el porcentaje equivalente a la amortización del inmovilizado (20%), aplicado a la subvención.

| | | |
|---|---|---:|
| 20.000 Transferencias de subvenciones oficiales de capital (840) | | |
| | a | |
| | Subvenciones, donaciones y legados de capital transferido a resultado del ejercicio (746) | 20.000 |
| | –x– | |

Los gastos por intereses del primer año son de: 110.000×5% = 5.500 €. Debemos recordar que los proveedores por inmovilizado se encuentran divididos en base su tiempo de vencimiento, por lo tanto, debemos de imputar el gasto por intereses teniendo en cuenta esta misma clasificación, con el objeto de acatar el principio de devengo.

- Proveedores por inmovilizado a corto plazo: 22.000×5% = 1.100 €.

- Proveedores por inmovilizado a largo plazo: 88.000×5% = 4.400 €.

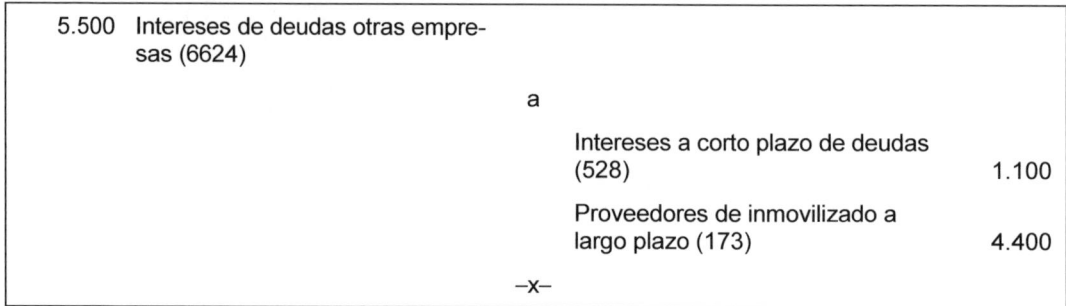

| 5.500 | Intereses de deudas otras empresas (6624) | | |
|---|---|---|---|
| | | a | |
| | | Intereses a corto plazo de deudas (528) | 1.100 |
| | | Proveedores de inmovilizado a largo plazo (173) | 4.400 |
| | | —x— | |

Registramos la cancelación de la cuota del primer año y los intereses correspondientes.

| 22.000 | Proveedores inmovilizado a corto plazo (523) | | |
|---|---|---|---|
| 1.100 | Intereses a corto plazo de deudas (528) | | |
| 4.400 | Proveedores de inmovilizado a largo plazo (173) | | |
| | | a | |
| | | Caja (570) | 27.500 |
| | | —x— | |

**1.2.** Pago de Salarios y aportación al Plan y fondo de pensiones.

Haciendo uso de las cuentas contables anteriores, tenemos:

| 1.000.000 | Sueldos y salarios (640) | | |
|---|---|---|---|
| 150.000 | Retribuciones a largo plazo mediante sistemas de aportación definida (643) | | |
| | | a | |
| | | Caja (570) | 750.000 |
| | | Remuneraciones mediante sistemas de aportación definida pendientes de pago (466) | 400.000 |
| | | —x— | |

**1.3.** Sistema de remuneración de prestaciones definidas a largo plazo.

Teniendo en cuenta que el valor actual de las retribuciones comprometidas es menor que el valor razonable de los activos afectos, procedemos a imputar de la siguiente forma:

| 20.000 | Derechos de reembolso derivados de contratos de seguro relativos a retribuciones a l/p al personal (257) | | |
|---|---|---|---|
| | | a | |
| | | Ganancias actuariales (950) | 20.000 |
| | | —x— | |

Por la imputación al patrimonio neto de las ganancias actuariales:

| 20.000 | Ganancias actuariales (950) | | |
|---|---|---|---|
| | | a | |
| | | Reservas por pérdidas y ganancias actuariales y otros ajustes (115) | 20.000 |
| | | —x— | |

**1.4.** Despido del trabajador.

Por el pago de la indemnización inicial al trabajador:

| 30.000 | Indemnizaciones (641) | | |
|---|---|---|---|
| | | a | |
| | | Caja, euros (570) | 30.000 |
| | | —x— | |

Por la dotación de la provisión al cumplir todos los requisitos necesarios para su imputación:

| 20.000 | Indemnizaciones (641) | | |
|---|---|---|---|
| | | a | |
| | | Provisiones a corto plazo por retribuciones al personal (5290) | 20.000 |
| | | —x— | |

**1.5.** Préstamo de entidad no financiera.

Con base en la aplicación de la normativa, registramos la formalización del préstamo:

| 995.000 | Caja (570) | | |
|---|---|---|---|
| 5.000 | Otros gastos financieros (669) | | |
| | | a | |
| | | Deudas a largo plazo (171) | 800.000 |
| | | Deudas a corto plazo (521) | 200.000 |
| | | —x— | |

A continuación, se procede a calcular los intereses del préstamo y las retenciones.

– Cálculo de intereses: $1.000.000 \times 10\% \times 6/12 = 50.000$ €.

– Cálculo de la retención practicada: $50.000 \times 25\% = 12.500$ €.

| | | |
|---|---|---|
| 50.000 | Intereses de deudas con otras empresas (6624) | |
| | a | |
| | Caja , euros (570) | 37.500 |
| | Hacienda Pública, acreedora por retenciones practicadas (4751) | 12.500 |
| | –x– | |

Por el pago a Hacienda Pública de la retención practicada:

| | | |
|---|---|---|
| 12.500 | Hacienda Pública, acreedora por retenciones practicadas (4751) | |
| | a | |
| | Caja , euros (570) | 12.500 |
| | –x– | |

Por la periodificación de los intereses que vencen en el ejercicio. El cálculo de los intereses a imputar es:

$$1.000.000 \times 10\% \times 4/12 = 33.333 \text{ €.}$$

| | | |
|---|---|---|
| 33.333 | Intereses de deudas con otras empresas (6624) | |
| | a | |
| | Intereses a corto plazo de deudas (528) | 33.333 |
| | –x– | |

**1.6.** Por la puesta en marcha del proyecto de investigación.

| | | |
|---|---|---|
| 40.000 | Sueldos y salarios (640) | |
| 20.000 | Gastos en investigación y desarrollo del ejercicio (620) | |
| | a | |
| | Caja (570) | 60.000 |
| | –x– | |

Por la activación de los gastos ocasionados en el proyecto de investigación y por el registro y obtención de la patente respectiva:

| | |
|---|---|
| 62.000 Propiedad industrial (203) | |
| a | |
| Trabajos realizados para el inmovilizado intangible (730) | 60.000 |
| Caja (570) | 2.000 |
| –x– | |

**1.7.** Por la adquisición del vehículo.

Hay que realizar el cálculo correspondiente, para lo que contamos con la siguiente información:

Variables y cálculos:

- Valor bruto total: 60.000 €.

- Activo entregado: 20.000 €.

- Saldo activo: 40.000 €.

- Plazo (años): 3.

- Anualidad: 12.000 €.

- Cuota global final: 10.000 €.

La tasa de interés efectivo, será aquella que iguale el valor en libros del pasivo financiero en la fecha de modificación, con los flujos de efectivo a pagar según las nuevas condiciones.

$$40.000 = [12.000/(1+i)^1] + [12.000/(1+i)^2] + [12.000/(1+i)^3] + [10.000/(1+i)^3].$$

En la ecuación anterior, una vez despejada la incógnita $i$, obtenemos un resultado de 6,57% que es la tasa de interés efectivo anual.

El procedimiento de cálculo de la variable $i$ se puede hacer de varias formas:

- Por el procedimiento de ensayo y error, utilizando porcentajes mayores y menores en el reemplazo de la variable y luego interpolando dicho valor para obtener la tasa de interés que estamos buscando.

- Por medio del uso de calculadoras financieras, en las cuales les introducimos las variables conocidas y ellas nos arrojan el valor de la variable desconocida.

- Por medio de la utilización de las herramientas matemáticas del programa de cálculo *Excel*. En este caso, es el procedimiento que se ha utilizado, mediante el uso de la función TIR, en el bloque de fórmulas financieras.

Variables y cálculos:

- – Valor bruto total: 60.000 €.
- – Activo entregado: 20.000 €.
- – Saldo activo: 40.000 €.
- – Plazo (años): 3.
- – Anualidad: 12.000 €.
- – Cuota global final: 10.000 €.
- – Interés periódico (año): 6,57%.

Retomando la ecuación inicial:

$$40.000 = [12.000/(1+i)^1] + [12.000/(1+i)^2] + [12.000/(1+i)^3] + [10.000/(1+i)^3]$$

Desde el punto de vista de la matemática financiera, podemos escribirla como:

$$(40.000) + [12.000/(1+i)^1] + [12.000/(1+i)^2] + [22.000/(1+i)^3] = 0$$

Al resolver cada uno de los sumandos, obtenemos los siguientes resultados:

| 0 | 1 | 2 | 3 | TOTAL |
|---|---|---|---|---|
| (40.000) | 11.260 | 10.565 | 18.175 | 0 |

Con base en los resultados anteriores, tenemos la información suficiente para elaborar la tabla de amortización de la totalidad de la vida del contrato de arrendamiento financiero y la cual nos va a permitir la correspondiente imputación contable:

| Tabla de amortización | | | | |
|---|---|---|---|---|
| **Año** | **Cuota** | **Capital** | **Interés** | **Saldo** |
| 0 | — | — | — | 40.000 |
| 1 | 12.000 | 9.371 | 2.629 | 30.629 |
| 2 | 12.000 | 9.987 | 2.013 | 20.643 |
| 3 | 22.000 | 20.643 | 1.357 | — |
| **Total** | **46.000** | **40.000** | **6.000** | |

Por la recepción del equipo de transporte:

| | | |
|---|---|---|
| 60.000 Elemento de transporte (218) | | |
| | a | |
| | Elemento de transporte (218) | 20.000 |
| | Acreedores por arrendamiento financiero a largo plazo (174) | 30.629 |
| | Acreedores por arrendamiento financiero a corto plazo(524) | 9.371 |
| | —x— | |

Por el devengo de los intereses del primer año:

| | | |
|---|---|---|
| 2.629 Intereses de deudas, otras empresa (6624 | | |
| | a | |
| | Acreedores por arrendamiento financiero a corto plazo(524) | 2.629 |
| | —x— | |

Por el pago de la cuota correspondiente al arrendamiento:

| | | |
|---|---|---|
| 12.000 Acreedores por arrendamiento financiero a corto plazo (524) | | |
| | a | |
| | Caja (570) | 12.000 |
| | —x— | |

Por amortización del periodo.

$$(60.000)/3 = 20.000 \ €.$$

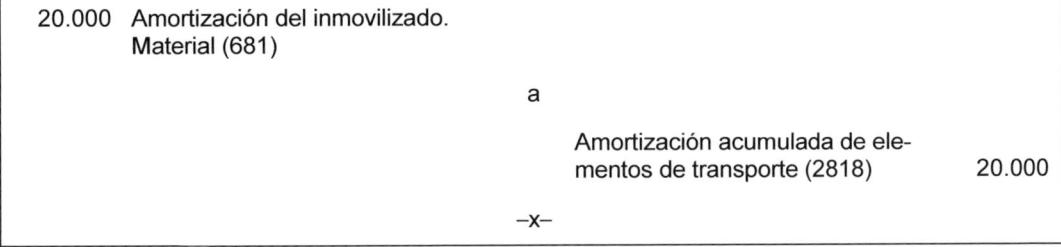

| | | |
|---|---|---|
| 20.000 Amortización del inmovilizado. Material (681) | | |
| | a | |
| | Amortización acumulada de elementos de transporte (2818) | 20.000 |
| | —x— | |

Por la reclasificación del pasivo con base en su vencimiento:

| | | |
|---|---|---|
| 9.987 | Acreedores por arrendamiento financiero a largo plazo (174) | |
| | a | |
| | Acreedores por arrendamiento financiero a corto plazo (524) | 9.987 |
| | —x— | |

**1.8.** Por la adquisición de los derechos de suscripción.

$$1.000 \text{ derechos} \times 2 \text{ € c/u} = 2.000 \text{ €.}$$

| | | |
|---|---|---|
| 2.000 | Inversiones financieras a corto plazo en instrumentos de patrimonio (540) | |
| | a | |
| | Caja, euros (570) | 2.000 |
| | —x— | |

Por la compra de las acciones y el registro de los costes de transacción:

$$500 \text{ acciones} \times 50 \text{ euros} \times 200\% = 50.000 \text{ €.}$$

$$50.000 \times 3\% = 1.500 \text{ €}$$

| | | |
|---|---|---|
| 51.500 | Inversiones financieras a corto plazo en instrumentos de patrimonio (540) | |
| | a | |
| | Caja, euros (570) | 51.500 |
| | —x— | |

**1.9.** Por la suscripción de las acciones e imputación de los gastos.

$$10.000 \times 4,85 \text{ €} = 48.500 \text{ €}$$

| | | |
|---|---|---|
| 48.500 | Inversiones financieras a corto plazo en instrumentos de patrimonio (540) | |
| 1.500 | Otros gastos financieros (669) | |
| | a | |
| | Caja, euros (570) | 50.000 |
| | —x— | |

Corrección valorativa a final de año: el coste de las acciones en el momento de la adquisición fue de 4,85 euros, por acción y su valor de mercado al final del año es de 4 euros por acción.

$$(4,85 - 4,00) \times 10.000 = 8.500 \text{ €}.$$

| | | | |
|---|---|---|---|
| 8.500 | Pérdidas de cartera de negociación (6630) | | |
| | | a | |
| | | Inversiones financieras a corto plazo en instrumentos de patrimonio (540) | 8.500 |

—x—

**1.10.** Gastos recibidos en la factura.

Por la compra soportada en la factura:

| | | | |
|---|---|---|---|
| 1.000.000 | Compras de materias primas (601) | | |
| 200.000 | Envases y embalajes a devolver a proveedores (406) | | |
| 192.000 | Hacienda Pública, IVA soportado (472) | | |
| | | a | |
| | | Caja, euros (570) | 696.000 |
| | | Proveedores (euros) (4000) | 696.000 |

—x—

Por la devolución de envases a los proveedores:

| | | | |
|---|---|---|---|
| 232.000 | Proveedores (euros) (4000) | | |
| | | a | |
| | | Envases y embalajes a devolver a proveedores (406) | 200.000 |
| | | Hacienda Pública, IVA soportado (472) | 32.000 |

—x—

Por la devolución de materias primas:

| | | | |
|---|---|---|---|
| 116.000 | Proveedores (euros) (4000) | | |
| | | a | |
| | | Devoluciones de compras de materias primas (6081) | 100.000 |
| | | Hacienda Pública, IVA soportado (472) | 16.000 |

—x—

El descuento por pronto pago se determina sobre el importe pagado y se cancela el correspondiente IVA:

$$600.000 \text{ €} \times 3,5\% = 21.000 \text{ €}.$$

| | |
|---|---|
| 24.360    Proveedores (euros) (4000) | |
| a | |
| | Descuentos sobre compras por pronto pago de materias primas (6061)     21.000 |
| | Hacienda Pública, IVA soportado (472)     3.360 |
| —x— | |

Bonificaciones concedidas fuera de factura por el volumen de pedido:

| | |
|---|---|
| 46.980    Proveedores (euros) (4000) | |
| a | |
| | *Rappels* por compras de materias primas (6091)     40.500 |
| | Hacienda Pública, IVA soportado (472)     6.480 |
| —x— | |

A continuación presentamos el movimiento de la cuenta de Proveedores:

| (4000) Proveedores (€) | Débitos | Créditos |
|---|---|---|
| | 232.000 | 696.000 |
| | 116.000 | |
| | 24.360 | |
| | 46.980 | |
| Total | 419.340 | 696.000 |
| Saldo | | 276.660 |

A continuación contabilizamos estos movimientos:

| | |
|---|---|
| 276.660    Proveedores (euros) (4000) | |
| a | |
| | Efectos a pagar a corto plazo(525)     276.660 |
| —x— | |

**1.11.** Venta de productos terminados.

Por la imputación de la venta de productos terminados:

| | | | | |
|---|---|---|---|---|
| 2.320.000 | Clientes, euros (4300) | | | |
| | | a | | |
| | | | Venta de productos terminados (701) | 2.000.000 |
| | | | H.P., IVA repercutido (477) | 320.000 |
| | | —x— | | |

Se reciben letras por el importe de la deuda:

| | | | | |
|---|---|---|---|---|
| 2.320.000 | Efectos comerciales en cartera (4310) | | | |
| | | a | | |
| | | | Clientes, euros (4300) | 2.320.000 |
| | | —x— | | |

Registramos la imputación del 50% de los efectos comerciales descontados y el recibo del correspondiente efectivo neto, después de restar los gastos imputados a la transacción.

| | | | | |
|---|---|---|---|---|
| 1.160.000 | Efectos comerciales descontados (4311) | | | |
| | | a | | |
| | | | Efectos comerciales en cartera (4310) | 1.160.000 |
| | | —x— | | |

| | | | | |
|---|---|---|---|---|
| 1.078.800 | Caja, euros (570) | | | |
| 81.200 | Intereses por descuentos de efectos en otras entidades de crédito (6653) | | | |
| | | a | | |
| | | | Deudas por efectos descontados (5208) | 1.160.000 |
| | | —x— | | |

| | |
|---|---|
| 10.000 | Pérdidas de créditos comerciales incobrables (650) |
| 1.160.000 | Deudas por efectos descontados (5208) |
| 1.150.000 | Caja, euros (570) |

|  | a | | |
|---|---|---|---|
| | | Caja, euros (570) | 1.160.000 |
| | | Efectos comerciales en cartera (4310) | 1.160.000 |

−x−

Al vencimiento de los efectos no descontados, el cliente hace efectivo el importe correspondiente:

| | |
|---|---|
| 1.160.000 | Caja, euros (570) |

|  | a | | |
|---|---|---|---|
| | | Efectos comerciales en cartera (4310) | 1.160.000 |

−x−

**1.12.** Deterioro de existencias

Por la reversión del deterioro contabilizado en el ejercicio precedente:

| | |
|---|---|
| 16.000 | Deterioro de valor de las mercaderías (390) |

|  | a | | |
|---|---|---|---|
| | | Reversión del deterioro de mercaderías (7931) | 16.000 |

−x−

Por la imputación del deterioro que se realice en el presente ejercicio:

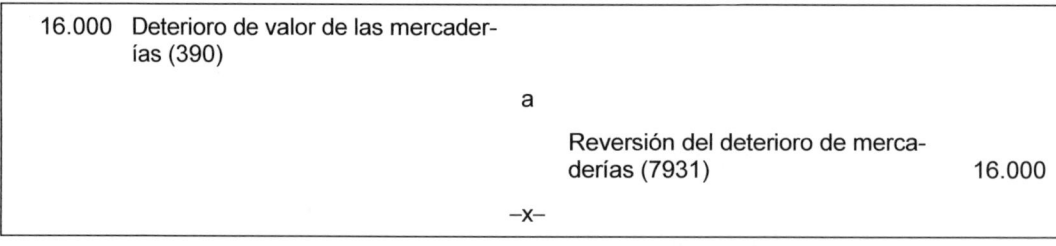

| | |
|---|---|
| 10.000 | Pérdida por deterioro de mercaderías (6931) |

|  | a | | |
|---|---|---|---|
| | | Deterioro de valor de las mercaderías (390) | 10.000 |

−x−

**1.13.** Gastos de teléfono y seguros

En primera instancia, se hace el reconocimiento del gasto del mes de diciembre:

| | | |
|---|---|---|
| 1.000 | Suministros (628) | |
| | a | |
| | Acreedores por prestación de servicios (euros) (4100) | 1.000 |
| | –x– | |

El importe de la prima de seguros es:

| | | |
|---|---|---|
| 4.500 | Primas de seguros (625) | |
| 1.500 | Gastos anticipados (480) | |
| | a | |
| | Caja, euros (570) | 6.000 |
| | –x– | |

**1.14.** Venta de productos en EEUU

Convertimos los dólares en euros, sabiendo que el tipo de cambio es de 1 euro por 1,30 dólares:

$$650.000/1,30 = 500.000\ €.$$

| | | |
|---|---|---|
| 500.000 | Clientes (moneda extranjera) (4304) | |
| | a | |
| | Venta de mercaderías (700) | 500.000 |
| | –x– | |

Al final del ejercicio, por la actualización de la partida a cobrar al tipo de cambio vigente (US$ 1.35/euros):

$$US\$\ 650.000/1.35€ = 481,481\ €.$$

$$(500.000 - 481.481) = 118.519\ €.$$

| | | |
|---|---|---|
| 118.519 | Diferencias negativas de cambio (668) | |
| | a | |
| | Clientes (moneda extranjera) (4304) | 118.519 |
| | –x– | |

**1.15.** Distribución de los resultados positivos del ejercicio anterior.

Por la imputación de la distribución de los resultados:

| | | | |
|---|---|---|---|
| 650.000 | Resultado del ejercicio (129) | | |
| | a | | |
| | | Reserva legal | 200.000 |
| | | Reserva voluntaria | 150.000 |
| | | Dividendo activo a cuenta | 300.000 |
| | –x– | | |

Por cancelación de los impuestos y los dividendos imputados:

| | | | |
|---|---|---|---|
| 350.000 | Hacienda Pública acreedora por impuestos de sociedades (4752) | | |
| 300.000 | Dividendo activo a cuenta (557) | | |
| | a | | |
| | | Caja, euros (570) | 650.000 |
| | –x– | | |

**1.16.** Valoración de existencias finales.

| | | | |
|---|---|---|---|
| 795.000 | Mercaderías (300) | | |
| 50.000 | Materias Primas (310) | | |
| 100.000 | Productos Terminados (350) | | |
| | a | | |
| | | Variación de existencias de mercaderías (610) | 795.000 |
| | | Variación de existencias materias primas (611) | 50.000 |
| | | Variación de existencias producto terminado (712) | 100.000 |
| | –x– | | |

| | | | |
|---|---|---|---|
| 800.000 | Variación de existencias de mercaderías (610) | | |
| | a | | |
| | | Mercaderías (300) | 800.000 |
| | –x– | | |

## 2. Presentación del balance de sumas y saldos.

| Cuentas | D | H | D | H |
|---|---|---|---|---|
| Terrenos y construcciones (211) | 4.300.000 | — | 4.300.000 | |
| Instalaciones técnicas (212) | 20.000 | — | 20.000 | |
| Acciones y participaciones en patrimonio a largo plazo (250) | 960.000 | | 960.000 | |
| Otras inversiones financieras a largo plazo (25) | 1.000.000 | | 1.000.000 | |
| Activos no corrientes mantenidos para la venta (58) | 30.000 | | 30.000 | |
| Mercaderías (300) | 1.595.000 | 800.000 | 795.000 | |
| Clientes por ventas (430) | 150.000 | | 150.000 | |
| Activos por impuestos corrientes (47) | 380.000 | | 380.000 | |
| Otros créditos con las Administraciones Públicas (47) | 320.000 | | 320.000 | |
| Acciones y participaciones en patrimonio a corto plazo (54) | 10.000 | | 10.000 | |
| Periodificaciones (48) | 50.000 | | 50.000 | |
| Caja (570) | 4.623.800 | 3.657.000 | 966.800 | |
| Capital escriturado (100) | | 5.000.000 | | 5.000.000 |
| Reserva legal (112) y estatutaria (1141) | | 1.200.000 | | 1.200.000 |
| Otras reservas (116) | | 650.000 | | 650.000 |
| Resultado del ejercicio (129) | | 650.000 | | 650.000 |
| Instrumentos financieros disponibles para la venta (15) | | 160.000 | | 160.000 |
| Acreedores varios (41) | | 500.000 | | 500.000 |
| Pasivo por impuesto corriente (47) | | 350.000 | | 350.000 |
| Maquinaria (213) | 220.000 | | 220.000 | |
| Ingresos de subvenciones oficiales de capital (940) | | 100.000 | | 100.000 |
| Proveedores de inmovilizado a largo plazo (173) | 4.400 | 92.400 | | 88.000 |
| Proveedores de inmovilizado a corto plazo (523) | 22.000 | 22.000 | | |
| Amortización del inmovilizado material (681) | 64.000 | | 64.000 | |
| Amortización acumulada de maquinaria (2813) | | 44.000 | | 44.000 |
| Transferencia de subvenciones oficiales de capital (840) | 20.000 | | 20.000 | |
| Subvenciones, donaciones y legados de capital trasferido a resultado del ejercicio (746) | | 20.000 | | 20.000 |

| Cuentas | D | H | D | H |
|---|---|---|---|---|
| Intereses de deudas de otras empresas (6624) | 91.462 | | 91.462 | |
| Intereses a corto plazo de deudas (528) | 1.100 | 34.433 | | 33.333 |
| Sueldos y salarios 640) | 1.040.000 | | 1.040.000 | |
| Remuneraciones mediante sistema de aportaciones definidas pendientes de pago (466) | | 400.000 | | 400.000 |
| Retribuciones a largo plazo mediante sistema de aportaciones definidas (643) | 150.000 | | 150.000 | |
| Ganancias actuariales (950) | 20.000 | 20.000 | | |
| Derechos de reembolso derivados de contratos de seguro relativos a retribuciones a largo plazo al personal (257) | 20.000 | | 20.000 | |
| Reservas por pérdidas y ganancias actuariales y otros ajustes (115) | | 20.000 | | 20.000 |
| Indemnizaciones (641) | 50.000 | | 50.000 | |
| Provisiones a corto plazo por retribuciones al personal (5290) | | 20.000 | | 20.000 |
| Otros gastos financieros (669) | 6.500 | | 6.500 | |
| Deudas a largo plazo (171) | | 800.000 | | 800.000 |
| Deudas a corto plazo (521) | | 200.000 | | 200.000 |
| Hacienda Pública, acreedora por retenciones practicadas (4751) | 12.500 | 12.500 | | |
| Gastos de investigación y desarrollo del ejercicio (620) | 20.000 | | 20.000 | |
| Propiedad industrial (203) | 62.000 | | 62.000 | |
| Trabajos realizados por la empresa para el inmovilizado intangible (730) | | 60.000 | | 60.000 |
| Elemento de transporte (218) | 60.000 | 20.000 | 40.000 | |
| Acreedores por arrendamiento financiero a largo plazo (174) | 9.987 | 30.629 | | 20.642 |
| Acreedores por arrendamiento financiero a corto plazo (524) | 12.000 | 21.987 | | 9.987 |
| I.F. a corto plazo de instrumentos de patrimonio (540) | 102.000 | | 102.000 | |
| Amortización acumulada de elementos de transporte (2818) | | 20.000 | | 20.000 |
| Compra de materias primas (601) | 1.000.000 | | 1.000.000 | |
| Envases a devolver a proveedores (406) | 200.000 | 200.000 | | |
| Proveedores (4000) | 696.000 | 696.000 | | |
| Devolución de compras (6081) | | 100.000 | | 100.000 |
| Descuentos sobre compras por pronto pago (6061) | | 21.000 | | 21.000 |

| Cuentas | D | H | D | H |
|---|---|---|---|---|
| *Rappels* sobre compras de materias primas (6091) | | 40.500 | | 40.500 |
| Efectos a pagar a corto plazo (525) | | 276.660 | | 276.660 |
| H.P.,IVA soportado (472) | 192.000 | 57.840 | 134.160 | |
| Clientes (4300) | 2.320.000 | 2.320.000 | | |
| Venta de productos (701) | | 2.000.000 | | 2.000.000 |
| Efectos comerciales descontados (4311) | 1.160.000 | 1.160.000 | | |
| H.P., IVA repercutido (477) | | 320.000 | | 320.000 |
| Intereses por descuentos en otras entidades de crédito (6653) | 81.200 | | 81.200 | |
| Deudas por efectos descontados (5208) | 1.160.000 | 1.160.000 | | |
| Efectos comerciales en cartera (4310) | 2.320.000 | 2.320.000 | | |
| Pérdidas de créditos comerciales incobrables (650) | 10.000 | | 10.000 | |
| Deterioro de valor de las mercaderías (390) | 16.000 | | 6.000 | |
| Reversión del deterioro de mercaderías (7931) | | 10.000 | | |
| Pérdida por deterioro de mercaderías (6931) | 10.000 | 16.000 | 10.000 | 16.000 |
| Suministros (628) | 1.000 | | 1.000 | |
| Acreedores por prestación de servicios (4100) | | | | |
| Prima de seguros (625) | 4.500 | 1.000 | 4.500 | 1.000 |
| Venta de mercaderías (700) | | | | |
| Gastos anticipados (480) | 1.500 | 500.000 | 1.500 | 500.000 |
| Clientes en moneda extranjera (4304) | 500.000 | | 481.481 | |
| Reserva voluntaria (113) | | 18.519 | | |
| Diferencias negativas de cambio (668) | 18.519 | 150.000 | 18.519 | 150.000 |
| Dividendo activo a cuenta (557) | 300.000 | 300.000 | | |
| Resultado del ejercicio (129) | 650.000 | | 650.000 | |
| HP acreedora por impuesto sobre sociedades (4752) | 350.000 | | 350.000 | |
| Materias primas (310) | 50.000 | | 50.000 | |
| Productos terminados (350) | 100.000 | | 100.000 | |
| Variación de existencias de mercaderías (610) | 800.000 | 795.000 | 5.000 | |
| Variación de existencias de materias primas (611) | | 50.000 | | 50.000 |
| Variación de existencias de productos en curso (712) | | 100.000 | | 100.000 |
| **TOTAL** | **27.367.468** | **27.367.468** | **13.889.641** | **13.889.641** |

### 3. Calcular el resultado después de impuestos.

Presentación del resultado después de impuestos:

| | |
|---|---|
| 2.560.681 Resultado del ejercicio (129) | |
| a | |
| Amortización del inmovilizado material (681) | 64.000 |
| Intereses de deudas de otras empresas (6624) | 91.462 |
| Sueldos y salarios (640) | 1.040.000 |
| Retribuciones a largo plazo mediante sistema de aportaciones definidas (643) | 150.000 |
| Indemnizaciones (641) | 50.000 |
| Otros gastos financieros (669) | 6.500 |
| Gastos de investigación y desarrollo del ejercicio (620) | 20.000 |
| Compra de materias primas (601) | 1.000.000 |
| Intereses por descuentos en otras entidades de crédito (6653) | 81.200 |
| Pérdidas de créditos comerciales incobrables (650) | 10.000 |
| Pérdida por deterioro de mercaderías (6931) | 10.000 |
| Suministros (628) | 1.000 |
| Prima de seguros (625) | 4.500 |
| Deterioro de valor de las mercaderías (390) | 6.000 |
| Diferencias negativas de cambio (668) | 18.519 |
| Variación de existencias de mercaderías (610) | 5.000 |
| Pérdidas de cartera de negociación (6630) | 8.500 |

—x—

| | |
|---|---|
| 20.000 | Subvenciones, donaciones y legados de capital trasferido a resultado del ejercicio (746) |
| 60.000 | Trabajos realizados por la empresa para el I. intangible (730) |
| 100.000 | Devolución de compras (6081) |
| 21.000 | Descuentos sobre compras por pronto pago (6061) |
| 40.500 | *Rappels* sobre compras de materias primas (6091) |
| 2.000.000 | Venta de productos (701) |
| 16.000 | Reversión del deterioro de mercaderías (7931) |
| 500.000 | Venta de mercaderías (700) |
| 50.000 | Variación de existencias de materias primas (611) |
| 100.000 | Variación de existencias de productos en curso (712) |

a

| | | |
|---|---|---|
| | Resultado del ejercicio (129) | 2.907.500 |

–x–

El beneficio obtenido en el ejercicio es el resultado del saldo entre las pérdidas y las ganancias y asciende a. 346.819 €.

| | |
|---|---|
| 104.045,70 | Impuesto corriente (6300) |

a

| | | |
|---|---|---|
| | H.P., acreedora por impuesto sobre sociedades (4752) | 104.045,70 |

–x–

| | |
|---|---|
| 346.819 | Resultado del ejercicio (129) |

a

| | | |
|---|---|---|
| | Impuesto corriente (6300) | 104.045,70 |
| | Remanente (120) | 242.773,73 |

–x–

**Resultado después de impuestos (operaciones al cierre del ejercicio)**

Al cierre del ejercicio se deben de realizar las siguientes imputaciones con respecto a las cuentas que afectan el patrimonio neto:

| | | |
|---|---|---|
| 100.000 | Ingresos de Subvenciones oficiales de capital (940) | |
| | a | |
| | Subvenciones oficiales de capital (130) | 80.000 |
| | Transferencias de subvenciones oficiales de capital (840) | 20.000 |
| | —x— | |

En base a lo anterior, el valor de 24.000 € lo obtenemos de aplicar la tarifa actual del impuesto sobre sociedades (30%), al importe neto del valor imputado al patrimonio neto, es decir, sobre 80.000 €:

$$100.000 - 20.000 = 80.000 \text{ €.}$$

A su vez, imputamos la afectación correspondiente a las cuentas del patrimonio neto.

| | | |
|---|---|---|
| 24.000 | Impuesto diferido (8301) | |
| | a | |
| | Pasivos por diferencias temporarias imponibles (479) | 24.000 |
| | —x— | |

La imputación anterior está soportada con base en el texto del R.D.1514/07, dentro del cual podemos extractar lo siguiente:

La cuenta (479) *Pasivos por diferencias temporarias imponibles* recoge las diferencias que darán lugar a mayores cantidades a pagar o a menores cantidades a devolver por los impuestos sobre beneficios en los ejercicios futuros, normalmente, a medida que se recuperen los activos o se liquiden los pasivos de los que se derivan.

| | | |
|---|---|---|
| 24.000 | Subvenciones oficiales de capital (130) | |
| | a | |
| | Impuesto diferido (8301) | 24.000 |
| | —x— | |

Por el cálculo de la valoración al final del ejercicio (sin tener en cuenta los costes de transacción):

- Valoración contable: 2.000 + 51.500 = 53.500 €.
- Valor razonable: 500 × 50 × 210% = 52.500 €.
- Deterioro: 1.000 €.

Por la imputación del deterioro que afecta a las cuentas del patrimonio neto:

| | | |
|---|---|---|
| 1.000 | Pérdidas en activos financieros disponibles para la venta (800) | |
| | a | |
| | Inversiones financieras a corto plazo en instrumentos de patrimonio (540) | 1.000 |
| | —x— | |

| | | |
|---|---|---|
| 300 | Activos por diferencias temporarias deducibles (4740) | |
| | a | |
| | Impuesto diferido (8301) | 300 |
| | —x— | |

Por la afectación a las cuentas del patrimonio neto:

| | | |
|---|---|---|
| 700 | Ajustes por valoración en activos financieros disponibles para la venta (133) | |
| 300 | Impuestos diferidos (8301) | |
| | a | |
| | Pérdidas en activos financieros disponibles para la venta (800) | 1.000 |
| | —x— | |

## 4. Presentación de las Cuentas anuales según el PGC 2007.

| CUENTA DE PERDIDAS Y GANANCIAS 20X2 | | |
|---|---|---|
| Cuenta | Nota | Importe |
| **A) OPERACIONES CONTINUADAS** | | |
| **1. Importe neto de la cifra de negocios** | | **2.500.000,00** |
| a) Ventas | | 2.500.000,00 |
| b) Prestación de servicios | | — |
| **2. Variación de existencias de productos terminados y en curso de fabricación** | | **100.000,00** |
| **3. Trabajos realizados por la empresa para su activo** | | **60.000,00** |
| **4. Aprovisionamientos** | | **(787.500,00)** |
| a) Consumo de mercaderías | | (5.000,00) |
| b) Consumo de materias primas y otras materias consumibles | | (788.500,00) |
| c) Trabajos realizados por otras empresas | | — |
| d) Deterioro de mercaderías, materias primas y otros aprovisionamientos | | 6.000,00 |
| **5. Otros ingresos de explotación** | | — |
| a) Ingresos accesorios y otros de gestión corriente | | — |
| b) Subvenciones de explotación incorporadas al resultado del ejercicio | | — |
| **6. Gastos de personal** | | **(1.240.000,00)** |
| a) Sueldos, salarios y asimilados | | (1.090.000,00) |
| b) Cargas sociales | | (150.000,00) |
| c) Provisiones | | — |
| **7. Otros gastos de explotación** | | **(35.500,00)** |
| a) Servicios exteriores | | (25.500,00) |
| b) Tributos | | — |
| c) Pérdidas, deterioro y variación de provisiones por operaciones comerciales | | (10.000,00) |
| d) Otros gastos de gestión corriente | | — |
| **8. Amortizaciones del inmovilizado** | | **(64.000,00)** |
| **9. Imputación de subvenciones de inmovilizado no financiero y otras** | | **20.000,00** |
| **10. Exceso de provisiones** | | — |
| **11. Deterioro y resultado por enajenaciones del inmovilizado** | | — |
| a) Deterioro y pérdidas | | — |
| b) Resultados por enajenaciones y otras | | 553.000,00 |

| Cuenta | Nota | Importe |
|---|---|---|
| **A-1) RESULTADO DE EXPLOTACIÓN** (1+2+3+4+5+6+7+8+9+10+11+12) | | **2.500.000,00** |
| **12. Ingresos financieros** | | — |
| **a) De participaciones en instrumentos de patrimonio** | | — |
| a¹) En empresas del grupo y asociadas | | — |
| a²) En terceros | | — |
| **b) De valores negociables y de créditos del activo inmovilizado** | | — |
| b¹) En empresas del grupo y asociadas | | — |
| b²) En terceros | | — |
| **13. Gastos financieros** | | **(179.162,00)** |
| a) Por deudas con empresas del grupo y asociadas | | — |
| b) Por deudas con terceros | | (179.162,00) |
| **14. Variación de valor razonable en instrumentos financieros** | | **(8.500,00)** |
| a) Cartera de negociación y otros | | (8.500,00) |
| b) Imputación al resultado del ejercicio por activos financieros disponibles para la venta | | |
| **15. Diferencias de cambio** | | **(18.519,00)** |
| **16. Deterioro y resultado por enajenaciones de instrumentos financieros** | | |
| a) Deterioros y pérdidas | | — |
| b) Resultados por enajenaciones y otras | | — |
| **A-2) RESULTADO FINANCIERO (13+14+15+16+17)** | | **206.181,00)** |
| **A-3) RESULTADO ANTES DE IMPUESTOS (A-1 + A-2)** | | **346.819,00** |
| **17. Impuestos sobre beneficios** | | **(104.045,70)** |
| **A-4) RESULTADOS DEL EJERCICIO PROCEDENTES DE OPERACIONES CONTINUADAS (A-3 + 17)** | | **242.773,30** |
| **B) OPERACIONES INTERRUMPIDAS** | | |
| **18. Resultado del ejercicio procedente de operaciones interrumpidas neto de impuestos** | | — |
| **RESULTADO DEL EJERCICIO (A-4 + 19)** | | **242.773,30** |

| BALANCE AL CIERRE DEL EJERCICIO | | | |
|---|---|---|---|
| **Activo** | **Notas** | **20X2** | **20X1** |
| **A) ACTIVO NO CORRIENTE** | | **6.558.300,00** | **6.280.000,00** |
| **I) Inmovilizado intangible** | | 62.000,00 | — |
| 1. Desarrollo | | — | — |
| 2. Concesiones | | — | — |
| 3. Patentes, licencias, marcas y similares | | 62.000,00 | — |
| 4. Fondo de comercio | | — | — |
| 5. Aplicaciones informáticas | | — | — |
| 6. Otro inmovilizado intangible | | — | — |
| **II) Inmovilizado material** | | 4.516.000,00 | 4.320.000,00 |
| 1. Terrenos y construcciones | | 4.300.000,00 | 4.300.000,00 |
| 2. Instalaciones técnicas, maquinaria, utillaje, mobiliario, y otro inmovilizado material | | 216.000,00 | 20.000,00 |
| 3. Inmovilizado en curso y anticipos | | — | — |
| **III) Inversiones Inmobiliarias** | | — | — |
| 1. Terrenos | | — | — |
| 2. Construcciones | | — | — |
| **IV) Inversiones en empresas del grupo y asociadas a largo plazo** | | 1.000.000,00 | 1.000.000,00 |
| 1. Instrumentos de patrimonio | | — | — |
| 2. Créditos a empresas | | — | — |
| 3. Valores representativos de deuda | | 1.000.000,00 | 1.000.000,00 |
| 4. Derivados | | | |
| 5. Otros activos financieros | | | |
| **V) Inversiones financieras a largo plazo** | | 980.000,00 | 960.000,00 |
| 1. Instrumentos de patrimonio | | 960.000,00 | 960.000,00 |
| 2. Créditos a terceros | | — | — |
| 3. Valores representativos de deuda | | — | — |
| 4. Derivados | | — | — |
| 5. Otros activos financieros | | 20.000,00 | — |
| **VI) Activos por impuesto diferido** | | 300,00 | — |

| Activo | Notas | 20X2 | 20X1 |
|---|---|---|---|
| **B) ACTIVO CORRIENTE** | | **3.567.441,00** | **1.880.000,00** |
| **I) Activos no corrientes mantenidos para la venta** | | 30.000,00 | 30.000,00 |
| **II) Existencias** | | 951.000,00 | 800.000,00 |
| 1. Comerciales | | 801.000,00 | 800.000,00 |
| 2. Materias primas y otros aprovisionamientos | | 50.000,00 | — |
| 3. Productos en curso | | — | |
| 4. Productos terminados | | 100.000,00 | |
| 5. Subporoductos, residuos y materiales recuperados | | — | |
| 6. Anticipos a proveedores | | — | |
| **III) Deudores comerciales y otras cuentas por cobrar** | | 1.465.641,00 | 850.000,00 |
| 1. Clientes por ventas y prestación de servicios | | 631.481,00 | 150.000,00 |
| 2. Clientes, empresas del grupo y asociadas | | | |
| 3. Deudores varios | | | |
| 4. Personal | | | |
| 5. Activos por impuesto corriente | | 380.000,00 | 380.000,00 |
| 6. Otros créditos con las Administraciones Públicas | | 454.160,00 | 320.000,00 |
| 7. Accionistas (socios) por desembolsos exigidos | | | |
| **IV) Inversiones en empresas del grupo y asociadas a corto plazo** | | | |
| 1. Instrumentos de patrimonio | | | |
| 2. Créditos a empresas | | | |
| 3. Valores representativos de deuda | | | |
| 4. Derivados | | | |
| 5. Otros activos financieros | | | |
| **V) Inversiones financieras a corto plazo** | | 102.500,00 | 10.000,00 |
| 1. Instrumentos de patrimonio | | 102.500,00 | 10.000,00 |
| 2. Créditos a empresas | | | |
| 3. Valores representativos de deuda | | | |
| 4. Derivados | | | |
| 5. Otros activos financieros | | | |
| **VI) Periodificaciones a corto plazo** | | 51.500,00 | 50.000,00 |
| **VII) Efectos y otros activos líquidos equivalentes** | | 966.800,00 | 140.000,00 |
| 1. Tesorería | | 966.800,00 | 140.000,00 |
| 2. Otros activos líquidos equivalentes | | | |
| **TOTAL ACTIVO (A + B)** | | **10.125.741,00** | **8.160.000,00** |

| PATRIMONIO NETO Y PASIVO | Notas | 20X2 | 20X1 |
|---|---|---|---|
| **A) PATRIMONIO NETO** | | **7.322.073,30** | **7.310.000,00** |
| **A-1) Fondos propios** | | **7.106.773,30** | **7.150.000,00** |
| **I. Capital** | | 5.000.000,00 | 5.000.000,00 |
| 1. Capital escriturado | | 5.000.000,00 | 5.000.000,00 |
| 2. (Capital no exigido) | | — | — |
| **II. Prima de emisión** | | — | — |
| **III. Reservas** | | 1.864.000,00 | 1.500.000,00 |
| 1. Legal y estatutarias | | 1.200.000,00 | 1.000.000,00 |
| 2. Otras reservas | | 664.000,00 | 500.000,00 |
| **IV. (Acciones y participaciones en patrimonio propias)** | | | |
| **V. Resultados de ejercicios anteriores** | | | |
| 1. Remanente | | | |
| 2. (Resultados negativos de ejercicios anteriores) | | | |
| **VI. Otras aportaciones de socios** | | | |
| **VII. Resultado del ejercicio** | | 242.773,30 | 650.000,00 |
| **VIII. (Dividendo a cuenta)** | | — | — |
| **IX. Otros instrumentos de patrimonio** | | | |
| **A-2) Ajustes por cambio de valor** | | **159.300,00** | **160.000,00** |
| **I. Activos financieros disponibles para la venta** | | 159.300,00 | 160.000,00 |
| **II. Operaciones de cobertura** | | | |
| **III. Otros** | | | |
| **A-3) Subvenciones, donaciones y legados recibidos** | | 56.000,00 | — |
| **B) PASIVO NO CORRIENTE** | | **938.642,00** | — |
| **I) Provisiones a largo plazo** | | | |
| 1. Obligaciones por prestaciones a largo plazo. al personal | | | |
| 2. Actuaciones medioambientales | | | |
| 3. Provisiones por reestructuraciones | | | |
| 4. Otras provisiones | | | |

| PATRIMONIO NETO Y PASIVO | Notas | 20X2 | 20X1 |
|---|---|---|---|
| **II) Deudas a largo plazo** | | 908.642,00 | — |
| 1. Obligaciones y otros valores negociables | | | |
| 2. Deudas con entidades de crédito | | | |
| 3. Acreedores por arrendamiento financiero | | 20.642,00 | — |
| 4. Derivados | | | |
| 5. Otros pasivos financieros | | 888.000,00 | — |
| **III) Deudas con empresas del grupo y asociadas a largo plazo** | | | |
| **IV) Pasivos por impuesto diferido** | | 30.000,00 | — |
| **V) Periodificaciones a largo plazo** | | | |
| | | | |
| **C) PASIVO CORRIENTE** | | **1.865.025,70** | **850.000,00** |
| **I) Pasivos vinculados con activos no corrientes mantenidos para la venta** | | | |
| **II) Provisiones a corto plazo** | | 20.000,00 | — |
| **III) Deudas a corto plazo** | | 519.980,00 | — |
| 1. Obligaciones y otros valores negociables | | | |
| 2. Deudas con entidades de crédito | | | |
| 3. Acreedores por arrendamiento financiero | | 9.987,00 | — |
| 4. Derivados | | | |
| 5. Otros pasivos financieros | | 509.993,00 | — |
| **IV) Deudas con empresas del grupo y asociadas a corto plazo** | | | |
| **V) Acreedores comerciales y otras cuentas a pagar** | | 1.325.045,70 | 850.000,00 |
| 1. Proveedores | | 500.000,00 | 500.000,00 |
| 2. Proveedores, empresas del grupo y asociadas | | | |
| 3. Acreedores varios | | 1.000,00 | |
| 4. Personal (remuneraciones pendientes de pago) | | 400.000,00 | - |
| 5. Pasivos por impuesto corriente | | 104.045,70 | 350.000,00 |
| 6. Otras deudas con las administraciones públicas | | 320.000,00 | - |
| **VI) Periodificaciones a corto plazo** | | | |
| | | | |
| **TOTAL PATRIMONIO NETO Y PASIVO (A + B +C)** | | **10.125.741,00** | **8.160.000,00** |

## Estado de Cambios en el Patrimonio Neto

### A) Estado de Ingresos y Gastos Reconocidos correspondientes al ejercicio 20FD + 1

| CUENTAS | Notas | 20X2 | 20X1 |
|---|---|---|---|
| A)Resultado de la cuenta de pérdidas y ganancias | | 242.773,30 | |
| Ingresos y gastos imputados directamente al patrimonio neto | | | |
| I. Por valoración de instrumentos financieros | | (1.000,00) | |
| 1.Activos financieros disponibles para la venta | | (1.000,00) | |
| 2.Otros ingresos/gastos | | — | |
| II. Por coberturas de flujos de efectivo | | | |
| III. Subvenciones, donaciones y legados recibidos | | 100.000,00 | |
| IV. Por ganancias y pérdidas actuariales y otros ajustes | | 20.000,00 | |
| V. Efecto impositivo | | (35.700,00) | |
| B)Total de ingresos y gastos imputados directamente en el patrimonio neto (I + II + III + IV + V) | | 83.300,00 | |
| Transferencias a la cuenta de pérdidas y ganancias | | | |
| VI. Por valoración de instrumentos financieros | | — | |
| 1. Activos financieros disponibles para la venta | | — | |
| 2. Otros ingresos/gastos | | | |
| VII. Por coberturas de flujos de efectivo | | | |
| VIII. Subvenciones, donaciones y legados recibidos | | (20.000,00) | |
| IX. Efecto impositivo | | 6.000,00 | |
| C) Total Transferencias a la cuenta de pérdidas y ganancias (VI + VII + VIII + IX) | | (14.000,00) | |
| TOTAL DE INGRESOS Y GASTOS RECONOCIDOS (A + B + C) | | 312.073,30 | |

## B. Estado Total de Cambios en el Patrimonio Neto correspondiente al ejercicio terminado el...

| | Capital Escriturado | Capital No exigido | Prima de emisión | Reservas | (Acciones y participaciones en patrimonio) | Resultados ejercicios anteriores | Otras aportaciones de socios | Resultado del ejercicio | (Dividendo a cuenta) | Otros instrumentos de patrimonio | Ajustes por cambio de valor | Subvenciones, donaciones y legados | TOTAL |
|---|---|---|---|---|---|---|---|---|---|---|---|---|---|
| **Nota.** En cada celda de la hoja, los signos de las cifras corresponden a la naturaleza de rubro. Es decir, todas las cifras referentes a créditos o haberes son positivas y los cargos o débitos son negativos. | | | | | | | | | | | | | |
| **A. Saldo, final del año** (Dos anteriores al del presente informe) | 5.000.000 | | | 1.500.000 | | 650.000 | | | | | 160.000 | | 7.310.000,00 |
| I. Ajustes por cambio de criterio (dos años ant. al presente informe) y ant. | | | | | | | | | | | | | |
| II. Ajustes por errores (dos años ant. al presente informe) y ant. | | | | | | | | | | | | | |
| **B. Saldo ajustado, inicio del año** (uno ant. al presente informe) | 5.000.000 | | | 1.500.000 | | 650.000 | | | | | 160.000 | | 7.310.000,00 |
| I. Total ingresos y gastos reconocidos | | | | | | | | | | | | | |
| II. Operaciones con socios o propietarios | | | | | | | | | | | | | |
| 1. Aumentos de capital | | | | | | | | | | | | | |
| 2. (–) Reducciones de capital | | | | | | | | | | | | | |
| 3. Conversión de Pasivos financieros en Patrimonio Neto. (conversión obligaciones, condonaciones de deudas) | | | | | | | | | | | | | |
| 4. (–) Distribución de dividendos | | | | | | | | | | | | | |
| 5. Operaciones con acciones o participaciones propias (netas) | | | | | | | | | | | | | |
| 6. Incremento (reducción) de patrimonio neto resultante de una Combinación de negocios | | | | | | | | | | | | | |
| 7. Otras operaciones con socios o propietarios | | | | | | | | | | | | | |
| III. Otras variaciones del Patrimonio neto | | | | | | | | | | | | | |
| **C. Saldo, final del año** (uno anterior al presente informe) | 5.000.000 | | | 1.500.000 | | 650.000 | | 650.000 | | | 160.000 | | 7.310.000,00 |
| I. Ajustes por cambio de criterio (un año ant. al presente informe) y ant. | | | | | | | | | | | | | |
| II. Ajustes por errores (un año ant. al presente informe) y ant. | | | | | | | | | | | | | |
| **D. Saldo ajustado, inicio del año** (presente informe) | 5.000.000 | | | 1.500.000 | | 650.000 | | 650.000 | | | 160.000 | | 7.310.000,00 |
| I. Total ingresos y gastos reconocidos | | | | 14.000 | | | | 242.773,30 | | | (700) | 56.000 | 312.073,30 |
| II. Operaciones con socios o propietarios | | | | 350.000 | | (650.000) | | | | | | | (300.000,00) |
| 1. Aumentos de capital | | | | | | | | | | | | | |
| 2. (–) Reducciones de capital | | | | | | | | | | | | | |
| 3. Conversión de Pasivos financieros en Patrimonio Neto. (conversión obligaciones, condonaciones de deudas) | | | | | | | | | | | | | |
| 4. (–) Distribución de dividendos | | | | 350.000 | | (650.000) | | | | | | | (300.000,00) |
| 5. Operaciones con acciones o participaciones propias (netas) | | | | | | | | | | | | | |
| 6. Incremento (reducción) de patrimonio neto resultante de una Combinación de negocios | | | | | | | | | | | | | |
| 7. Otras operaciones con socios o propietarios | | | | | | | | | | | | | |
| III. Otras variaciones del Patrimonio neto | | | | | | | | | | | | | |
| **E. Saldo final del año** (presente informe) | 5.000.000 | | | 1.864.000 | | | | 242.773,30 | | | 159.300 | | 7.322.073,30 |

# BIBLIOGRAFÍA

AMERICAN INSTITTUTE OF CERTIFIED PUBLIC ACCOUNTANTS (AICPA). *Long-Term construction type contracts*. Accounting Reserch Bulletin (ARB), nº 45, octubre, 1955.

ALFONSO, J. L.; QUESADA, F. J. *Plan General de Contabilidad, 1990. Aspectos Contables de la Reforma Mercantil*. Ed. Ciencias Sociales. Madrid, 1990.

ALFONSO, J. L. *Una aproximación a la problemática contable de las uniones temporales de España*. Ensayos sobre Contabilidad y Economía. Tomo I: Contabilidad Financiera. Instituto de Contabilidad y Auditoría de Cuentas. Ministerio de Economía y Hacienda. Madrid, 1996.

ARROYO MUÑOZ, J.; CORONA ROMERO, E. *Uniones Temporales de Empresas: Aspectos contables para su contabilización en el sector de la construcción*". Artículo incluido en *Plan de Contabilidad para las empresas constructoras*. Ed. Lex Nova, Valladolid, 1993.

ASOCIACION ESPAÑOLA DE CONTABILIDAD Y ADMINISTRACION DE EMPRESAS (AECA). *Principios contables para los ingresos*. Serie Principios Contables, nº 13, junio, 1993.

BUSTOS, E. *Matemáticas financieras en el nuevo PGC*. Ed. Pirámide. Madrid, 2009.

CAÑIBANO, L. *Contabilidad. Análisis de la realidad económica*. Ed. Pirámide. Madrid, 1990.

CEE. *Directriz del Consejo, de 5 de marzo de 1979, dirigida a coordinar las condiciones de admisión de valores mobiliarios a cotización oficial en las Bolsas de Valores* (79/279/CEE)

CEE. *Cuarta directriz del Consejo, de 25 de julio de 1987, reguladora de las cuentas anuales de ciertas formas de sociedades*.

CORONA ROMERO, E.; ARROYO MUÑOZ, J. *Normas de valoración en la adaptación sectorial del Plan General de Contabilidad a las empresas constructoras*. Artículo incluido en *Plan de Contabilidad para las empresas constructoras*. Ed. Lex Nova. Valladolid, 1993.

DELGADO GOMEZ, A. *Fiscalidad de las empresas constructoras*. Artículo incluido en Plan de Contabilidad para las empresas constructoras. Ed. Lex Nova. Valladolid, 1993.

DRESSEL, G. *Organización de las empresas constructoras*. Editores Técnicos Asociados S.A. Madrid, 1969.

FERNANDEZ PEÑA, E. *Particularidades de la adaptación del PGC 1990 a las empresas constructoras*. Artículo incluido en *Plan de Contabilidad para las empresas constructoras*. Ed. Lex Nova. Valladolid, 1993.

FERNÁNDEZ PIRLA, J.M. *Teoría Económica de la Contabilidad*. Ed. I.C.E, varias ediciones. Madrid.

GALEAZZI, R. *Organización de una empresa de construcción, edificación y obras públicas*. Ed. Gestión Deusto, Bilbao, 1966.

GARCIA MARTINEZ, F.; VILLANUEVA GARCIA, E. *Contabilidad de las operaciones realizadas en régimen de Uniones Temporales de Empresas (I) y (II)*. Técnica Contable, nı 555, págs. 137-154 y nı 556, págs. 261-272; marzo, 1995.

GOXENS ORENSANZ, Mª. A., ET AL. *Introducción a la Contabilidad Financiera*. Ed. Garceta grupo editorial. Madrid 2010.

GUTIERREZ VIGUERA, M. *Contabilidad de empresas constructoras*. Imp. Fernández Ciudad. Madrid, 1993.

GUTIERREZ VIGUERA, M. *Contabilidad de las inmobiliarias*. Imp. Fernández Ciudad. Madrid, 1993.

GUTIERREZ VIGUERA, M. *Ensamble contable de las actividades de construcción y de promociones inmobiliarias*. Artículo de la Obra *La Contabilidad en el siglo XXI*. Volumen extraordinario. Técnica Contable. Madrid, 1998.

GUTIERREZ VIGUERA, M.; COUSO A. *Supuestos contables resueltos en base al nuevo Plan General de Contabilidad*. Ed. Ra-Ma. Madrid, 2008.

HENDRIKSEN, E. *Teoría de la Contabilidad*. Uthea. Mexico, 1974.

IASB. *Normativa Internacional de Contabilidad nº 23,* revisada en 1993, sobre los *costes por intereses.*

IASB. SIC nº 2. *Uniformidad en la capitalización de los costes por intereses*. Párrafo 11 IAS nº 1 y IAS nº 23.

INTERNATIONAL ACCOUNTING STANDARD COMMITTEE (IASC). *Contabilidad de los contratos de construcción". Norma Internacional de Contabilidad (NIC) nº 11*, noviembre 1978. Traducción al castellano en GONZALO ANGULO, J.A. y TUA PEREDA, J. *Normas Internacionales de Contabilidad de la IASC*. Instituto de Censores Jurados de Cuenta de España. Madrid, 1993.

IASB. *NIC nı 19, sobre la contabilización de las prestaciones por jubilación en los estados financieros de los empleadores*, junio de 1982. Revisada en el año 2002.

IASB. *NIC nl 20, relativa a la Contabilidad de las subvenciones del Gobierno y presentación de las ayudas gubernativas*, en noviembre de 1982.Revisada en 1994.

IASB. *NIC nl 26, relativa a la Contabilidad de los Planes de pensiones de jubilación*, en junio de 1986. Revisado en 1994.

IASB. *IAS n° 33. Ganancias por acción*. Revisado en 1998.

IASB. *IAS n° 37 "Provisiones, activos y pasivos contingentes.* Aprobado en 1998.

JANSA, J.M. *Como presupuestar una obra*. Editores Técnicos Asociados, S.A. Madrid, 1971.

JIMENEZ MONTAÑES, M.A. *Supuestos prácticos del Impuesto sobre sociedades*. Boletín Informativo sobre Legislación Fiscal, n° 3,10 y 11, marzo, octubre y noviembre, 1993

LARRIBA, A. *Acciones y Derechos de suscripción*. Instituto de PlanificaciónContable. Madrid, 1982.

LEY 16/2007, de 4 de julio, de *Reforma y adaptación de la legislación mercantil en materia contable para su armonización internacional con base a la normativa de la Unión Europea.*

LEY 2/1995, de 23 de marzo. BOE de 24 de marzo de 1995. *Ley de Sociedades de Responsabilidad Limitada.*

LEY 12/1991, de 29 de abril de *Agrupaciones Económicas.*

LEY 37/1992, de 28 de diciembre del *Impuesto sobre el Valor Añadido.*

LEY 43/1995, de 27 de diciembre, del Impuesto sobre Sociedades.

LEY 16/2007, de 4 de julio, de reforma y adaptación de la legislación mercantil en materia contable para su armonización internacional con base a la normativa de la Unión Europea.

LEY 19/1989, de 25 de julio, de *Reforma parcial y adaptación de la legislación mercantil a las directivas de la Comunidad Económica Europea, en materia de sociedades.*

LOSILLA RAMIREZ M. F., MORENO RUZ A. y RODRIGUEZ GARCÍA F. *Prácticas de Contabilidad financiera*. Ed. Garceta grupo editorial. Madrid, 2011.

MALLO. C y A. PULIDO. *Contabilidad financiera. Un enfoque actual.* Ed. Paraninfo. Madrid, 2008.

NIIF n° 2. *Pagos basados en acciones.*

NEVADO, D.; ALONSO I.; MUÑOZ A.; NÚÑEZ M. *Ejercicios prácticos de Contabilidad financiera y sociedades*. Ed Thomson Reuters. Biblioteca civitas de Economía y empresa. Madrid, 2009.

ORDEN de 27 de enero de 1993, por la que se aprueban las *Normas de Adaptación al Plan General de Contabilidad a las empresas constructoras.*

ORDEN de 14 de enero de 1994, por la que se aprueban los *modelos obligatorios de Cuentas Anuales a presentar en los Registros Mercantiles para su depósito.*

ORDEN de 28 de diciembre de 1994 por la que se aprueban las *Normas de Adaptación del Plan General de Contabilidad a las empresas inmobiliarias.*

OSES GARCÍA J., GARCÍA MARIMÓN X. *108 ejercicios de valoración en Contabilidad financiera.* Ed. Garceta grupo editorial. Madrid, 2010.

PASCUAL MARTINEZ, A.; LABATUT G. *Casos prácticos del PGC y PGC-Pymes y sus implicaciones fiscales.* Ed. CISS. Valencia. 2009.

PLAN GENERAL DE CONTABILIDAD. *Instituto de Contabilidad y Auditoría.* R.D. 1514/2007, 16 de noviembre. Madrid, 2.007.

PULIDO ÁLVAREZ, A. *Combinaciones de negocios y preparación de las cuentas anuales consolidadas. Comentarios y aclaraciones sobre el Real Decreto 1159/2010, por el que se aprueban las Normas para la Formulación de las Cuentas Anuales Consolidadas (NOFCAC).* Ed. Garceta grupo editorial. Madrid, 2010.

QUESADA SANCHEZ, F. J. *Análisis del Patrimonio de la empresa.* Imp. Tébar Flores, S. A. Albacete, 1998.

QUESADA SANCHEZ, F. J. *Contabilidad General.* Imp. Fernández Ciudad. Madrid, 1997.

QUESADA SANCHEZ, F. J. *Fundamentos de Contabilidad.* Imp. Tébar Flores, Albacete, 1998.

QUESADA SANCHEZ, F. J., JIMENEZ MONTAÑES, M. A.; SANTOS PEÑALVER, J. *La Contabilidad de las empresas constructoras. Instituto de Contabilidad y Auditoría de Cuentas.* Ministerio de Economía y Hacienda, Madrid, 1994.

QUESADA SANCHEZ, F. J.; JIMENEZ MONTAÑES, M.A. *Tratamiento contable de las Uniones temporales de empresas* Partida Doble, nı 66. Madrid, Abril 1996. Págs. 52 a 59.

QUESADA SANCHEZ, F. J.; SANTOS PEÑALVER, J. *Manual Práctico de Contabilidad General.* Imp. Fernández Ciudad. Madrid, 1998.

QUESADA, F. J. *Análisis del Patrimonio de la empresa.* Imp. Tebar, S.A. Albacete, 1992.

QUESADA F. J.; SANTOS, J. F. *Casos prácticos de Contabilidad General.* Ed. Pirámide. Madrid 2002.

QUESADA F. J. *Contabilidad: riqueza y renta empresarial.* Ed. Pirámide 2002.

QUESADA F. J. *Planes y Fondos de Pensiones: estudio contable y financiero.* Instituto de Contabilidad y auditoría de cuentas. Ministerio de Economía y Hacienda. Madrid, 1989.

QUESADA, F. J. y OTROS. *Normativa Contable Internacional.* Ed. Ciencias Sociales. Madrid, 1991.

QUESADA F. J. *Normativa y Contabilización de Riesgos, Contingencia e Indemnizaciones.* Ed. Ciencias Sociales. Madrid, 1991.

QUESADA, F. J.; MALLO, C.; JIMENEZ, M.A. *Contabilidad financiera para Pymes. Un enfoque práctico.* Ed. Garceta grupo editorial. Madrid, 2009.

REAL DECRETO 1564/1989, de 22 de diciembre, por el que se aprueba el Texto Refundido de la Ley de Sociedades Anónimas.

REAL DECRETO 1643/1990, de 20 de diciembre por el que se aprueba el *Plan General de Contabilidad.*

REAL DECRETO 1560/1992, de 18 de Diciembre, por el que se aprueba la *Clasificación Nacional de Actividades Económicas.*

REAL DECRETO 1624/1992, de 29 de Diciembre, por el que se aprueba el *Reglamento del Impuesto sobre el Valor Añadido.*

REAL DECRETO 537/1997, de 14 de abril, por el que se aprueba el *Reglamento del Impuesto sobre Sociedades.*

REGLAMENTO (CE) Nº 2336/2004 de la Comisión de 29 de diciembre de 2004, por el que se modifica el Reglamento 1725/2003 por las que se adoptan determinadas *Normas Internacionales de Contabilidad.*

REGLAMENTO (CE) Nº 1910/2005 de la Comisión de 8 de noviembre de 2005, por el que se modifica el Reglamento 1725/2003 por las que se adoptan determinadas *Normas Internacionales de Contabilidad.*

RESOLUCIÓN DE 25 DE SEPTIEMBRE DE 1991, por la que se *fijan criterios para la contabilización de los impuestos anticipados en relación con la provisión para pensiones y obligaciones similares.*

RESOLUCIÓN 8 DE JULIO DE 1981, sobre *aumento de capital con cargo a reservas en el supuesto del artículo 159 del Texto Refundido de la Ley de Sociedades Anónimas.*

RESOLUCIÓN DEL 10 DE ABRIL DE 1992, sobre *aumentos de capital por compensación de créditos en el supuesto del artículo 156 del Texto Refundido de la Ley de Sociedades Anónimas.*

RESOLUCIÓN DE 27 DE JULIO DE 1992, sobre *aumento de capital con cargo a reservas y sobre valoración de participaciones en el capital derivadas de aportaciones no dinerarias.*

RESOLUCION DE 21 DE OCTUBRE DE 1991, del Instituto de Contabilidad y Auditoría de Cuentas por la que se *constituye el grupo de trabajo para la elaboración del borrador de Adaptación del Plan General de Contabilidad a las empresas inmobiliarias.*

RESOLUCION DE 9 DE OCTUBRE DE 1997, del Instituto de Contabilidad y Auditoría de Cuentas, sobre *algunos aspectos de la normativa de valoración decimosexta del Plan General de Contabilidad.*

REY, J. *Contabilidad General.* Ed. Paraninfo. Madrid 2009.

ROJO RAMÍREZ, A. *Análisis Económico-Financiero de la empresa: un análisis desde los datos contables.* Ed. Garceta grupo editorial. Madrid, 2011.

ROJO RAMÍREZ, A. *Las Cuentas Anuales en la Empresa.* Ed. Garceta grupo editorial. Madrid, 2012.

SANCHEZ, M. *Organización y métodos funcionales de la moderna empresa constructora*. Editores Técnicos Asociados, S.A. Madrid, 1973.

SANCHEZ, M. *Control de Costes en la construcción*. Ed. CEAC. Madrid, 1974.

SANTOS PEÑALVER, J. F. *Consolidación de Estados Financieros*. Imp. Tébar Flores, S.L. Albacete, 1994.

SERRA, V.; GINER, B.; VILAR, E. *Sistemas de información contable (una introducción a la Contabilidad)*. Ed Tirant lo blanch. Valencia, 1994.

SERRANO MORACHO, F. *Modelos de costes de empresas constructoras de pequeño y mediano trabajo*. Partida Doble, nº 20, 21, febrero-marzo, 1992.

URIAS, J. *Introducción a la Contabilidad. Teoría y supuestos*. Ed. Pirámide. Madrid, 1996

VARGAS VARELA, J. A. *La información económica de las empresas constructoras*. Partida Doble, nº 28, noviembre 1992.

WOLKSTEIN, H. W. *Métodos contables en la industria de la construcción*. Ed. Deusto. Bilbao, 1973